Le **régime**
anti-inflammatoire

Infographie : Manon Léveillé

Catalogage avant publication
de Bibliothèque et Archives Canada

Barry Sears

Le régime anti-inflammatoire : comment vaincre
ce mal silencieux qui détruit votre santé

Traduction de : The Anti-Inflammation Zone

1. Inflammation (Pathologie) – Médecines parallèles.
2. Inflammation (Pathologie) – Diétothérapie.
3. Huiles de poisson – Emploi en thérapeutique.
I. Titre.

RB131.S4214 2006   616'.0473   C2006-940138-1

Pour en savoir davantage sur nos publications,
visitez notre site : **www.edhomme.com**
Autres sites à visiter : www.edjour.com
www.edtypo.com • www.edvlb.com
www.edhexagone.com • www.edutilis.com

02-06

L'ouvrage original a été publié par ReganBooks,
succursale de HarperCollins*Publishers* Inc.,
sous le titre *The Anti-Inflammation Zone*

Dépôt légal : 1er trimestre 2006
Bibliothèque nationale du Québec

ISBN 2-7619-2187-9

DISTRIBUTEURS EXCLUSIFS :

• Pour le Canada et les États-Unis :
MESSAGERIES ADP*
955, rue Amherst
Montréal, Québec H2L 3K4
Tél. : (514) 523-1182
Télécopieur : (450) 674-6237
* Filiale de Sogides ltée

• Pour la France et les autres pays :
INTERFORUM
Immeuble Paryseine, 3, Allée de la Seine
94854 Ivry Cedex
Tél. : 01 49 59 11 89/91
Télécopieur : 01 49 59 11 33
Commandes : Tél. : 02 38 32 71 00
                Télécopieur : 02 38 32 71 28

• Pour la Suisse :
INTERFORUM SUISSE
Case postale 69 - 1701 Fribourg - Suisse
Tél. : (41-26) 460-80-60
Télécopieur : (41-26) 460-80-68
Internet : www.havas.ch
Email : office@havas.ch
DISTRIBUTION : OLF SA
Z.I. 3, Corminbœuf
Case postale 1061
CH-1701 FRIBOURG
Commandes : Tél. : (41-26) 467-53-33
                Télécopieur : (41-26) 467-54-66
                Email : commande@ofl.ch

• Pour la Belgique et le Luxembourg :
INTERFORUM BENELUX
Boulevard de l'Europe 117
B-1301 Wavre
Tél. : (010) 42-03-20
Télécopieur : (010) 41-20-24
http://www.vups.be
Email : info@vups.be

Gouvernement du Québec – Programme de crédit
d'impôt pour l'édition de livres – Gestion SODEC –
www.sodec.gouv.qc.ca

L'Éditeur bénéficie du soutien de la Société de
développement des entreprises culturelles du Québec
pour son programme d'édition.

Nous reconnaissons l'aide financière du gouvernement
du Canada par l'entremise du Programme d'aide au
développement de l'industrie de l'édition (PADIÉ) pour
nos activités d'édition.

Dr Barry Sears

Le régime
anti-inflammatoire

Comment vaincre ce mal silencieux qui détruit votre santé

*Traduit de l'américain
par Louise Chrétien
et Marie-Josée Chrétien*

LES ÉDITIONS DE
L'HOMME

Introduction

La majorité de la population et pratiquement tout le corps médical ne comprennent pas en quoi consiste le juste milieu. Considéré comme un régime d'amaigrissement, le juste milieu est pourtant une voie vers une nouvelle compréhension de la manière dont l'équilibre hormonal détermine l'état de notre santé. La véritable clé de la bonne santé consiste à maintenir dans le juste milieu le taux d'un certain groupe d'hormones appelées les eicosanoïdes. Ces hormones peu connues et presque mystiques sont les gardiennes de votre avenir. Maintenez-les en équilibre et votre avenir sera radieux. Laissez-les se dérégler et votre avenir s'assombrira.

Comment puis-je être aussi catégorique ? Je le peux, car j'ai fait la preuve que les eicosanoïdes agissent sur toute inflammation. Or, l'inflammation commence à être reconnue comme la cause sous-jacente de presque toutes les maladies chroniques qui menacent, à l'heure actuelle, de détruire notre système de soins de santé.

Les avantages du contrôle hormonal vont bien au-delà de la perte de poids. En fait, le contrôle hormonal a une influence sur pratiquement tous les aspects de notre vie. Vous trouverez ci-dessous une liste des principaux avantages – autres que la perte de poids – que procure le programme que je propose pour atteindre le juste milieu anti-inflammatoire :

- meilleure santé ;
- longévité accrue ;
- réduction des symptômes des maladies chroniques ;
- meilleure maîtrise des émotions ;
- plus grande acuité mentale ;
- amélioration de la performance physique.

Les maladies cardiaques, le diabète, le cancer et la maladie d'Alzheimer consument la grande majorité de nos ressources de santé. Elles ont toutes une importante composante inflammatoire. Cette inflammation mène inexorablement l'organisme à la maladie chronique. Contrôlez cette inflammation et vous aurez fait un grand pas pour atténuer, sinon supprimer, les symptômes de ces maladies chroniques, et pour recouvrer la santé.

Il faut savoir que ce qui est essentiel dans l'existence (santé, longévité, performance physique et mentale, émotions) est sous le contrôle des hormones. Gardez ces hormones bien équilibrées et vous atteindrez votre objectif le plus précieux dans la vie : être en bonne santé physique et mentale. La bonne santé n'est pas une vue de l'esprit. On peut la mesurer et la quantifier dans le sang. Ainsi, il ne s'agit plus une notion philosophique, mais une donnée médicale. Cet ouvrage traite de la façon d'atteindre cette bonne santé en maîtrisant toute inflammation.

Mes précédents ouvrages sur la technologie de contrôle hormonal du juste milieu, publiés tout au long des 10 dernières années, ont toujours abordé le contrôle de l'inflammation, car le juste milieu se fonde sur l'équilibre des eicosanoïdes. En 1995, lorsque j'ai écrit le premier ouvrage de la série, pratiquement personne dans le corps médical – et encore moins dans le grand public – n'avait entendu parler des eicosanoïdes. Pourtant, les chercheurs qui ont souligné le rôle des eicosanoïdes dans les maladies humaines ont reçu le prix Nobel de médecine en 1982 ! Aujourd'hui encore, rares sont les gens qui comprennent le pouvoir des eicosanoïdes. Par contre, tout le monde en connaît suffisamment sur l'inflammation silencieuse pour savoir qu'elle est dommageable, même si on ignore encore que les eicosanoïdes en sont les médiateurs. Maîtrisez vos taux d'eicosanoïdes et vous maîtriserez votre taux d'inflammation silencieuse ainsi que, par conséquent, votre état de santé. C'est aussi simple que cela. Et votre avenir en sera transformé.

Les meilleurs outils à votre disposition pour changer cet avenir sont la combinaison du régime du juste milieu et des suppléments d'huile de poisson ultraraffinée à fortes doses. Deux autres mesures peuvent être prises. Elles sont moins déterminantes que le régime alimentaire, mais elles peuvent atténuer les dommages collatéraux induits par l'inflammation : un programme d'exercices et une méthode destinée à réduire le stress. Combinées, ces approches constituent ce que j'appelle le programme de vie dans le juste milieu. Il ne vous faudra que 30 jours pour commencer à maîtriser ces outils qui vont changer votre avenir. Ne me croyez pas sur parole – fiez-vous à votre sang, qui vous confirmera mes convictions de manière éclatante. Vous devez cependant savoir que, pour maîtriser l'inflammation, ces outils devront être utilisés pendant toute votre vie.

Il faut que vous sachiez que, si vous abandonnez la lutte contre l'inflammation, vous laisserez libre cours au processus de vieillissement, ouvrant tout grand la porte aux maladies chroniques qui l'accompagnent. La perte de votre gras corporel excédentaire constitue une composante clé de la lutte contre l'inflammation; un taux excessif d'insuline vous fait non seulement grossir et vous empêche de perdre la graisse indésirable, mais il augmente l'inflammation. Cependant, aussi nécessaire que soit la perte de poids, son importance est beaucoup moins essentielle dans votre lutte contre l'inflammation que la prise d'huile de poisson ultraraffinée à fortes doses.

Le présent ouvrage a aussi pour but de vous prévenir au sujet d'une nouvelle épidémie d'un type d'inflammation qui reste sous le seuil de perception de la douleur: l'inflammation silencieuse. C'est ce « silence » qui la rend dangereuse: vous ignorez son existence, mais elle érode implacablement votre état de santé, jusqu'à ce qu'une maladie chronique se déclare, des dizaines d'années plus tard. Ce livre vous apprendra à maîtriser l'inflammation silencieuse dans votre organisme en faisant le moins d'efforts possible. Si j'insiste sur cette phrase, *en faisant le moins d'efforts possible*, c'est parce que tout changement, même positif, cause un stress. Je vous promets que vous constaterez une amélioration marquée de votre qualité de vie au cours des 30 jours qui suivront l'adoption de mon programme. Et quand vous subirez les tests cliniques appropriés, votre analyse sanguine confirmera le chemin parcouru vers la bonne santé. Voilà un type de changement que nous accueillons tous avec plaisir.

Le contrôle continu de l'inflammation est le fondement du juste milieu. En général, les gens mettent environ un an pour bien intégrer ces habitudes de vie. Considérez le présent ouvrage comme un manuel de bonne santé auquel vous vous reporterez constamment pour apprendre à maîtriser les compétences alimentaires nécessaires pour bien se porter. Il vous faudra bien sûr modifier votre style de vie en conséquence. Naturellement, vous devez pouvoir mesurer objectivement les avantages que procurent ces changements hormonaux. Je ne vous demande pas de me croire sur parole, même s'il est absolument certain que vous pouvez changer votre équilibre hormonal en un seul repas et que vous pouvez vous sentir mieux, penser plus clairement et fournir un meilleur rendement quelques jours seulement après avoir atteint le juste milieu. Je souhaite que vous soyez attentif aux changements qui s'opèrent en vous et que vous parveniez à les quantifier. Des modifications dans la chimie de votre sang détermineront la véritable profondeur de votre nouvel état de santé. Des analyses sanguines vous donneront une idée très nette de ce que l'avenir vous réserve ; ce sont les marqueurs les plus précis de l'inflammation silencieuse dont dispose la médecine.

Si vous n'apprenez pas à équilibrer vos hormones pour contrôler votre inflammation silencieuse, votre avenir risque d'être sombre. Le juste milieu anti-inflammatoire vous donne la chance de changer votre avenir et de l'orienter dans la direction de votre choix. Si votre taux élevé d'inflammation silencieuse semble assombrir votre avenir, ne vous inquiétez pas : vous pouvez le changer en 30 jours seulement. Une fois que vous l'aurez fait, vous serez sur la voie d'un état permanent de bonne santé.

Bienvenue dans le juste milieu anti-inflammatoire – qui vous fera retrouver la santé !

PREMIÈRE PARTIE

L'épidémie d'inflammation silencieuse et la détérioration de la santé

Chapitre 1
Être en bonne santé

Nous croyons en jouir et nous la tenons pour acquise jusqu'au jour où nous tombons malades. Je parle ici de la « bonne santé », qui se définit, selon *Le Petit Robert,* comme « un bon état physiologique [...], fonctionnement régulier et harmonieux de l'organisme pendant une période appréciable [...] ». Ce qui sous-entend qu'il faut faire un effort pour rester en bonne santé, ce que bon nombre de gens ne font pas.

Vous pensez probablement que la bonne santé est simplement l'absence de maladie chronique. N'étant pas malade, vous concluez que vous êtes nécessairement en bonne santé. Malheureusement, cette définition ne tient pas la route, car il s'écoule souvent des années, voire des dizaines d'années, avant que n'apparaissent les premières manifestations de maladies comme la cardiopathie, le diabète, le cancer et la maladie d'Alzheimer. Les graines de la maladie chronique sont semées à un âge précoce, parfois même au cours de l'enfance. Nos gènes, notre poids, nos habitudes alimentaires et notre forme physique sont autant de facteurs qui déterminent si nous sommes en bonne santé ou si nous allons droit vers la maladie chronique. Ces facteurs nous indiquent également si nous risquons d'être victimes d'un tueur indétectable : l'inflammation silencieuse. Lorsque notre taux d'inflammation silencieuse est élevé, nous ne sommes pas en bonne santé. En fait, voici ma définition personnelle de la bonne santé :

Bonne santé = absence d'inflammation silencieuse

Vous vous demandez sans doute ce que peut bien être l'inflammation silencieuse. Et ce qui vous paraît encore plus mystérieux, c'est le fait que cette inflammation puisse être silencieuse. L'inflammation silencieuse est tout simplement une inflammation qui se situe en deçà du seuil de perception de la douleur, et c'est justement ce qui la rend dangereuse. Comme nous ne prenons pas de mesures pour l'enrayer, elle couve pendant des années, voire des dizaines d'années, avant de provoquer une maladie dite chronique.

Je n'insisterai jamais assez sur le lien extrêmement étroit qui existe entre l'inflammation silencieuse et les maladies chroniques qui mettent la vie en danger. Si votre taux d'inflammation silencieuse est élevé, vous n'êtes pas en bonne santé, même si vous ne souffrez d'aucune maladie.

L'ironie, dans tout cela, c'est que l'inflammation est la composante de notre système immunitaire qui nous sauve la vie en aidant notre organisme à repousser les bactéries, les virus, les champignons et autres envahisseurs microbiens. L'inflammation aide aussi nos tissus endommagés à se régénérer à la suite d'une blessure. Si l'inflammation n'existait pas, nous deviendrions des proies faciles dans un monde très hostile, car nous n'aurions aucun moyen de réparer les dommages qui nous sont constamment infligés. Malheureusement, l'inflammation a aussi un côté sombre, qui se manifeste lorsqu'elle reste constamment activée. Nombre d'études successives ont mis en relief les innombrables torts que l'inflammation chronique cause à l'organisme. L'inflammation a un effet néfaste sur les artères et peut entraîner des crises cardiaques et des accidents vasculaires cérébraux. Elle détruit des cellules nerveuses dans le cerveau des personnes atteintes de la maladie d'Alzheimer. En outre, elle déprime le système immunitaire et contribue à favoriser la formation de tumeurs cancéreuses. En fait, l'inflammation silencieuse est à l'opposé de la bonne santé. Elle ouvre la voie à la maladie chronique. Elle a pris des proportions épidémiques et menace de détruire notre système de santé.

Mais tout n'est pas perdu. Si vous vous dirigez tout droit vers une maladie chronique, sachez que vous pouvez prendre des mesures pour modifier votre avenir. Vous pouvez retrouver la santé nécessaire pour repousser la cardiopathie ou le diabète. Mais, pour cela, vous devez agir. Tout d'abord, vous devez déterminer si vous êtes en bonne santé ou si la maladie vous guette. Si vous avez un excédent de gras corporel, si vous vous alimentez mal ou si vous faites trop peu d'exercices physiques, vous êtes probablement sur la mauvaise voie. Cela devrait être assez évident, mais votre véritable état de santé ne vous sera révélé dans toute son ampleur que lorsque vous connaîtrez l'étendue de l'inflammation silencieuse dans votre organisme. Or, fait extraordinaire, votre état de santé peut maintenant être mesuré de manière scientifique : il existe des examens sanguins qui permettent de déterminer le taux d'inflammation silencieuse dans l'organisme. Si votre taux d'inflammation silencieuse est élevé, vous devrez prendre les mesures nécessaires pour atteindre le juste milieu anti-inflammatoire afin de recouvrer la santé.

LA NATURE INSIDIEUSE DE L'INFLAMMATION SILENCIEUSE

Toute douleur est attribuable à une inflammation. L'inflammation attire notre attention lorsque nos articulations et nos tissus se mettent à enfler, mais nous ne nous en préoccupons que lorsqu'elle commence à nous faire souffrir. Ce genre d'inflammation se manifeste sous la forme d'une *douleur insupportable*. Elle est donc facilement reconnaissable dès qu'elle frappe, et nous la soulageons généralement en prenant un anti-inflammatoire, comme de l'aspirine ou de l'ibuprofène. Si ces médicaments en vente libre demeurent inefficaces, nous avons toujours la possibilité de consulter un médecin afin qu'il nous prescrive un médicament plus puissant.

Si vous demandez à votre médecin une définition exacte de l'inflammation, il vous répondra probablement qu'il s'agit d'un phénomène très complexe. C'est là une sorte de sténographie médicale qui équivaut à dire : « Je ne sais pas vraiment ce qu'il en est ; tout ce que je peux vous dire, c'est qu'elle vous fait probablement du tort. » Le principal objet de la médecine a toujours été la découverte de composés qui atténuent la douleur. Cependant, bien que les analgésiques puissent être très efficaces et procurer un soulagement temporaire, ils sont impuissants lorsqu'il s'agit d'enrayer les causes de l'inflammation.

Poussons les choses un peu plus loin. Disons que vous avez la chance de ne pas souffrir d'une affection qui vous cause une douleur chronique insupportable. Vous pensez être en bonne santé. Malgré cela, vous subissez peut-être les dangereux effets d'une inflammation chronique qui reste en deçà de votre seuil de perception de la douleur. Votre organisme endure sans se plaindre les effets nocifs de l'inflammation silencieuse. Je pourrais même parler de *douleur silencieuse*. Vous ne ressentez pas la douleur causée par ce type d'inflammation qui s'attaque inlassablement à votre cerveau, à votre cœur et à votre système immunitaire.

MON ENGAGEMENT ENVERS VOUS

Si vous souffrez d'inflammation silencieuse, non seulement vous n'êtes plus en bonne santé, mais vous vous dirigez vers la maladie chronique. Mais vous ne le savez pas encore ! Je sais que cela peut être difficile à croire, mais l'inflammation silencieuse joue un rôle dans l'apparition de presque toutes les maladies chroniques. Ces maladies n'apparaissent pas du jour au lendemain. Par exemple, la plupart des personnes atteintes de cancer sont estomaquées lorsque leur maladie est diagnostiquée. « Mais je me sens très bien ! s'exclament-elles. Comment puis-je être malade ? » C'est pour cette raison que l'on dit du cancer qu'il est insidieux. Une tumeur peut couver pendant des années avant que sa présence ne se manifeste. L'inflammation silencieuse agit de la même façon. Si aucune douleur ne vous annonce sa présence, cela ne veut pas dire qu'elle n'est pas là. Et si vous avez un taux élevé d'inflammation silencieuse, vous n'êtes carrément plus en bonne santé, même si vous ne vous sentez pas malade.

Imaginez maintenant qu'il vous est possible de détecter un début d'inflammation silencieuse des années ou même des dizaines d'années avant l'apparition d'une maladie chronique. Imaginez que vous disposez du « médicament miracle » qui peut stopper votre inflammation silencieuse et prévenir la maladie ou en ralentir fortement la progression. Prendrez-vous ce médicament ?

Qui ne le prendrait pas ? Eh bien, sachez que je vous donne ce médicament miracle dans le présent ouvrage ! S'appuyant sur les recherches les plus récentes dans le domaine de l'inflammation, ce livre a pour but de vous indiquer comment modifier le milieu hormonal de votre organisme, premier responsable de l'inflammation silencieuse. Lorsqu'elles sont suivies correctement, les prescriptions alimentaires et les habitudes de vie que je recommande peuvent inverser le processus de l'inflammation silencieuse et l'empêcher d'évoluer vers une véritable maladie chronique.

Autrement dit, ce livre vous trace une voie claire vers un état de bonne santé, qui pourra vous être confirmé par une simple analyse sanguine. C'est ce qu'on appelle de la bonne médecine.

Une bonne santé vous permettra non seulement de repousser les maladies chroniques, mais aussi de vieillir dans des conditions optimales. Personne n'échappe au vieillissement. Mais pouvez-vous préserver votre qualité de vie en vieillissant? Pouvez-vous éviter de passer les dernières années de votre existence dans un état débilitant qui vous rend dépendant de soins infirmiers? Si vous suivez les conseils simples sur l'alimentation et le style de vie qui sont présentés dans *Le régime anti-inflammatoire*, la réponse est un oui catégorique. Plus longtemps vous vous maintiendrez en bonne santé, meilleure sera votre qualité de vie présente et future.

En fait, vous pouvez commencer à vous sentir mieux dès maintenant! Quelques jours dans le juste milieu et vous sentirez la différence! Le juste milieu anti-inflammatoire ne relève pas de la science-fiction. Diverses études en ont vérifié les concepts, y compris des études menées à la faculté de médecine de l'université Harvard. Même si vous pensez jouir d'une bonne qualité de vie, vous serez étonné de constater à quel point vous pouvez vous sentir mieux. Au fil des ans, d'innombrables adeptes du juste milieu m'ont dit qu'ils ne s'étaient jamais rendu compte à quel point on se sent mieux en se maintenant dans le juste milieu. Ne me croyez pas sur parole; faites l'essai du programme par vous-même. Demandez à votre médecin de vous prescrire des analyses sanguines afin de voir si vous êtes en bonne santé. Ensuite, efforcez-vous d'atteindre le juste milieu. Puis, faites de nouvelles analyses. Si vous avez suivi le programme à la lettre, vous constaterez certainement une sérieuse amélioration. Et vous comprendrez ce que j'entends par « se sentir véritablement bien » !

L'ÉVOLUTION PERMANENTE DU JUSTE MILIEU

Il y a dix ans, lorsque j'ai exposé mon concept du juste milieu, j'ai déclenché une révolution dans les conceptions traditionnelles concernant l'alimentation. Les aliments ne sont pas seulement une nourriture pour l'organisme, ils sont aussi un « médicament » puissant qui peut nous permettre de recouvrer la santé grâce à un meilleur contrôle hormonal.

Comme un médicament, cependant, la nourriture peut aussi nous rendre malades si nous l'utilisons mal. Le juste milieu n'est ni un lieu mystique ni un terme commercial accrocheur, il s'agit plutôt d'un état physiologique réel, dans lequel les hormones sont équilibrées, ce qui optimise la bonne santé et minimise le risque de contracter une maladie chronique. Or, dans une large mesure, c'est l'alimentation qui équilibre les hormones. Mangez les bons aliments en quantité optimale et votre organisme jouira d'un équilibre hormonal optimal. Mangez les mauvais aliments en quantité malsaine et vous augmenterez votre taux d'inflammation silencieuse, ce qui vous mènera directement à la maladie chronique.

Les recommandations alimentaires sur l'équilibre entre les protéines, les glucides et le gras, que j'ai déjà énoncées il y a plus de dix ans dans le régime du juste milieu, demeurent à ce jour la meilleure façon de contrôler l'insuline. En contrôlant votre taux d'insuline, vous perdrez plus facilement votre excédent de gras corporel et vous éloignerez les risques de maladies liées à l'obésité, comme le diabète et les maladies cardiaques, de même que l'inflammation silencieuse chronique. Prenez aussi de l'huile de poisson ultraraffinée à fortes doses. Comme je l'ai expliqué pour la première fois dans *Le régime Oméga*, l'huile de poisson est la meilleure façon d'équilibrer les eicosanoïdes, c'est-à-dire les substances qui, en dernière analyse, contrôlent tout le processus inflammatoire. Le régime du juste milieu et l'huile de poisson à fortes doses sont vos meilleures armes pour préserver votre santé.

Cependant, vous disposez aussi d'autres armes pour vous protéger des maladies et pour réduire l'inflammation silencieuse. Ces armes sont l'exercice et les techniques antistress, que vous devrez absolument intégrer à votre programme quotidien de bonne santé. En vous servant efficacement de ces armes additionnelles, vous pourrez suivre le régime du juste milieu de manière un peu moins rigoureuse et prendre un peu moins d'huile de poisson ultraraffinée.

Le présent ouvrage vous offre le programme du juste milieu le plus exhaustif qui ait jamais été proposé. En plus de vous fournir des prescriptions alimentaires personnalisées, je vous présente un programme par étapes pour réduire votre inflammation silencieuse dans un délai de 30 jours. Vous devrez probablement faire certains ajustements dans votre style de vie, mais cela ne vous obligera pas à modifier radicalement vos habitudes. Par exemple, les exercices que j'ai conçus peuvent se faire devant la télé, dans le confort de votre foyer, et mes techniques de relaxation s'utilisent n'importe où, où que vous soyez, installé à votre bureau ou assis dans un fauteuil confortable. Vous constaterez en outre que suivre le régime du juste milieu n'a rien d'exigeant. Vous diviserez simplement votre assiette en trois sections égales, et vous vous servirez ensuite de vos yeux et de la paume de la main pour mesurer les portions appropriées de protéines, de gras et de glucides que vous devez absorber. Quinze secondes par jour vous suffiront pour prendre toute l'huile de poisson dont vous avez besoin !

Un simple petit effort réduira les effets ravageurs de l'inflammation silencieuse. Voilà ce que je vous garantis pendant votre première semaine sur la voie du juste milieu. L'inversion graduelle de votre inflammation silencieuse vous procurera les bienfaits suivants :

- un esprit plus clair ;
- un meilleur rendement ;
- une meilleure apparence ;
- une plus grande sensation de bien-être.

Tous ces bienfaits sont la conséquence de la réduction rapide de l'inflammation silencieuse. Avec le temps, le contrôle des hormones responsables de l'inflammation silencieuse contribue à :

- prévenir la cardiopathie et les accidents vasculaires cérébraux ;
- prévenir le cancer ;
- combattre le diabète de type 2 ;
- prévenir les affections neurologiques (maladie d'Alzheimer, dépression, trouble déficitaire de l'attention, maladie de Parkinson) ;
- soulager les maladies auto-immunes (arthrite rhumatoïde, lupus, sclérose en plaques) ;
- atténuer les douleurs insupportables (fibromyalgie, migraines, douleurs chroniques, arthrite, et ainsi de suite).

En contrôlant vos hormones, vous prenez votre propre avenir en main.

Si vous voulez sauter des étapes et entreprendre immédiatement le programme que je propose, passez directement à la deuxième partie, qui commence à la page 45. Vous devriez avoir des résultats en moins de deux semaines. Cependant, avant de croire à mes promesses, il serait bon que vous preniez connaissance des données scientifiques qui les étayent. Les deux chapitres qui suivent expliquent ce qu'est l'inflammation silencieuse et pourquoi elle constitue une très dangereuse menace pour l'organisme lorsqu'elle n'est pas contrôlée. Vous comprendrez comment les diverses composantes de ma « technologie du juste milieu » s'unissent pour inverser le processus de l'inflammation silencieuse. Si votre but est d'être en bonne santé, ou de la recouvrer, ces connaissances vous convaincront que vous devez rester dans le juste milieu.

Chapitre 2
Pourquoi l'inflammation silencieuse est-elle aussi dangereuse ?

Je parle d'inflammation depuis 10 ans et, soudainement, c'est devenu le sujet de l'heure. L'inflammation faisait la page couverture du magazine *Time* en février 2004; articles de journaux et reportages télévisés sur le sujet abondent. Toute cette attention est méritée. Des dizaines d'années de recherche ont permis de mettre au jour un élément très clair : l'inflammation que l'on ne peut sentir (l'inflammation silencieuse) est sans doute la « force des ténèbres » responsable de bon nombre des maladies les plus redoutées de l'âge mûr et de la vieillesse.

Cette percée scientifique a un aspect très prometteur, mais elle met aussi en relief une réalité moins heureuse. En effet, force est d'admettre que les Américains ont, en général, un style de vie qui occasionne des inflammations silencieuses chroniques, ce qui peut les condamner à éprouver de graves incapacités, malgré tous les progrès de la médecine. D'un autre côté, cette percée pourrait éliminer le besoin de recourir aux médicaments qui traitent les maladies cardiaques, le cancer, le diabète et la maladie d'Alzheimer, pour la bonne raison qu'il pourrait être possible d'éviter toutes ces maladies et diverses affections grâce à un seul remède réduisant l'inflammation silencieuse. Autrement dit, nous n'avons plus besoin d'espérer une nouvelle percée en biotechnologie pour guérir le cancer ou la maladie d'Alzheimer dont nous pourrions souffrir dans quelques dizaines d'années. Peut-être y a-t-il déjà une solution simple et efficace pour prévenir ces maladies – soit se maintenir dans le régime anti-inflammatoire. Vous comprendrez bientôt comment le régime du juste milieu agit pour inverser le processus de l'inflammation silencieuse d'une manière aussi efficace là où les médicaments restent impuissants.

INFLAMMATION = DOULEUR

Toute douleur est causée par une inflammation. Depuis le début des temps, le principal objet de la médecine est la recherche de composés qui réduisent la douleur. Malgré cela, votre médecin aura sans doute beaucoup de mal à vous expliquer ce qu'est l'inflammation et comment elle déclenche des douleurs dans votre corps.

Les anciens Grecs décrivaient l'inflammation comme un « feu intérieur ». Au premier siècle après Jésus-Christ, un médecin romain du nom de Celse a précisé la définition de l'inflammation en expliquant qu'elle était une « rougeur (*rubor*) et une enflure (*tumor*) s'accompagnant de chaleur (*calor*) et de douleur (*dolor*) ». Deux mille ans plus tard, la description de ce Romain n'a pas beaucoup changé. Les régions enflammées d'une blessure sont toujours décrites de la même manière : enflure, rougeur et chaleur. Et, naturellement, douleur.

Cependant, l'inflammation ne se limite pas à ce qui est visible à l'œil nu. Comme je l'ai dit dans le premier chapitre, elle constitue l'arme ultime pour repousser les envahisseurs étrangers (comme les bactéries, les virus et les parasites) qui pénètrent dans l'organisme et provoquent des maladies infectieuses. Dès qu'un envahisseur s'infiltre dans la circulation sanguine, l'inflammation lance une attaque en règle pour l'anéantir et détruire tout tissu qu'il peut avoir infecté. En cas de traumatisme ou de blessure, l'organisme a une première réaction inflammatoire, ce qui lui permet de réparer les lésions. Dès que le processus de guérison s'amorce, l'inflammation disparaît instantanément et l'organisme se remet à fonctionner normalement. Si l'inflammation n'existait pas, nous serions des proies faciles pour les envahisseurs opportunistes et nos blessures ne guériraient jamais.

Il arrive parfois que l'inflammation, qui suit un processus complexe, ne s'interrompe pas normalement. Chronique et non plus transitoire, elle se maintient toutefois en deçà de notre seuil de perception de la douleur. Or, c'est cette inflammation silencieuse chronique qui finit par nous tuer. La production constante d'inflammation silencieuse peut être le fait d'une prédisposition génétique ou d'un facteur en particulier, comme l'obésité, une piètre alimentation ou le tabagisme. Cependant, quelle que soit sa cause, lorsque l'inflammation silencieuse est en constante croissance, elle finit par endommager nos vaisseaux sanguins, nos tissus et nos cellules, ce qui ouvre la voie aux maladies chroniques.

L'inflammation silencieuse nuit à l'organisme de diverses façons. Des études ont démontré qu'elle déstabilise les dépôts de cholestérol dans les artères coronaires, ce qui entraîne des crises cardiaques et même des accidents vasculaires cérébraux. Elle attaque aussi les cellules nerveuses du cerveau de personnes prédisposées à la maladie d'Alzheimer, et elle accélère anormalement la division cellulaire, provoquant la transformation de cellules saines en cellules cancéreuses.

Pour rester en bonne santé, vous devez donc contrôler autant que possible votre inflammation silencieuse, et ce, votre vie durant. Pour survivre, votre organisme a besoin d'un système inflammatoire fonctionnel, mais il doit pouvoir le désactiver une fois l'envahisseur vaincu ou la blessure guérie. Les combattants au service de l'inflammation silencieuse sont des hormones connues sous le nom d'eicosanoïdes. Ces hormones constituent un système coordonné qui s'allie aux cellules immunitaires pour remporter toute bataille pouvant éclater dans l'organisme. Cependant, elles doivent être démobilisées une fois l'affrontement terminé, à défaut de quoi elles deviennent les médiateurs de l'inflammation silencieuse.

Examinons d'un peu plus près votre armée immunologique.

- **Les eicosanoïdes.** Ces hormones contrôlent tout le processus inflammatoire. D'une part, il y a les eicosanoïdes qui permettent aux cellules inflammatoires spécialisées (neutrophiles et macrophages) de se mobiliser et de traverser les parois des vaisseaux sanguins pour se rendre sur le champ de bataille, où elles détruisent les envahisseurs avant de les absorber. Ces eicosanoïdes entraînent aussi la libération d'autres protéines inflammatoires, appelées cytokines, qui appellent des renforts. Une armée de cellules immunitaires ne tarde pas à s'amener sur le site pour détruire les microbes et tout tissu endommagé. D'autre part, il y a les eicosanoïdes qui agissent comme hormones de régénération. Lorsque ces deux types opposés d'eicosanoïdes sont équilibrés, une personne est en bonne santé. Lorsqu'ils ne le sont pas, cette même personne est susceptible de développer une maladie chronique.

- **Les cellules immunitaires.** Les cellules gardiennes de l'organisme, appelées cellules souches, guettent constamment le moindre signe de problème. Dès qu'elles repèrent un envahisseur étranger, ces cellules sécrètent un composé chimique appelé histamine, qui commande au système immunitaire de lancer une attaque. En circulant dans le sang et en s'attachant à certaines cellules, l'histamine provoque des réactions en cascade, dont la première est une explosion d'eicosanoïdes pro-inflammatoires. Ces eicosanoïdes amènent les vaisseaux sanguins à se dilater, ce qui permet à un plus grand nombre de cellules combattantes (neutrophiles et macrophages) d'atteindre leur cible aussi rapidement que possible. Les eicosanoïdes sont donc responsables de la dilatation des vaisseaux sanguins et des signes caractéristiques de l'inflammation : enflure, chaleur et rougeur.

COMMENT UN EXCÈS DE GRAS CORPOREL GÉNÈRE DE L'INFLAMMATION SILENCIEUSE

On considérait autrefois que les cellules adipeuses étaient simplement des sites inertes d'entreposage du gras excédentaire. Malheureusement, les recherches suggèrent maintenant que les cellules adipeuses ne sont pas aussi inoffensives qu'elles le paraissent. En fait, elles sont de très puissants générateurs d'inflammation silencieuse, laquelle est la preuve tangible qui permet d'associer l'excès de gras corporel à une foule de maladies, comme la cardiopathie, le cancer et la maladie d'Alzheimer.

Les cellules adipeuses, et plus particulièrement celles qui sont situées dans la région abdominale, ont tendance à séquestrer l'acide arachidonique (AA), qui est l'élément constitutif de tous les eicosanoïdes pro-inflammatoires. Il s'agit en fait d'un mécanisme de protection visant à prévenir l'accumulation d'un taux potentiellement élevé d'AA dans d'autres cellules. C'est une espèce de « loin des yeux, loin du cœur » à l'échelle moléculaire. Cependant, en continuant de s'accumuler dans les cellules adipeuses, l'AA finit par déclencher dans celles-ci une production d'eicosanoïdes pro-inflammatoires. Or, ces eicosanoïdes pro-inflammatoires produits localement entraînent à leur tour dans ces mêmes cellules une plus forte production de cytokines pro-inflammatoires, comme l'interleukine 6 (IL-6) et le facteur de nécrose des tumeurs (TNF). Contrairement aux eicosanoïdes pro-inflammatoires, qui ne peuvent pénétrer dans la circulation sanguine, ces cytokines peuvent quitter le tissu adipeux, s'infiltrer dans la circulation sanguine et provoquer, en cascade, des réactions inflammatoires additionnelles dans tout l'organisme.

En conclusion : plus on est gros, plus on génère de l'inflammation, de jour comme de nuit. C'est pourquoi la perte d'un excédent de poids est une mesure à privilégier dans le combat à vie contre l'inflammation silencieuse.

Comment ces combattants immunitaires causent-ils de la douleur ? Comme je l'explique plus en détail dans un chapitre ultérieur, les eicosanoïdes pro-inflammatoires permettent aux cellules immunitaires de traverser plus facilement les parois des vaisseaux sanguins pour se rendre sur le champ de bataille. Sous l'effet de ces mêmes eicosanoïdes, un excès de liquide s'accumule dans la région où se déroule le combat, de sorte que les vaisseaux sanguins se dilatent encore davantage, activant du même coup les terminaisons nerveuses. Celles-ci envoient alors au cerveau un signal de douleur. Afin de s'assurer que le cerveau comprend l'urgence du message, les eicosanoïdes rendent les fibres nerveuses plus sensibles, ce qui a pour effet d'amplifier leur signal. Autrement dit, notre organisme veut mettre notre cerveau au courant de la bataille immunologique qui est en cours, afin que nous puissions neutraliser le responsable et éliminer tout danger. Par exemple, si nous mettons un doigt sur une flamme, la réaction de douleur de notre corps nous fait comprendre que nous devons le retirer au plus vite. Normalement, une fois la bataille gagnée, notre organisme rappelle son armée de combattants immunitaires. Il le fait en dépêchant des hormones anti-inflammatoires, c'est-à-dire du cortisol et des eicosanoïdes anti-inflammatoires, qui ont l'effet opposé de celui des eicosanoïdes pro-inflammatoires. Ces agents anti-inflammatoires enrayent la douleur et stimulent le processus de guérison.

LORSQUE L'INFLAMMATION PERSISTE

Les problèmes commencent lorsque le processus inflammatoire persiste et se transforme en inflammation silencieuse chronique. Toute communication étant rompue, votre organisme continue à générer des eicosanoïdes pro-inflammatoires, bien qu'en quantités moindres. Ces eicosanoïdes poursuivent la guerre immunologique, mais celle-ci est dorénavant dirigée contre vous. Des tissus, des cellules et des vaisseaux sanguins sains sont attaqués sans relâche.

Si l'attaque est d'une intensité suffisante, vous continuez à ressentir de la douleur, une douleur insupportable qui vous mène droit à votre pharmacie, où vous espérez trouver des médicaments anti-inflammatoires, comme de l'aspirine, de l'ibuprofène (Advil, Motrin, Nuptin) ou du naproxène (Aleve). Naturellement, vous parvenez à soulager efficacement votre douleur grâce à l'un de ces médicaments ou aux coûteux médicaments d'ordonnance, comme les inhibiteurs COX-2 (voir p. 29), ou même à des médicaments plus puissants, comme les corticostéroïdes. Vous y parvenez parce que presque tous les analgésiques interrompent la surproduction d'eicosanoïdes pro-inflammatoires.

Malheureusement, ces mêmes médicaments interrompent aveuglément la production d'eicosanoïdes anti-inflammatoires, dont l'organisme a besoin pour réparer les lésions qu'il subit et se maintenir en bonne santé. En outre, l'usage à long terme de ces médicaments peut entraîner une foule d'effets secondaires, des ulcères d'estomac à la mort, en passant par la détérioration des parois du système digestif et la défaillance cardiaque. En fait, aux États-Unis, les anti-inflammatoires prescrits par les médecins font chaque année plus de victimes que le sida. Pour cette raison, je ne crois pas que ces médicaments soient une bonne façon de contrôler l'inflammation silencieuse. (Je traite de ce sujet plus en détail au chapitre 12.)

Quand nous ressentons une douleur insupportable, nous prenons généralement une mesure proactive. Dans le cas de l'inflammation silencieuse, nous ne faisons rien parce que nous ne sommes pas conscients de son existence, et c'est là que commence le véritable danger. L'inflammation silencieuse ne déclenche pas une réaction inflammatoire assez intense pour que les terminaisons nerveuses envoient un signal de douleur au cerveau, mais elle rend l'organisme vulnérable à des lésions à long terme. L'inflammation silencieuse peut graduellement détruire les vaisseaux sanguins, le système immunitaire et le cerveau, et provoquer des maladies chroniques comme la cardiopathie, le cancer et la maladie d'Alzheimer.

Même si elle est engendrée par les mêmes eicosanoïdes pro-inflammatoires qui provoquent la douleur insupportable, l'inflammation silencieuse demeure imperceptible pendant des années. Autrement dit, vous ne la sentez pas. Comme vous ne faites rien pour l'enrayer, elle a un effet dévastateur sur votre santé. En réalité, sans le savoir, vous faites un très dangereux compromis. Prenez-vous régulièrement des anti-inflammatoires pour contrôler votre inflammation silencieuse? Si oui, vous réduisez vos risques de maladie chronique, comme les maladies cardiaques, mais vous accroissez vos risques de souffrir d'effets secondaires gastro-intestinaux, et même de mourir. Mais y a-t-il une autre solution? Oui. Cette solution de rechange est le *régime anti-inflammatoire*.

Les recherches les plus récentes révèlent que l'inflammation silencieuse endommage l'organisme de diverses façons. En fait, l'étendue des effets nocifs de l'inflammation silencieuse a de quoi fasciner. Comme un poison, elle s'insinue dans tous les systèmes de l'organisme, bouleversant la division cellulaire, le système immunitaire et les organes majeurs, comme le cœur et le cerveau. En conséquence, elle remet en question une bonne partie des connaissances que les médecins tiennent généralement pour acquises au sujet de la maladie. En voici quelques exemples.

LA CARDIOPATHIE

Bon nombre de médecins considèrent les maladies cardiaques comme des problèmes de plomberie qui résultent de l'accumulation de dépôts adipeux dans les principales artères coronaires. Ces dépôts s'épaississent et finissent par bloquer totalement l'irrigation d'une artère, ce qui provoque une crise cardiaque. Or, ces dépôts sont riches en cholestérol, et l'on sait qu'un taux élevé de cholestérol dans la circulation sanguine accroît les risques de crises cardiaques. Pourtant, les victimes de la moitié de toutes les crises cardiaques sont des personnes dont le taux de cholestérol est normal. En outre, l'aspirine, qui est le meilleur médicament existant pour réduire les risques de crise cardiaque, n'a aucun effet sur le cholestérol. Enfin, les médecins ont découvert, grâce à de nouveaux examens d'imagerie, que les dépôts les plus dangereux sont souvent de petite taille, mais très sujets à une rupture. Ce sont des dépôts friables.

Il doit donc y avoir un autre facteur contributif, mais quel est-il? En fait, il faut remonter en 1848 pour en trouver les premiers indices. Cette année-là, après avoir examiné le tissu du cœur de personnes mortes de maladie cardiaque, le Dr Rudolf Virchow, le plus grand pathologiste européen de l'époque, a déclaré que cette maladie était un trouble inflammatoire. Malheureusement, personne n'a donné suite à l'hypothèse du Dr Virchow, car il n'existait à l'époque aucun moyen de mesurer l'inflammation. En revanche, il existait un moyen de mesurer le cholestérol, qui est vite devenu la « cause » de la cardiopathie (voir le chapitre 15 pour plus de détails).

Le lien entre l'inflammation et les maladies cardiaques n'a pas fait l'objet d'autres recherches avant les années 1970, lorsque Russell Ross, de l'université de Washington, s'est mis à défendre la notion controversée voulant que les maladies cardiaques soient des troubles inflammatoires. À cette époque, on répétait comme un mantra qu'un taux élevé de cholestérol était la cause principale des maladies cardiaques. Et comme il n'existait toujours pas de moyen de mesurer l'inflammation, la réduction des taux de cholestérol est demeurée le Saint-Graal de la médecine cardiovasculaire.

Ce n'est qu'à la fin des années 1990 que le premier marqueur sanguin de l'inflammation silencieuse a été mis au point. Ce marqueur, appelé protéine C-réactive, est une molécule produite dans le foie en réaction à l'inflammation. Comme je l'expliquerai plus tard, il y a maintenant un nouvel indicateur de l'inflammation silencieuse, beaucoup plus sensible. Il détecte dans le sang des marqueurs qui augmentent beaucoup plus tôt pendant le processus inflammatoire que la protéine C-réactive (CRP). Ce nouveau test est celui qui vous indiquera le plus tôt possible que votre inflammation silencieuse commence à augmenter.

LE DIABÈTE

Les chercheurs ont commencé à cartographier l'interaction complexe entre l'inflammation, l'insuline et le gras corporel excédentaire. Ils ont découvert que les cellules adipeuses peuvent agir comme des cellules immunitaires, libérant des protéines pro-inflammatoires appelées cytokines en quantités de plus en plus grandes à mesure que l'on prend du poids. Autrement dit, plus une personne a de surcharge pondérale, plus elle génère de l'inflammation silencieuse. Ces cytokines rendent les cellules plus résistantes à l'insuline, de sorte que l'organisme en produit de plus en plus, ce qui provoque une plus forte augmentation de la production de cytokines. Et cette situation provoque tôt ou tard l'apparition du diabète de type 2 (diabète non-insulino-dépendant). Mais quel phénomène survient en premier, l'inflammation ou l'augmentation du taux d'insuline? Je crois que c'est l'inflammation, comme je l'expliquerai plus loin (voir le chapitre 14).

LE CANCER

L'inflammation pourrait agir de pair avec les mutations génétiques pour transformer des cellules normales en tumeurs potentiellement mortelles. Les macrophages et autres cellules inflammatoires produisent des radicaux libres, qui détruisent non seulement les microbes, mais aussi l'ADN des cellules saines. Disons qu'il s'agit d'une version biologique de ce qu'on appelle dans l'armée un « tir ami », ce qui veut dire que des soldats sont touchés par leur propre artillerie. Or, ce tir ami « biologique » peut entraîner des mutations génétiques qui amènent une cellule à croître rapidement et à proliférer. On sait que les eicosanoïdes pro-inflammatoires (la cause ultime de l'inflammation silencieuse) sont non seulement étroitement associés à la formation de tumeurs, mais qu'ils facilitent aussi leur propagation dans des tissus environnants (métastase). En outre, ces mêmes eicosanoïdes pro-inflammatoires érigent une barrière efficace entre les cellules tumorales et le système immunitaire de l'organisme, ce qui rend les premières à peu près invisibles.

Des scientifiques explorent présentement le rôle d'une enzyme appelée cyclo-oxygénase 2 (COX-2), qui produit bon nombre de ces eicosanoïdes pro-inflammatoires. La concentration de cette enzyme augmente au cours du processus inflammatoire – de même que pendant le développement d'un certain nombre de cancers. Diverses études ont montré que les personnes qui prennent des doses quotidiennes d'aspirine sont moins susceptibles de développer des excroissances précancéreuses, appelées polypes, dans le côlon. (L'aspirine est connue pour bloquer l'enzyme COX-2, mais elle peut aussi provoquer des effets secondaires graves, comme une hémorragie interne mortelle, de sorte qu'elle n'est pas le meilleur médicament anticancéreux.)

LA MALADIE D'ALZHEIMER

En cherchant à comprendre pourquoi certains patients souffraient plus précocement que d'autres de la maladie d'Alzheimer, les chercheurs ont découvert un indice intriguant : les patients qui prenaient déjà des anti-inflammatoires pour l'arthrite et d'autres affections étaient moins susceptibles de développer la maladie que ceux qui n'en prenaient pas. Le système immunitaire fait peut-être la guerre aux dépôts caractéristiques qui se forment dans le cerveau des personnes atteintes de la maladie d'Alzheimer ; si c'est le cas, cette réaction inflammatoire pourrait en fait causer une aggravation de la maladie.

Des recherches récentes suggèrent que toute mesure qui peut atténuer l'inflammation silencieuse en freinant la production d'eicosanoïdes pro-inflammatoires (comme la prise d'aspirine et la consommation de poisson) semble réduire en même temps les risques de souffrir de la maladie d'Alzheimer. Malheureusement, ces mesures de réduction de l'inflammation silencieuse doivent être prises des dizaines d'années avant l'apparition de la maladie. Il est très difficile d'inverser le processus de la démence chez les personnes qui en souffrent déjà, mais les probabilités de souffrir de démence diminuent de manière significative lorsque des mesures pour réduire l'inflammation silencieuse sont prises très tôt (trente ans avant l'apparition de la maladie, par exemple).

LES MALADIES AUTO-IMMUNES

Ces maladies, qui incluent l'arthrite rhumatoïde, la sclérose en plaques et le lupus, sont les exemples les plus flagrants d'inflammation déchaînée. L'organisme est littéralement en guerre contre lui-même, si bien que le système immunitaire lance une attaque en règle contre des cellules et des tissus sains, sans qu'il y ait le moindre signe d'un envahisseur microbien pour déclencher une telle réaction. De nouveaux médicaments anti-inflammatoires très puissants et très coûteux mis sur le marché ces dernières années ont donné de l'espoir aux personnes qui souffrent d'arthrite rhumatoïde grave. Ces médicaments inhibent les cytokines inflammatoires à action spécifique pour aider à atténuer la douleur insupportable. Malheureusement, ils ont aussi des effets secondaires et, comme tous les anti-inflammatoires, ils ne peuvent guérir les lésions que les tissus ont déjà subies. La seule façon de réparer ces dommages est de mettre fin à l'inflammation et de laisser le mécanisme anti-inflammatoire naturel de l'organisme amorcer le processus de guérison.

Supposons qu'il existe une façon de découvrir si vous souffrez d'inflammation silencieuse des années ou même des décennies avant d'être atteint de l'une des maladies mentionnées précédemment. Ferez-vous faire une analyse sanguine pour obtenir un diagnostic? Maintenant, supposons que l'analyse révèle un taux élevé d'inflammation silencieuse, ce qui vous rend beaucoup plus susceptible de souffrir un jour de l'une de ces mêmes maladies. Ferez-vous quelque chose pour supprimer ce risque?

Je suppose que la seule réponse à cette question est: «Comment pourrait-on ne rien faire?» Je suis arrivé à cette conclusion il y a de nombreuses années et je me suis embarqué dans une croisade pour réduire l'inflammation silencieuse chez des millions d'Américains qui se croient en bonne santé. Je veux que ces gens se sentent vraiment bien et qu'ils préservent leur santé en vieillissant. Le présent ouvrage explique le parcours que j'ai suivi pour donner une définition médicale de la bonne santé, et il a pour but de vous tracer une voie pour y arriver.

Je sais que je suis en bonne santé. Il ne s'agit pas d'une perception. J'en ai la preuve. Elle se fonde sur des examens sanguins que je décrirai dans le chapitre 4, et que vous pouvez vous-même subir pour connaître votre véritable état de santé. Pour atteindre le régime anti-inflammatoire et vous y maintenir, vous devrez suivre le régime du juste milieu, prendre des suppléments de concentrés ultraraffinés d'huile de poisson à fortes doses et vous adonner régulièrement à une activité physique modérée.

Je tiens à vous offrir la bonne santé en cadeau. Dans les chapitres qui suivent, vous verrez comment recouvrer la santé en moins de 30 jours en réduisant votre inflammation silencieuse, et comment vous protéger contre toute maladie chronique potentielle.

Chapitre 3
La cause et le remède
de l'inflammation silencieuse

L'inflammation silencieuse est le premier signe qui montre que notre organisme est déséquilibré et que nous ne sommes plus en bonne santé. Vous n'en êtes pas conscient, mais l'inflammation silencieuse mine votre cœur, votre cerveau et votre système immunitaire. En fait, l'inflammation silencieuse est liée à trois changements hormonaux qui ouvrent la voie à la maladie chronique. Ces changements se traduisent par une surproduction de trois types distincts d'hormones :

- les eicosanoïdes pro-inflammatoires ;
- l'insuline ;
- le cortisol.

Chacune de ces trois hormones contribue à l'inflammation silencieuse lorsqu'elle est produite en quantités excessives. Heureusement, il est possible de rétablir l'équilibre entre ces hormones en suivant les prescriptions alimentaires et les habitudes de vie recommandées dans *Le régime anti-inflammatoire*.

LES EICOSANOÏDES PRO-INFLAMMATOIRES

Si vous avez lu mes ouvrages précédents sur le juste milieu, vous connaissez sans doute un peu ces hormones. Comme je l'expliquerai en détail dans le présent ouvrage, les eicosanoïdes ont été les premières hormones à être sécrétées par les organismes vivants, et chaque cellule d'un organisme en produit. Bien que les eicosanoïdes puissent être considérées comme des hormones primitives, elles n'en contrôlent pas moins tout notre organisme, de notre système immunitaire à notre cerveau, en passant par notre cœur. Il y a deux sortes d'eicosanoïdes, ceux qui favorisent l'inflammation (pro-inflammatoires) et la destruction de tissus, et ceux qui enrayent l'inflammation (anti-inflammatoires) et apportent la guérison. Pour être en bonne santé, il faut que ces deux types d'eicosanoïdes soient équilibrés. Malheureusement, la plupart des gens produisent une trop grande quantité d'eicosanoïdes pro-inflammatoires, ce qui augmente leur taux d'inflammation silencieuse et ouvre la voie aux maladies chroniques. Le régime du juste milieu a été élaboré principalement pour rééquilibrer ces deux hormones.

Les eicosanoïdes représentent le centre de commandement du système immunitaire. S'ils étaient détruits, le système immunitaire le serait aussi. C'est ce qui arrive aux personnes atteintes de maladies auto-immunes, comme le sida. Cela dit, il est plus fréquent que ce soient les eicosanoïdes qui prennent le système immunitaire d'assaut. Dans ce cas, si les eicosanoïdes pro-inflammatoires ne sont pas rappelés à la caserne comme des soldats indisciplinés, l'inflammation s'emballe et le système immunitaire attaque l'organisme. En conséquence, ce sont les trop nombreux «tirs amis» du système immunitaire qui finissent par déclencher l'apparition des maladies auto-immunes, comme l'arthrite rhumatoïde, la sclérose en plaques, le lupus et la maladie de Crohn. C'est un déséquilibre entre les eicosanoïdes qui est à la base des maladies chroniques comme la cardiopathie, le cancer et la maladie d'Alzheimer. Et c'est ce même déséquilibre qui cause l'inflammation silencieuse.

Il y a diverses façons de faire pencher la balance en faveur des eicosanoïdes anti-inflammatoires. D'abord et avant tout, vous devez modifier votre alimentation. Les eicosanoïdes anti-inflammatoires – que j'appelle les bons eicosanoïdes – sont produits grâce à une alimentation riche en acides gras oméga-3 à longue chaîne (présents dans l'huile de poisson) et faible en acides gras oméga-6 (présents dans les huiles végétales, comme l'huile de maïs, de soja, de tournesol et de carthame). Les acides gras oméga-3 à longue chaîne font diminuer la production d'eicosanoïdes pro-inflammatoires, tandis que les acides gras oméga-6 la font augmenter. Jusqu'à il y a environ quatre-vingts ans, la population américaine consommait des acides gras oméga-6 et oméga-3 dans un rapport de 2 pour 1. À cette époque, nous consommions beaucoup de poisson, et nos grands-parents étaient nombreux à prendre de l'huile de foie de morue, riche en acides gras oméga-3. (Bien sûr, cette huile était malodorante et affreuse au goût, mais elle avait beaucoup de propriétés anti-inflammatoires.) En outre, les huiles végétales n'occupaient pas beaucoup de place dans l'alimentation. De nos jours, tout cela a changé. Nous consommons beaucoup plus d'acides gras oméga-6 et beaucoup moins d'acides gras oméga-3 à longue chaîne, si bien que le rapport entre ces deux groupes d'acides gras se rapproche davantage de 20 pour 1. Malheureusement, cette augmentation radicale de la consommation d'acides gras oméga-6 a entraîné dans la population une élévation tout aussi radicale de l'inflammation silencieuse. Les maladies cardiaques, le diabète et le cancer sont en progression, car ces maladies sont déclenchées par l'inflammation silencieuse, entretenue par les eicosanoïdes pro-inflammatoires.

Comment le type de gras dans l'alimentation peut-il causer de l'inflammation silencieuse? En tant que chercheur s'intéressant plus particulièrement aux lipides, c'est-à-dire aux gras, cette question m'intrigue depuis plus de 25 ans. Nous savons maintenant que certains eicosanoïdes pro-inflammatoires, qui consistent principalement en prostaglandines et en leucotriènes, sont des dérivés de l'acide arachidonique (AA), un acide gras oméga-6 à longue chaîne. On soupçonne les prostaglandines et les leucotriènes d'être la cause des douleurs insoutenables, et responsables de l'inflammation silencieuse. Tous les anti-inflammatoires agissent donc pour stopper la production de ces eicosanoïdes particuliers. (La réduction des taux d'eicosanoïdes pro-inflammatoires a comme avantage additionnel de freiner la libération de cytokines pro-inflammatoires.)

Les symptômes classiques de l'inflammation sont attribuables dans une large mesure à ces eicosanoïdes. Les prostaglandines causent la douleur, tandis que les leucotriènes sont responsables de l'enflure et de la rougeur qui l'accompagnent.

Pour neutraliser ces dérivés de l'acide arachidonique, nous devons hausser nos taux de bons eicosanoïdes anti-inflammatoires, lesquels sont des dérivés d'acides gras oméga-3 à longue chaîne, comme l'acide eicosapentaénoïque (EPA). En dernière analyse, c'est le rapport entre les taux sanguins d'AA et d'EPA qui détermine le taux d'inflammation silencieuse dans l'organisme. C'est pourquoi je parle de «bilan d'inflammation silencieuse» lorsque je considère le rapport entre ces deux acides gras. Plus il est élevé, moins votre santé est bonne et plus vous risquez de développer une maladie chronique. Autrement dit, votre bilan d'inflammation silencieuse vous donne une idée de ce que l'avenir vous réserve. C'est pourquoi je crois qu'il s'agit du meilleur test qu'offre la médecine – il vous révélera votre état de santé avec une précision digne du rayon laser.

L'insuline

Vous pouvez réduire votre inflammation silencieuse en augmentant considérablement votre consommation d'huile de poisson, tout en diminuant d'autant votre consommation d'huile végétale. En outre, si vous modifiez vos habitudes alimentaires et suivez le régime du juste milieu, ces deux mesures auront un effet immédiat : elles abaisseront votre taux d'insuline, qui influence indirectement l'inflammation silencieuse. Un taux élevé d'insuline provoque une augmentation de la production d'acide arachidonique (AA), l'élément constitutif de tous les eicosanoïdes pro-inflammatoires. La stratégie du juste milieu est tellement efficace que vous observerez une baisse de votre taux d'insuline dans les sept jours qui suivront les débuts du régime. En fait, des études effectuées à la faculté de médecine de l'université Harvard ont révélé qu'un seul repas suffit pour amorcer la baisse du taux d'insuline et pour vous rendre la santé. Vous remarquerez immédiatement ce changement grâce à votre niveau d'énergie et à votre sentiment général de bien-être. Naturellement, le contraire est tout aussi vrai : un repas qui provoque une augmentation de votre taux d'insuline vous fera sortir du juste milieu anti-inflammatoire.

De nos jours, on parle beaucoup d'insuline, mais peut-être ne savez-vous pas pourquoi cette substance est si importante. Tout d'abord, l'insuline est le véhicule qui achemine les nutriments dans les cellules. Elle est indispensable à notre survie, car elle permet aux cellules de stocker les nutriments ou de les utiliser sur-le-champ comme source d'énergie. Privées d'une concentration adéquate d'insuline, nos cellules mourraient littéralement de faim. C'est exactement ce qui se produit dans le cas du diabète de type 1 (diabète insulinodépendant), car l'organisme de la personne atteinte ne produit pas d'insuline. (En fait, seul un petit pourcentage de diabétiques souffre de cette forme de diabète.) À défaut de doses quotidiennes d'insuline, la mort est inévitable. Cependant, la plupart d'entre nous sommes beaucoup plus susceptibles d'être affligés du problème opposé : une trop forte production d'insuline. Cet excès est très dommageable, car un excédent d'insuline entraîne un excédent de poids. En outre, en plus d'accroître l'inflammation silencieuse, cette insuline excédentaire est le lien entre l'excès de gras et une foule de maladies chroniques, comme la cardiopathie, le diabète de type 2 (dont souffrent 90 % de tous les diabétiques), le cancer et la maladie d'Alzheimer.

À mesure que nous vieillissons, nos cellules deviennent moins sensibles à l'insuline, si bien que notre pancréas doit en produire de plus en plus pour signaler à nos cellules hépatiques et musculaires qu'elles doivent absorber les nutriments qui arrivent (principalement du sucre et des acides aminés). C'est ce qu'on appelle l'insulinorésistance. En général, plus notre taux de gras excédentaire est élevé, plus notre insulinorésistance est forte et plus notre organisme doit produire d'insuline pour surmonter cette résistance. Or, tout cela contribue à exacerber l'inflammation silencieuse. En conséquence, nos risques de développer une maladie chronique sont beaucoup plus élevés.

Le lien entre l'excès d'insuline et l'inflammation silencieuse réside dans l'augmentation de la production d'acide arachidonique (AA) que provoque l'insuline excédentaire. Et comme si cela ne suffisait pas, des recherches récentes montrent que l'insuline exacerbe l'inflammation en accroissant la production d'interleukine 6 (IL-6), une cytokine pro-inflammatoire qui entraîne la formation de la protéine C-réactive (CRP), un autre marqueur de l'inflammation silencieuse. Conclusion : il est essentiel que vous contrôliez votre taux d'insuline si vous voulez combattre l'inflammation silencieuse dont vous souffrez et recouvrer la santé.

Il existe une façon simple et rapide de déterminer si vous produisez trop d'insuline. Placez-vous nu devant un miroir et posez-vous les deux questions suivantes : « Est-ce que j'ai un excédent de poids ? » et : « Ce surpoids se situe-t-il autour de l'abdomen – autrement dit, ai-je la forme d'une pomme ? » Si vous répondez oui à ces deux questions, il y a de forts risques que vous fassiez de l'insulinorésistance. Or, l'insulinorésistance est un précurseur du diabète de type 2 et des maladies cardiaques. Dans le diabète de type 2, le pancréas finit par faillir à la tâche parce qu'il n'arrive plus à produire les mégadoses d'insuline (hyperinsulinémie) nécessaires pour amener le glucose aux cellules. Sans une surproduction d'insuline pour maîtriser le taux de glucose sanguin, celui-ci augmente dangereusement. Dans les maladies cardiaques, la surproduction d'insuline entraîne une augmentation de l'inflammation silencieuse qui, elle aussi, est une cause sous-jacente de maladies cardiaques. Il s'agit là de deux manifestations très différentes de l'insulinorésistance à long terme. Le régime du juste milieu a été mis au point précisément pour réduire la production excessive d'insuline et, par conséquent, atténuer l'inflammation silencieuse. En suivant ce régime, vous récolterez tous les bienfaits additionnels qu'il procure : vous réduirez votre taux de gras corporel excédentaire ainsi que vos risques de souffrir de maladies cardiaques, de diabète et d'autres maladies associées à l'insuline ; et vous accroîtrez votre espérance de vie. Qu'en pensez-vous ?

Les systèmes hormonaux des eicosanoïdes et de l'insuline sont étroitement liés. Ils déclenchent tous deux l'inflammation silencieuse lorsqu'ils sont déséquilibrés et ils réduisent l'inflammation silencieuse lorsque leur équilibre est rétabli. Étant interreliés, ni l'un ni l'autre n'opère en vase clos. Malheureusement, ils sont rarement équilibrés et le vieillissement ne fait qu'aggraver la situation. Mais rassurez-vous, tout n'est pas perdu ! Le régime du juste milieu peut rééquilibrer ces deux systèmes. Il n'y a pas de meilleur antidote à l'inflammation silencieuse.

Le cortisol

Lorsque votre corps est constamment dans un état d'inflammation silencieuse, il réagit en poussant vos glandes surrénales à produire de fortes quantités de cortisol, qui est la principale hormone anti-inflammatoire dont vous disposez pour stopper l'inflammation excessive. Les gens ont tendance à penser que le cortisol est une hormone du stress. En réalité, il s'agit d'une hormone antistress. Tout stress, au niveau cellulaire provoque un état inflammatoire causé par une surproduction d'eicosanoïdes pro-inflammatoires. L'organisme libère du cortisol pour abaisser les taux de ces eicosanoïdes, ce qui fonctionne très bien à court terme, lorsque le stress est temporaire. Cependant, si vous avez un taux élevé d'inflammation silencieuse chronique, il est inévitable que votre taux de cortisol soit lui aussi chroniquement élevé, ce qui a des conséquences néfastes, comme une plus forte insulinorésistance (ce qui vous fait grossir), la destruction de cellules nerveuses (ce qui vous rend moins intelligent) et la dépression de tout votre système immunitaire (ce qui vous rend plus malade encore). Ce sont là les dommages collatéraux qui découlent de l'augmentation de l'inflammation silencieuse. Les prescriptions alimentaires et les habitudes de vie recommandées dans le présent ouvrage vous permettront de réduire votre inflammation silencieuse, de sorte que votre organisme n'aura plus besoin d'augmenter sa production de cortisol. En fait, mieux vous contrôlerez votre inflammation silencieuse, mieux vous contrôlerez votre taux de cortisol. Vous pourriez même en ramener la concentration à un niveau normal, celui que vous produiriez si vous étiez en vacances dans quelque paradis tropical...

L'INFLAMMATION SILENCIEUSE EST-ELLE INSCRITE DANS VOS GÈNES ?

D'où vient cette épidémie de plus en plus grave d'inflammation silencieuse ? Blâmons nos gènes ! Dans toute espèce donnée, l'évolution tend à privilégier les caractéristiques biologiques qui la rendent plus apte à transmettre ses gènes à la génération suivante. Or, ce sont ces gènes qui confèrent à la génération suivante un avantage injuste sur les générations précédentes. Au cours des 150 000 dernières années, l'évolution a beaucoup œuvré pour favoriser, parmi nos ancêtres, les rares privilégiés qui avaient les meilleures chances de survivre jusqu'à ce qu'ils soient en âge de procréer. À cette époque, la nourriture était un véritable problème, sans parler des dangers constants que posaient les bactéries, les parasites, les champignons et les virus.

La nature a composé avec ces obstacles de diverses façons. Elle a favorisé les individus qui pouvaient stocker le gras plus facilement, ce qui leur permettait de survivre pendant les périodes de disette. Le gras corporel est essentiel à la survie. Il est non seulement compact, mais il nous fournit beaucoup d'énergie, où que nous soyons. Par exemple, il vous faudrait un foie de 45 kg pour stocker l'équivalent d'énergie (sous forme de glucides) de 4,5 kg de gras corporel. Ne préférez-vous pas porter 4,5 kg de gras corporel plutôt qu'un foie de 45 kg ? Comme l'insuline est l'hormone qui facilite le stockage du gras en prévision de disettes, nos lointains ancêtres n'ont pas eu d'autre choix que celui d'acquérir une propension génétique à produire de grandes quantités d'insuline, ce qu'ils faisaient en consommant des calories excédentaires pendant les périodes fastes. En évoluant, nos gènes ont fait en sorte que notre organisme puisse hausser son taux d'insuline de deux manières : par une consommation excessive de glucides et une consommation excessive de calories.

Mais revenons à l'Amérique d'aujourd'hui. Nous ne connaissons plus la famine, nous disposons au contraire de quantités illimitées d'aliments peu coûteux riches en glucides. Malheureusement, contrairement à nous, notre ADN vit toujours à l'âge de pierre. Autrement dit, nos gènes n'ont pas eu le temps de s'adapter à l'ère des gâteaux à la crème. Et comme nous faisons régulièrement des excès de table, nos cellules doivent produire des quantités toujours plus élevées d'insuline. Nous stockons donc de plus en plus de gras, et nous nous retrouvons avec une épidémie d'obésité ! Et, cela va sans dire, avec une épidémie correspondante d'inflammation silencieuse. Les gènes qui nous ont sauvé la vie il y a des dizaines de milliers d'années font maintenant notre plus grand malheur.

On peut en dire autant de notre capacité de produire une forte réaction inflammatoire. Autrefois, cette réaction inflammatoire était notre seul espoir de survivre aux invasions de microbes et de parasites. Il y a à peine 70 ans, nous ne disposions que de très peu d'outils pour lutter contre les maladies infectieuses, à part notre forte réaction inflammatoire. Nous ne pouvions que prier en espérant que notre système immunitaire nous protège des ravages de ces maladies. Pensez au tableau de Norman Rockwell qui dépeint un médecin se tordant désespérément les mains au-dessus de son patient en espérant que sa fièvre tombe. C'est de cette façon que l'on pratiquait la médecine il y a 70 ans !

Les personnes qui avaient un système immunitaire hyperactif avaient donc les meilleures chances de survie. Nos ancêtres, les seuls parmi leurs congénères qui aient survécu à de constantes attaques microbiennes, nous ont donc légué une prédisposition génétique aux réactions inflammatoires intenses. De nos jours, cependant, les menaces de maladies infectieuses aux-quelles nous faisons face sont infiniment moins nombreuses. Des vaccins, de l'eau propre et une meilleure hygiène ont banni bon nombre des microbes qui nous menaçaient. En outre, nous disposons d'un véritable arsenal de médicaments efficaces pour lutter contre les infections microbiennes.

En conséquence, notre organisme n'a plus besoin de cette propension génétique à produire une réaction inflammatoire excessive. Si notre orga-nisme continue à se défendre de cette manière, c'est parce que nos gènes n'ont pas eu le temps d'évoluer. Malheureusement, cela nous rend plus vulnérables à l'inflammation silencieuse, qui est stimulée par notre ali-mentation et notre style de vie. L'augmentation radicale de notre consom-mation d'huiles végétales (riches en composantes de base des eicosanoïdes pro-inflammatoires) et la chute radicale de la consommation d'huile de poisson (riche en éléments constitutifs des eicosanoïdes anti-inflammatoires) sont des habitudes alimentaires qui activent l'inflammation. C'est un peu comme si les êtres humains jetaient du kérosène sur le feu bien allumé de l'inflammation silencieuse, déjà alimenté par l'épidémie d'obésité dont ils souffrent.

S'il est vrai que vous ne pouvez pas remplacer vos gènes, vous pouvez en modifier l'expression en changeant votre alimentation et votre style de vie. En atteignant le juste milieu, vous modifierez le fonctionnement de vos gènes et vous résisterez à l'inflammation silencieuse pour le restant de vos jours.

LE CONTRÔLE DES GÈNES

Si les gènes qui ont augmenté nos chances de survie nous ont aussi rendus plus vulnérables à l'inflammation silencieuse, comment avons-nous réussi à survivre jusqu'à maintenant? La réponse réside dans l'alimentation et le style de vie. Après leur apparition sur la Terre, les humains ont suivi pen-dant très longtemps un régime alimentaire anti-inflammatoire qui s'accor-dait avec leurs gènes pro-inflammatoires. Il y a dix mille ans, les humains avaient une alimentation riche en fruits, en légumes, en protéines maigres et en acides gras oméga-3 à longue chaîne (provenant principalement du poisson), et pauvre en acides gras oméga-6. Ce régime paléolithique ne contenait quasiment pas de grains ni d'amidon. C'était le régime des chasseurs-cueilleurs, et il avait pour effet de contrôler la très forte propension génétique des humains à générer de l'inflammation et à sécréter trop d'insuline. Ainsi, l'inflammation silencieuse était maîtrisée.

Avec l'arrivée de l'agriculture, les choses ont commencé à changer, mais ce n'est qu'au cours des deux dernières générations que notre alimentation a cessé d'être en harmonie avec nos gènes. Naturellement, nous ne pouvons pas revenir à l'âge des cavernes, c'est-à-dire à l'époque des chasseurs-cueilleurs. Qui voudrait renoncer aux supermarchés ? Cependant, nous pouvons modifier nos habitudes alimentaires de manière à répéter les effets anti-inflammatoires du régime paléolithique. Ce régime permettait de garder le système immunitaire en constante alerte sans causer d'inflammation silencieuse chronique. Or, c'est le genre de régime que nous devrions suivre si nous voulons maîtriser notre inflammation silencieuse et atteindre le juste milieu de la bonne santé.

Tant que notre alimentation contrebalance les fortes réactions inflammatoires et insuliniques pour lesquelles l'évolution nous a programmés, la vie est belle. Ce n'est que lorsque le déséquilibre s'installe que l'inflammation silencieuse chronique commence à apparaître. Or, la version moderne du régime paléolithique est le régime du juste milieu, dont je parle dans mes ouvrages depuis 10 ans. Ce régime est la clé pour recouvrer la santé et la préserver pendant toute la vie. Lorsque vous êtes dans le régime anti-inflammatoire, votre inflammation silencieuse n'augmente plus, car vous vous trouvez dans un nouvel état physiologique dans lequel vos gènes inflammatoires sont équilibrés par une alimentation anti-inflammatoire qui maîtrise l'inflammation silencieuse. C'est la définition moléculaire de la bonne santé.

Pour atteindre le régime anti-inflammatoire, vous devez intégrer au régime du juste milieu une série de stratégies additionnelles pour combattre l'inflammation silencieuse. Certains aliments anti-inflammatoires, comme l'huile d'olive extravierge, le vin, l'huile de sésame, le curcuma et le gingembre, figurent en abondance dans les recettes visant à inverser le processus de l'inflammation silencieuse. Vous devez également adopter un programme d'exercices complet (mais facile à suivre) pour contrôler votre taux d'insuline. Enfin, des stratégies de réduction du cortisol, comme la méditation, accroîtront les bienfaits hormonaux dont vous profitez déjà grâce aux mesures que vous avez prises.

Considérez les changements à apporter à votre style de vie comme autant de médicaments que vous devez absorber quotidiennement pour maîtriser l'inflammation silencieuse. Pour atteindre le régime anti-inflammatoire, le secret consiste à maintenir les hormones que vous pouvez contrôler (les eicosanoïdes, l'insuline et le cortisol) dans leur juste milieu, à un taux ni trop élevé ni trop bas. Vous pourrez ainsi vivre plus longtemps et en meilleure santé. Personne ne vous oblige à choisir le juste milieu. Mais si vous ne le faites pas, vous devrez composer avec les outrages du vieillissement, qui sont une conséquence de l'augmentation croissante de l'inflammation silencieuse. Réfléchissez-y bien !

DEUXIÈME PARTIE

Atteindre le juste milieu anti-inflammatoire : Comment combattre l'inflammation silencieuse à vie

Chapitre 4
Souffrez-vous
d'inflammation silencieuse ?

La bonne santé dépend du degré d'inflammation dans l'organisme, et plus particulièrement du degré d'inflammation silencieuse. Si vous souffrez de douleur insoutenable ou d'une maladie chronique, vous savez que vous n'êtes pas en bonne santé. Si vous souffrez de diabète de type 2, de maladie cardiaque, de cancer ou de la maladie d'Alzheimer, cela signifie que vous faites de l'inflammation. Si vous êtes atteint d'une affection auto-immune, comme la sclérose en plaques ou le lupus, vous faites aussi de l'inflammation. Si vous souffrez d'une affection s'accompagnant de douleur, c'est-à-dire d'une maladie quelconque finissant en « ite », vous faites de l'inflammation dans la région où la douleur se manifeste. Dans tous ces cas, il ne s'agit pas d'inflammation silencieuse. L'inflammation silencieuse est une inflammation permanente qui ne cause pas de douleur perceptible. Jusqu'à récemment, il n'existait pas de moyen de la mesurer. Ce n'est plus le cas aujourd'hui. Vous pouvez dorénavant vérifier si vous faites de l'inflammation silencieuse et, si c'est le cas, adopter un programme anti-inflammatoire à vie pour la maîtriser. Vous pouvez aussi subir des examens cliniques périodiques pour déterminer si vos efforts portent fruit.

Pour atteindre le régime anti-inflammatoire, vous devez commencer par déterminer si vous souffrez d'inflammation silencieuse et, le cas échéant, en déterminer la gravité. L'inflammation silencieuse est difficile à déceler, surtout à l'œil nu. Vous pouvez faire de l'inflammation silencieuse si vous êtes obèse, mais ce n'est pas toujours le cas. En fait, vous pouvez avoir un excédent de poids et être quand même en bonne santé, mais il faut pour cela que votre taux d'insuline se situe dans une plage saine (de bonnes nouvelles pour des millions de personnes en Amérique du Nord).

En revanche, vous pouvez souffrir d'inflammation silencieuse grave même si vous avez un poids idéal.

Comment, alors, pouvez-vous déterminer où vous en êtes ? Une analyse clinique du sang est le seul moyen scientifique, mais il existe des moyens subjectifs qui peuvent fournir des indices. Il y a de nombreuses années, j'ai mis au point un « rapport d'inflammation silencieuse » pour aider à la fois les cardiaques et les athlètes de haut niveau à apporter à leur alimentation les changements nécessaires pour combattre ce type d'inflammation. Les réponses au questionnaire se fondent sur des observations, mais elles vous indiqueront, d'une manière générale, si vous êtes susceptible de faire de l'inflammation silencieuse.

RAPPORT D'INFLAMMATION SILENCIEUSE

PARAMÈTRE	OUI	NON
Avez-vous un excédent de poids ?	____	____
Avez-vous constamment des fringales de glucides ?	____	____
Avez-vous constamment faim ?	____	____
Vous sentez-vous fatigué, plus particulièrement après avoir fait de l'exercice ?	____	____
Vos ongles ont-ils tendance à se casser ?	____	____
Vos cheveux manquent-ils de tonus et de volume ?	____	____
Souffrez-vous de constipation ?	____	____
Dormez-vous trop ?	____	____
Vous sentez-vous faible au réveil ?	____	____
Manquez-vous de concentration ?	____	____
Avez-vous parfois une sensation de malaise ?	____	____
Souffrez-vous de maux de tête ?	____	____
Vous sentez-vous constamment épuisé ?	____	____
Avez-vous la peau sèche ?	____	____

Si vous avez répondu affirmativement à plus de trois questions, vous avez probablement un niveau élevé d'inflammation silencieuse. Je reconnais qu'il ne s'agit pas ici d'une façon très scientifique de déterminer le niveau d'inflammation silencieuse dans votre organisme, mais il vous indiquera au moins si la balance penche en votre défaveur. Si c'est le cas, demandez une analyse sanguine pour connaître l'étendue réelle de votre inflammation silencieuse et, de ce fait, votre véritable état de santé.

LES PRINCIPAUX MARQUEURS BIOLOGIQUES DU JUSTE MILIEU ANTI-INFLAMMATOIRE

Ce n'est qu'au cours des quelques dernières années que des examens sanguins ont été mis au point pour mesurer l'inflammation silencieuse. Ces examens servent à repérer des marqueurs biologiques spécifiques de l'inflammation silencieuse, ainsi que les niveaux indiquant la présence d'une inflammation importante. Il n'y a pas de meilleur moyen que ces marqueurs biologiques pour savoir si vous devez immédiatement prendre des mesures pour contrer les problèmes réels qui vous guettent. Voyez l'inflammation silencieuse comme du bois d'allumage. Si vous essayez d'allumer une bûche avec une allumette, vous n'y arriverez pas. En revanche, mettez le feu au bois d'allumage à l'aide d'une allumette et la bûche s'enflammera rapidement. Maintenant, voyez votre corps comme une bûche et les flammes comme une douleur atroce ou une affection chronique. Ce sont les symptômes que vous constatez, mais la première étape était la flambée du bois d'allumage.

Le bilan d'inflammation silencieuse

Voici un test par excellence pour déceler l'inflammation silencieuse. Il détermine l'équilibre entre les eicosanoïdes pro-inflammatoires et les eicosanoïdes anti-inflammatoires en mesurant dans la circulation sanguine les acides gras clés qui entraînent la formation des uns et des autres. Ces acides gras sont aussi les hormones qui contrôlent l'inflammation. Comme les eicosanoïdes ne circulent pas dans le sang, il n'existe pas de test direct pour les mesurer. C'est pour cette raison qu'ils sont encore peu connus de la profession médicale. Les eicosanoïdes existent momentanément pour transmettre de l'information d'une cellule à une autre, puis ils sont désactivés en quelques secondes. Ils sont toutefois synthétisés à partir d'acides gras qui circulent dans le sang. Ainsi, en mesurant le rapport entre les acides gras produisant les «mauvais» eicosanoïdes pro-inflammatoires (acide arachidonique ou AA) et les acides gras produisant les «bons» eicosanoïdes anti-inflammatoires (acide eicosapentaénoïque ou EPA), on peut déterminer l'équilibre entre les «mauvais» et les «bons» eicosanoïdes, ce qui fournit un indicateur raisonnablement précis du taux de ces mêmes acides gras dans le reste des quelque 60 billions de cellules dans l'organisme.

C'est le rapport entre l'AA et l'EPA dans le sang qui fournit le marqueur le plus précis de l'inflammation silencieuse, et c'est pourquoi j'appelle ce test «bilan d'inflammation silencieuse». Votre bilan d'inflammation silencieuse peut vous avertir des années, voire des décennies à l'avance, des dangers que vous courez. Plus votre bilan d'inflammation silencieuse est élevé, plus vous êtes susceptible de faire une crise cardiaque, de développer un cancer ou la maladie d'Alzheimer. Ces maladies ne surviennent pas du jour au lendemain ; au contraire, elles mettent des années à se développer. Plus vous vous y prendrez tôt, plus il vous sera facile d'opérer dans votre vie les changements nécessaires pour exercer un contrôle sur votre inflammation silencieuse et pour réduire radicalement vos risques de développer plus tard une affection chronique.

Je n'insisterai jamais assez sur l'importance du bilan d'inflammation silencieuse, et les scientifiques me donnent raison. Il suffit de penser à la *Lyon Diet Heart Study*, une étude majeure grâce à laquelle on a obtenu la plus remarquable réduction du taux de mortalité causée par les maladies cardiovasculaires jamais enregistrée dans le monde médical. Lors de cette étude, deux groupes randomisés de patients qui avaient survécu à une récente crise cardiaque ont été soumis à des régimes alimentaires différents. Un groupe a suivi le régime standard de l'American Heart Association, riche en grains et en amidon et faible en gras, mais riche en acides gras oméga-6 pro-inflammatoires (présents dans les huiles végétales). L'autre groupe a suivi un régime riche en fruits et en légumes, mais faible en acides gras oméga-6 pro-inflammatoires. Au bout de quatre ans, on observait dans le groupe qui avait radicalement réduit sa consommation d'acides gras oméga-6 pro-inflammatoires une baisse de 70 % du nombre de crises cardiaques mortelles, comparativement au groupe qui avait continué à consommer ces acides gras. Le premier groupe n'affichait *aucune* mort subite attribuable à une maladie cardiovasculaire. Ce fait est d'une importance capitale, car la mort subite compte habituellement pour plus de 50 % de tous les décès attribuables aux maladies cardiovasculaires. Plus important encore, l'écart entre le taux de mortalité des deux groupes a commencé à apparaître à peine trois mois après le début de l'étude. Aucun médicament n'a un tel impact sur la réduction des probabilités de crises cardiaques. Alors, comment ce miracle s'explique-t-il ?

Les chercheurs ont été très étonnés de ne pas observer de différences dans la tension artérielle et dans les taux de cholestérol, de triglycérides et de glucose des sujets des deux groupes. (Adieu le cholestérol comme cause des maladies cardiaques, mais je reviendrai sur ce sujet plus tard.) En fait, il n'y avait qu'une différence entre les deux groupes : chez les sujets du groupe qui évitait les acides gras oméga-6, le bilan d'inflammation silencieuse avait diminué de 30 %, comparativement à celui des sujets de l'autre groupe. Or, il semble que chaque réduction de 1 % du bilan d'inflammation silencieuse fait diminuer de 2 % le risque de mourir de crise cardiaque. Je dirais que cela fait du bilan d'inflammation silencieuse un test diagnostic assez convaincant pour connaître de quoi votre avenir sera fait.

La réduction de l'inflammation silencieuse a aussi été associée à la rémission de la sclérose en plaques, une affection auto-immune qui cause de l'inflammation dans le cerveau et le système nerveux. En ce moment, il n'existe aucun traitement qui puisse guérir la sclérose en plaques ; les médicaments ne font qu'en ralentir la progression inéluctable. Cependant, des recherches préliminaires menées en Norvège indiquent que la réduction de l'inflammation silencieuse peut en fait contrer les atteintes nerveuses que cause la sclérose en plaques chez certains patients. D'autres études publiées indiquent que les personnes ayant un bilan d'inflammation silencieuse élevé risquent davantage de souffrir de démence, de dépression et du trouble déficitaire de l'attention. La publication de telles recherches, conjuguée avec les milliers de tests de bilan d'inflammation silencieuse que j'ai effectués au cours des trois dernières années, explique l'importance capitale que j'accorde au bilan d'inflammation silencieuse comme analyse sanguine. Je crois fermement qu'il prédit vos probabilités de souffrir plus tard de cancer, de la maladie d'Alzheimer ou d'une cardiopathie, et cela, des années avant que ces maladies ne se déclarent. Plus votre bilan d'inflammation silencieuse est élevé, plus l'inflammation silencieuse est importante et plus vous êtes loin de la bonne santé. Mais avant que vous ne soyez tout à fait déprimé, sachez que vous pouvez abaisser radicalement votre inflammation silencieuse en 30 jours, à condition bien sûr de suivre les prescriptions alimentaires que je décrirai plus loin dans le présent ouvrage.

OÙ POUVEZ-VOUS OBTENIR UN BILAN D'INFLAMMATION SILENCIEUSE ?

Jusqu'à tout récemment, vous ne pouviez faire faire votre bilan d'inflammation silencieuse que dans un laboratoire de recherche spécialisé, dans une université. À l'heure actuelle, quelques rares laboratoires commerciaux offrent ce test. Vous pouvez demander à votre médecin de prescrire une analyse sanguine qui mesure le rapport entre le taux d'AA (acide arachidonique) et le taux d'EPA (acide eicosapentaénoïque). Le laboratoire où j'ai obtenu les meilleurs résultats est le laboratoire Nutrasource Diagnostics, au Canada, qui est affilié à l'université Guelph. Dans ce laboratoire, on mesure le rapport entre l'AA et l'EPA dans les phospholipides plasmatiques, ce qui donne un résultat beaucoup plus fiable (et plus constant) que la mesure de ce même rapport à partir des globules rouges. Il s'agit d'un test compliqué que la plupart des assurances ne couvrent pas, mais les résultats en valent la peine. Vous-même ou votre médecin pouvez communiquer avec le laboratoire Nutrasource Diagnostics, Inc. au :

130, Research Lane, University of Guelph Research Park
Guelph (Ontario) Canada N1G 5G3

Médecins américains : 519-824-4120, poste 58817
Consommateurs américains : 800-404-8171
Médecins et consommateurs canadiens : 866-MDS-TEST (866-637-8378)

Le taux d'insuline à jeun

Si le bilan d'inflammation silencieuse demeure le test par excellence pour quantifier le taux d'inflammation silencieuse, la mesure de l'insulinorésistance est le meilleur marqueur biologique après celui-ci. Comme je l'expliquerai plus loin, l'insulinorésistance, qui est la cause sous-jacente de l'obésité et du diabète de type 2, se caractérise par des quantités excessives d'insuline dans le flux sanguin. Pour connaître l'étendue de votre insulinorésistance, le moyen le plus sûr consiste à subir une analyse sanguine clinique qui mesure votre taux d'insuline à jeun. Plus votre taux d'insuline est élevé, plus votre organisme produit d'inflammation, car l'insuline stimule la production d'AA à partir des acides gras oméga-6. En outre, elle accroît la quantité de gras stocké, ce qui ne fait qu'amplifier l'inflammation silencieuse, comme je l'expliquerai au chapitre 14.

Contrairement au bilan d'inflammation silencieuse, les analyses sanguines mesurant le taux d'insuline à jeun sont relativement courantes et souvent couvertes par les assurances. On les utilise pour dépister non seulement le diabète, mais aussi les maladies cardiaques. (Comme variable explicative des risques futurs de cardiopathie, le taux d'insuline à jeun est beaucoup plus efficace que les analyses du cholestérol.) Malheureusement, ces analyses sont coûteuses, et les médecins sont réticents à les demander parce que les organisations de soins intégrés de santé peuvent refuser d'en rembourser les coûts. Si vous insistez sur les raisons pour lesquelles vous devez subir un tel test, votre assurance le couvrira probablement.

Si vous voulez vraiment être en bonne santé, vous devez faire en sorte que votre bilan d'inflammation silencieuse et votre taux d'insuline à jeun se situent entre les paramètres indiqués ci-dessous. Ces paramètres définissent le régime anti-inflammatoire et, en conséquence, l'état de bonne santé.

PRINCIPAUX MARQUEURS BIOLOGIQUES CLINIQUES DU JUSTE MILIEU ANTI-INFLAMMATOIRE

PARAMÈTRE	BON	IDÉAL
Bilan d'inflammation silencieuse	3	1,5
Insuline à jeun (UI/ml)	10	5

D'où sortent ces chiffres? Les chiffres du bilan d'inflammation silencieuse se fondent sur des études menées sur des Japonais, qui ont, de tous les peuples du monde, la plus longue espérance de vie et la plus longue espérance de vie en bonne santé (longévité moins les années d'incapacité), le taux le plus faible de cardiopathie et le taux le plus faible de dépression. Les Japonais affichent un bilan d'inflammation silencieuse moyen de 1,5. En comparaison, celui de l'Américain moyen est de 12. En plus d'être les gens les plus obèses au monde, les Américains sont probablement les gens dont le taux d'inflammation est le plus élevé. Cette situation explique sans doute pourquoi nous obtenons d'aussi piètres résultats malgré les sommes astronomiques que nous dépensons en soins de santé. Une fois que l'inflammation silencieuse s'est installée dans l'organisme, il peut être difficile de l'endiguer.

Si un bilan d'inflammation silencieuse élevé est dommageable, ne devriez-vous pas chercher à l'abaisser le plus possible (en dessous de 1, par exemple) ? Pas nécessairement. Si votre bilan d'inflammation silencieuse est trop faible, vous ne produirez pas suffisamment d'eicosanoïdes pro-inflammatoires, ce qui signifie que vous pourriez avoir du mal à orchestrer une riposte appropriée en cas d'attaque infectieuse. C'est ce que les chercheurs ont découvert dans le cadre d'études épidémiologiques menées sur des Inuits du Groenland durant les années 1970. Ces Inuits affichaient des taux très faibles de cardiopathie, de dépression, de sclérose en plaques et de diabète, mais ils semblaient mourir plus facilement de maladies infectieuses. En moyenne, leur bilan d'inflammation silencieuse était d'environ 0,7, et les sujets dont le bilan d'inflammation silencieuse ne dépassait pas 0,5 risquaient davantage d'être victimes d'un accident vasculaire cérébral hémorragique. Vous devez donc essayer de maintenir vos réserves de carburant inflammatoire dans les limites d'un juste milieu équilibré. Un bilan d'inflammation silencieuse supérieur à 15 indique un taux d'inflammation silencieuse significativement élevé. En fait, j'ai observé des bilans d'inflammation silencieuse de 50 chez certains patients (et de 100 chez certains enfants), mais toutes ces personnes souffraient généralement d'une grave maladie chronique ou de problèmes neurologiques. Plus votre bilan d'inflammation silencieuse est supérieur à 15, plus vous risquez de connaître des problèmes graves à court terme. Le tableau suivant vous indique le rapport entre le bilan d'inflammation silencieuse et les risques de maladies chroniques.

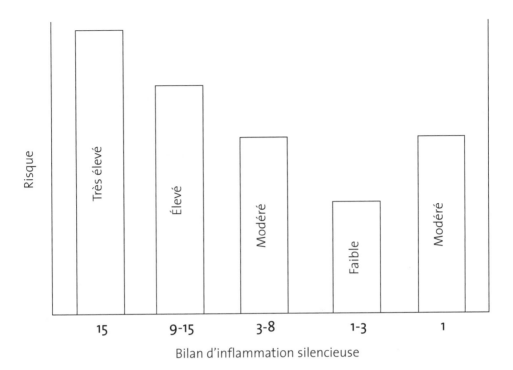

Bilan d'inflammation silencieuse

Si votre taux d'insuline à jeun est supérieur à 10 UI/ml, vous avez cinq fois plus de chance de développer une cardiopathie. Par comparaison, un taux de cholestérol élevé ne fait que doubler vos risques de cardiopathie. Or, bien que nous combattions le cholestérol à l'échelle nationale, nous n'entendons jamais parler de lutte contre l'excès d'insuline. C'est pour cette raison que je vous recommande vivement de faire faire une analyse de votre taux sanguin d'insuline plutôt qu'une analyse générale de vos taux de cholestérol.

Si votre taux d'insuline à jeun est supérieur à 15, vous savez que vous générez beaucoup d'inflammation silencieuse, ce qui vous expose indéniablement à une crise cardiaque précoce et à une mort prématurée. Si vous affichez un tel taux d'insuline à jeun, il est fort probable que vous soyez déjà obèse et que votre insulinorésistance vous mène tout droit au diabète de type 2.

LES MARQUEURS BIOLOGIQUES SECONDAIRES
DU JUSTE MILIEU ANTI-INFLAMMATOIRE

Le bilan d'inflammation silencieuse n'est pas un test courant, mais des laboratoires cliniques spécialisés le font. De même, les médecins ont certaines réticences à demander des tests d'insuline à jeun, car ils sont plus coûteux que les analyses sanguines standards. Quels sont les autres indices qui peuvent vous donner une idée de ce que vous réserve l'avenir ? Il existe des analyses sanguines secondaires pour vérifier votre état de santé et ces analyses sont moins chères et assez courantes. Elles vous donneront une idée générale de votre état de santé, même si elles ne sont pas aussi précises que le bilan d'inflammation silencieuse ou les tests mesurant le taux d'insuline à jeun.

Le rapport TG (triglycérides)/HDL (lipoprotéines de haute densité)

Vous pouvez obtenir ce rapport en subissant un test standard mesurant le taux de lipides sanguins à jeun. Ce test est habituellement prescrit pour déterminer vos taux de cholestérol, décomposés en composants individuels. Les chiffres importants ne sont pas ceux qui indiquent votre cholestérol total ni même votre « mauvais » cholestérol (cholestérol LDL), mais plutôt ceux qui représentent vos taux de triglycérides (TG) et de « bon » cholestérol (cholestérol HDL). Le rapport TG/HDL vous indiquera si vous souffrez de ce qu'on appelle le « syndrome métabolique », causé par l'insulinorésistance. Le syndrome métabolique regroupe diverses affections chroniques (obésité, diabète de type 2, cardiopathie et hypertension) qui sont liées à un taux d'insuline élevé (hyperinsulinémie) causé par l'insulinorésistance. Par conséquent, le rapport TG/HDL devient un marqueur auxiliaire de l'insuline. Plus le rapport TG/HDL est élevé, plus votre taux d'insuline est élevé et plus vous générez d'inflammation silencieuse. (Remarque : Vous pouvez avoir un taux d'insuline à jeun ou un rapport TG/HDL normal et avoir quand même un bilan d'inflammation silencieuse élevé, de sorte que ce test ne révèle pas toute l'étendue de l'inflammation silencieuse. Un rapport supérieur à 2 indique cependant un taux assez élevé d'inflammation silencieuse.)

Le rapport TG/HDL peut aussi vous renseigner sur vos risques de maladies cardiaques. Plus votre rapport TG/HDL est faible, mieux vous en êtes protégé. Cette protection est attribuable au pourcentage élevé de particules de LDL non athérogènes (inoffensives) dans votre sang.

Au cours des dernières années, le tableau du cholestérol s'est compliqué; nous savons maintenant qu'il existe du *bon* « mauvais » cholestérol et du *mauvais* « mauvais » cholestérol. Le bon « mauvais » cholestérol consiste en des particules floconneuses de LDL, qui sont relativement inoffensives pour les artères. En revanche, le mauvais « mauvais » cholestérol se compose de minuscules particules denses de LDL, qui peuvent être mortelles. Elles s'oxydent plus facilement et s'accumulent dans les cellules qui tapissent les vaisseaux sanguins, de sorte qu'elles finissent par former des plaques d'athérosclérose qui entraînent l'occlusion des artères. Ces particules denses peuvent donc causer de graves lésions à vos artères et augmenter radicalement vos risques de faire une cardiopathie. Comment pouvez-vous savoir quel type de particules de LDL circule dans vos artères? Plus votre rapport TG/HDL est élevé, plus le nombre des dangereuses particules denses de LDL est supérieur au nombre des inoffensives particules floconneuses.

Si vous doutez que ce rapport TG/HDL prédise réellement l'apparition future d'une maladie cardiaque, considérez les données suivantes: une étude menée en 2001 a révélé que les sujets qui avaient un rapport TG/HDL peu élevé – malgré le fait qu'ils fumaient, étaient sédentaires ou avaient une tension artérielle ou un taux de cholestérol LDL élevé – présentaient des risques deux fois moins élevés de développer une cardiopathie que les sujets qui avaient un rapport TG/HDL élevé, sans aucun autre facteur de risque de maladie cardiaque. Je ne vous recommande certes pas de commencer à fumer, de privilégier l'inactivité et d'élever votre taux de cholestérol LDL ou votre tension artérielle. Dites-vous simplement que si vous avez un rapport TG/HDL peu élevé, vous êtes beaucoup mieux protégé contre une cardiopathie future que les gens qui font tout ce qu'il faut pour être en bonne santé mais conservent un rapport TG/HDL élevé.

En outre, des études réalisées à la faculté de médecine de l'université Harvard indiquent que les patients qui ont un rapport TG/HDL élevé courent seize fois plus de risques d'être victimes d'une crise cardiaque que les personnes ayant un rapport TG/HDL peu élevé. À titre de comparaison, l'Américain moyen affiche un rapport TG/HDL de 3,3; or, les gens qui ont un rapport TG/HDL de 4 ou plus sont prédiabétiques ou souffrent déjà de diabète de type 2. Je ne vous dis pas cela pour vous inciter à adopter des habitudes dommageables pour le cœur, comme le tabagisme. En fait, vous devriez cesser de fumer et faire de l'exercice, deux mesures qui abaisseront votre tension artérielle. Cependant, occupez-vous avant tout de ramener votre rapport TG/HDL dans les limites du juste milieu anti-inflammatoire.

La protéine C-réactive

En ce moment, le test le plus populaire pour mesurer l'inflammation est un test sanguin de la concentration d'un marqueur appelé protéine C-réactive (CRP). Mais ce test est-il aussi utile qu'on veut bien le croire? Synthétisée dans le foie en réaction à une inflammation aiguë, la protéine C-réactive a été découverte il y a environ 50 ans lorsque les chercheurs ont constaté que sa concentration s'élevait de manière extrême en cas d'infections bactériennes, virales et autres. Cependant, cette découverte en est restée là, car on ne lui a trouvé aucune utilité. Au moment où il devenait possible de mesurer le taux de CRP, le patient était déjà très malade. Or, il y a quelques années, des chercheurs ont mis au point un test haute sensibilité de détection de la protéine C-réactive, qui permet de la déceler à concentration plus faible. Ils ont ensuite découvert qu'une légère augmentation du taux de protéine C-réactive peut signaler la présence d'inflammation silencieuse plutôt qu'une infection aiguë. Les premières études ont révélé qu'une légère élévation du taux de protéine C-réactive peut être une variable beaucoup plus efficace que le taux de cholestérol pour déterminer les risques de cardiopathie. Malheureusement, des études subséquentes n'ont pas corroboré ces résultats. En fait, de nombreux facteurs, comme l'obésité, l'hypertension ou le diabète de type 2, contribuent aussi à élever le taux de protéine C-réactive. Or, lorsqu'on prend en compte tous ces facteurs non lipidiques, la valeur de la protéine C-réactive comme variable explicative de cardiopathie future est pratiquement éliminée.

Compte tenu de l'information dont nous disposons maintenant, la protéine C-réactive semble être un marqueur non spécifique de l'inflammation. Elle est présente en cas d'inflammation, mais on ne réussit pas nécessairement à atténuer l'inflammation en abaissant le taux de cette protéine. L'aspirine, par exemple, est un excellent anti-inflammatoire, mais elle n'abaisse pas de manière significative le taux de protéine C-réactive. De même, la vitamine E abaisse le taux de protéine C-réactive, mais elle n'agit pas sur l'inflammation et ne réduit pas la mortalité causée par les maladies cardiovasculaires. Il semble que la protéine C-réactive signale la présence d'inflammation, mais elle n'en est pas la cause réelle. Voici d'ailleurs une anecdote intéressante à ce sujet. Il y a quelques années, j'ai donné une conférence sur le bilan d'inflammation silencieuse à la faculté de médecine de l'université Harvard. Après la conférence, un des professeurs est venu me dire que mes propos l'avaient effrayé. Il m'a alors confié que son laboratoire avait commencé à examiner le bilan d'inflammation silencieuse de ses étudiants postdoctoraux et qu'on avait découvert qu'il était très élevé, malgré un taux de protéine C-réactive (CRP) parfaitement normal. Ce qui l'effrayait, m'a-t-il expliqué, c'est que l'université Harvard avait recours à ces mêmes étudiants comme « sujets témoins » depuis un certain nombre d'années. Il se demandait si l'université devait maintenant réexaminer toutes ses données, étant donné que ses sujets témoins « normaux » affichaient peut-être déjà un taux d'inflammation élevé.

Même si l'on vante les mérites du test haute sensibilité de la protéine C-réactive dans les médias, j'estime que c'est le marqueur du pauvre en matière d'inflammation silencieuse. En dépit de cela, il vaut mieux que rien. Votre risque de cardiopathie s'élève radicalement lorsque vous dépassez la marque de 3 mg/L, même si votre taux de cholestérol LDL est normal. Idéalement, vous devez viser un taux de 1 mg/L ou, au moins, inférieur à 2 mg/L. Les plages des marqueurs biologiques secondaires se situant dans le régime anti-inflammatoire sont indiquées ci-dessous.

MARQUEURS BIOLOGIQUES SECONDAIRES DU JUSTE MILIEU ANTI-INFLAMMATOIRE

PARAMÈTRE	BON	IDÉAL
TG/HDL	2	Inférieur à 1
Test haute sensibilité de la protéine C-réactive (mg/L)	2	Inférieur à 1

Enfin, si vous n'avez pas envie de subir une analyse du sang, vous pouvez mesurer votre pourcentage de gras corporel ou simplement votre tour de taille, à hauteur du nombril, car ces deux mesures constituent des marqueurs auxiliaires de votre taux d'insuline. (Cependant, vous pouvez être obèse et jouir quand même d'une bonne santé si vos marqueurs d'inflammation se situent dans les plages appropriées.)

Même si je considère que ces mesures sont des marqueurs relativement peu précis de l'inflammation silencieuse, vous n'avez besoin que d'un crayon et d'un ruban à mesurer pour les déterminer, comme vous le verrez à l'annexe E. Vous pouvez aussi vous rendre sur mon site Internet, <www.drsears.com>, et utiliser la calculatrice en ligne une fois que vous avez pris les mesures voulues. Voici les plages que vous devez viser :

MARQUEURS BIOLOGIQUES PEU PRÉCIS DU JUSTE MILIEU ANTI-INFLAMMATOIRE

PARAMÈTRE	BON	IDÉAL
Pourcentage de gras corporel		
Hommes	15	12
Femmes	22	20
Tour de taille (mesuré à hauteur du nombril)		
Hommes	moins de 1 m	moins de 88 cm
Femmes	moins de 88 cm	moins de 75 cm

Je considère ces mesures comme étant des marqueurs peu précis de l'inflammation silencieuse, car elles portent sur des facteurs très restreints, comparativement aux marqueurs primaires de l'inflammation silencieuse : le bilan d'inflammation silencieuse et le taux d'insuline à jeun. Évidemment, si votre taux d'insuline est élevé, vous ferez beaucoup d'inflammation silencieuse, mais votre taux d'inflammation silencieuse peut être élevé même si vos taux d'insuline et de gras corporel se situent dans une plage saine. De nombreux athlètes de classe internationale ont un taux élevé d'inflammation silencieuse parce qu'ils s'entraînent très intensément. Ils sont en excellente forme physique, mais bon nombre d'entre eux ne sont pas en bonne santé. Leur système immunitaire finit par s'affaiblir, ce qui explique pourquoi les athlètes sont très sujets aux rhumes, à la fatigue et à la douleur chroniques, et pourquoi ils s'effondrent aussi fréquemment.

EN RÉSUMÉ

Lorsqu'il est question d'inflammation silencieuse, le savoir donne du pouvoir. Insidieuse, l'inflammation silencieuse est la plus grave menace à la santé. N'oubliez pas que la bonne santé ne se détermine pas à l'aide d'un examen à choix multiples : vous devez garder votre taux d'insuline et votre taux d'eicosanoïdes dans les limites appropriées, c'est-à-dire dans les limites du juste milieu. C'est là le seul indicateur qui puisse vraiment mesurer votre état de santé. Ne jouez pas aux devinettes avec votre santé ! Prenez le temps de passer tous les examens médicaux qui vous permettront de connaître votre véritable état de santé. Si vous découvrez que vous pourriez être en meilleure santé, modifiez votre alimentation et votre style de vie jusqu'à ce que vous atteigniez le juste milieu et, en conséquence, une bonne santé.

Chapitre 5
La première ligne de défense contre l'inflammation silencieuse : le régime du juste milieu

Pour empêcher l'apparition de l'inflammation, il faut un médicament que l'on peut prendre sans danger pour le restant de ses jours. Ce « médicament », c'est le régime anti-inflammatoire – le régime du juste milieu. Le mot « diète » vient du grec ancien et signifie « mode de vie ». Nous avons détourné le sens du mot « diète » et l'employons à tort pour signifier une courte période pendant laquelle nous nous privons et nous nous affamons dans l'espoir d'entrer dans un maillot de bain. La lutte contre l'inflammation silencieuse est une lutte à vie qui sous-entend l'adoption définitive d'une « diète », indispensable pour la contrôler. Or, c'est précisément ce que fait le régime du juste milieu : il fournit le « médicament » de base qui inverse l'inflammation silencieuse, ralentit le processus de vieillissement et réduit les risques de maladie chronique. Comme tout médicament, il faut, pour en retirer le maximum de bienfaits, le prendre au bon moment et selon la dose prescrite. Abandonnez le régime du juste milieu et vous verrez revenir l'inflammation silencieuse, qui favorise le développement de maladies chroniques et réduit l'espérance de vie.

Le régime du juste milieu a été conçu pour inverser le processus de l'inflammation en réduisant la production d'eicosanoïdes pro-inflammatoires. Il y parvient, d'une part, en réduisant l'excès de gras corporel (un médiateur primaire de l'inflammation) et, d'autre part, en abaissant le taux excessif d'insuline (un médiateur primaire de la formation de l'acide arachidonique). J'expliquerai ces deux phénomènes plus loin. On trouve aux États-Unis les gens les plus gros de la planète, qui se distinguent aussi par le taux d'inflammation silencieuse le plus élevé au monde.

La corrélation entre l'excès de gras corporel et l'augmentation du taux d'inflammation silencieuse est la preuve tangible qui relie l'obésité à une foule d'affections chroniques, comme la cardiopathie, le diabète de type 2, le cancer et la maladie d'Alzheimer. L'élévation du taux d'inflammation silencieuse accélère le développement de toutes ces maladies chroniques.

Il n'est pas facile de perdre son excès de gras corporel, mais ne pas le reprendre constitue un défi encore plus grand. On se demande parfois : pourquoi les gens ont-ils de plus en plus de problèmes de poids ? Une étrange mutation génétique s'est-elle produite aux États-Unis ? C'est peu probable. Jusqu'en 1980, le taux d'obésité aux États-Unis, relativement stable, touchait 14 % de la population. Au cours des 25 dernières années, ce taux a atteint un record : 33 % des Américains sont désormais obèses. Pis encore, plus des deux tiers des Américains font de l'embonpoint. Pourquoi ce poids collectif est-il devenu hors de contrôle ?

Comme je traiterai ce sujet plus en détail dans un chapitre ultérieur, je me limiterai à dire pour le moment que nous consommons plus de calories parce que nous avons toujours faim. La meilleure façon de perdre notre excès de gras corporel et d'atténuer notre inflammation silencieuse consiste tout simplement à consommer un moins grand nombre de calories, ce qui est pratiquement impossible quand on est constamment affamé !

Voici un étrange paradoxe auquel je vous invite à réfléchir : plus on consomme de calories, plus on a faim. Ce paradoxe vous semblera moins étonnant lorsque vous aurez compris la cause réelle de la faim : l'hypoglycémie. Le cerveau a besoin d'une certaine quantité de glucose (sucre sanguin) comme carburant. Le cerveau dévore le glucose, utilisant 70 % du glucose sanguin pour assurer son fonctionnement, même s'il ne compte que pour 3 % du poids total du corps. Lorsque votre taux de glucose sanguin baisse, votre cerveau se met en colère et fait une crise : vous vous sentez irrité, ou confus, ou encore plus affamé. Quel que soit le symptôme, vous apprenez à autotraiter cette chute de votre taux de glucose sanguin en augmentant votre consommation de glucides, généralement sous forme de tablettes de chocolat ou de friandises, de boissons gazeuses saturées de sucre, de biscuits, de croustilles de maïs et ainsi de suite. Ces aliments entrent rapidement dans la circulation sanguine sous forme de glucose.

Dès que vous avez mangé, vous vous sentez mieux : votre cerveau vous récompense de lui avoir donné le glucose dont il avait désespérément besoin. Plus vite vous nourrissez votre cerveau, plus vite vous revenez à la normale. Hélas, sans vous en rendre compte, vous ouvrez la voie à une autre chute de votre taux de sucre sanguin (hypoglycémie). En effet, les mêmes glucides qui ont provoqué une augmentation rapide de votre taux de glucose sanguin ont causé parallèlement une hausse rapide de votre taux sanguin d'insuline, qui entraîne au bout d'une heure ou deux une baisse spectaculaire de votre glycémie. Si vous vous « traitez » régulièrement de cette façon, vous ne tarderez pas à engraisser, car c'est l'excès d'insuline qui vous fait grossir et maintient cet excédent de poids.

Si le fonctionnement de votre cerveau dépend d'un apport constant en sucre sanguin, vous pourriez en conclure que vous pouvez subvenir à ses besoins en absorbant principalement des glucides tout au long de la journée. Cette stratégie ne servirait qu'à perturber le fragile équilibre, dans votre organisme, entre l'insuline et le glucagon. Ces deux hormones travaillent de concert pour lutter contre la faim et garder votre cerveau heureux. L'insuline dirige le glucose sanguin dans les cellules hépatiques, pour usage ultérieur, et le glucagon libère ce glucose emmagasiné lorsque le cerveau en a besoin. Les glucides stimulent la sécrétion de l'insuline, tandis que les protéines stimulent la sécrétion du glucagon. Lorsque ces deux hormones sont équilibrées grâce à un régime bien équilibré, comme le régime du juste milieu, la faim cesse de vous tirailler entre les repas et vous pouvez enfin perdre votre excès de gras corporel. Malheureusement, l'équilibre hormonal, édifié sur des millions d'années d'évolution, peut facilement être rompu par un régime riche en glucides.

Pendant au moins 10 ans, les nutritionnistes ont psalmodié le même mantra : une calorie est une calorie. Ils ont déclaré que les gens perdraient leurs kilos en trop en mangeant plus de glucides et moins de gras, car, à poids égal, les glucides contiennent moins de calories que le gras. Les Américains ont été très nombreux à suivre leur conseil, et devinez ce qui s'est passé ? Ils ont pris du poids et sont devenus un peuple en pleine crise d'obésité. Ils consomment moins de gras qu'il y a 20 ans, mais ils consomment beaucoup plus de glucides exempts de gras pour soulager leur constante hypoglycémie.

Personne ne s'était demandé quel effet hormonal produirait le remplacement du gras par des glucides exempts de gras. Or, cette méconnaissance des effets des glucides sur l'insuline, des protéines sur le glucagon et des gras sur les eicosanoïdes a fait exploser le coût de notre système de soins de santé en multipliant les cas de diabète, de cardiopathie et d'autres troubles liés à l'obésité.

Les régimes riches en glucides provoquent une surproduction d'insuline. Plus nous produisons d'insuline, plus notre taux de sucre sanguin s'abaisse et, en essayant de maintenir un taux de glucose sanguin adéquat dans notre cerveau, notre organisme devient de plus en plus affamé. Ainsi, le conseil que l'on nous a donné de réduire notre apport en gras et d'augmenter notre consommation de glucides nous a amenés à ingérer trop de calories sans réussir à calmer notre faim. Pas étonnant que les Américains soient si gros!

Lorsqu'elle est produite en quantité adéquate, l'insuline joue un rôle extrêmement important: elle envoie tous les éléments nutritifs, glucides, protéines et gras, dans les cellules où ils sont destinés à un usage immédiat ou stockés à long terme. De toute évidence, l'insuline est essentielle à la survie. En quantité excessive, cependant, elle peut être dommageable pour l'organisme parce qu'elle provoque une augmentation du taux d'inflammation silencieuse. Les réactions biochimiques qui expliquent les raisons de ces dommages sont complexes et seront examinées plus loin. Pour le moment, disons qu'elles ont pour résultat d'accélérer l'apparition de maladies chroniques et d'entraîner une détérioration de l'état de santé.

Il n'y a que deux carburants que le corps puisse utiliser facilement comme source d'énergie: le glucose et le gras. Lorsque votre corps est au repos, plus de 70 % de vos besoins en énergie sont satisfaits par le gras qui circule. Votre cerveau, cependant, utilise exclusivement le glucose comme source d'énergie. Cet arrangement fonctionne parfaitement, à la condition qu'il y ait des quantités adéquates de glucose et de gras dans la circulation sanguine. Le cerveau obtient ce qu'il désire (du glucose) et les cellules du reste du corps obtiennent ce dont elles ont besoin: un carburant à indice d'octane élevé (le gras). Cependant, un excès d'insuline peut rompre cet équilibre en bloquant la libération dans la circulation sanguine du gras entreposé, ce qui force le cerveau et le corps à se faire concurrence pour une quantité relativement faible de glucose sanguin. Autrement dit, vous vous sentez plus affamé et vous absorbez des calories, probablement des glucides, pour restaurer votre taux de glycémie. Ce qui entraîne une nouvelle hausse de votre taux d'insuline et perpétue un cercle vicieux qui finit par vous faire prendre du poids et augmenter votre inflammation silencieuse.

COMPRENDRE CE QUE SONT LES GLUCIDES

Voici une devinette : pourquoi cinq grammes de glucides provenant d'une pomme de terre causent-ils une hausse plus brutale du taux d'insuline que cinq grammes de glucides provenant d'un cube de sucre ? Pour en comprendre l'explication scientifique, vous devez penser comme un biochimiste.

La nutrition était tellement facile dans le bon vieux temps ! Il n'y avait que deux types de glucides : les sucres simples (comme le sucre de table) et les sucres complexes (comme le pain, les pâtes, les pommes de terre et le riz). Contrairement aux glucides simples, mauvais pour le taux de glycémie, les glucides complexes étaient bons pour celui-ci. Les études actuelles ont détruit cette belle théorie. Les chercheurs ont découvert que certains glucides simples, qui entrent dans la circulation sanguine sous forme de glucose, y entrent en fait beaucoup plus lentement qu'un grand nombre de glucides complexes. Plus de vingt ans plus tard, la majorité des bonzes de la diététique refusent encore d'y croire.

Ces résultats contradictoires sur les glucides proviennent de la biochimie. Pour être absorbés, tous les glucides doivent être dégradés en sucres simples, comme le glucose et le fructose. (Le lait et les produits laitiers contiennent un autre sucre simple, le lactose, qu'un grand nombre de personnes ne digèrent pas.)

Les grains et les féculents (pain, pâtes, riz, maïs, pommes de terre et ainsi de suite) sont composés de longues chaînes de glucose maintenues ensemble par des liens chimiques très faibles qui se brisent rapidement pendant la digestion. Le glucose ainsi libéré envahit la circulation sanguine et provoque une augmentation de la sécrétion d'insuline. Plus le glucose entre rapidement dans la circulation sanguine, plus la sécrétion d'insuline s'accélère. Le fructose est rapidement absorbé, mais il met beaucoup de temps à se convertir en glucose dans le foie. Par conséquent, le fructose, sucre simple, entre beaucoup plus lentement dans la circulation sanguine sous forme de glucose que le glucose provenant de glucides complexes. Moins il y a de glucose dans la circulation sanguine, moins l'organisme sécrète d'insuline.

Les légumes et les fruits contiennent respectivement 30 et 70 % de fructose, et les grains et les féculents, 100 % de glucose. Cela devrait vous aider à comprendre pourquoi la consommation de plus grandes quantités de glucides complexes, comme des grains et des féculents, influence plus fortement l'augmentation de votre taux d'insuline. Ajoutez à ce mélange des fibres solubles (présentes principalement dans les fruits et les légumes), et vous ralentissez encore davantage la libération du glucose dans la circulation sanguine, ce qui tempère la hausse du taux d'insuline. (Remarque : les fibres non solubles que contiennent les grains et les féculents ne ralentissent pratiquement pas la libération du glucose dans la circulation sanguine, un autre point contre les grains et les féculents.) Si la tête vous tourne après ce cours accéléré de biochimie, retenez surtout ceci : contrairement aux grains et aux féculents, les glucides, principalement sous forme de fruits et de légumes, vous procurent un excellent moyen de contrôler votre taux d'insuline.

Chaque aliment contenant des glucides pénètre dans la circulation sanguine selon un taux qui lui est propre. Ce taux de pénétration représente l'indice glycémique de ce glucide. Plus son indice glycémique est élevé, plus un aliment hausse rapidement le taux de glycémie et plus il accélère la sécrétion d'insuline. Par exemple, un cube de sucre se compose de quantités égales de glucose et de fructose, tandis qu'une pomme de terre se compose uniquement de glucose. C'est la raison pour laquelle les glucides contenus dans un cube de sucre entrent dans la circulation sanguine plus lentement que la même quantité de glucides provenant d'une pomme de terre. Pas étonnant que les bonzes de la nutrition détestent le concept d'indice glycémique.

Malgré le grand battage publicitaire entourant l'indice glycémique, ce dernier est difficile à utiliser de manière concrète. Il est basé sur la consommation de 50 grammes d'un aliment particulier, en un seul repas. Cependant, comme personne ne mange une aussi grande quantité d'un seul aliment en une seule fois, il n'indique pas la hausse de la glycémie associée à une portion réelle de cet aliment, et il ne tient pas compte non plus de l'ingestion totale de glucides au cours du même repas ou de la même collation. Il ne donne donc pas une vue d'ensemble, c'est-à-dire une indication de la hausse réelle de glycémie après un repas ou une collation quelconque. Pour obtenir ce renseignement, il est préférable d'utiliser une notion relativement nouvelle : la *charge glycémique*.

La charge glycémique

La charge glycémique ne tient pas seulement compte du taux d'entrée d'un glucide dans la circulation sanguine (l'indice glycémique), mais aussi de la quantité totale de glucides ingérée en une seule fois. La charge glycémique prédit quelle quantité d'insuline l'organisme produira en réaction aux glucides consommés. En fait, des études menées à la faculté de médecine de l'université Harvard ont révélé que plus la charge glycémique de notre alimentation est élevée, plus nos risques de devenir obèses, diabétiques et cardiaques sont élevés. Pourquoi ? Eh bien, les chercheurs de Harvard ont également découvert que plus la charge glycémique de l'alimentation est élevée, plus le taux d'inflammation silencieuse est élevé.

Comment la charge glycémique explique les différences entre divers régimes populaires

Bon an, mal an, il se publie plus de 1000 ouvrages traitant de régimes alimentaires. En fait, il y a aujourd'hui en librairie plus de 15 000 ouvrages différents sur les régimes alimentaires. Pourtant, malgré l'abondance de conseils sur l'alimentation, la médecine ne reconnaît que quatre grands types de régimes, qui peuvent être décrits en fonction de leur charge glycémique. Quand on a bien saisi le concept de charge glycémique, les divers régimes actuellement sur le marché perdent de leur mystère. Essentiellement, le concept de charge glycémique est un facteur universel qui caractérise tous les régimes. Vous trouverez ci-après des exemples typiques de régimes qui peuvent être classés selon leur charge glycémique réelle.

Charge glycémique alimentaire	Nom du régime
Très faible	Atkins
Faible	Juste milieu
Élevée	Pyramide alimentaire de l'USDA Weight Watchers American Heart Association American Diabetes Association
Très élevée	Régime alimentaire américain typique

Remarque : Certains régimes populaires tentent de couvrir leurs arrières. C'est le cas du régime South Beach, par exemple. Pendant les deux ou trois premières semaines, c'est le régime Atkins, qui entre dans la catégorie des régimes à charge glycémique très faible. Ensuite, c'est le régime du juste milieu, qui se range dans la catégorie des régimes à charge glycémique faible.

Une fois que vous comprenez le concept de charge glycémique, des termes comme *à teneur élevée en protéines et en glucides, ou faible en gras et en glucides* ne vous sont plus d'aucune utilité. Pour trouver le régime anti-inflammatoire personnalisé que vous devez suivre à vie, la clé consiste à découvrir le régime dont la charge glycémique convient le mieux à votre biochimie. Si la charge glycémique de votre alimentation est plus élevée que vos gènes ne peuvent le supporter, votre taux d'inflammation silencieuse augmente en raison d'une surproduction d'insuline. En revanche, si la charge glycémique de votre alimentation est trop faible, il commence à se produire dans votre organisme une série complexe d'événements hormonaux qui accroissent la sécrétion de cortisol (l'hormone qui vous fait grossir, vous abêtit et vous rend malade). Si votre but à long terme est de rester en bonne santé, ni l'un ni l'autre de ces scénarios n'est optimal.

LE CALCUL DE LA CHARGE GLYCÉMIQUE

Une fois que vous connaissez votre charge glycémique optimale, vous n'avez plus qu'à la respecter toute votre vie pour éloigner l'inflammation silencieuse. La charge glycémique n'a à peu près rien à voir avec la quantité de glucides réellement consommée. Ainsi, les étiquettes des aliments ne vous seront pas d'une grande utilité, car la charge glycémique tient compte de la dynamique des effets de tout glucide sur la hausse de la glycémie et de son impact sur la sécrétion d'insuline.

On calcule la puissance de la charge glycémique en multipliant l'indice glycémique (IG) d'un glucide en particulier par la quantité totale de ce glucide (g) dans un repas, puis en divisant le produit obtenu par 100, tel qu'il est illustré ci-dessous :

$$\text{Charge glycémique (g)} = \frac{\text{IG (indice glycémique)} \times \text{glucides par portion (g)}}{100}$$

Il existe une forte corrélation entre la charge glycémique d'un repas ou du régime quotidien et la quantité d'insuline sécrétée. Si vous additionnez la charge glycémique de chacun de vos repas au cours d'une journée, vous obtiendrez votre charge glycémique alimentaire totale pour la journée. Comme les grains et les féculents sont presque entièrement composés de glucose, ils auront une charge glycémique plus élevée que les fruits et les légumes, plus riches en fructose. Des aliments différents contenant le même nombre total de grammes de glucides peuvent avoir, selon leur contenu relatif en glucose et en fructose, des charges glycémiques très variables. Ainsi, un régime riche en glucides provenant de grains et de féculents est un régime à charge glycémique élevée qui provoque une augmentation du taux d'insuline et une inflammation silencieuse, tandis qu'un régime riche en glucides provenant de fruits et de légumes – et comptant le même nombre de grammes de glucides – est un régime à charge glycémique faible qui constitue votre meilleure protection contre l'inflammation silencieuse. Le tableau ci-dessous indique les différences importantes entre les charges glycémiques de portions normales d'aliments :

Type de glucide	Charge glycémique (g) d'une portion normale
Légumes sans amidon	1-5
Fruits	5-10
Grains et féculents (pâtes, riz, pommes de terre)	20-30
Malbouffe typique (bonbons, croustilles, boissons gazeuses)	20-30

Comme on le voit sur ce tableau, il y a peu de différence, en ce qui a trait à la charge glycémique, entre les grains et féculents et la malbouffe. Si vous voulez maîtriser la charge glycémique dans votre alimentation, vous devez simplement augmenter votre consommation de fruits et de légumes et manger moins de grains et de féculents (et, bien sûr, les repas-minute). C'est d'ailleurs pour cette raison qu'un régime plus riche en fruits et légumes réduit les taux de cardiopathie, de cancer et d'autres maladies chroniques. Autrement dit, un régime à charge glycémique réduite abaisse le taux d'inflammation silencieuse. Mais pourquoi une alimentation à charge glycémique élevée fait-elle augmenter l'inflammation silencieuse? Parce que la hausse de la sécrétion d'insuline stimule la production d'acide arachidonique (AA), le matériau de base de tous les eicosanoïdes pro-inflammatoires.

Redéfinissons les quatre types de régimes en fonction de leurs charges glycémiques quotidiennes.

Charge glycémique alimentaire	Charge glycémique quotidienne (g/j)	Nom du régime
Très faible	Moins de 20	Atkins
Faible	De 50 à 100	Juste milieu
Élevée	Plus de 200	Pyramide alimentaire de l'USDA, American Heart Association
Très élevée	Plus de 300	Régime alimentaire américain typique

Plus votre charge glycémique quotidienne est élevée, plus votre organisme produit de l'insuline. Si vous suivez les recommandations de la pyramide alimentaire de l'USDA ou de l'American Heart Association, votre organisme produira de deux à quatre fois plus d'insuline que si vous suivez le régime du juste milieu. Quant au régime alimentaire américain typique, il vous fera sécréter six fois plus d'insuline que le régime du juste milieu. Enfin, le régime Atkins entraîne une sécrétion d'insuline de deux à cinq fois inférieure au régime du juste milieu, mais, à long terme, il augmente le taux de cortisol et le poids perdu est repris. Comme vous le voyez, il faut maintenir l'insuline dans le juste milieu. Sa production ne doit être ni trop faible ni trop élevée.

LES DANGERS RÉELS DES RÉGIMES
À CHARGE GLYCÉMIQUE EXTRÊMEMENT FAIBLE

Vous savez déjà que les régimes à charge glycémique très élevée entraînent une hausse excessive des taux d'insuline et d'inflammation. Mais si un régime à charge glycémique faible, comme le régime du juste milieu, est bon pour la santé, un régime à charge glycémique encore plus faible, comme le régime Atkins, n'est-il pas meilleur?

Non. Les régimes à charge glycémique extrêmement faible peuvent aussi aggraver l'inflammation silencieuse et les maladies chroniques, mais pour des raisons autres que celles qui sont habituellement mises de l'avant par les organisations de la santé. Lorsqu'on suit un régime à charge glycémique très faible, comme le régime Atkins, on ne tarde pas à sombrer dans un état anormal appelé cétose. Privé d'une source adéquate de glucides alimentaires, le foie manque de glycogène (glucides entreposés) pour métaboliser complètement les gras en eau et en dioxyde de carbone. Or, cette carence en glycogène hépatique altère le métabolisme normal des graisses et oblige le foie à produire des corps cétoniques anormaux, qui circulent dans le sang. Peu heureux de cette situation, l'organisme est porté à accroître les mictions pour les évacuer. (L'organisme évacue d'autres composés alimentaires de la même façon, comme la caféine et le phosphore contenus dans les boissons gazeuses.) Une bonne part du poids perdu grâce aux régimes à charge glycémique très faible s'explique par la perte d'eau et non de gras. Heureusement, cela n'est guère dangereux.

Le véritable danger des régimes à charge glycémique faible vient des troubles hormonaux qu'ils déclenchent. Tout d'abord, le cerveau a besoin d'une certaine quantité de glucose pour fonctionner correctement. En fait, il cherche à monopoliser cette substance. Comme nous l'avons déjà mentionné, même si le cerveau n'occupe que 3 % de la masse du corps humain, il consomme plus de 70 % du glucose sanguin. Dès que le taux de glucose sanguin devient trop faible, le cerveau cesse de bien fonctionner et se met en mode panique. Il envoie alors des signaux (par l'intermédiaire d'une hormone, le cortisol) exigeant la conversion de la masse musculaire en glucose. Ce processus, appelé la néoglucogenèse, n'est pas très efficace, mais il fonctionne à court terme.

Pendant les six premiers mois où une personne suit un régime très faible en glucides, comme le régime Atkins, elle perd plus de poids qu'une personne qui suit un régime faible en gras et riche en glucides. En outre, le taux de mortalité à court terme par crises cardiaques ou autre cause n'augmente pas, n'en déplaise aux critiques de ces régimes. À long terme, cependant, c'est-à-dire au-delà de six mois, un tel régime entraîne dans l'organisme des changements métaboliques adaptatifs nocifs. Par exemple, les adeptes de ce régime cessent souvent de maigrir et, même s'ils continuent de restreindre leur consommation de glucides, ils commencent à reprendre le poids qu'ils ont perdu. Ce n'est pas parce qu'ils trichent, mais parce qu'ils commencent simplement à subir les effets d'une sécrétion excessive de cortisol, devenue nécessaire pour fournir au cerveau des quantités suffisantes de glucose. Comme je l'ai déjà expliqué, le cortisol en quantité excessive augmente l'insulinorésistance et transforme les cellules adipeuses en véritables aimants à corps gras. Le poids perdu finit par être repris. C'est ce qui arrive très souvent aux personnes qui suivent le régime Atkins: elles perdent du poids pendant les six premiers mois, mais le reprennent au cours des six mois suivants. À la fin de l'année, elles n'ont rien perdu, ou si peu.

Voilà qui explique pourquoi les gens qui ont maigri en suivant des régimes faibles en glucides au cours des 30 dernières années ont repris tout le poids qu'ils avaient perdu – quand ils n'ont pas pris quelques kilos additionnels. La grande majorité de ces gens ne trichaient pas; ils ont tout simplement été victimes des adaptations biochimiques et hormonales de leur organisme pour compenser la charge glycémique trop faible de leur alimentation.

Comme si reprendre le poids perdu ne suffisait pas, les régimes riches en protéines présentent un autre danger: les protéines à teneur élevée en gras. Le régime Atkins encourage les gens à consommer de trop grandes quantités de protéines riches en gras (steak, bacon, jaunes d'œufs et ainsi de suite). Ces aliments sont tous d'excellentes sources d'acide arachidonique (AA). Et plus vous mangez d'acide arachidonique, plus votre taux d'inflammation silencieuse augmente, et cela même si vous perdez vos kilos en trop (cette perte de poids est principalement attribuable à la perte d'eau). L'augmentation de la sécrétion de cortisol et de l'inflammation silencieuse, voilà les réels dangers du régime Atkins.

LES APPLICATIONS PRATIQUES DE LA CHARGE GLYCÉMIQUE

Vous vous dites peut-être que le concept de la charge glycémique, qui vous paraît rigoureusement scientifique, est impossible à appliquer dans la vraie vie. Si c'est le cas, vous vous trompez. Pour calculer la charge glycémique d'un repas, vous n'avez besoin que d'une main, et de vos yeux.

Il n'y a ni bons ni mauvais glucides, seulement des différences dans leur charge glycémique. En suivant le régime du juste milieu, vous pouvez manger tous les glucides connus, pourvu que vous sachiez quand arrêter d'en ajouter dans votre assiette. Mais comment pouvez-vous le savoir, puisque chaque glucide a sa propre charge glycémique?

Malgré ce que j'ai dit plus haut, commencez par diviser les glucides en deux catégories: «bons glucides» et «mauvais glucides». Les bons glucides (fruits et légumes) sont favorables à votre santé, car ils ont des charges glycémiques peu élevées, tandis que les mauvais glucides (grains et féculents) ne le sont pas, parce qu'ils ont des charges glycémiques élevées. Il n'y a rien de révolutionnaire là-dedans.

La méthode œil-main

Pour déterminer la charge glycémique d'un repas, il vous suffit d'utiliser une main et vos yeux. Divisez d'abord le contenu de votre assiette en trois sections égales. Si vous choisissez de manger de mauvais glucides, limitez-vous à une portion qui remplit le tiers de votre assiette. Si vous mangez de bons glucides, ceux-ci peuvent remplir les deux tiers de votre assiette. (Je vous dirai bientôt quoi mettre dans le troisième tiers).

Si vous consommez de mauvais glucides, votre assiette sera peu garnie, mais, au moins, vous ne dépasserez pas la charge glycémique permise pour ce repas. Vous êtes entièrement libre de manger le type de glucides de votre choix, mais n'oubliez pas qu'à charge glycémique égale, les bons glucides fournissent beaucoup plus de vitamines, de minéraux, de fibres et de composés phytochimiques.

La méthode des blocs

Si vous voulez vraiment traiter la nourriture comme un médicament, il vous faut un système de calcul des glucides plus structuré, mais qui demeure assez simple. Dans mon premier ouvrage sur le juste milieu, j'ai tenté d'élaborer le premier système fonctionnel (à mon avis) qui permette de déterminer la charge glycémique d'un repas à l'aide des blocs alimentaires du juste milieu. Ce système consiste simplement à compter le nombre de blocs de glucides du juste milieu pour fixer les limites supérieure et inférieure de la charge glycémique optimale d'un repas. Chaque bloc de glucides du juste milieu contient une quantité définie de glucides et appartient à l'une des deux catégories, bons glucides ou mauvais glucides, selon sa charge glycémique particulière. Les blocs de glucides du juste milieu, qui sont bons, ont une charge glycémique faible, tandis que les blocs de mauvais glucides ont des propriétés inflammatoires et une charge glycémique élevée. Vous trouverez ci-dessous des exemples de blocs de glucides du juste milieu :

Source de glucides	Quantité équivalente à 1 bloc de glucides du juste milieu
Pomme (moyenne)	½
Brocoli (cuit)	100 g (4 tasses)
Pâtes (cuites)	40 g (¼ tasse)
Cubes de sucre	3

La pomme et le brocoli sont de bons glucides, tandis que les pâtes et les cubes de sucre sont de mauvais glucides. La clé du régime du juste milieu consiste à s'assurer que la charge glycémique de chaque repas est adéquate, ni trop élevée ni trop faible, afin de stabiliser la glycémie (et la faim) pour les quatre à six heures qui suivent. Une femme moyenne n'a besoin que de 3 blocs de glucides du juste milieu par repas, ce qui correspond à 40 g (¼ tasse) de pâtes, 100 g (4 tasses) de brocoli et ½ pomme. Un choix plus heureux serait 100 g (4 tasses) de brocoli et 1 pomme entière, tandis que 120 g (¾ tasse) de pâtes serait un piètre choix, car à charge glycémique plus élevée. Si vous ne mangez que des blocs de mauvais glucides, vous êtes au bord du désastre hormonal, même si vous en limitez les quantités. C'est comme si vous mangiez 9 cubes de sucre comme source de glucides pour ce repas, bien que 9 cubes de sucre généreraient une réaction insulinique moins forte que 120 g (¾ tasse) de pâtes ! Voilà le pouvoir que confère la compréhension de la charge glycémique.

Un homme moyen aurait besoin de 4 blocs de glucides du juste milieu par repas. Cela signifie qu'il peut manger plus qu'une femme moyenne, mais pas beaucoup plus. Comme toujours, la clé consiste à savoir quand arrêter d'ajouter des glucides dans son assiette !

LES POINTS DU JUSTE MILIEU

Au fil des ans, je me suis constamment efforcé de simplifier le système des blocs alimentaires du juste milieu, et c'est ainsi que j'ai imaginé les points du juste milieu.

Les points du juste milieu sont tout simplement un autre système de calcul pour vous aider à contrôler la charge glycémique de vos repas. Comme votre état de santé hormonale dépend de votre dernier repas et de votre prochain repas, vous devez avoir pour objectif de prendre des repas qui ont tous la même charge glycémique, car c'est la charge glycémique de chaque repas qui détermine la quantité d'insuline que vous sécrétez.

Les points du juste milieu sont basés sur la charge glycémique de portions normales de divers glucides (qui apaisent la faim sans surcharger l'estomac). En règle générale, pour les glucides, une femme doit se limiter à 15 points du juste milieu par repas, tandis qu'un homme ne doit pas dépasser 20 points du juste milieu par repas. Une collation du juste milieu peut contenir environ 5 points du juste milieu. Comme dans le cas des blocs de glucides du juste milieu, vous pouvez continuer à ajouter des points du juste milieu dans votre assiette, jusqu'à ce que vous atteigniez le maximum permis pour ce repas.

Permettez-moi d'utiliser le système des points du juste milieu pour illustrer mes réserves à l'égard des glucides faits de grains entiers – bien qu'ils aient la cote sur le plan de la rectitude « alimentaire ». Premièrement, la plupart des aliments portant la mention « fait de grains entiers » ne le sont pas. Il faut savoir que les aliments faits de grains entiers sont très périssables. Par exemple, les aliments véritablement faits de grains entiers contiennent des gras qui rancissent à la température de la pièce, de sorte qu'ils doivent obligatoirement être placés dans la section des produits surgelés des supermarchés. Et quand avez-vous acheté un pain surgelé pour la dernière fois ? Comme l'avoine épointée, les grains entiers déshydratés doivent cuire pendant au moins 30 minutes avant d'être consommés. Même si j'adore les *vrais* grains entiers (particulièrement l'avoine et l'orge), je n'en mange pas beaucoup. Les grains entiers doivent aussi être consommés avec modération en raison de leur densité en glucides, qui fait rapidement augmenter la charge glycémique d'un repas. Voyez comme il est facile d'atteindre la surcharge glycémique quand on mange des produits faits de grains entiers :

Glucide	Portion	Points du juste milieu
Pâtes cuites	160 g (1 tasse)	28
Pomme de terre	1 moyenne	28
Bagel	1 petit	28
Riz	80 g (1 tasse)	35

Comme la limite d'un repas du juste milieu est de 15 points pour une femme et de 20 points pour un homme, il est relativement facile d'excéder ce nombre, même en mangeant les grains entiers qui sont les meilleurs pour la santé. J'espère que vous comprenez pourquoi les féculents et les grains (même les grains entiers) ne sont probablement pas les meilleurs glucides, surtout si vous voulez contrôler votre taux d'insuline.

La beauté du système des points du juste milieu est qu'il vous permet de manger ce que vous désirez (même des cubes de sucre), pourvu que vous restiez dans les limites des points du juste milieu à chaque repas. (D'accord, les cubes de sucre ne fournissent pas beaucoup de vitamines et de minéraux, mais si c'est ce que vous voulez, faites-le, mais en vous fixant des limites.) Voyons maintenant comment convertir les blocs de glucides du juste milieu en points du juste milieu.

Glucides	Quantité	Blocs du juste milieu	Points du juste milieu
Brocoli (cuit)	100 g (4 tasses)	1	3
Pomme	½ moyenne	1	5
Pâtes (cuites)	40 g (¼ tasse)	1	7
Cubes de sucre	3	1	2

Une femme moyenne a besoin d'environ 15 points du juste milieu par repas. Comme vous le voyez, en additionnant une demi-pomme (5 points), 100 g (4 tasses) de brocoli (3 points) et 40 g (¼ tasse) de pâtes (7 points), on obtient 15 points. Si une femme mange une pomme entière (10 points) et 100 g (4 tasses) de brocoli, elle aura un repas à charge glycémique moins élevée (13 points). En revanche, si elle avait mangé 120 g (¾ tasse) de pâtes, son repas aurait eu une charge glycémique plus élevée (21 points), qui excède nettement la limite pour un repas. En fin de compte, les points du juste milieu et les blocs de glucides du juste milieu donnent à peu près les mêmes résultats.

Comme vous pouvez le constater d'après la liste précédente d'aliments (vous trouverez une liste beaucoup plus complète dans les annexes C et D), pour maintenir une charge glycémique optimale à chaque repas, vous devez bien vous approvisionner en fruits et en légumes et réduire votre consommation de grains et de féculents.

Le régime du juste milieu est toutefois un peu plus complexe que le simple contrôle de la charge glycémique à chaque repas. Pour vraiment maintenir votre taux d'insuline dans le juste milieu, vous devez équilibrer la charge glycémique de chacun de vos repas au moyen d'une quantité appropriée de protéines maigres et du bon type de gras. Examinons d'abord les protéines.

LES PROTÉINES

Cet élément nutritif fournit les acides aminés dont l'organisme a besoin pour se réparer, synthétiser des enzymes et maintenir sa propre fonction immune. Tout cela est fort bien, mais du point de vue du juste milieu, les protéines sont importantes surtout parce qu'elles stimulent la production de glucagon, soit la principale hormone qui maintient le taux de glucose sanguin dans le cerveau en provoquant la libération du glycogène entreposé dans le foie. Si le cerveau est content (s'il reçoit suffisamment de glucose), vous n'avez pas faim. S'il manque de glucose, il se plaint tant que vous ne consommez pas suffisamment de glucides pour rétablir son approvisionnement en carburant. Si vous mangez suffisamment de protéines, vous n'avez pas besoin de consommer des quantités excessives de glucides pour maintenir votre taux de glucose sanguin, car le foie en libère constamment.

En fait, il n'est pas nécessaire de manger beaucoup de protéines pour s'assurer un taux adéquat de glucagon. Il suffit d'en consommer une quantité équivalente à la taille et à l'épaisseur de la paume de la main, c'est-à-dire environ 85 g (3 oz) par repas pour une femme et 115 g (4 oz) par repas pour un homme. Qu'entend-on par protéines faibles en gras ? Des aliments comme le poisson, le poulet, la dinde, les blancs d'œufs, les coupes très maigres de viande rouge (moins de 7 % de gras) et, pour les végétariens, les produits à base de soja (tofu ou produits de soja imitant la viande). Toutes les protéines animales contiennent une certaine quantité d'acide arachidonique (AA). Cependant, moins la source de protéines est riche en gras, moins vous consommez d'acide arachidonique et moins vous devez faire d'efforts pour maîtriser l'inflammation silencieuse. Comme vous le voyez, la modeste quantité de protéines maigres que je recommande est loin de la gloutonnerie protéinique préconisée dans les régimes pauvres en glucides, et donc riches en protéines, comme le régime Atkins.

Que se passe-t-il quand vous consommez trop de protéines ? Vous risquez d'engraisser, étant donné que l'organisme humain est à peu près incapable d'entreposer les protéines alimentaires excédentaires sous forme de muscles ; s'il le pouvait, nous ressemblerions tous à Arnold Schwarzenegger. Les protéines excédentaires que vous consommez et dont votre organisme n'a pas besoin sont donc converties et entreposées sous forme de glucides ou de gras.

LE GRAS

Le gras est l'élément nutritif qui apporte la touche finale à tout repas ou casse-croûte du juste milieu. Pour contrôler l'inflammation, il est essentiel de choisir le bon gras. La consommation du mauvais type de gras provoque une augmentation des taux d'acide arachidonique (AA), ce qui génère de l'inflammation silencieuse. Comme je l'ai déjà mentionné, les jaunes d'œufs et les coupes de viandes grasses contiennent des concentrations élevées d'acide arachidonique. Si vous mangez des aliments riches en acide arachidonique, vous jetez de l'huile sur le feu. Dans le régime alimentaire des

États-Unis, toutefois, c'est l'énorme quantité d'acides gras oméga-6 qu'absorbent les Américains qui est la cause la plus insidieuse de l'inflammation silencieuse. Ces acides gras sont présents dans les huiles végétales, comme les huiles de soja, de maïs, de tournesol et de carthame. Plus vous consommez d'acides gras oméga-6, plus votre organisme est susceptible de les transformer en acide arachidonique – surtout s'il produit déjà de grandes quantités d'insuline, car l'insuline stimule l'enzyme clé qui synthétise l'acide arachidonique. Je reviendrai sur ce point plus en détail au chapitre 12.

Ce n'est donc pas la quantité, mais plutôt le type de gras qui devient le véritable responsable de l'apparition et de l'intensification de l'inflammation silencieuse. Comment peut-on arrêter le processus ? Pour commencer, on peut troquer les huiles végétales riches en oméga-6 contre de l'huile d'olive et garnir ses salades de noix hachées et d'avocat plutôt que de tranches de jaune d'œuf. L'huile d'olive, les noix et les avocats sont tous riches en gras mono-insaturés. Sur le plan inflammatoire, ces gras mono-insaturés sont neutres puisqu'ils ne peuvent pas être transformés en eicosanoïdes pro-inflammatoires. La *Lyon Diet Heart Study*, étude dont il a été question dans le chapitre précédent, a d'ailleurs démontré l'effet salutaire impressionnant associé à la simple réduction des acides gras oméga-6.

Le gras est un élément nutritif essentiel. Vous avez besoin d'une certaine quantité de gras dans votre alimentation, non seulement pour donner du goût aux aliments, mais aussi pour libérer dans l'intestin une hormone (cholécystokinine) qui se rend immédiatement au cerveau pour lui donner le signal d'arrêter de manger. Les régimes sans gras sont non seulement insipides, mais ils alimentent la faim, car le cerveau n'émet jamais de signal de satiété. Plus important encore, les gras peuvent faire augmenter ou diminuer le taux d'inflammation. Et c'est là que se trouve la clé de l'état de bonne santé.

Peut-on consommer trop de gras ? Évidemment oui. Bien que le gras n'ait aucun effet sur l'insuline, la consommation excessive de gras ne vous fera certainement pas maigrir. Même si vous maîtrisez votre taux d'insuline en ayant un régime à charge glycémique peu élevée, la consommation de trop grandes quantités de gras vous empêchera de vous débarrasser du gras entreposé dans vos cellules. Après tout, si votre organisme dispose de quantités suffisantes d'acides gras provenant de votre dernier repas, pourquoi se donnerait-il la peine d'aller en puiser dans ses cellules adipeuses ?

FAIRE LA SYNTHÈSE : LA SOLUTION ANTI-INFLAMMATOIRE

Pour bien contrôler l'inflammation silencieuse, la meilleure solution consiste à maintenir sa charge glycémique suffisamment élevée pour éviter la cétose, mais assez faible pour éviter la sécrétion excessive d'insuline, et à consommer des protéines et du gras en quantités adéquates. Autrement dit, il faut garder toutes les catégories d'aliments dans le juste milieu. Comme je le répète constamment dans mes ouvrages sur le juste milieu, le secret est d'arriver au bon équilibre. Quelle est la charge glycémique qui vous convient le mieux ? Dans la mesure où nous sommes tous différents sur le plan génétique, la charge glycémique optimale pour rester en bonne santé varie d'une personne à l'autre. Cependant, je sais par expérience que les méthodes simples que j'ai décrites dans le présent chapitre vous permettront d'arriver à une bonne approximation de votre charge glycémique idéale. La plupart des gens découvrent qu'un régime trop pauvre ou trop riche en glucides ne leur procure pas la charge glycémique voulue pour éloigner l'inflammation silencieuse. En fait, le meilleur régime contre l'inflammation silencieuse est probablement un régime «modéré», c'est-à-dire modéré en glucides, modéré en protéines et modéré en gras. Voilà qui correspond assez bien à la description du régime du juste milieu. Autrement dit, tout régime qui mise sur les mots *faible* et *riche* ne réussira jamais à contrôler l'inflammation silencieuse, en raison des déséquilibres hormonaux qu'il cause.

EN RÉSUMÉ

Il est beaucoup plus facile que vous ne le pensez de suivre le régime du juste milieu, à vie, pour contrôler votre inflammation silencieuse. Vous pouvez calculer votre charge glycémique optimale et bien équilibrer votre consommation de protéines et de gras en vous servant d'une main et de vos yeux. Les règles nutritionnelles à la base du régime du juste milieu sont simples et constituent votre première ligne de défense contre l'inflammation silencieuse. Dans le chapitre qui suit, nous verrons combien il est facile d'appliquer ces règles dans la vie quotidienne.

Chapitre 6
Transformez votre cuisine
en pharmacie anti-inflammatoire

Si vous suivez le régime du juste milieu, votre cuisine est probablement déjà bien approvisionnée, et vous pouvez considérer ce chapitre comme une révision générale. Si les effets à long terme de l'inflammation silencieuse vous préoccupent, vous devrez probablement opérer d'autres changements. Non, vous n'aurez pas besoin de faire venir un entrepreneur en construction ! Il vous suffira d'ôter certains aliments de votre garde-manger et de les remplacer par d'autres.

QUE DEVEZ-VOUS RETIRER DE VOTRE GARDE-MANGER ?

Loin des yeux, loin de la bouche et de l'esprit ! Comme vous le savez, c'est ce que je me dis quand je pense à la plupart des grains et des féculents. Prenez tous les féculents transformés que vous pouvez trouver dans votre placard à provisions (céréales, farine, biscottes, pâtes, pain, bagels, muffins, biscuits, gâteaux, longuets, barres granola, etc.) et mettez-les dans un sac à ordures. Mettez aussi les féculents traditionnels, comme le riz, les pommes de terre et les grains dans le même sac. Vous pouvez garder l'orge et l'avoine épointée, si vous en avez. Vérifiez maintenant si votre garde-manger contient des aliments riches en sucre, comme des roulés aux fruits, du chocolat ou des bonbons. Mettez-les aussi dans le sac à ordures. Une fois cette tâche terminée, partez à la recherche des mauvais gras : beurre, margarine, shortening, lard, et surtout huiles végétales comme les huiles de soja, de maïs, de carthame ou de tournesol. N'essayez même pas de les récupérer, jetez-les. Vous pouvez bien sûr donner à une banque alimentaire tous les produits à charge glycémique élevée dont l'emballage est intact. Je sais, ce n'est pas facile de retirer tous ces aliments de votre cuisine, mais votre organisme vous en remerciera plus tard. Ces aliments sont les plus grands responsables de la hausse des taux d'insuline et d'inflammation silencieuse. Ils appartiennent à l'une ou l'autre des deux catégories suivantes : glucides à charge glycémique élevée ou gras pro-inflammatoires. Ils sont, littéralement, des poisons !

QUE DEVEZ-VOUS AJOUTER DANS VOTRE GARDE-MANGER ?

Votre garde-manger vous paraît sans doute un peu vide. Ne vous inquiétez pas. Vous êtes sur le point de le remplir à nouveau – mais, cette fois, avec des glucides à charge glycémique faible, comme des fruits et des légumes, auxquels vous ajouterez de bonnes protéines et du bon gras.

Les glucides

Les ménagères achètent habituellement des produits frais, et elles le font avec les meilleures intentions du monde, mais le temps joue contre elles, et elles ont l'impression d'avoir jeté leur argent par la fenêtre lorsqu'elles se retrouvent avec des laitues fanées, des petits fruits moisis et des pêches trop mûres. La solution à ce problème consiste à n'acheter que pour deux ou trois jours à l'avance. C'est une bonne idée, mais peu pratique dans le monde d'aujourd'hui, avec ses contraintes de temps. Faites plutôt provision de fruits et de légumes surgelés. Ils sont non seulement moins chers que les aliments frais, mais ils sont beaucoup plus nutritifs.

DES LÉGUMES SURGELÉS APPÉTISSANTS

Vous pouvez faire passer des légumes congelés pour des frais si vous savez comment les faire cuire. Préchauffez le four à 180 °C (350 °F). Étendez une grande feuille de papier d'aluminium sur votre comptoir et vaporisez-le d'un corps gras antiadhésif. Disposez les légumes au centre de la feuille et arrosez-les d'un peu d'huile d'olive et de jus de limette. Repliez les côtés de la feuille de manière à former une tente. Faites cuire les légumes pendant 30 minutes, ou jusqu'à ce qu'ils soient tendres.

Seuls les fruits et les légumes les plus mûrs sont surgelés. De plus, ils sont surgelés peu de temps après la récolte, ce qui emprisonne les vitamines et les composés phytochimiques qu'ils contiennent. Les produits frais, pour leur part, perdent un grand nombre de ces éléments nutritifs pendant le transport et l'entreposage.

Les fruits et les légumes en conserve sont plus problématiques. Par exemple, vous devez éviter les aliments qui baignent dans un sirop sucré ajouté pendant le processus de mise en conserve. (Cette teneur élevée en sucre réduit la croissance bactérienne.) En outre, les produits en conserve contiennent beaucoup moins de vitamines que les produits surgelés. Néanmoins, comme glucides du juste milieu, ils sont encore préférables aux glucides à charge glycémique élevée que vous avez donnés à la banque alimentaire.

Les protéines

Recherchez les sources de protéines maigres et achetez-les en portions individuelles. On a tendance à acheter trop de viande et de poulet et, par conséquent, on en mange en trop grandes quantités. Demandez à votre boucher de devenir votre allié. Si la viande, le poulet ou le poisson que vous achetez est emballé en paquets d'un kilo, demandez-lui de vous faire 8 paquets de 115 g (4 oz). Gardez un paquet dans le réfrigérateur et surgelez les sept autres. Vous pouvez aussi acheter en grandes quantités et réemballer vous-même la viande en portions plus petites dans des sacs pour congélateur. Lorsque vous utilisez le paquet se trouvant dans le réfrigérateur, remplacez-le immédiatement par un paquet sorti du congélateur. Ce contrôle des portions vous évitera de faire dégeler trop de protéines (et d'en manger trop) ou d'en être privé (parce que vous ne voulez pas décongeler un gros paquet). Vous pouvez utiliser le même truc pour les charcuteries. Demandez simplement à votre boucher de mettre une feuille de papier ciré entre chaque portion de 115 g (4 oz) de charcuterie.

Les œufs sont une excellente source de protéines et on les achète par six ou par douze. Permettez-moi de souligner que je parle de blancs d'œufs, et non de jaunes, qui sont riches en acide arachidonique. Pour la préparation des omelettes ou des œufs brouillés, vous pouvez vous procurer un séparateur à œufs bon marché ou vous pouvez acheter du substitut d'œuf, comme les Eggbeaters. Si vous aimez les œufs durs, n'oubliez pas de retirer le jaune et de ne manger que le blanc.

Les protéines emballées, comme le fromage cottage faible en gras, les fromages faibles en gras et le thon, le saumon et les sardines en conserve sont également d'excellentes sources de protéines maigres. On peut aisément les séparer en portions. Pour des repas végétaliens, procurez-vous des produits protéiniques à base de soja, comme du tofu, du tempeh ou des produits de soja imitant la viande. Vous pouvez aussi acheter une poudre de protéine pure (l'isolat de protéines de lactosérum a un goût plus agréable) que vous utiliserez dans des recettes du juste milieu, par exemple dans des yogourts frappés garnis de petits fruits, ou que vous ajouterez à des glucides, comme l'avoine, pour conserver un ratio protéines-glucides optimal et équilibrer à long terme votre taux de glycémie.

D'abondantes sources de protéines, voilà le secret du régime du juste milieu, car les protéines stimulent la sécrétion du glucagon, lequel contribue à stabiliser le taux de glucose sanguin. Pour stabiliser votre taux d'insuline, vous devez manger avant d'avoir faim ou durant les quelques minutes qui suivent les premières manifestations de la faim. Vous pouvez facilement vous préparer un repas en deux minutes avec du thon en conserve ou un blanc d'œuf cuit dur mélangé à des glucides à charge glycémique faible que vous aurez préparés à l'avance. Nappez le tout d'un léger filet d'huile d'olive et le tour est joué! Pour lutter contre les fringales de glucides à charge glycémique élevée, comme les bagels, les biscuits et les gâteaux, le secret consiste à éloigner la faim en contrôlant son taux de glucose sanguin.

Le gras

Le dernier mais non le moindre, le gras. Vous devez approvisionner votre cuisine en bons gras. Vous vous êtes déjà débarrassé de vos huiles végétales riches en gras oméga-6 pro-inflammatoires qui font augmenter le taux d'inflammation silencieuse. Éliminer les gras saturés de votre alimentation relevait du simple bon sens. Maintenant, vous devez vous approvisionner en gras mono-insaturés. Je vous suggère d'acheter une bouteille d'huile d'olive extra-vierge (pour les vinaigrettes et les assaisonnements) et de l'huile d'olive raffinée (pour la cuisson). Vous devriez aussi avoir un assortiment de noix. Les amandes effilées, les pignons et les noix de cajou hachées doivent entrer dans la composition du pesto et des salades. Gardez au moins un avocat dans le réfrigérateur pour agrémenter vos salades. Tous ces aliments sont d'excellentes sources de gras mono-insaturés.

LES QUATRE RÈGLES DE BASE POUR PRÉPARER UN REPAS DU JUSTE MILIEU

Comme vous le voyez, transformer votre cuisine en pharmacie alimentaire n'a rien de sorcier. Une fois que votre réfrigérateur, votre congélateur et votre garde-manger contiennent les bons aliments, il ne vous reste plus qu'à réunir les bons ingrédients pour atteindre le régime anti-inflammatoire et commencer à réduire votre inflammation silencieuse.

Pour suivre le régime du juste milieu, il suffit de connaître les quatre règles de base du juste milieu :

1. Prévoyez de manger cinq fois par jour (trois repas et deux collations du juste milieu).
2. Prenez toujours votre petit déjeuner durant l'heure qui suit votre lever.
3. Ne laissez jamais passer cinq heures sans manger un repas ou une collation du juste milieu. Le meilleur moment pour manger est quand vous n'avez pas faim, puisque cela signifie que votre glycémie est stable.
4. Prenez une collation du juste milieu avant d'aller au lit pour prévenir l'hypoglycémie nocturne.

Si vous suivez ces règles, vous n'aurez qu'à vous servir d'une main et de vos yeux pour vous composer des repas et des collations du juste milieu. Voici comment :

1. Divisez votre assiette en trois sections égales. Si vous prenez une collation, utilisez une assiette à dessert.
2. Couvrez un tiers de votre assiette d'une quantité de protéines faibles en gras qui correspond à la taille et à l'épaisseur de la paume de votre main, c'est-à-dire environ 85 g (3 oz) pour une femme moyenne, et 115 g (4 oz) pour un homme moyen. Cette protéine peut être du poulet, de

la dinde, du poisson, des coupes très maigres de bœuf, des blancs d'œufs ou du fromage faible en gras. Le tofu et les produits de soja imitant la viande sont aussi des sources de protéines.

3. Couvrez les deux autres tiers de votre assiette de glucides colorés à charge glycémique faible, comme des légumes non féculents et des fruits.

    Remarque : Si vous choisissez des glucides à charge glycémique élevée, ne remplissez qu'un tiers de votre assiette d'un volume égal au volume des protéines maigres. Si vous tenez absolument à manger des glucides à charge glycémique élevée, il est préférable d'utiliser les blocs ou les points du juste milieu décrits dans la section qui suit.

4. Finalement, ajoutez une touche (une petite quantité) de gras mono-insaturé non inflammatoire, par exemple une cuillerée d'huile d'olive, quelques cuillerées à thé d'amandes effilées ou quelques tranches d'avocat.

Ce sont les quatre règles de base faciles à suivre pour composer des repas du juste milieu. Le seul problème est que vous devez suivre ces règles le plus rigoureusement possible à chaque repas, pendant le restant de vos jours. N'oubliez pas que votre santé hormonale dépend toujours de votre dernier repas ! Et que la culpabilité n'a pas sa place dans le régime du juste milieu. Si vous n'avez pas respecté les règles à un repas, profitez du repas suivant pour revenir dans le juste milieu.

Un repas du juste milieu contient les proportions adéquates de protéines, de glucides et de gras pour maintenir votre taux d'insuline stable pendant les quatre à six heures qui suivent. Vous pouvez aisément déterminer si votre dernier repas était un repas du juste milieu. Regardez simplement votre montre cinq heures après avoir mangé. Si vous n'avez pas faim et si vous vous sentez toujours alerte mentalement, c'était un repas du juste milieu. Pour obtenir le même effet hormonal, il vous suffit de refaire exactement le même repas.

Lorsque vous êtes dans le juste milieu, votre organisme utilise les calories que vous ingérez comme source d'énergie au lieu de les entreposer sous forme de graisse. S'il déroge à cette règle, votre taux d'insuline cesse d'être dans le juste milieu. Il suffit d'un seul repas pour s'éloigner du droit chemin, mais il suffit aussi d'un seul repas pour revenir sur la bonne voie. Le contrôle du taux d'insuline par l'alimentation peut être comparé à la prise d'un médicament au bon moment et à la bonne dose. Tout le monde commet des accrocs alimentaires, vous n'avez pas à vous culpabiliser, mais tâchez de revenir dans le droit chemin le plus vite possible. Peu importe si votre dernier repas était désastreux sur le plan hormonal, vous n'avez besoin que d'une main et de vos yeux pour revenir dans le juste milieu.

COMMENT UTILISER LES BLOCS ET LES POINTS DU JUSTE MILIEU

Les blocs et les points du juste milieu sont plus efficaces que la méthode œil-main pour déterminer la charge glycémique exacte d'un repas. Il y a dix ans, j'ai élaboré le système des blocs de glucides du juste milieu pour calculer la charge glycémique d'un repas. Contrairement aux protéines et aux gras qui suscitent dans l'organisme une réaction métabolique constante, les glucides, selon la quantité ingérée, provoquent des réactions insuliniques qui varient en fonction non seulement de la quantité consommée, mais aussi de la charge glycémique de chaque glucide. Les glucides à charge glycémique élevée (les grains et les féculents) entraînent une hausse du taux d'insuline beaucoup plus marquée que les glucides à charge glycémique faible (les légumes non féculents). Les fruits, quant à eux, se situent entre les deux, les petits fruits étant les meilleurs.

Vous pouvez utiliser la méthode des blocs ou celle des points du juste milieu pour choisir les glucides d'un repas du juste milieu. Elles sont toutes deux plus précises que la méthode œil-main. Remplissez votre assiette de la même quantité de protéines maigres, que vous additionnez d'une touche de gras mono-insaturés, à la seule différence que vous ajoutez maintenant une quantité précise de glucides jusqu'à ce que vous atteigniez la charge glycémique permise pour ce repas. Cela signifie que votre assiette peut déborder (si vous choisissez des glucides à charge glycémique faible) ou être pratiquement vide (si vous choisissez des glucides à charge glycémique élevée). Dans un cas comme dans l'autre, vous apprenez quand il faut arrêter d'ajouter des glucides dans votre assiette. Voici les règles de base pour utiliser les blocs ou les points du juste milieu :

- Une femme moyenne devrait avoir dans son assiette soit 3 blocs de glucides, soit 15 points du juste milieu pour équilibrer la quantité prescrite de protéines maigres (85 g ou 3 oz).

- Un homme moyen devrait avoir dans son assiette soit 4 blocs de glucides, soit 20 points du juste milieu pour équilibrer la quantité prescrite de protéines maigres (115 g ou 4 oz).

L'intérêt de l'utilisation de la méthode des blocs ou des points du juste milieu est que vous pouvez incorporer pratiquement n'importe quel glucide à votre repas, pourvu que vous ajustiez la portion en conséquence. Plus la charge glycémique des glucides est élevée, moins votre assiette est garnie. Inversement, plus la charge glycémique des glucides est faible, plus votre assiette paraît copieuse.

Par exemple, une femme moyenne dont l'assiette contient 85 g de protéines maigres pourrait l'équilibrer en y ajoutant 7 cubes de sucre (14 points du juste milieu). C'est un piètre repas sur le plan nutritionnel, mais acceptable sur le plan hormonal. Il n'y a pas de glucides interdits dans le régime du juste milieu. Que vous décidiez d'utiliser la méthode des blocs ou des points, suivez ces trois règles pour composer chacun de vos repas:

1. Choisissez une portion de protéines maigres de la taille de la paume de votre main. Cela devrait couvrir environ le tiers de votre assiette.
2. Ajoutez les glucides à charge glycémique appropriée grâce à la méthode des blocs ou des points du juste milieu. Vous trouverez une liste des blocs de glucides à l'annexe C et une liste des points du juste milieu à l'annexe D.
3. Ajoutez toujours une touche de gras mono-insaturés.

Comme vous pouvez le constater par le contenu de votre assiette, le régime du juste milieu se résume en un mot: modération. Chaque repas contient des quantités modérées de protéines, de glucides (à charge glycémique faible) et de gras. Cette insistance sur la modération est ce qui vous permet de garder votre taux d'insuline dans le juste milieu.

EN RÉSUMÉ

Avec une main et de bons yeux, le régime du juste milieu est incroyablement facile à suivre, et pour toute la vie. Mais aussi facile soit-il, les gens trouvent toujours des raisons de manquer de modération. N'y a-t-il aucun espoir de contrôler l'inflammation silencieuse ? Rassurez-vous, tout n'est pas perdu ! Il vous reste une dernière ligne de défense très puissante contre l'inflammation silencieuse : l'huile de poisson à fortes doses.

Chapitre 7

Votre ultime défense contre l'inflammation silencieuse : l'huile de poisson à fortes doses

L e meilleur produit que vous puissiez ingérer pour contrôler l'inflammation silencieuse est l'huile de poisson à fortes doses – que vous absorbe-
rez en supplément quotidien. Si le régime du juste milieu aide à contrer
l'inflammation silencieuse en réduisant le taux excessif d'insuline, l'huile
de poisson à fortes doses procure l'ultime coup de pouce dont vous avez
besoin pour l'atténuer. L'huile de poisson est également votre meilleure
protection contre les excès de table, surtout si vous forcez un peu sur la
charge glycémique.

Quand je dis : à fortes doses, je ne plaisante pas. Vous ne pouvez tout
simplement pas absorber suffisamment d'huile de poisson en mangeant
chaque jour des poissons gras comme du saumon, du thon et du maquereau.
Une salade de thon au dîner et une darne de saumon au souper vous pro-
cureront certains bienfaits, mais pas assez pour combattre l'inflammation
silencieuse.

Les Japonais, qui mangent de copieuses portions de poisson, sont en
bonne santé et relativement immunisés contre l'inflammation silencieuse. Malheureusement, la faible quantité de poisson consommée en
Amérique du Nord ne peut être comparée aux quantités massives de
poisson, de crustacés et de légumes de mer qui agrémentent la table des
Japonais. La faculté de médecine de l'université Tufts a mené une étude
nutritionnelle en fournissant à des volontaires la même quantité d'acides
gras oméga-3 à longue chaîne (poisson et légumes de mer) que les Japonais
consomment. Même si les sujets étaient rémunérés et que leurs repas
étaient préparés pour eux, l'expérience n'a duré que trois jours. Les sujets

ne pouvaient tolérer les énormes quantités de poisson qu'ils devaient ingérer.

En dernière analyse, l'huile de poisson est le meilleur gras qui soit pour la santé, en raison de ses puissantes propriétés anti-inflammatoires, et elle est sans doute le meilleur médicament connu. Elle procure une foule de bienfaits sans causer aucun des effets secondaires des médicaments anti-inflammatoires (comme la mort). En fait, le seul effet secondaire de l'huile de poisson est qu'elle vous rend plus intelligent! Comme les médicaments, vous devez l'utiliser en quantité adéquate pour en tirer tous les bienfaits thérapeutiques. Si l'huile de poisson à fortes doses est aussi efficace pour réduire l'inflammation silencieuse, c'est parce qu'elle fait baisser, en moins de 30 jours, la production d'acide arachidonique (AA), composante de base des eicosanoïdes pro-inflammatoires. Ajoutez à cela qu'elle fait simultanément augmenter le taux d'acide eicosapentaénoïque (EPA), composante de base des eicosanoïdes anti-inflammatoires. Prenez de l'huile de poisson et je vous garantis que vous constaterez une amélioration spectaculaire de votre bilan d'inflammation silencieuse, qui vous ramènera sur la voie de la bonne santé.

LA RÈGLE DES 15 SECONDES

Tout le monde veut être en bonne santé, pourvu qu'il n'y ait pas grand-chose à faire. Avec les années, je suis arrivé à la conclusion que la plupart des gens sont prêts à viser cet objectif de santé s'ils ne doivent pas lui consacrer quotidiennement plus de 15 secondes de leur précieux temps. C'est ce qui explique que les ventes de vitamines, de minéraux et de remèdes naturels ont donné le jour, au cours des 10 dernières années, à une industrie de 20 milliards de dollars. Si l'on en croit les fabricants, on peut prendre, en 15 secondes, toutes les pilules magiques dont on a besoin, et c'est fini pour la journée! Une proposition attrayante, mais qui n'a malheureusement pas amélioré la santé des Américains au cours des 20 dernières années. Hélas, la plupart des petites pilules magiques vendues dans les magasins d'aliments naturels ont peu d'effet sur l'inflammation silencieuse, quand elles en ont. De plus, tous les bienfaits potentiels de ces substances sont annulés par le taux croissant d'obésité, qui est à la base d'une hausse de l'inflammation silencieuse.

L'huile de poisson, cependant, se range dans une catégorie à part. Même si elle compte pour moins de 1 % des ventes de suppléments, c'est la seule à avoir fait l'objet d'études cliniques rigoureuses en relation avec diverses affections chroniques, comme les maladies cardiaques, le cancer, les maladies immunes ou inflammatoires et diverses affections neurologiques, comme le trouble déficitaire de l'attention, la dépression, la sclérose en plaques et la maladie d'Alzheimer. Le secret consiste à absorber l'huile de poisson en doses adéquates.

CONSOMMATEURS, MÉFIEZ-VOUS DE LA CONTAMINATION

Comme toujours, il y a un hic. Malgré toutes ses qualités, l'huile de poisson à fortes doses a un désavantage : la contamination. Ne vous faites pas d'illusions, il ne reste plus sur cette planète de poisson non contaminé. Au cours des deux dernières générations, nous avons déversé dans les océans toutes sortes de produits toxiques, dont du mercure, des BPC, des dioxines et des produits ignifuges. Aujourd'hui, les centrales thermiques alimentées au charbon émettent plus de cent mille livres de mercure par année, d'où les données récentes indiquant que pratiquement tous les poissons d'eau douce, aux États-Unis, contiennent des taux importants de mercure. Le poisson préféré des Américains, le thon en boîte, fait l'objet en Californie d'une querelle qui s'éternise : faut-il ou ne faut-il pas le bannir des étagèrres des supermarchés en raison de sa concentration élevée en mercure ? Mais il y a plus grave que la contamination au mercure : l'augmentation des taux de BPC et de dioxines dans le poisson. Bien que la production des BPC ait cessé en 1977, ces composés chimiques mettent des décennies à se décomposer et demeurent donc intacts dans nos océans. Les dioxines (les ingrédients actifs de l'agent Orange utilisé pour la défoliation de forêts entières pendant la guerre du Vietnam) resteront aussi dans l'environnement pendant des décennies. Ces contaminants sont des agents cancérigènes ou neurotoxiques connus. Les consommateurs américains ne savent plus à quoi s'en tenir au sujet du poisson. Le gouvernement leur recommande de manger du poisson parce que le poisson est bon pour la santé, tout en les mettant en garde devant une trop forte consommation, parce que le poisson est contaminé.

Les poissons se classent à la fin de la chaîne alimentaire des océans. Plus le poisson est gros, plus il contient de toxines (n'oubliez pas que le thon est un assez gros poisson, même si la boîte de conserve est petite). Comme ces contaminants sont liposolubles, ils se retrouvent tous dans l'huile de poisson, ce qui fait de l'huile de poisson brute le «dépotoir de la mer». La grande majorité des suppléments d'huile de poisson vendus dans les magasins d'aliments naturels sont presque identiques aux produits qui sortent des usines de traitement chimique.

L'ironie, dans tout cela, c'est que l'aquaculture ne résout aucun de ces problèmes. En fait, elle les aggrave. Le problème est le suivant: pour atteindre une croissance normale, les poissons d'élevage doivent absorber de l'huile de poisson brute. Évidemment, cette huile de poisson brute est contaminée par des toxines, de sorte que les taux de dioxines et de BPC sont significativement plus élevés dans le poisson d'élevage que dans le poisson sauvage.

Les Japonais consomment suffisamment de poisson et de légumes de mer pour contrôler leur inflammation silencieuse, mais à quel prix! Le poisson qu'ils consomment étant très contaminé, leurs taux sanguins de toxines, comme les dioxines et les BPC, frôlent les limites supérieures établies par l'Organisation mondiale de la santé. Malheureusement, quand on prend des suppléments d'huile de poisson en quantités suffisantes pour bénéficier de leurs propriétés anti-inflammatoires, on avale en même temps une bonne dose de toxines. Nous nous trouvons donc devant un dilemme: réduire notre inflammation silencieuse et risquer l'intoxication, ou ne rien faire.

LA SOLUTION

Heureusement, vous n'avez pas à choisir entre ces deux options. La véritable solution a été découverte il y a cinq ans: de nouvelles techniques de fabrication ont permis de mettre au point des concentrés ultraraffinés d'EPA-DHA. L'acide eicosapentaénoïque (EPA) et l'acide docosahexaénoïque (DHA) sont les acides gras oméga-3 contenus dans le poisson. L'EPA a des effets anti-inflammatoires et le DHA, des effets neurologiques positifs. Sans entrer dans les détails, il faut environ 160 litres d'huile de poisson de qualité commerciale pour produire 4 litres de concentré ultraraffiné d'EPA-DHA. Pensez à ce type d'huile de poisson comme à une véritable arme : elle est hautement concentrée et purifiée, et prête à agir. Mais il n'y a, actuellement, qu'une poignée de produits de ce genre sur le marché.

Comment savoir si un supplément d'huile de poisson est composé de ces concentrés ultraraffinés d'EPA-DHA ? La première chose à faire : ne vous fiez jamais ni à la publicité ni à l'étiquette du produit. L'étiquette ou le site Web du produit peuvent promettre que l'huile de poisson que vous achetez est « exempte de mercure », « de qualité pharmaceutique » ou « exempte de toxines », mais vous n'avez aucun moyen de vérifier si la publicité correspond à la réalité, à moins d'avoir un équipement de laboratoire d'un demi-million de dollars dans votre cuisine. La meilleure chose à faire est de communiquer avec un organisme indépendant qui n'a aucun intérêt financier dans la compagnie qui fabrique le produit, et qui dispose de la technologie nécessaire pour faire une analyse des contaminants. Le seul organisme que je puisse vous recommander est l'International Fish Oil Standards (IFOS), dont le programme est administré par l'université de Guelph, au Canada. L'IFOS effectue constamment des tests et publie les taux de toxines dans les échantillons d'huile de poisson soumis par les fabricants. Si le numéro de lot d'une huile de poisson n'apparaît pas sur la liste du site d'IFOS, pensez-y à deux fois avant de l'acheter. Je vous recommande fortement de visiter le site Internet de l'IFOS, au <www.ifosprogram.com>, avant d'acheter tout produit à base d'huile de poisson, peu importe ce qu'en disent les publicités.

Les normes fixées par le programme de l'IFOS pour les concentrés ultraraffinés d'EPA-DHA sont rigoureuses :

Paramètre	Limite supérieure
Mercure	Moins de 10 partie par milliard (ppb)
BPC totaux	Moins de 45 ppb
Dioxines totales	Moins de 1 partie par billion
Niveau total d'oxydation (TOTOX)	Moins de 13 mé/l

Ces normes sont extrêmement strictes, mais c'est un minimum, à mon avis, si on envisage prendre de l'huile de poisson toute sa vie. Voici une anecdote, en passant : je dirigeais un séminaire sur les applications thérapeutiques de l'huile de poisson à la faculté de médecine de Harvard ; ce séminaire s'adressait à un grand nombre de chercheurs de très haut niveau qui croyaient aux vertus de l'huile de poisson. À la fin, quand je leur ai demandé s'il y en avait parmi eux qui prenaient de l'huile de poisson, j'ai découvert qu'aucun d'eux ne le faisait par crainte de contamination. Eh bien, s'ils craignent les BPC et les dioxines, dites-vous que vous avez toutes les raisons de les craindre vous aussi ! N'oubliez pas que ces contaminants sont comme les cafards : quand ils entrent chez vous, c'est parce qu'ils ont bien l'intention d'y rester.

Si vous n'avez pas accès à Internet, il existe une autre méthode moins élégante qui vous permettra de déterminer si une huile est un concentré ultraraffiné d'acide eicosapentaénoïque et d'acide docosahexaénoïque (EPA-DHA) : versez quelques cuillerées d'huile liquide ou le contenu de quelques capsules d'huile de poisson dans une tasse et mettez-la au congélateur. Si l'échantillon gèle complètement, il ne s'agit pas de concentré ultraraffiné d'EPA-DHA. Un véritable concentré d'EPA-DHA reste à l'état liquide ou épaissit un peu. Cela ne veut pas nécessairement dire que les taux de contaminants sont faibles, mais c'est prometteur.

Quand vous trouverez un supplément d'huile de poisson composé de concentrés ultraraffinés d'EPA-DHA, vous constaterez qu'il coûte plus cher que les autres. Ne vous laissez pas rebuter par le prix. Vous payez la quantité exacte d'acide eicosapentaénoïque et d'acide docosahexaénoïque qu'elle contient. En faisant un calcul rapide, vous découvrirez généralement que le coût réel par gramme d'acide eicosapentaénoïque et d'acide docosahexaénoïque des produits moins raffinés est plus élevé que celui de la même quantité de concentrés ultraraffinés d'EPA-DHA (surtout l'huile liquide). Ce prix élevé est en partie attribuable au coût des capsules de gélatine, beaucoup plus onéreuses que l'huile de qualité commerciale qu'elles renferment.

Pourquoi ne trouve-t-on pas de concentré ultraraffiné d'EPA-DHA dans tous les magasins ? En fait, l'offre ne suit pas encore la demande, bien que l'approvisionnement soit en croissance constante. Pour le moment, vous pouvez toujours consulter le site Web de l'IFOS pour savoir où en trouver. C'est gratuit.

QUELLE QUANTITÉ D'HUILE DE POISSON FAUT-IL PRENDRE ?

Vous devez prendre la quantité d'huile de poisson adéquate pour garder votre bilan d'inflammation silencieuse dans la plage appropriée. Mes recherches montrent que les besoins en acide eicosapentaénoïque (EPA) et en acide docosahexaénoïque (DHA) varient, d'une personne à l'autre, de 3 à 8 grammes par jour. C'est l'équivalent de 1 à 3 cuillerées (ou 4 à 12 capsules) de concentré ultraraffiné d'EPA-DHA par jour. Cela peut sembler beaucoup, mais c'est ce dont vous avez besoin pour que votre bilan d'inflammation silencieuse se situe entre 1,5 et 3, le marqueur clé de la santé. Comme la plage des doses maximales d'huile de poisson est assez large, vous devez trouver la dose qui vous convient le mieux – d'où l'importance du bilan d'inflammation silencieuse.

Une fois que vous avez trouvé la quantité d'EPA et de DHA dont vous avez besoin pour garder votre bilan d'inflammation silencieuse dans le juste milieu, celle-ci représente probablement votre dose optimale à long terme. N'oubliez pas que la quantité dont vous avez besoin ne dépend pas de votre âge, de votre poids ou de votre sexe. Elle dépend de votre bio-chimie propre, de votre état de santé et de votre alimentation. Mieux vous contrôlez votre taux d'insuline en suivant le régime du juste milieu, moins vous avez besoin d'EPA et de DHA pour maîtriser l'inflammation silen-cieuse. Inversement, plus votre taux d'insuline est élevé, plus vous devez prendre d'EPA et de DHA pour combattre l'inflammation silencieuse. Naturellement, vous pouvez suivre le programme de vie dans le juste milieu (qui comprend le régime du juste milieu, l'huile de poisson, l'exer-cice et la méditation) ou simplement prendre de l'huile de poisson pour essayer de maîtriser l'inflammation silencieuse. Vous avez le choix. Cepen-dant, si vous choisissez de vous limiter à l'huile de poisson, vous devrez en prendre une dose beaucoup plus élevée que si vous suiviez le programme complet.

En me basant sur les milliers de bilans d'inflammation silencieuse que j'ai établis au cours des dernières années, je peux vous indiquer la four-chette des doses d'EPA et de DHA dont vous avez probablement besoin, selon votre état de santé. Ces doses représentent une estimation grossière de vos besoins pour vous maintenir en bonne santé. Je dis « estimation grossière », car je crois qu'il est toujours préférable de faire des analyses sanguines pour vous assurer que votre bilan d'inflammation silencieuse se situe entre 1,5 et 3.

État de santé actuel	Quantité d'EPA et de DHA requise
Aucune maladie chronique	2,5 grammes par jour
Obésité, cardiopathie ou diabète de type 2	5 grammes par jour
Douleurs atroces (douleur chronique)	7,5 grammes par jour
Maladies neurologiques déclarées	Plus de 10 grammes par jour

Dans la mesure où le taux de dégradation métabolique de l'acide eicosapentaénoïque et de l'acide docosahexaénoïque dépend très étroitement de la pathologie en cause, les quantités varient selon la maladie. Il se peut donc que vous deviez prendre plus d'EPA et de DHA par voie orale pour maintenir un taux sanguin stable de ces substances. Si vous ne pouvez obtenir un bilan d'inflammation silencieuse, vous pouvez estimer ou deviner la quantité d'EPA et de DHA dont vous avez besoin quotidiennement pour réduire l'inflammation silencieuse. Naturellement, il est préférable de connaître son bilan d'inflammation silencieuse, mais il vaut toujours mieux estimer soi-même la dose dont on a besoin plutôt que de se passer d'huile de poisson.

Si vous êtes en bonne santé et avez un poids normal – ce qui signifie que vous maîtrisez probablement votre taux d'insuline –, vous n'avez probablement besoin que de 2,5 grammes de concentré ultraraffiné d'EPA-DHA par jour. Cette quantité devrait suffire à maintenir votre bilan d'inflammation silencieuse dans la plage santé, soit entre 1,5 et 3.

Lorsque votre taux d'insuline augmente, vous générez davantage d'inflammation silencieuse, de sorte que vous avez besoin de doses plus élevées d'EPA et de DHA pour recouvrer la santé. Si vous êtes obèse ou souffrez de cardiopathie ou de diabète de type 2, votre taux d'insuline est probablement élevé et vous avez besoin de quantités encore plus élevées d'EPA et de DHA pour combattre l'inflammation silencieuse induite par votre excès de gras corporel.

Et si votre douleur n'est pas silencieuse, mais insoutenable? Les personnes qui souffrent d'arthrite, de maux de dos chroniques et d'autres maladies inflammatoires qui causent des douleurs chroniques doivent prendre des doses plus élevées d'acide eicosapentaénoïque et d'acide docosa-hexaénoïque pour atteindre le régime anti-inflammatoire. Ces personnes ont souvent un bilan d'inflammation silencieuse plus élevé. Et si vous souffrez d'affections neurologiques, comme le trouble déficitaire de l'attention, la dépression ou la maladie d'Alzheimer, vous devez en prendre des quantités encore plus grandes pour réduire l'inflammation silencieuse dans votre cerveau. Voilà pourquoi nos grands-mères disaient de l'huile de poisson qu'elle était bonne pour le cerveau.

QUELQUES TRUCS POUR PRENDRE DES DOSES ÉLEVÉES D'HUILE DE POISSON

D'accord, vous me croyez quand je dis qu'il est important de prendre des doses élevées d'huile de poisson, mais en prendre en grande quantité est une autre affaire! Premièrement, certaines personnes n'aiment pas l'arrière-goût de poisson, ou craignent des problèmes gastriques. Qui leur donnerait tort? Ces effets sont principalement attribuables aux acides gras étrangers contenus dans les huiles de poisson de qualité commerciale. Une fois que vous commencerez à prendre des concentrés ultraraffinés d'EPA-DHA, vous constaterez une diminution spectaculaire de ces effets secondaires, car la plupart des acides gras qui causent ces problèmes sont retirés pendant le processus de raffinage.

Voici d'autres trucs pour prendre de l'huile de poisson:

1. Prenez toujours des capsules d'huile de poisson en mangeant, et jamais à jeun. Les aliments stimulent le pancréas, qui sécrète alors des enzymes digestives qui dégradent l'huile de poisson pour la rendre plus facilement absorbable.
2. Prenez des capsules d'huile de poisson avant de vous coucher, en même temps que votre collation du juste milieu.
3. Répartissez les capsules sur toute la journée: s'il vous est pénible d'avaler plusieurs capsules à la fois, c'est une bonne solution. Contrairement

aux vitamines et aux minéraux, qui ne persistent que quelques heures dans la circulation sanguine, les acides gras de l'huile de poisson restent dans le sang pendant plusieurs jours. Vous pouvez donc prendre votre dose en une seule fois ou la diviser si cela vous est plus facile. Vous maintiendrez un taux sanguin stable, d'une façon ou de l'autre.

4. Si vous devez prendre plus de quatre capsules par jour, envisagez de passer à l'huile de poisson liquide. (J'ai souvent constaté que les gens prennent quatre capsules par jour de n'importe quoi, puis s'arrêtent. C'est ce que j'appelle «la règle des quatre».) Vous réaliserez aussi des économies, puisque vous n'aurez plus à défrayer les coûts des capsules de gélatine. Comme les concentrés ultraraffinés d'EPA-DHA ne gèlent pas, conservez-les au congélateur. Non seulement le froid les protège contre l'oxydation, mais il leur donne aussi un goût plus agréable. Vous vous dites sans doute que n'importe quel type d'huile de poisson a un goût semblable à l'huile de foie de morue, qui est à peu près ce qu'il y a de plus repoussant, en fait de goût, sur cette terre. Détrompez-vous. Ce n'est pas le cas des concentrés ultraraffinés d'EPA-DHA, car la majorité des composés chimiques responsables de ce goût sont retirés avec les toxines. Je serai honnête avec vous : c'est quand même de l'huile de poisson. Continuez à lire et vous verrez qu'il existe des moyens de rendre l'huile de poisson plus agréable au goût.

5. Mélangez l'huile de poisson liquide avec 30 ml de jus d'orange. L'acide citrique contenue dans le jus d'orange émousse les récepteurs de goût de la bouche, de sorte que vous goûtez très peu l'huile de poisson. Comme cette petite quantité de jus d'orange ne convient pas dans le régime du juste milieu, une meilleure solution serait de sucer un quartier d'orange, de citron ou de limette avant de prendre l'huile de poisson, afin d'obtenir une concentration encore plus élevée d'acide citrique.

6. Prenez un énorme «lait frappé pour le cerveau». J'ai mis au point cette recette à l'intention des personnes qui souffrent de troubles neurologiques, comme le trouble déficitaire de l'attention ou la maladie d'Alzheimer, et qui ont besoin de beaucoup d'acide eicosapentaénoïque et d'acide docosahexaénoïque pour abaisser leur bilan d'inflammation silencieuse. J'avoue que j'utilise moi-même cette recette, car le lait frappé me procure un repas complet du juste milieu et toute l'huile de poisson dont j'ai

besoin en moins de temps qu'il n'en faut pour se préparer une tasse de café. Il suffit d'avoir un bon mélangeur et les ingrédients suivants :

- 250 ml (1 tasse) de lait 2 %
- 15 à 20 g de poudre de protéines
- 180 à 230 g (1 à 1 ½ tasse) de petits fruits surgelés

Mettez tous les ingrédients dans le mélangeur, ajoutez une cuillère à soupe d'huile de poisson liquide (qui contient 7,5 g d'EPA et de DHA) et mélangez le tout. Vous pouvez ajouter des glaçons pour rendre la boisson semblable à du lait battu. Le secret du lait frappé pour le cerveau sont les petits globules de lait qui se trouvent dans le lait 2 %. Ce sont des émulsions préformées dans lesquelles l'EPA et le DHA ajoutés s'incorporent immédiatement. Ces émulsions de gras maximisent l'absorption de l'huile de poisson tout en en camouflant le goût. La poudre de protéines (la poudre sans lactose a meilleur goût) et les petits fruits (les fruits congelés sont toujours un bon choix) fournissent une émulsion additionnelle pour l'huile de poisson, tout en constituant un repas du juste milieu « vite fait ».

PEUT-ON PRENDRE TROP D'HUILE DE POISSON ?

C'est possible, bien sûr. Il faut, pour l'éviter, vérifier périodiquement votre bilan d'inflammation silencieuse. Si votre bilan est inférieur à 1, réduisez votre consommation d'huile de poisson. En temps normal, vous devrez prendre plus de 7,5 grammes d'EPA et de DHA pour atteindre ce niveau. Lorsque votre bilan d'inflammation silencieuse descend à 0,5 ou moins, les risques d'attaques d'apoplexie hémorragique augmentent. Mais si vous arrivez à ce niveau dangereux, c'est parce que vous ingérez des doses beaucoup trop élevées d'huile de poisson. N'oubliez pas que vous devez simplement prendre la quantité d'huile de poisson qui vous permet d'atteindre le régime anti-inflammatoire et vous remet sur la voie de la bonne santé.

Pour vous assurer que votre bilan d'inflammation silencieuse est dans la plage appropriée, je vous recommande de vous soumettre à une analyse sanguine au moins une fois par année. N'oubliez pas non plus que, deux semaines après avoir cessé de prendre de l'huile de poisson, votre bilan d'inflammation silencieuse remonte à son niveau original. Le bilan d'inflammation silencieuse est votre meilleure arme clinique pour comprendre l'étendue de l'inflammation silencieuse dans votre organisme et pour déterminer votre état de santé. N'hésitez pas à vous en servir.

EN RÉSUMÉ

Si vous n'avez que 15 secondes par jour à consacrer au contrôle de l'inflammation silencieuse, la prise d'huile de poisson à fortes doses est la meilleure option que vous puissiez choisir. Mais n'oubliez pas que plus vous suivrez fidèlement le régime du juste milieu, plus vos besoins en huile de poisson diminueront. À vous de choisir !

Chapitre 8
Des suppléments additionnels qui aident à réduire l'inflammation silencieuse

Adopter le régime du juste milieu et ingérer de l'huile de poisson à fortes doses sont les deux mesures les plus importantes à prendre pour atteindre le régime anti-inflammatoire, dans lequel le cours de l'inflammation silencieuse commence à s'inverser. Si vous avez déjà commencé à suivre ce programme, je vous félicite. Vous êtes sur la bonne voie pour recouvrer la santé. Cependant, il y a certaines mesures auxiliaires que vous pouvez prendre si vous voulez contrôler définitivement votre inflammation silencieuse. Certains aliments, certaines épices et certains suppléments alimentaires – que je range tous dans la catégorie «suppléments» dans le présent chapitre – peuvent vous aider à soutenir les bienfaits anti-inflammatoires du programme de vie dans le juste milieu. Il suffit simplement de savoir lesquels prendre.

Je suis parfaitement conscient de la croissance phénoménale de l'industrie des suppléments alimentaires. Les vitamines, minéraux, herbes et autres potions magiques s'envolent des rayons au rythme de 20 milliards de dollars par année. (Les ventes totales de médicaments prescrits sont de l'ordre de 160 milliards de dollars par année.) Bien que je sois convaincu de l'utilité de certains suppléments, ils ne constituent pas le principal moyen de réduire l'inflammation silencieuse. Pensez aux suppléments (autres que l'huile de poisson à fortes doses) comme aux rayons d'une roue. Plus il y a de rayons, plus solide est la roue. La jante de cette roue est le régime du juste milieu additionné d'huile de poisson à fortes doses. Sans jante, la roue ne sera pas solide, quel que soit le nombre de rayons.

Tous les suppléments anti-inflammatoires (aliments, épices, suppléments alimentaires) dont je parle dans ce chapitre ont un effet anti-inflammatoire direct et agissent:

- en inhibant la formation d'acide arachidonique (AA);

ou

- en inhibant les enzymes qui transforment l'AA en eicosanoïdes pro-inflammatoires.

L'INHIBITION DE L'ACIDE ARACHIDONIQUE

En inhibant la formation d'AA, vous empêchez radicalement la production d'eicosanoïdes pro-inflammatoires. C'est la stratégie alimentaire la plus sophistiquée qui soit pour réduire l'inflammation silencieuse.

L'huile de poisson

Parmi tous les suppléments, c'est à l'huile de poisson à fortes doses que je donne la meilleure note, soit 12 sur une échelle de 1 à 10! C'est le meilleur supplément anti-inflammatoire que vous puissiez prendre – à la condition de choisir un produit ultraraffiné qui a été débarrassé de la majorité de ses toxines, ainsi que je l'ai expliqué dans le chapitre précédent. Si vous n'intégrez qu'un seul supplément dans votre vie, optez pour l'huile de poisson à fortes doses. L'acide eicosapentaénoïque (EPA) inhibe partiellement l'activité de l'enzyme delta-5-désaturase, qui fabrique l'acide arachidonique. C'est sur elle que repose l'effet anti-inflammatoire primaire de l'huile de poisson. Mais pour qu'elle ait un impact significatif sur la production d'acide arachidonique, vous devez fournir à votre organisme de grandes quantités d'EPA, d'où la nécessité de prendre de l'huile de poisson, particulièrement riche en EPA, à fortes doses. Vous saurez d'après votre rapport AA/EPA, déterminé par votre bilan d'inflammation silencieuse, si vous avez réussi à réduire votre inflammation silencieuse.

Mes recommandations au sujet de l'huile de poisson apparaissent au chapitre 7, aux pages 101 à 103. Prévoyez prendre beaucoup d'huile de poisson pour réduire l'inflammation silencieuse, mais assurez-vous qu'elle est ultraraffinée, et obtenez un bilan d'inflammation silencieuse pour pouvoir déterminer la dose exacte qui vous est nécessaire.

L'huile de sésame

Bien que l'huile de sésame contienne beaucoup d'acides gras oméga-6, elle contient aussi de petites quantités (moins de 1 %) de composés phytochimiques appelés lignanes. Ces lignanes incluent la sésamine, un inhibiteur direct de l'enzyme qui fabrique l'acide arachidonique. À cet égard, l'huile de sésame agit selon le même mécanisme que l'EPA. Elle réduit l'inflammation silencieuse en inhibant l'enzyme utilisée pour produire l'acide arachidonique, le matériau de construction de tous les eicosanoïdes pro-inflammatoires. Cependant, contrairement à l'huile de poisson, l'huile de sésame fournit aussi une quantité importante d'acides gras oméga-6. On fait donc un pas ou un pas et demi en avant (en fournissant de la sésamine pour inhiber la production d'AA) et un pas en arrière (en fournissant des acides gras oméga-6 pour fabriquer de l'AA). Néanmoins, les bienfaits de l'huile de sésame l'emportent largement sur ses désavantages – à condition de la consommer en quantités modérées.

Mes recommandations au sujet de l'huile de sésame: vous pouvez en consommer de 1 à 2 cuillerées à thé par jour. Vous pouvez remplacer l'huile d'olive par de l'huile de sésame dans un de vos repas.

Le curcuma

Le curcuma est un assaisonnement de couleur jaune utilisé depuis longtemps dans les caris indiens. Il contient un composé phytochimique appelé curcumine. Comme la sésamine, la curcumine inhibe l'enzyme qui fabrique l'acide arachidonique. Cependant, la curcumine n'a pas la spécificité de la sésamine ou de l'acide eicosapentaénoïque et elle inhibe aussi l'activité de l'enzyme nécessaire à la synthèse des précurseurs des « bons » comme des « mauvais » eicosanoïdes. Néanmoins, comme l'huile de sésame, les bienfaits du curcuma en tant qu'assaisonnement sont bien plus grands que toutes ses conséquences nocives possibles.

Mes recommandations au sujet du curcuma: si vous aimez le cari, vous aimerez le goût du curcuma et pourrez vous en faire un allié constant dans votre alimentation. N'hésitez pas à en utiliser de généreuses quantités. Le curcuma s'utilise dans une grande variété de plats et de recettes.

L'acide alphalinolénique (AAL)

L'acide alphalinolénique est un acide gras oméga-3 à chaîne courte présent en concentration élevée dans l'huile de lin. Comme la curcumine, l'AAL inhibe l'enzyme qui réduit la production des précurseurs des « bons » et des « mauvais » eicosanoïdes. Cependant, contrairement à l'acide eicosapentaénoïque (EPA), à la sésamine et à la curcumine, l'acide alphalinolénique n'inhibe pas la synthèse de l'acide arachidonique. C'est peut-être la raison pour laquelle de fortes doses d'AAL ont été associées à l'augmentation des cas de cancer de la prostate. Théoriquement, l'AAL peut être transformé en EPA, mais le processus est inefficace chez l'humain.

Mes recommandations au sujet de l'acide alphalinolénique: ne pensez même pas à prendre de l'acide alphalinolénique si vous prenez de l'huile de poisson à fortes doses. Vous obtiendrez de bien meilleurs résultats avec l'huile de poisson, puisque la conversion de l'acide alphalinolénique en acide eicosapentaénoïque est très inefficace.

L'acide linolénique conjugué (ALC)

Voilà un gras trans potentiellement bon. Il est naturellement présent dans les produits laitiers et peut être synthétisé en laboratoire. La version synthétique de l'ALC contient deux isomères. Le premier isomère agit comme l'acide alphalinolénique, en abaissant la production finale des « bons » et des « mauvais » eicosanoïdes. Cependant, l'un des autres isomères de la version synthétique cause aussi une plus forte insulinorésistance et la stéatose hépatique (accumulation de graisse dans le foie) chez les souris.

Mes recommandations au sujet de l'acide linolénique conjugué: le jury n'ayant pas rendu son verdict sur ce supplément, j'éviterais, si j'étais vous, d'en prendre pour le moment.

L'alcool

Vous ne penseriez jamais à l'alcool comme supplément alimentaire, mais il est plutôt efficace pour réduire l'inflammation silencieuse, quand on en consomme modérément. Le taux de protéine C-réactive des personnes qui boivent une quantité modérée d'alcool est peu élevé. La consommation modérée d'alcool semble stimuler la conversion d'acides gras oméga-6 en acide dihomogammalinolénique ou ADGL, le matériau de construction nécessaire à la production des puissants eicosanoïdes anti-inflammatoires. On comprend mieux pourquoi un ou deux verres de vin par jour, ou l'équivalent sous forme d'alcool, semblent avoir des effets protecteurs sur le cœur. Si vous consommez de l'alcool en plus grande quantité, cependant, il se produit apparemment une accélération de la conversion d'acide dihomogammalinolénique en acide arachidonique, et tous les bienfaits de la consommation modérée d'alcool sont rapidement réduits à néant.

Mes recommandations au sujet de l'alcool : un homme peut prendre l'équivalent de deux consommations par jour (un verre de vin, une bouteille de bière ou un cocktail), tandis qu'une femme peut prendre l'équivalent d'une consommation par jour. Si vous voulez boire de l'alcool, prenez une protéine « pousse alcool » en accompagnement pour prévenir la surproduction d'insuline. Cela peut être 30 grammes de fromage par verre de vin ou 4 crevettes géantes (ou des ailes de poulet) par bouteille de bière.

LES INHIBITEURS ENZYMATIQUES DE LA SYNTHÈSE DES EICOSANOÏDES

Plus on produit d'acide arachidonique, plus il est difficile de contrôler son inflammation silencieuse. Autrement dit, mieux vaut prévenir (réduction de la formation d'acide arachidonique) que guérir (inhibition des enzymes qui convertissent l'acide arachidonique en eicosanoïdes pro-inflammatoires). Néanmoins, il y a un grand nombre d'aliments très utiles (et agréables au goût) qui s'accordent avec le juste milieu.

L'huile d'olive extravierge

Vous avez sans doute entendu parler des bienfaits pour la santé de l'huile d'olive extravierge. Ils sont connus depuis des siècles. L'huile d'olive est riche tant en gras mono-insaturés qu'en acides gras oméga-6 pro-inflammatoires. Le lard aussi, mais personne ne parle de ses bienfaits pour la santé! Les véritables bienfaits de l'huile d'olive sur la santé sont attribuables à un composé phytochimique appelé hydroxytyrosol, présent uniquement dans l'huile d'olive. L'hydroxytyrosol semble inhiber les enzymes qui produisent les eicosanoïdes pro-inflammatoires, tout comme l'aspirine, ce qui explique un peu le paradoxe crétois. Cette population consomme plus de 40 % de ses calories sous forme de gras (principalement de l'huile d'olive extravierge), mais son taux de maladies cardiaques est le moins élevé de toute la région méditerranéenne. En fait, les Crétois prennent de l'aspirine liquide.

N'est-il pas merveilleux qu'un aliment aussi savoureux que l'huile d'olive extravierge ait en plus des propriétés anti-inflammatoires? Malheureusement, la plupart des huiles extravierges vendues aux États-Unis ne contiennent que des traces d'hydroxytyrosol. Les olives sont des fruits, comme les raisins. Différentes variétés d'olives contiennent des taux d'hydroxytyrosol différents. Plus celui-ci est élevé, meilleure est la qualité de l'huile (et plus son prix est élevé). Mais pour dire les choses franchement, une grande partie de la meilleure huile ne quitte jamais l'Italie.

Ne me croyez pas sur parole – faites le test vous-même! Prenez une cuillerée d'huile d'olive et goûtez-la. Elle devrait avoir un goût de beurre, et non le goût habituellement fade de l'huile. Maintenant, passez la langue sur le palais et poussez l'huile jusqu'à l'arrière de votre gorge. Vous remarquerez un fort goût poivré. Si l'huile n'a pas ce goût poivré, elle ne contient pratiquement pas d'hydroxytyrosol, ce qui signifie qu'elle ne procure à peu près aucun bienfait pour la santé. Ne désespérez pas si vous découvrez que votre huile d'olive extravierge n'est pas aussi extraordinaire que vous le pensiez. Vous pouvez vous procurer de la bonne huile d'olive d'Italie en la commandant sur le site <www.olio2go.com>. Attendez-vous à payer entre 30 $ et 40 $ CAN la bouteille, ce qui est, je m'en rends compte, beaucoup plus cher que ce que vous avez l'habitude de payer à l'épicerie. Mais la réduction de l'inflammation silencieuse n'en vaut-elle pas le prix?

Mes recommandations au sujet de l'huile d'olive extravierge: prenez chaque jour entre 2 et 3 cuillerées à thé de véritable huile d'olive extravierge riche en hydroxytyrosol, soit 1 cuillerée à thé à chaque repas. Il suffit de mettre un filet d'huile d'olive sur une protéine maigre ou des légumes cuits. L'olive extravierge (la vraie, bien entendu) est le principal corps gras recommandé dans le régime du juste milieu. Si vous n'arrivez pas à vous procurer de l'huile de qualité, vous pouvez manger des olives importées d'Italie ou de Grèce. Si elles sont riches en hydroxytyrosol, vous remarquerez qu'elles ont un goût poivré particulier.

Le gingembre

Les bienfaits anti-inflammatoires du gingembre sont attribuables à un groupe de composés phytochimiques appelés les xanthines. Ces xanthines inhibent à la fois les enzymes de la cyclo-oxygénase (COX), qui fabriquent les prostaglandines pro-inflammatoires, et celles de la lipo-oxygénase (LOX), qui fabriquent des leucotriènes pro-inflammatoires. À cet égard, les xanthines peuvent être considérées comme un équivalent beaucoup plus faible des corticostéroïdes.

Mes recommandations au sujet du gingembre: utilisez du gingembre frais comme condiment, le plus souvent possible. Mettez-en dans vos sautés, dans vos salades ou dans vos plats de poisson ou de poulet. Vous pouvez aussi vous procurer des capsules riches en xanthines dans les magasins d'aliments naturels.

L'aloès

L'aloès est connu pour apaiser les brûlures de la peau. La substance gélatineuse des feuilles d'aloès agit comme un anti-inflammatoire pour calmer la rougeur et l'enflure associées à la brûlure. Cette substance anti-inflammatoire particulière semble inhiber l'enzyme qui fabrique la thromboxane A_2, un eicosanoïde pro-inflammatoire particulièrement nocif. De plus, l'aloès est riche en glucomannan, une substance qui possède des propriétés cicatrisantes uniques. Et comment l'aloès réduit-il l'inflammation silencieuse? Si vous en prenez par voie orale, l'aloès contribue à apaiser l'inflammation du tube digestif, ce qui favorise par la suite une absorption plus efficace des éléments nutritifs.

Mes recommandations au sujet de l'aloès: prenez une cuillerée à soupe d'aloès biologique tous les jours. Utilisez-le aussi au besoin pour soulager l'inflammation des brûlures de la peau.

LES SUPPLÉMENTS ANTI-INFLAMMATOIRES OU ANTIOXYDANTS

Bien que l'industrie de l'alimentation fasse une fixation sur les antioxydants, il y a une énorme différence entre les suppléments anti-inflammatoires et les antioxydants. Les premiers procurent un soutien important dans la lutte contre l'inflammation silencieuse, tandis que les antioxydants ont très peu d'effets sur le plan médical.

Les suppléments vitaminiques sont tombés en disgrâce ces dernières années. Comme les recherches ne cessent de démontrer que les vitamines ne procurent pas de bienfaits cliniquement pertinents, leur avenir semble peu prometteur, les gens étant de moins en moins portés à les considérer comme des armes magiques. Les antioxydants, comme la vitamine E, la vitamine C et le bêtacarotène, ont souvent été considérés comme des gages de santé éternelle. Pourtant, dans des conditions cliniques contrôlées, ils ne semblent procurer aucun bienfait significatif, particulièrement en ce qui a trait à la mortalité (la seule statistique réellement valable). En fait, certaines études indiquent que le bêtacarotène semble accroître les risques de cancer. Côté cardiovasculaire, les études CHAOS, HOPE et GISSI ont révélé que la vitamine E ne réduit aucunement les risques de mortalité. En revanche, un supplément véritablement anti-inflammatoire, comme les concentrés ultraraffinés d'EPA-DHA, entraîne une réduction spectaculaire des décès par maladies cardiaques.

Les antioxydants sont-ils une perte de temps et d'argent? Probablement pas, si vous avez un régime alimentaire approprié. À mon avis, si les études sur les antioxydants n'ont pas réussi à démontrer ses effets bénéfiques, c'est en partie parce que tous les sujets de ces études avaient un régime alimentaire riche en acides gras oméga-6. Exemple concret: un taux élevé de vitamine C favorise la formation d'un puissant eicosanoïde pro-inflammatoire, lequel est fabriqué à partir d'acides gras oméga-6. Par conséquent, la combinaison de taux élevés de vitamine C et d'acides gras oméga-6 peut être carrément dangereuse. En revanche, la vitamine C n'a pas le même effet sur les acides gras oméga-3. Comme nous l'avons appris grâce à la *Lyon Heart Diet Study*, l'élimination de la majorité des acides gras oméga-6 de l'alimentation produit des résultats extraordinaires, notamment une réduction de 70 % de la mortalité par cardiopathie et l'élimination complète des morts subites attribuables à la cardiopathie. Ces données permettent aussi de conclure qu'il est plus important de contrôler l'inflammation que l'oxydation.

En fait, les antioxydants sont des substances complexes. Oui, les antioxydants peuvent aider à neutraliser les radicaux libres. Sachez que les radicaux libres ne s'attaquent pas de préférence à l'ADN, mais plutôt aux acides gras polyinsaturés dans vos membranes cellulaires. Comme les radicaux libres sont les étincelles nécessaires à la fabrication des eicosanoïdes, ils jouent un rôle dans la réduction de l'inflammation silencieuse. Si vos membranes cellulaires contiennent trop d'acide arachidonique, ces radicaux libres peuvent potentiellement provoquer une réaction inflammatoire massive.

Ainsi, le lien entre les antioxydants et la réduction de l'inflammation silencieuse est, au mieux, plutôt indirect. Vous avez besoin de suffisamment d'antioxydants pour réduire les étincelles qui peuvent allumer l'acide arachidonique et causer une inflammation profonde, mais vous avez aussi besoin de suffisamment de radicaux libres pour convertir les aliments que vous mangez en énergie et tuer les microbes envahisseurs (nous y reviendrons au chapitre 13). Pour ajouter à la complexité de leur action, les antioxydants travaillent comme une équipe de relais. Si un des composants est absent, la bataille est perdue, même si les autres antioxydants font un travail exceptionnel.

Les cibles les plus probables des radicaux libres excédentaires sont les acides gras des membranes. Le défi consiste à neutraliser ces lipides oxydés et à débarrasser l'organisme de la source de l'oxydation. Pour ce faire, il faut trois types distincts d'antioxydants : liposolubles, tensioactifs et hydrosolubles. Les membres de l'équipe de relais liposoluble sont la vitamine E, le coenzyme Q10 et le bêtacarotène. En neutralisant les radicaux libres dans les membranes, ces antioxydants se transforment en radicaux libres partiellement stabilisés. L'objectif consiste à garder les radicaux libres en mouvement pour les expulser dans la circulation sanguine, et éventuellement dans l'urine.

Les derniers à courir, dans l'équipe de relais, sont les antioxydants hydrosolubles, comme la vitamine C, qui transportent les radicaux libres stabilisés jusqu'au foie, où ils sont dégradés en composés inertes et excrétés par l'organisme.

Les membres intermédiaires de l'équipe de relais, les antioxydants tensioactifs, sont moins bien compris. Ce ne sont pas des vitamines classiques, mais des composés phytochimiques appelés polyphénols. Sans eux, votre corps n'aurait aucun moyen de faire passer les radicaux libres des antioxydants liposolubles dans les antioxydants hydrosolubles. Les polyphénols jouent un rôle crucial dans le fonctionnement de ce processus, ce qui peut expliquer pourquoi les recherches n'ont pas démontré l'existence de bienfaits consécutifs à la prise de suppléments de vitamines. Autrement dit, sans une concentration adéquate de polyphénols, vous ne pouvez tout simplement pas réduire vos taux excédentaires de radicaux libres, quelles que soient les quantités d'autres antioxydants présents dans votre organisme.

Il y a plus de 4000 polyphénols connus et les sources les plus riches (peut-on s'en étonner?) sont les fruits et les légumes. On trouve ces polyphénols en concentrations élevées dans le vin rouge, les petits fruits et les légumes de couleur foncée – en fait, ce sont les polyphénols qui confèrent leur couleur vive aux fruits et aux légumes. En général, plus un fruit ou un légume est coloré, plus il est riche en polyphénol. Les grains et les féculents (plus particulièrement ceux qui composent le régime américain) ont un taux relativement peu élevé de polyphénols.

Les aliments antioxydants ont-ils tous la même puissance? Difficile à dire, puisque chaque fabricant d'aliments naturels a des prétentions plus farfelues que ses concurrents. Eh bien, il y a un nouveau shérif en ville, du nom d'ORAC (*oxygen radical absorption capacity*, ou capacité d'absorption du radical oxygène). L'ORAC est un nouveau test standardisé mis au point pour permettre de comparer l'activité réelle d'un aliment ou d'un supplément en particulier dans la lutte contre les radicaux libres. Les fruits et les légumes foncés sont habituellement les aliments dont l'ORAC est le plus élevé, surtout quand on les compare aux vitamines E et C. Il y a aussi des aliments dont on s'étonne qu'ils aient un ORAC aussi élevé, par exemple les polyphénols isolés du thé vert. De même, les herbes utilisées depuis des siècles comme agents de conservation, comme le romarin, ont des valeurs

ORAC encore plus élevées. Le plus étonnant, peut-être, c'est l'hydroxytyrosol, polyphénol contenu dans l'huile d'olive extravierge dont la valeur ORAC est la plus élevée de toutes. Cette mesure aide à comprendre pourquoi l'huile d'olive extravierge est aussi bénéfique pour la santé – elle est non seulement un agent anti-inflammatoire, mais elle contient aussi l'antioxydant le plus puissant que l'on connaisse.

Bien que l'huile de poisson soit, parmi tous les suppléments, la substance anti-inflammatoire de choix en raison de son degré élevé de polyinsaturation, elle peut être oxydée dans l'organisme par une attaque de radicaux libres. Une fois oxydés, les acides gras de l'huile de poisson perdent non seulement toutes leurs propriétés anti-inflammatoires, mais ils peuvent même générer de l'inflammation. En fait, des recherches ont démontré que les personnes qui prennent de l'huile de poisson sans consommer des quantités suffisantes d'antioxydants peuvent, avec le temps, voir diminuer leur taux sanguin de vitamine E.

Si vous suivez le régime du juste milieu et consommez beaucoup de fruits et de légumes, votre alimentation vous fournira tous les antioxydants hydrosolubles et tensioactifs dont vous avez besoin. Il est toutefois plus difficile d'obtenir des taux adéquats de vitamines liposolubles. C'est la raison pour laquelle je vous recommande, si vous prenez de l'huile de poisson à fortes doses, de penser à ajouter des suppléments d'antioxydants liposolubles à votre régime pour maintenir vos réserves de ces substances.

Mes recommandations au sujet des antioxydants: je recommande la prise quotidienne, en plus d'huile de poisson, d'un supplément contenant 200 UI de vitamine E et 30 mg de coenzyme Q10. Vous pouvez aussi augmenter votre consommation d'huile d'olive extravierge. Selon des scientifiques de la clinique norvégienne sur les sports olympiques, c'est le meilleur supplément antioxydant jamais testé pour réduire l'oxydation excessive.

Si vous ne suivez pas le régime du juste milieu mais prenez quand même de l'huile de poisson, vous devriez prendre aussi une bonne préparation multivitamines qui contient des antioxydants hydrosolubles. Je recommande aussi un bon antioxydant liposoluble, comme de la vitamine E, du coenzyme Q10 et du bêtacarotène. Pour être encore plus sûr, prenez de l'huile d'olive extravierge avec vos repas. Assurez-vous qu'elle est de bonne qualité – riche en hydroxytyrosol.

RÉSUMÉ

Ne vous méprenez pas, les suppléments (autres que l'huile de poisson à fortes doses) ne sont pas les principaux outils pour lutter contre l'inflammation silencieuse. Les suppléments peuvent avoir une utilité, mais ils ne sont que les rayons de la roue. La force de la jante de cette roue dépend de votre fidélité au régime du juste milieu et de la quantité d'huile de poisson que vous absorbez quotidiennement.

Chapitre 9
Des exercices pour réduire l'inflammation silencieuse

Comme je l'ai mentionné dans le premier chapitre, être dans un état de bonne santé ne signifie pas seulement «ne pas être malade». La lutte contre l'inflammation silencieuse est le combat de toute une vie, et vous devez vous servir de tous les outils qui sont à votre disposition. Même si votre santé dépend à 80 % du régime du juste milieu et de l'huile de poisson à fortes doses, vous devez quand même faire de l'exercice avec modération afin de maximiser les effets hormonaux de mon programme de vie dans le juste milieu.

Par exercice modéré, j'entends vraiment modéré. Je ne veux pas que vous fassiez de l'exercice à un degré extrême. En fait, trop d'exercice peut être aussi dommageable que pas assez. En effet, l'exercice fait des ravages qui mènent à l'inflammation silencieuse. Je devine votre étonnement, et peut-être votre soulagement à la lecture de ces mots. Mais n'oubliez pas que la santé est un état d'équilibre. Équilibre de l'alimentation et équilibre de l'activité physique. Si vous poussez votre corps au-delà de ses limites, il se défendra en faisant plus d'inflammation et en vous rendant plus fragile. C'est ce qui explique pourquoi les personnes qui s'entraînent pour leur premier marathon sont plus vulnérables aux rhumes, grippes et autres affections.

Une anecdote intéressante, en passant. Un de mes amis, qui dirige une excellente clinique antivieillissement à San Diego, m'a confié qu'environ la moitié de ses clients étaient d'anciens triathloniens qui pensaient que l'exercice les rendraient immortels. Malheureusement, ces gens se sont surentraînés au point de vieillir prématurément. Bon nombre d'entre eux souffrent de problèmes articulaires et de douleurs chroniques causées par l'arthrose, et ils se sentent (et paraissent) beaucoup plus vieux que leur âge. Ils ont tout simplement poussé leur corps au-delà de ses limites pendant de trop nombreuses années. Ils paient le prix d'avoir pensé que « plus » était « mieux ».

Tout exercice cause de l'inflammation. À une intensité appropriée – et combiné au régime du juste milieu et à l'huile de poisson à fortes doses –, l'exercice peut cependant induire une puissante réaction anti-inflammatoire qui répare les tissus musculaires tout en renforçant les muscles. Autrement dit, l'exercice peut vous aider à régénérer votre corps au lieu de le blesser (voir le chapitre 13 pour plus de détails).

L'exercice peut contribuer à retarder le vieillissement en réduisant l'inflammation silencieuse. L'exercice atténue l'insulinorésistance, ce qui fait fondre le gras viscéral, le type de gras dangereux qui s'accumule dans les organes vitaux de l'abdomen. C'est ce gras viscéral qui déclenche la production de cytokines pro-inflammatoires, comme l'interleukine-6 (IL-6), qui s'achemine jusqu'au foie pour y augmenter le taux de protéine C-réactive. Débarrassez-vous de ce gras viscéral et vous réduirez la principale source d'inflammation silencieuse dans votre organisme.

SE METTRE EN FORME OU PERDRE DU POIDS

Se mettre en forme physiquement ne veut pas nécessairement dire perdre du poids. Une personne est en bonne forme physique lorsqu'elle contrôle son insulinorésistance et, par conséquent, son inflammation silencieuse. Si votre taux d'insuline est équilibré, vous pouvez néanmoins faire de l'embonpoint et être malgré tout en santé. En revanche, si votre organisme doit pomper des quantités croissantes d'insuline à cause de l'insulinorésistance, votre excès de poids vous fait faire de l'inflammation silencieuse constante et vous mène tout droit au diabète de type 2 et à la cardiopathie.

Par exemple, une étude portant sur des sujets qui souffraient d'un excès de poids et qui ont perdu des kilos en restreignant leur consommation de calories a indiqué que seuls les sujets insulinorésistants avaient enregistré une diminution de leur taux sanguin de protéine C-réactive pendant qu'ils maigrissaient. À la lumière de ces données, on comprend mieux pourquoi certaines personnes obèses ont des taux de cholestérol parfaitement normaux et ne sont que légèrement à risque de développer une maladie cardiaque : ces personnes réussissent à maintenir leur taux d'insuline dans des limites saines. Leur poids est un problème esthétique dû à la consommation excessive de calories, mais il ne représente pas un problème médical. Des recherches menées par Stephen Blair à la Cooper Clinic, à Dallas, au Texas, confirment cette situation apparemment paradoxale. Des personnes en bonne forme physique malgré un excédent de poids sont beaucoup moins susceptibles de développer une cardiopathie que des personnes dont le poids est normal et dont la forme physique est moins bonne. Naturellement, les personnes de poids normal et en bonne forme physique présentent des risques encore moins élevés de maladie cardiaque.

Pourquoi certaines personnes obèses sont-elles en bonne santé ? La clé se trouve dans le gras viscéral (gras logé dans l'abdomen). Diminuez ce type de gras et la concentration de protéine C-réactive diminue. C'est le gras viscéral qui est mobilisé pendant l'exercice. Malheureusement, l'exercice a beaucoup moins d'effet sur le gras sous-cutané, ce gras inesthétique mais peu dangereux qui s'accumule sur les hanches, les cuisses et les fesses. En fait, je me hasarderais même à affirmer que c'est la raison pour laquelle les femmes ont plus de difficulté que les hommes à perdre du poids en faisant de l'exercice. Il est bien plus facile de perdre le gras du ventre, souvent du gras viscéral, que le gras sous-cutané, plus courant chez les femmes que chez les hommes.

Bien entendu, l'idéal est d'être en bonne forme physique et de maintenir un poids normal. Ce qui ne veut pas dire que vous devez faire de la perte de poids l'objectif de votre programme de mise en forme. Premièrement, vous pouvez troquer votre graisse contre quelques kilos de muscles – ce qui est très bien, même si votre pèse-personne ne vous le précise pas. C'est d'ailleurs pour cette raison que le pourcentage de gras corporel est un bien meilleur indicateur de la perte de gras et qu'il représente pour moi un marqueur biologique (bien que faible) de la bonne santé. À l'annexe E, vous trouverez des tableaux simples qui vous aideront à analyser votre corps en vous servant uniquement d'un ruban à mesurer. Deuxièmement, en ce qui concerne la santé, l'activité aide à réduire l'inflammation silencieuse, que vous perdiez ou pas quelques centimètres autour des hanches ou des cuisses.

CE QUE L'EXERCICE FAIT POUR VOTRE CORPS

Chaque fois que vous vous adonnez à une activité physique, vous faites subir un certain stress à votre corps. Dans le cas d'exercices aérobiques, vous devez vous entraîner jusqu'à ce que vous commenciez à transpirer, ce qui se produit habituellement lorsque vous augmentez votre fréquence cardiaque à 70 % de sa limite maximale et la maintenez à cette fréquence pendant une période raisonnable. Une fois ce niveau atteint, il se produit certains phénomènes à l'échelle moléculaire ; plus particulièrement, vos cellules peuvent capter le glucose sanguin plus efficacement, ce qui permet à votre pancréas de sécréter moins d'insuline. Si vous êtes obèse ou en mauvaise forme physique, vous ne mettrez pas longtemps à augmenter votre température interne et à commencer à suer. Ce sera le moment de vous arrêter, du moins le premier jour. Si vous faites régulièrement de l'exercice, vous pourrez vous entraîner plus longtemps avant d'atteindre la même limite.

Pour réduire le taux d'insuline, les exercices de musculation agissent très différemment de l'exercice aérobique. Lorsque la masse musculaire augmente, l'organisme peut plus facilement extraire le glucose de la circulation sanguine, ce qui fait diminuer les besoins en insuline. Peu importe la forme d'exercice (aérobique ou musculation), le résultat à long terme est le même : la réduction de l'insuline excédentaire.

Cependant, la musculation provoque des changements hormonaux que l'entraînement aérobique ne produit pas. Lorsque vous exercez vos muscles jusqu'à l'épuisement, ceux-ci subissent un certain traumatisme, et une réaction pro-inflammatoire se déclenche pour traiter les lésions musculaires microscopiques. Si cette réaction pro-inflammatoire n'est pas trop intense, une réaction anti-inflammatoire correspondante se produit pour réparer les lésions et augmenter la force musculaire en vue de la prochaine séance d'entraînement. L'hypophyse participe à cette réaction anti-inflammatoire en libérant des hormones de croissance pour réparer les tissus endommagés et les renforcer. C'est la raison pour laquelle l'athlète en force musculaire est beaucoup plus musclé que l'athlète d'endurance, bien qu'ils aient l'un et l'autre des taux peu élevés d'insuline à jeun.

Un entraînement modéré en force musculaire devrait vous causer juste assez de microtraumatismes pour que vous puissiez récupérer et réparer vos muscles avant la séance suivante. Avec l'âge, cependant, cette reconstruction prend de plus en plus de temps. C'est d'ailleurs pourquoi les jeunes athlètes peuvent s'entraîner deux fois par jour, tandis que les athlètes plus âgés doivent se contenter d'un entraînement modéré un jour sur deux. Le temps de récupération dépend finalement des réponses anti-inflammatoires innées, qui peuvent être intensifiées lorsqu'on se maintient dans le régime anti-inflammatoire. Cependant, que votre alimentation soit excellente ou pas, sachez que faire trop d'exercice intensifiera votre inflammation au point où elle empêchera votre organisme de produire suffisamment de ces eicosanoïdes anti-inflammatoires dont vous avez besoin pour récupérer. Autrement dit, vous vous sentirez toujours endolori, et vous aurez l'impression d'être incapable de récupérer entre deux séances d'entraînement.

Le plus important est d'écouter votre corps. Si vous sentez encore la fatigue de votre dernière séance d'entraînement au moment où vous vous apprêtez à en commencer une autre, c'est sans doute parce que vous forcez un peu trop, de sorte que votre corps continue à produire des médiateurs inflammatoires. Reposez-vous un peu, et faites un entraînement moins intense.

COMMENT BRÛLER LE GRAS PLUS RAPIDEMENT

Pour brûler du gras, vous devez faire en sorte d'abaisser votre taux d'insuline, car c'est l'insuline qui inhibe la libération du gras entreposé dans les tissus adipeux, que vous soyez en train de faire de l'exercice ou de regarder la télévision. L'exercice ne fait qu'accélérer le processus de combustion des graisses. Tout exercice brûle le même nombre de calories, mais pas nécessairement la même quantité de gras. Prenons par exemple la course: si vous augmentez votre vitesse de 9 km/h à 11 km/h, vous brûlerez plus de calories et plus de gras en couvrant la même distance. Cependant, si vous augmentez votre vitesse de course de 11 km/h à 12,5 km/h, vous brûlerez proportionnellement moins de gras que de calories. L'explication: vos muscles ont besoin de quantités adéquates d'oxygène pour transformer le gras en énergie chimique (adénosine triphosphate ou ATP) nécessaire aux contractions musculaires. Lorsque vous dépassez une certaine intensité pendant vos exercices, la diminution croissante du transfert d'oxygène aux cellules musculaires rend ces dernières plus dépendantes de la combustion du glucose entreposé pour produire de l'ATP. Vous brûlez quand même des calories, mais elles proviennent en plus grand nombre d'un carburant à faible indice d'octane (le glucose) et en moins grand nombre d'un carburant à indice d'octane élevé (le gras). Le régime du juste milieu et les suppléments d'huile de poisson à fortes doses augmentent la capacité de transfert de l'oxygène, ce qui signifie que vous pouvez continuer à utiliser le carburant à indice d'octane élevé (le gras) pour la production d'ATP, même à une très forte intensité d'effort.

BRÛLER DES CALORIES OU PRODUIRE DE L'ATP

L'un des concepts les plus difficiles à faire comprendre aux athlètes, aux entraîneurs, aux nutritionnistes et aux médecins est la différence entre brûler des calories et produire de l'ATP à partir de calories. L'ATP est le composé chimique nécessaire non seulement à la contraction musculaire, mais à presque tout notre métabolisme. L'ATP est produit, au besoin, à partir de glucose ou de gras. Une calorie de gras produit beaucoup plus d'ATP qu'une calorie de glucose. Lorsque vous êtes dans le régime anti-inflammatoire, vous brûlez principalement du gras, et non du glucose, pour produire votre ATP, ce qui signifie aussi que vous produisez tout l'ATP dont vous avez besoin, même si vous brûlez moins de calories. En suivant le régime du juste milieu, les diabétiques, les athlètes de niveau international et même les gens ordinaires ont besoin de moins de calories que les quantités recommandées selon les équations métaboliques habituelles. Pourquoi ? Parce que ces personnes produisent plus d'ATP en brûlant moins de calories.

En vous adonnant à un entraînement aérobique intensif dans le but de brûler le gras plus rapidement, vous risquez de vous rendre vulnérable aux blessures musculaires en raison de l'impact excessif des exercices sur vos articulations. Chaque fois que vous soulevez les deux pieds du sol (si vous faites de la course), chacun de vos pieds frappe le sol en transmettant trois fois votre poids à vos chevilles, à vos jambes, à vos genoux et à vos hanches. Pour minimiser les lésions potentielles à vos articulations, ce qui intensifierait votre inflammation, je vous recommande la marche rapide plutôt que la course.

Les exercices de musculation, par contre, font appel principalement au glucose pour la production d'ATP, ce qui explique pourquoi vous brûlez moins de gras pendant un exercice de musculation que lors d'un entraînement aérobique. Cependant, cette diminution est amplement compensée par l'augmentation de la masse musculaire, qui peut extraire le glucose excédentaire du sang pendant toute la journée. Bref, vous avez moins besoin de sécréter de l'insuline supplémentaire, ce qui entraîne une combustion plus efficace des graisses pendant la journée.

N'oubliez pas que la diminution du taux d'insuline dépend de l'alimentation dans une proportion de 80 % et de l'exercice dans une proportion de 20 %. Naturellement, l'exercice vous fait brûler moins de graisse si vous suivez un régime à charge glycémique élevée, car l'insuline excédentaire produite par un repas à charge glycémique élevée empêche la libération du gras entreposé comme source potentielle d'énergie. Voilà pourquoi un grand nombre de gens (particulièrement des femmes) qui passent des heures et des heures au gymnase obtiennent peu de résultats pour tous leurs efforts. Sachez cependant que le régime du juste milieu maximise les effets bénéfiques de l'exercice pour faire fondre les graisses.

LES EFFETS INDÉSIRABLES DE L'EXERCICE

Évidemment, 99 % des gens font de l'exercice pour perdre du poids plus rapidement. En fait, ils visent généralement à perdre leur gras corporel excédentaire plus rapidement. Eh bien, je suis désolé de les décevoir! Se débarrasser de son gras corporel demande du temps et de la persévérance. En fait, il est très difficile de perdre plus de 450 grammes de gras par semaine. Heureusement, vous avez un tas de raisons d'incorporer l'exercice dans votre vie quotidienne, même si vous ne perdez pas beaucoup de gras.

Commençons par la musculation. Celle-ci a pour effet bénéfique de maintenir notre masse musculaire et notre fonction immune à mesure que nous vieillissons. Entre 20 et 40 ans, nous perdons environ 40 % de notre masse musculaire, puis 1 % par an par la suite. Heureusement, notre organisme demeure capable de synthétiser de nouveaux muscles, même en vieillissant. Cette capacité de régénération des muscles reste la même, que l'on ait 70 ou 80 ans ou que l'on soit dans la vingtaine ou la trentaine.

Cependant, même si nous pouvons régénérer nos muscles en vieillissant, nous devons aussi lutter contre la dégradation musculaire, qui s'accélère avec l'âge. La perte de masse musculaire a probablement pour cause principale l'augmentation du taux de cortisol, une substance qui détruit rapidement la masse musculaire existante pour la convertir en glucose. Un régime à charge glycémique très faible, comme le régime Atkins, favorise cette perte de masse musculaire.

Autrement dit, si vous ne prenez aucune mesure pour remédier à la situation, vous perdrez naturellement de la masse musculaire. Un entraînement régulier axé sur la musculaition est indispensable pour maintenir le stimulus qui provoque ces événements en cascade qui sont à la base de la synthèse de nouvelle masse musculaire. Si la musculation ne vous attitre pas, demandez-vous si vous préférez vraiment laisser votre masse musculaire se dégrader, ce qui signifie que vous serez plus souvent malade. Pourquoi? Parce que votre organisme entrepose toutes ses réserves d'acides aminés dans les cellules musculaires, y compris la glutamine, une composante critique de certaines cellules immunitaires appelées macrophages et neutrophiles, décrites plus en détail au chapitre 13. En période de stress aigu, une infection par exemple, votre organisme sécrète des quantités excessives de cortisol pour dégrader des cellules musculaires et fournir au système immunitaire un taux adéquat de glutamine.

Si votre masse musculaire est insuffisante, vous ne produirez pas un taux adéquat de glutamine en temps de crise et votre système immunitaire en souffrira. C'est ce qui explique le taux élevé de mortalité par infection chez les personnes âgées victimes de fractures osseuses. Lorsqu'elles subissent ce type de blessure, leur organisme dégrade le peu de muscle qu'il leur reste pour libérer la quantité de glutamine nécessaire pour réparer l'os, ce qui ne leur laisse que de bien faibles réserves de cette substance pour lutter contre l'infection. Ces personnes sont alors plus vulnérables à la pneumonie, aux staphylocoques et autres infections si répandues dans les hôpitaux et les maisons de convalescence où elles doivent séjourner. L'entraînement en force musculaire constitue, à tout âge, un bon moyen de s'assurer des réserves adéquates de glutamine pour optimiser son immunité et atténuer l'inflammation silencieuse. Et il permet de rester en bonne santé le plus longtemps possible.

Si la musculation a pour effet inattendu de maintenir la fonction immune, l'exercice aérobique surprend par son énorme influence sur le cerveau. En effet, l'exercice aérobique peut améliorer la fonction cérébrale générale en activant une hormone appelée facteur neurotrophique BDNF, dont la fonction consiste à réparer les cellules du cerveau et même à déclencher le développement de nouvelles cellules nerveuses. Alors que les cellules musculaires ont besoin d'acides aminés provenant d'aliments riches en protéines pour se régénérer et proliférer, les cellules nerveuses du cerveau ont besoin, comme source de carburant, d'un type très spécialisé d'acides gras oméga-3 à longue chaîne. Or, cet acide gras, l'acide docosa-hexaénoïque (DHA), est présent en grande quantité dans l'huile de poisson. Le DHA dans l'huile de poisson agit de concert avec le BDNF pour stimuler constamment vos neurones et votre matière grise.

On a longtemps pensé que le cerveau était incapable de régénérer des cellules nerveuses. Nous savons maintenant que cela est possible, pourvu que les bonnes conditions soient réunies. Cette croissance nerveuse est stimulée par le facteur BDNF. Or, l'exercice aérobique stimule la libération du facteur BDNF. Cette substance est comme un maître maçon qui a besoin de briques pour travailler. Les briques, qui servent à la construction de nouvelles cellules nerveuses, proviennent des taux adéquats de DHA dans l'alimentation. Autrement dit, si vous voulez garder l'esprit alerte en vieillissant, faites de l'exercice aérobique et prenez de l'huile de poisson tous les jours.

LE PROGRAMME D'EXERCICES DU JUSTE MILIEU ANTI-INFLAMMATOIRE

Vous devez maintenant être convaincu que l'exercice n'est pas une simple affaire de perte de graisse et qu'il serait bon que vous en fassiez toute votre vie. En fait, vous devez traiter l'exercice comme un médicament à prendre à la bonne dose et au bon moment. Voici votre prescription d'exercice du juste milieu anti-inflammatoire:

- Faites de l'exercice aérobique six jours par semaine.
- Faites de la musculation trois fois par semaine.
- Les trois jours où vous ne faites pas de musculation, faites des étirements.

Bien que les étirements ne vous aident pas à perdre votre graisse, à augmenter votre masse musculaire ou à réduire l'inflammation silencieuse, ils préviennent les blessures persistantes qui vous empêchent de vous entraîner. En vieillissant, vos tendons et vos ligaments raccourcissent, ce qui limite l'amplitude de vos mouvements, surtout lorsque vous faites de la musculation. Considérez les étirements comme une police d'assurance peu coûteuse contre l'inflammation consécutive à l'exercice.

Vous en êtes probablement au point où vous voulez savoir comment suivre ce programme d'exercices sans perdre de temps et avec un minimum d'efforts. Si vous avez l'impression de ne pas avoir le temps de faire de l'exercice, laissez-moi vous rassurer. Cela sera beaucoup plus facile que vous ne le pensez, car votre partenaire d'exercice sera votre émission de télévision préférée.

PREMIÈRE ÉTAPE : PRÉPAREZ VOTRE ÉQUIPEMENT

La pièce d'équipement la plus importante de votre programme d'exercices du juste milieu est une émission de télévision, qui va vous servir de chronomètre. Les autres pièces d'équipement essentielles sont : une serviette (pour les étirements) et des boîtes de conserve de soupe pleines ou des bouteilles de lait vides (pour la musculation). Jusqu'à présent, cela ne vous coûte pas très cher.

Vous pourriez éventuellement avoir envie de vous procurer des poids légers, mais je vous recommande de commencer avec des boîtes de 500 g de fruits ou de légumes en conserve ou des bouteilles de lait en plastique partiellement remplies d'eau. Je vous recommande de commencer avec des poids très légers si vous entreprenez le programme de musculation que je décris un peu plus loin. Vous prendrez des poids plus lourds quand l'exercice vous paraîtra trop facile. Il est toujours préférable de commencer avec des poids légers. N'oubliez pas : le surentraînement exacerbe l'inflammation.

Si vous investissez dans des poids, je vous recommande de vous procurer trois paires de poids différents. Si vous êtes une femme débutante, vous voudrez peut-être commencer avec des poids de 500 g, 1 kg et 2 kg. Si vous êtes un homme, commencez plutôt avec des poids de 2 kg, 3,5 kg et 4,5 kg. Rendez-vous dans un magasin d'équipement de sport et voyez quels poids vous pouvez soulever sans difficulté. Prenez un poids et exécutez lentement une flexion des biceps. (Voir page 133 pour plus de détails sur cet exercice.) Les répétitions doivent être faites lentement : comptez lentement jusqu'à six en soulevant les poids, gardez la position pendant deux secondes, puis relâchez lentement, pendant six secondes, tout en contractant ou en fléchissant les muscles. Si vous n'arrivez pas à faire huit flexions, ce poids pourra vous servir de poids intermédiaire. Votre manque de force en exécutant ces répétitions lentes vous étonnera peut-être. Une fois que vous avez trouvé vos poids intermédiaires, prenez une deuxième paire de poids pesant environ 500 g de moins et une troisième paire pesant environ 1 kg de plus. Trois paires de poids devraient vous coûter entre 40 et 70 $ CAN. Comme vous allez faire ces exercices devant la télévision, choisissez de préférence des poids à revêtement de plastique ou de néoprène caoutchouté, ce qui vous évitera de ruiner le plancher de la salle familiale. En outre, ils roulent mieux si vous les rangez sous le canapé ou le long du mur.

DEUXIÈME ÉTAPE : ALLUMEZ LA TÉLÉVISION

Eh oui, ces exercices sont censés être faits pendant que vous regardez votre émission de télé préférée. Au lieu de vous réserver du temps pour faire de l'exercice, entraînez-vous pendant que vous faites quelque chose qui vous plaît. Les pauses publicitaires seront des chronomètres parfaits pour vous indiquer qu'il est temps de passer de l'exercice aérobique à la musculation, et ainsi de suite. En général, une émission de 30 minutes se divise en 2 segments de 11 minutes d'émission et en 3 segments publicitaires de 3 minutes. Utilisez ces segments pour savoir quand passer de l'exercice aérobique à la musculation. À la fin de l'émission, vous aurez fait 20 minutes d'exercice aérobique et environ 10 minutes d'entraînement en force, ou d'étirements.

Une fois vos poids devant vous, vous êtes prêt à commencer à regarder votre émission. Pendant les 2 segments de 11 minutes d'exercice aérobique, marchez sur place. Je veux que vous fassiez une activité facile qui ne vous distraira pas trop de votre émission. À mesure que vous progressez, vous pouvez augmenter la cadence ou lever les genoux plus haut pour intensifier l'exercice que vous faites. Vous pouvez aussi utiliser un marche-pied sur lequel monter et en descendre.

SÉANCE DE STEP AÉROBIQUE

Si vous avez déjà fréquenté un gymnase, vous avez probablement vu une séance de step. Cette forme d'exercice vous a peut-être semblé compliquée, et même dangereuse, si vous n'en avez jamais fait vous-même. Les gens sautent par-dessus des marches, en croisé, de haut en bas et d'un côté à l'autre. On a peur de se tordre la cheville rien qu'en les regardant ! En réalité, vous n'avez pas besoin de faire des exercices compliqués pour obtenir un bon entraînement. Levez le pied droit et déposez-le à plat sur une marche, puis placez le pied gauche à côté du pied droit. Pour descendre, ramenez le pied droit à plat au sol, suivi du pied gauche. Une fois que vous maîtrisez bien ce mouvement, changez de pied en montant d'abord le pied gauche, puis le pied droit. Commencez par ce pas de base avant de passer à des pas plus compliqués et des marches plus hautes.

Vous pouvez vous procurer le matériel nécessaire pour faire du step de base ou du step plus avancé (entre 50 et 130 $ CAN selon le produit) en vous rendant dans un magasin d'équipement de sport ou en le commandant dans un catalogue en ligne, comme celui de Sports Unlimited (au site suivant : <www.sportsunlimitedinc.com>).

Pendant les pauses commerciales, faites de la musculation (ou des étirements avec la serviette un jour sur deux). L'entraînement en force musculaire a pour but de faire travailler un groupe particulier de muscles jusqu'à l'épuisement, mais pas au point où ils seront endoloris le lendemain. La technique que je recommande consiste à soulever lentement les poids (phase concentrique) pour contracter les muscles, puis à les descendre lentement (phase excentrique) pour les allonger et les détendre. Prenez six secondes pour soulever le poids pendant la phase de contraction, deux secondes pour le tenir au sommet, et six secondes pour le redescendre et vous relaxer. Une répétition consiste à lever et à baisser complètement le poids. Comme chaque répétition prend environ 15 secondes, il vous faudra 2 minutes pour exécuter 8 répétitions complètes d'un exercice. Vous devriez donc faire deux exercices pendant chaque pause commerciale et finir complètement le deuxième exercice, même si l'émission recommence. Vous pouvez alors reprendre votre exercice aérobique en marchant sur place ou en faisant du step. À chaque séance d'entraînement, fixez-vous comme objectif de faire deux ou trois exercices pour le haut du corps et deux ou trois exercices pour le bas du corps.

Les répétitions lentes propres à la musculation vous aident à vous concentrer sur le groupe musculaire que vous exercez et à bien exécuter le mouvement, tout en vous forçant à utiliser des poids plus légers que lors des répétitions rapides. Tout cela contribue à prévenir les blessures. J'aime y voir une sorte de taï chi avec poids légers.

Voici comment exécuter correctement une répétition. Premièrement, concentrez-vous sur votre respiration. Une bonne respiration est vitale quand on soulève des poids : elle permet à une quantité adéquate d'oxygène de parvenir aux muscles qui font les efforts. Avant de commencer chaque répétition, inspirez profondément, puis expirez lentement en soulevant les poids et en comptant jusqu'à six. Tenez les poids pendant deux secondes en respirant normalement. (Ne retenez pas votre souffle !) Expirez juste avant de commencer à baisser les poids ; comptez jusqu'à six en les baissant et en inspirant profondément. Tenez les poids dans la position de départ pendant deux secondes. Inspirez profondément et répétez l'exercice jusqu'à ce que vous ayez fait huit répétitions. Lorsque vous vous mettez à prendre des respirations plus courtes et plus superficielles pour lever complètement les poids pendant votre dernière répétition, cela veut dire que vous commencez à être fatigué. Si vous arrivez à faire huit répétitions sans vous mettre à respirer superficiellement, il est temps que vous passiez à des poids plus lourds.

Leah Garcia est une adepte de longue date du juste milieu. Entraîneuse personnelle certifiée, commentatrice sportive à la télévision et ancienne championne professionnelle de vélo de montagne, elle a élaboré, à l'intention des gens d'affaires qui voyagent et des touristes, un programme d'entraînement en force musculaire à la fois simple et efficace. Ce programme comprend aussi des exercices d'étirement, qui peuvent être faits dans n'importe quelle chambre d'hôtel. J'ai adapté ses concepts pour mettre au point mon programme d'exercices du juste milieu anti-inflammatoire.

Les jours où vous faites de la musculation, choisissez deux ou trois exercices pour le haut du corps et deux ou trois exercices pour le bas du corps. Choisissez de nouvelles variantes chaque fois. La variété chassera l'ennui et vous permettra d'exercer le plus grand nombre possible de groupes musculaires. Chacun des exercices proposés doit être exécuté correctement, non seulement pour éviter les blessures, mais pour produire les meilleurs résultats possibles.

Exercices pour le haut du corps	Exercices pour le bas du corps et le dos
Développé des épaules	Accroupissement, les pieds légèrement écartés
Développé des triceps, les deux bras au-dessus de la tête	Accroupissement, les pieds légèrement écartés
Contraction des biceps	Accroupissement, les pieds très écartés
Exercice pour les triceps	Fente inversée
Élévation latérale et frontale des épaules	Développé des ischio-jambiers
	Redressement du tronc

Voici une description de chacun des exercices, accompagnée de photos de Leah, qui en fait la démonstration.

DÉVELOPPÉ DES ÉPAULES

Comme son nom l'indique, le développé des épaules développe et augmente la force de l'avant et des côtés des deltoïdes, ainsi que des triceps. C'est un excellent exercice pour les personnes qui ont à soulever des objets au-dessus de leur tête et qui veulent élargir l'amplitude de leurs mouvements.

En position debout, les épaules bien droites, jambes et pieds rassemblés, tenez un poids (une boîte de soupe ou une bouteille de lait en plastique partiellement remplie) dans chaque main, les paumes tournées vers le haut. Levez les mains légèrement plus haut que les épaules. Pliez les coudes (vos bras formant un angle droit avec les avant-bras). Expirez tout en soulevant les boîtes de soupe (ou les poids) vers le plafond, en étirant les bras mais sans bloquer les coudes. Concentrez-vous sur vos omoplates, qui doivent rester poussées vers l'arrière. Tenez les poids pendant deux secondes, puis inspirez en ramenant les poids à leur position de départ.

DÉVELOPPÉ DES TRICEPS, LES DEUX BRAS AU-DESSUS DE LA TÊTE

Le développé des triceps au-dessus de la tête renforce à la fois les triceps, qui travaillent en opposition aux biceps, et le tissu conjonctif. Les triceps vous permettent essentiellement d'allonger les bras et de tourner les poignets vers le haut. Développer ces muscles au complet contribuera à resserrer la peau pendante derrière vos bras et vous permettra de presser des objets avec force.

En position debout les pieds ensemble, tenez la boîte de soupe (ou le poids) des deux mains, au-dessus de la tête. Gardez les épaules baissées et le cou et la tête allongés. Expirez en pliant les bras aux coudes et abaissez les poids derrière la tête en les ramenant près du corps. Tenez cette position pendant deux secondes. Inspirez en ramenant les poids à la position de départ, tout en vous concentrant sur la partie postérieure de vos bras.

CONTRACTION DES BICEPS

L'exercice de flexion des biceps renforce le biceps brachial du bras, muscle qui aide à lever et à fléchir le bras et à tourner le poignet vers le bas. L'exercice des biceps équilibre la partie supérieure du bras et améliore la force de préhension.

En position debout, les épaules bien droites, jambes et pieds rassemblés, tenez un poids dans chaque main, les paumes tournées vers l'avant. Montez les avant-bras et expirez pendant cette phase. Contractez les biceps lorsque les mains sont à la hauteur des épaules. Gardez les épaules stables et le reste du corps détendu. Inspirez en ramenant les poids à la position de départ. (Évitez de descendre les poids trop rapidement.)

EXERCICE POUR LES TRICEPS

Cet exercice tonifie à la fois les triceps et la poitrine. Le mouvement développe le triceps dans son épaisseur, plus particulièrement autour du coude. Lorsqu'il est exécuté correctement et graduellement, cet exercice définit, tonifie et renforce les bras et la poitrine.

Placez-vous, de dos, contre le siège d'une chaise solide. Appuyez les mains sur le bord du siège, les paumes tournées vers le bas. Étirez les jambes en vous soutenant sur le siège jusqu'à ce que vos jambes soient allongées devant vous. Gardez les épaules alignées directement au-dessus des coudes et des poignets. Allongez les bras sans les bloquer et soulevez la poitrine vers le plafond, tout en gardant les épaules rentrées. Inspirez en baissant lentement les hanches et en pliant les coudes, tout en gardant les hanches le plus près possible du siège. Continuez jusqu'à ce que vos bras soient parallèles au sol, sans vous asseoir complètement sur le plancher. Tenez cette position pendant deux secondes et expirez lentement en appuyant sur le siège pour redresser vos bras et les ramener à la position de départ.

ÉLÉVATION LATÉRALE ET FRONTALE DES ÉPAULES

Cet exercice a pour but de développer les muscles deltoïdes, de réduire les risques de douleur aux épaules et de favoriser une grande amplitude de mouvement.

En position debout, les épaules bien droites, jambes et pieds rassemblés, tenez une boîte de soupe (ou un poids) dans chaque main, les bras le long du corps, les paumes tournées vers l'intérieur. En gardant les bras allongés, soulevez les poids latéralement, vers l'extérieur, jusqu'à la hauteur des épaules. N'oubliez pas de garder les paumes tournées vers le bas pendant le mouvement. Tenez pendant deux secondes, puis ramenez les poids devant votre poitrine en gardant les bras tendus droit devant vous. Inspirez lentement en ramenant les poids à la position de départ. Pour rendre l'exercice plus efficace, ramenez les bras en position latérale avant de baisser les poids.

ACCROUPISSEMENT, LES PIEDS LÉGÈREMENT ÉCARTÉS

Cet exercice renforce les jambes, plus particulièrement les cuisses, les ischio-jambiers, les muscles fessiers et le bas du dos. Il y a peu d'activités de la vie quotidienne qui ne fassent pas appel aux jambes, qu'il s'agisse de faire du sport ou de monter et descendre des escaliers. Le bas du corps est le fondement de l'équilibre et de l'activité générale. En utilisant tous les muscles qu'un accroupissement sollicite, vous renforcerez vos jambes plus rapidement.

En position debout, les pieds à peine écartés (moins que la largeur des épaules), tendez les bras et allongez-les devant vous tout en gardant les épaules projetées vers l'arrière. Inspirez en pliant les genoux et baissez les hanches jusqu'à ce que vos cuisses soient parallèles au sol. Ne bloquez pas les genoux. Si vous en êtes à vos débuts, vous pouvez exécuter un accroupissement modifié en ne parcourant que la moitié de cette distance. Expirez en poussant à partir des talons pour revenir à la position de départ. Vous pouvez aussi faire cet exercice en vous appuyant sur le dossier d'une chaise.

ACCROUPISSEMENT, LES PIEDS TRÈS ÉCARTÉS

Lorsqu'il est exécuté les pieds très écartés, l'accroupissement augmente la force et le développement des quadriceps. Lorsque les orteils sont tournés vers l'extérieur, il aide à développer et à tonifier l'intérieur de la cuisse. Cet exercice convient à toutes les personnes qui veulent pratiquer une variante de l'accroupissement traditionnel les pieds légèrement écartés ; il imite la position qui consiste à s'accroupir pour ramasser un objet.

En position debout, les jambes plus écartées que la largeur des épaules, les orteils légèrement tournés vers l'extérieur, ramenez les mains sous le menton ou appuyez-les sur les hanches. Inspirez en pliant les genoux et en abaissant les hanches, tout en les gardant aussi parallèles que possible avec les cuisses. Gardez le dos droit, le menton levé, les épaules et le bassin bien droits, pendant tout le mouvement. Expirez lentement en appuyant sur les talons pour revenir à la position de départ.

Pour augmenter la difficulté de l'exercice, tenez une bouteille partiellement remplie d'eau ou un poids à la hauteur de la taille, près du nombril, pendant toute la durée du mouvement. Vous pouvez aussi vous appuyer d'une main sur le dossier d'une chaise.

FENTE INVERSÉE

Cet exercice développe l'avant des cuisses et les muscles fessiers et il améliore l'équilibre général et l'agilité. Ce mouvement est essentiel pour pouvoir se mettre à genoux et se relever, et pour garder ses genoux en bonne
condition.

En position debout, le dos bien droit et les pieds rassemblés, tenez une
bouteille partiellement remplie d'eau (ou un poids) dans chaque main. Gardez les épaules et le dos droits. Inspirez en faisant un grand pas vers l'arrière
en reculant la jambe gauche et en pliant le genou vers le sol. Ne le déposez
pas au sol. Le genou droit doit être plié, en ligne avec la pointe du pied. Expirez en poussant avec la jambe droite pour revenir à la position de départ.
Faites une série de quatre répétitions pour chaque jambe.

Pour une variation de cet exercice, ne tenez pas un poids, mais placez plutôt les mains sur les hanches ou appuyez-vous d'une main sur le dossier d'une chaise.

DÉVELOPPÉ DES ISCHIO-JAMBIERS

Des ischio-jambiers forts protègent l'alignement des jambes en évitant un déséquilibre musculaire entre l'avant et l'arrière de la jambe. Plus les ischio-jambiers sont développés, plus vos jambes se rencontrent en leur milieu et se touchent, ce qui procure une base solide au haut du torse. Les ischio-jambiers sont aussi des muscles essentiels pour accélérer, monter les escaliers et sauter.

Allongez-vous sur le dos près d'un tabouret ou d'un repose-pied, les bras le long du corps. Posez les pieds sur le tabouret en position fléchie, les orteils pointés vers le haut. Gardez la jambe droite immobile et levez et allongez la jambe gauche à la verticale, en comptant jusqu'à six, jusqu'à ce qu'elle forme un angle droit avec votre corps (ne bloquez pas le genou). Fléchissez le pied gauche, soulevez les fessiers et tenez la position pendant deux secondes. Ramenez les fesses au sol, puis déposez lentement le pied gauche sur le tabouret, en comptant jusqu'à six. Répétez trois fois avec la jambe gauche, en vous concentrant sur le mouvement vertical de votre jambe. Changez de jambe et répétez quatre fois avec la jambe droite.

REDRESSEMENT DU TRONC

Le redressement du tronc est l'un des exercices qui renforcent les muscles abdominaux. Les abdominaux ont pour fonction de permettre la flexion et la rotation de la colonne vertébrale, de tirer le sternum vers le bassin, de soulever les côtes et de les rapprocher. Lorsqu'ils sont suffisamment forts, souples et tonifiés, ils aident à améliorer la performance dans presque tous les sports et dans les activités quotidiennes, notamment en améliorant la posture, l'alignement général du corps et la santé intestinale.

Allongez-vous sur le dos et placez vos mains et le bout de vos doigts près de la tête, les coudes vers l'extérieur. Les genoux doivent être pliés et les pieds posés à plat sur le sol, écartés à la largeur des épaules. Expirez, poussez le bas du dos contre le sol en soulevant les épaules et comptez jusqu'à six ; gardez les genoux et les pieds immobiles. Gardez la position pendant deux secondes, tout en contractant les muscles abdominaux. Gardez la tête et le cou détendus. Inspirez en ramenant les épaules dans la position de départ. Pour augmenter la difficulté de l'exercice, soulevez légèrement les pieds du sol.

ÉTIREMENTS

Même si vous utilisez des petits poids, la lenteur des exercices de musculation qui précèdent épuiseront vos muscles. Vous devez leur donner le temps de se réparer et de fabriquer de nouveaux tissus. C'est pour cette raison que je vous demande de faire des exercices d'étirement un jour sur deux. Vous étirerez et allongerez les tendons et les ligaments dont vous avez besoin pour optimiser votre développement en force musculaire. Comme les exercices de musculation, les étirements sont intégrés dans votre programme aérobique, pendant les pauses publicitaires. Vous pouvez porter des vêtements confortables et des chaussures de sport. La seule autre chose dont vous avez besoin est une petite serviette pour vous aider à augmenter l'amplitude de vos mouvements pendant chaque étirement.

Contrairement aux exercices de musculation, axés sur des mouvements lents visant à épuiser un groupe musculaire en particulier, les étirements exigent que vous atteigniez une position maximale et que vous teniez cette position, sans bouger, pendant 30 secondes. Voici quelques règles de base des étirements :

- Allongez le corps pendant chaque mouvement ;
- Imaginez que quelqu'un vous tire dans la direction opposée (c'est là l'utilité de la serviette) ;
- Évitez les mouvements de rebond, mais approfondissez un peu l'étirement, tant que vous conservez une posture correcte ;
- Pendant un étirement, ne forcez pas, ne tirez pas et ne faites pas de mouvements de rebond.

Voici quelques étirements efficaces à faire pendant les pauses publicitaires. Prenez une minute par exercice (30 secondes pour vous mettre en position et 30 secondes pour vous étirer). Vous devriez pouvoir faire la plupart de ces étirements – sinon tous – pendant les trois pauses publicitaires de trois minutes.

ÉTIREMENTS
- Étirement latéral en position debout
- Étirement en torsion en position debout

- Étirement de la poitrine et des épaules
- Étirement des triceps
- Étirement des ischio-jambiers en position assise
- Étirement du dos
- Étirement des quadriceps
- Étirement des muscles fessiers
- Étirement latéral au sol

ÉTIREMENT LATÉRAL EN POSITION DEBOUT

En position debout, le dos bien droit et les pieds rassemblés, tendez les bras et levez-les vers le plafond en tenant la serviette à deux mains. Gardez les omoplates baissées, tout en étirant les bras vers le haut et les côtés avec la serviette. Contractez les abdominaux et fléchissez le tronc vers la droite, comme si vous vous appuyiez sur un gros ballon. Tenez la position pendant 30 secondes, tout en étirant le torse au maximum. Répétez de l'autre côté.

ÉTIREMENT EN TORSION EN POSITION DEBOUT

En position debout, les pieds légèrement plus écartés que la largeur des épaules, étendez les bras devant vous en tirant sur la serviette des deux mains. Projetez légèrement le bassin vers l'avant. Balancez lentement les bras vers la droite, tout en vous concentrant sur le mouvement de votre colonne vertébrale. Le bassin doit rester vers l'avant pendant tout l'exercice, ce qui approfondit la torsion de la colonne. Tenez la position pendant 30 secondes, puis répétez du côté gauche.

ÉTIREMENT DE LA POITRINE ET DES ÉPAULES

En position debout, les pieds écartés à la largeur des épaules, balancez les bras au-dessus de la tête en tirant sur la serviette des deux mains. Inspirez en levant les bras légèrement derrière la tête, tout en gardant les épaules baissées et le cou allongé. Utilisez la longueur de la serviette pour accentuer l'étirement. Expirez en atteignant votre amplitude de mouvement. Au fil du temps, à mesure que vous gagnerez en souplesse, vous pourrez faire un mouvement circulaire pour lever les bras au-dessus de la tête puis les ramener derrière vous, jusqu'à ce qu'ils entrent en contact avec vos fessiers. Tenez chaque portion du mouvement pendant 15 secondes. Continuez jusqu'à ce que vous vous soyez étiré au moins 30 secondes en tout.

ÉTIREMENT DES TRICEPS

En position debout, les pieds rassemblés, tenez la serviette d'une main, derrière votre cou, le coude pointé vers le haut. Saisissez la serviette par l'arrière, avec l'autre main, ce qui créera une traction oppositionnelle. Gardez l'épaule stable tout en tirant légèrement la serviette vers le bas avec une main et en soulevant le coude (vers le plafond) avec l'autre main.

ÉTIREMENT DES ISCHIO-JAMBIERS EN POSITION ASSISE

En position assise sur le sol, le dos bien droit, tenez la serviette par les deux extrémités. Enroulez-la autour de vos pieds et pressez vos pieds l'un contre l'autre. Gardez les genoux légèrement pliés, sans les bloquer. Gardez le dos le plus droit possible pour éviter que l'exercice ne se transforme en étirement du dos. Concentrez-vous sur l'arrière de vos jambes. Servez-vous de la serviette pour tirer vos pieds vers votre corps, ce qui étire les ischio-jambiers et les muscles fessiers. Respirez pendant tout l'étirement et gardez la position pendant 30 secondes.

ÉTIREMENT DU DOS

En position debout, le dos détendu, tenez une extrémité de la serviette dans chaque main. Penchez-vous doucement vers l'avant, arrondissez le dos, laissez tomber les épaules et gardez les genoux légèrement pliés. Placez la serviette sous vos pieds. Tout en restant penchée et en tenant les deux extrémités de la serviette, relevez la tête et regardez devant vous. Arrondissez le dos vers le plafond. Respirez pendant tout l'exercice. Gardez la position pendant 30 secondes.

ÉTIREMENT DES QUADRICEPS

En position debout, les deux pieds à plat sur le sol, ramenez un pied vers les fesses tout en gardant le genou le plus possible vers l'avant. Placez la serviette sous votre pied et tenez-la des deux mains derrière le dos. Expirez en poussant simultanément le genou vers le plancher et en vous concentrant sur le dessus du genou et la cuisse. Notez que cet exercice est également excellent pour l'équilibre. Au début, vous devrez peut-être vous appuyer sur une chaise solide. Gardez la position pendant 30 secondes, puis répétez avec l'autre jambe.

ÉTIREMENT DES MUSCLES FESSIERS

Asseyez-vous sur le sol et étirez la jambe droite devant vous. Croisez le pied gauche sur le genou (ou la cheville ou la cuisse selon votre degré de souplesse) de la jambe allongée. Gardez le dos et la colonne vertébrale le plus droits possible, tout en allongeant la tête en avant. Enroulez la serviette autour du pied de la jambe allongée et tirez légèrement le torse (le dos et la colonne allongés) vers vos orteils, tout en gardant les hanches bien plaquées au sol. Vous sentirez l'étirement des muscles profonds des fesses. Gardez la position pendant 30 secondes. Répétez avec l'autre jambe.

ÉTIREMENT LATÉRAL AU SOL

En position assise sur le sol, les hanches vers l'avant, les jambes écartées et le dos droit, concentrez-vous sur le plancher aux endroits où il est en contact avec vos fesses, vos jambes, l'intérieur de vos cuisses, l'arrière de vos genoux, vos mollets et vos talons. Enroulez la serviette autour de votre pied droit et tenez-la avec la main droite. Penchez-vous vers la droite. Tirez sur la serviette de la main droite tout en étirant le bras gauche au-dessus de la tête et en gardant le bassin vers l'avant. Expirez et continuez à étirer le bras au-dessus de la tête, ce qui allonge et assouplit les deux côtés du corps. Imaginez que vous vous penchez au-dessus d'un gros ballon invisible. Tenez la position pendant 30 secondes, puis répétez de l'autre côté.

UN EXEMPLE DE PROGRAMME D'EXERCICES HEBDOMADAIRE

Voici un exemple typique de programme d'exercices hebdomadaire du juste milieu anti-inflammatoire. Comme vous le verrez, vous avez beaucoup de latitude dans le choix de vos exercices de musculation ou d'étirement. Assurez-vous simplement de faire chacun des exercices au moins une fois par semaine.

JOUR 1	JOUR 2	JOUR 3	JOUR 4	JOUR 5	JOUR 6	JOUR 7
3 minutes de musculation	3 minutes d'étire-ments	3 minutes de musculation	Jour de repos	3 minutes d'étire-ments	3 minutes de musculation	3 minutes d'étire-ments
11 minutes de marche sur place	11 minutes de step	11 minutes de marche sur place	Jour de repos	11 minutes de marche sur place	11 minutes de step	11 minutes de marche sur place
3 minutes de musculation	3 minutes d'étire-ments	3 minutes de musculation	Jour de repos	3 minutes d'étire-ments	3 minutes de musculation	3 minutes d'étire-ments
11 minutes de marche sur place	11 minutes de step	11 minutes de marche sur place	Jour de repos	11 minutes de marche sur place	11 minutes de step	11 minutes de marche sur place
3 minutes de musculation	3 minutes d'étire-ments	3 minutes de musculation	Jour de repos	3 minutes d'étire-ments	3 minutes de musculation	3 minutes d'étire-ments

EN RÉSUMÉ

Vous avez maintenant votre prescription d'exercices du juste milieu anti-inflammatoire. Trente minutes, six jours par semaine. À mon avis, le plus grand défi consiste à trouver six émissions de télévision différentes, pendant une semaine. N'oubliez pas qu'un bon exercice suit la règle des 80/20 : 80 % de votre succès contre l'inflammation silencieuse dépend de votre alimentation, 20 % de l'exercice. Tout comme le régime du juste milieu et l'huile de poisson à fortes doses, l'exercice est une habitude que vous devez prendre pour le restant de vos jours. Et n'oubliez pas qu'un régime à charge glycémique élevée annulera un grand nombre des bénéfices du meilleur programme d'exercices.

Chapitre 10
Réduire les dommages collatéraux de l'inflammation silencieuse : stratégies de réduction du cortisol

L'une des conséquences les plus insidieuses de l'inflammation silencieuse est l'augmentation chronique du taux de cortisol qui en résulte. Si votre taux de cortisol est trop élevé, il est impossible que vous soyez en bonne santé. L'inflammation silencieuse est la conséquence directe d'une production excessive d'eicosanoïdes pro-inflammatoires. Pour freiner la production de ces eicosanoïdes, votre organisme s'en remet à son principal mécanisme de défense hormonal et augmente sa production de cortisol. Malheureusement, le cortisol est trop puissant pour être véritablement efficace. Il bloque non seulement les « mauvais » eicosanoïdes pro-inflammatoires, mais aussi les « bons » eicosanoïdes anti-inflammatoires. Cela ne serait pas si grave si les dégâts s'arrêtaient là, mais cet effet n'est que le premier des nombreux dommages hormonaux collatéraux causés par un excès de cortisol.

L'organisme produit du cortisol en réaction à un stress prolongé. Ainsi, votre organisme libère du cortisol pour stopper la production d'eicosanoïdes pro-inflammatoires lorsque vous subissez un stress quelconque, physique ou émotionnel. Le stress se définit comme une perturbation de l'équilibre normal de l'organisme. Il peut être causé par une blessure grave, une maladie chronique, un excès d'exercice, un changement de température ou d'humidité, un manque de sommeil ou de l'angoisse chronique. Quelle qu'en soit la cause, cependant, il provoque à l'échelle moléculaire une augmentation de l'inflammation silencieuse.

Le cortisol, souvent considéré comme une hormone de stress, est en réalité une hormone antistress ayant pour fonction de lutter contre le stress chronique que subit notre organisme. Il est censé provoquer une réaction à court terme au stress, et il est très efficace dans ce cas. Mais le processus hormonal de régulation du cortisol ne s'est pas développé pour composer avec le stress à long terme causé par l'inflammation silencieuse. Le cortisol a toujours eu pour fonction de neutraliser le système immunitaire pendant le temps nécessaire pour se remettre d'une maladie infectieuse de courte durée, bien que potentiellement mortelle, ou de la frayeur à l'idée d'être dévoré par un animal sauvage.

Que se passe-t-il lorsque vous avez un taux élevé d'inflammation silencieuse de manière permanente? Pour stopper cette inflammation silencieuse, votre organisme produit de plus en plus de cortisol, ce qui fait monter excessivement le taux de cette substance. Malheureusement, un taux de cortisol chroniquement élevé peut entraîner une foule de problèmes de santé, de l'insulinorésistance à la destruction de cellules nerveuses, en passant par la dépression du système immunitaire. Si votre taux de cortisol est trop élevé, vous risquez de prendre du poids, de perdre votre acuité intellectuelle et de devenir vulnérable à toute une gamme de maladies.

Il est vrai que les menaces à la survie sont beaucoup moins nombreuses aujourd'hui qu'elles ne l'étaient autrefois, mais nous connaissons en revanche plus de problèmes de longue durée que les générations précédentes, comme le stress résultant d'un emploi trop exigeant, des troubles de santé chroniques et des troubles de l'humeur. Or, ces problèmes déséquilibrent complètement le système hormonal d'un grand nombre de personnes.

Notre production de cortisol est généralement régie par nos rythmes circadiens. Notre taux de cortisol est le plus faible entre minuit et deux heures du matin, puis il se met à grimper progressivement, et nous réveille. Après avoir atteint un sommet entre 6 h et 8 h, il baisse tout au long de la journée, atteignant son niveau le plus bas pendant notre sommeil. Naturellement, notre taux de cortisol suit ce cycle jusqu'à ce qu'un stress trop intense vienne le dérégler.

Malheureusement, les soubresauts de stress qui perturbent le cycle du cortisol sont très fréquents. En général, la production de cortisol revient à la normale après un épisode de stress. Cependant, si vous cédez régulièrement à certaines mauvaises habitudes, votre taux de cortisol risque d'être chroniquement élevé. Parmi ces mauvaises habitudes, notons:

- l'exercice prolongé ou intense ;
- les excès de table ;
- l'habitude de sauter des repas ;
- la consommation de quantités excessives de stimulants, comme la caféine ;
- l'excès de poids ;
- une alimentation très faible en glucides, ce qui entraîne une hypoglycémie.

LES DANGERS D'UN EXCÈS DE CORTISOL

L'augmentation de la production de cortisol signale à l'organisme qu'il doit se préparer à fuir pour échapper à un danger : immédiatement, les muscles se mettent à produire davantage de glucose sanguin (néoglucogenèse). Pour empêcher les organes non essentiels d'utiliser ce précieux glucose sanguin, l'organisme développe une insulinorésistance temporaire, ce qui augmente encore le taux d'insuline dans le sang.

Un stress constant entraîne une libération constante de cortisol. Lorsque votre organisme s'adapte à un stress chronique, vous devenez hyperinsulinémique, ce qui provoque une augmentation de votre graisse viscérale. Or, ce phénomène provoque la libération d'une nouvelle ronde de cortisol, ce qui vous fait engraisser davantage (plus particulièrement dans la région abdominale), et est cause d'inflammation chronique.

Pendant qu'il produit des quantités excessives de cortisol, l'organisme réduit la synthèse d'autres hormones, comme la testostérone. Or, des taux de testostérone adéquats sont indispensables pour maintenir ou régénérer les muscles. En outre, une carence en testostérone entraîne une diminution de la libido (chez la femme comme chez l'homme), ce qui signifie que les rapports sexuels deviennent beaucoup moins attrayants. L'excès de cortisol a aussi pour effet de détruire la mémoire à court terme. Le cortisol a pour fonction normale d'effacer la mémoire à court terme pendant des périodes de stress aigu (après un combat, un accident grave ou des abus physiques), ce qui est souhaitable, car cette perte de mémoire permet de refouler ces événements tragiques. En cas de stress prolongé, cependant, la perte de mémoire devient beaucoup plus problématique. Elle peut rendre une personne moins apte à se souvenir d'une foule de choses, y compris des choses agréables.

Comme notre taux d'insuline, notre taux de cortisol augmente généralement de manière naturelle à mesure que nous vieillissons. Cependant, il augmente d'une manière particulière. Comme je l'ai déjà mentionné, lorsque le taux de cortisol suit un rythme circadien normal, il atteint un sommet le matin et chute de manière assez radicale pendant l'après-midi. Or, en vieillissant, l'augmentation du cortisol global est beaucoup plus graduelle. Le taux de cortisol demeure élevé pendant la soirée au lieu de baisser de manière appréciable. Pour cette raison, il peut devenir plus difficile de trouver le sommeil, ce qui peut donner lieu à des fringales de fin de soirée, et plus particulièrement des fringales de glucides.

En outre, le manque de sommeil lui-même peut avoir un effet dévastateur sur le cortisol. Des études montrent qui si vous réduisez votre temps de sommeil de huit heures à six heures et demie par nuit, il ne faudra qu'une seule semaine pour que votre taux de cortisol augmente considérablement ; or, cette augmentation est suivie d'une hausse comparable du taux d'insuline. Et comme si la vie d'aujourd'hui ne comportait pas suffisamment de facteurs de stress psychologique, la plupart des gens souffrent d'un manque de sommeil. L'Américain moyen ne dort que sept heures par nuit – comparativement à neuf heures il y a un siècle.

TAUX DE CORTISOL CHRONIQUEMENT ÉLEVÉ = ÉPUISEMENT SURRÉNAL

Si vous produisez des quantités excessives de cortisol pendant des mois ou des années, vous risquez d'épuiser vos glandes surrénales. Ces glandes, situées directement sur les reins, produisent à la fois l'adrénaline et le cortisol. Lorsque vous les sollicitez de manière excessive et chronique, elles finissent par ne plus produire suffisamment de cortisol. Vous vous retrouvez alors devant un grave problème, car vous êtes privé du principal mécanisme hormonal à votre disposition pour réduire l'inflammation silencieuse. C'est un peu comme ce qui se produit dans le pancréas lorsqu'il sécrète constamment un surplus d'insuline pour contrer l'insulinorésistance des cellules. Avec le temps, il cesse de fonctionner normalement et ne produit plus suffisamment d'insuline pour abaisser des taux élevés de glucose sanguin, ce qui entraîne l'apparition du diabète de type 2. Or, cette situation accentue l'inflammation silencieuse dans tout l'organisme et augmente considérablement les risques de crise cardiaque, de cécité, de défaillance rénale et d'amputation. En cas d'épuisement surrénal, une personne ne dispose plus d'aucun mécanisme interne pour stopper la surproduction d'eicosanoïdes pro-inflammatoires. En conséquence, son vieillissement s'accélère.

DES STRATÉGIES DE RÉDUCTION DU CORTISOL

Vous avez certainement compris qu'il est très mauvais d'avoir un excès de cortisol. Mais quelles mesures devez-vous prendre pour y remédier? Comme un excès de cortisol est causé par une surproduction de « mauvais » eicosanoïdes pro-inflammatoires, la meilleure solution, pour réduire le taux de cortisol, consiste à en inhiber la synthèse. On réduit ainsi l'inflammation silencieuse.

Si vous suivez le régime du juste milieu (qui stabilise le taux de glucose sanguin) et si vous prenez de l'huile de poisson à fortes doses (ce qui abaisse le taux d'acide arachidonique), vous avez déjà fait les premiers pas pour réduire votre excès de cortisol. Un organisme qui maintient des taux stables de glucose sanguin et d'insuline sécrète moins de cortisol en cas de blessure. L'acide eicosapentaénoïque présent dans l'huile de poisson réduit la libération d'acide arachidonique, ce qui freine la production d'eicosanoïdes pro-inflammatoires. Sans ces « mauvais » eicosanoïdes, votre organisme n'a plus besoin de sécréter un surplus de cortisol. L'huile de poisson à fortes doses fait également augmenter la sécrétion de sérotonine, l'hormone de « bien-être » du cerveau, ce qui vous permet de vous adapter au stress de façon plus efficace. Le stress est toujours là, mais vous êtes en mesure de composer avec les dommages collatéraux qu'il provoque.

Contrairement à nos ancêtres de l'âge paléolithique, nous pouvons nous faire une assez bonne idée du stress émotionnel et physique qui nous guette, ce qui nous permet de prendre les mesures qui s'imposent. Cela est particulièrement facile au chapitre de l'alimentation. Si vous savez que vous allez subir un stress, redoublez d'efforts pour vous en tenir au régime du juste milieu. Cela vous empêchera d'avoir des fringales de glucides, fréquentes en cas de stress, car vous garderez votre taux d'insuline stable.

Combien de fois vous est-il arrivé, pendant un épisode de stress, de céder à vos fringales de glucides à indice glycémique très élevé et de manger des croustilles, une ou deux pointes de pizza ou une tablette de chocolat? Cette consommation «émotionnelle» rétablit rapidement un taux de glucose sanguin anormalement bas en raison d'une surproduction de cortisol, mais elle vous entraîne dans un cercle vicieux: l'augmentation rapide de vos taux de glucose sanguin et d'insuline est suivie d'une chute tout aussi rapide, et d'une nouvelle fringale de glucides. Or, ce cycle incite votre organisme à produire encore plus de cortisol pour maintenir un taux adéquat de glucose sanguin dans le cerveau.

Essayer de s'en tenir religieusement au régime du juste milieu pendant des périodes de stress intense n'est pas chose facile. Votre meilleure stratégie hormonale consiste à doubler votre consommation habituelle d'huile de poisson. Vous en constaterez les résultats presque immédiatement et, une fois le stress passé, vous pourrez simplement revenir à votre dose habituelle.

De l'huile de poisson à fortes doses et le régime du juste milieu demeurent vos principaux outils pour réduire les dommages collatéraux causés par un excès de cortisol. Cependant, il existe un autre outil qui a fait ses preuves: la relaxation.

DES STRATÉGIES DE RELAXATION

Pour se relaxer d'une manière aussi optimale que possible, il faut probablement jouir d'une fortune personnelle et avoir un ranch dans le Wyoming. Mais ce sont souvent là des rêves impossibles. Heureusement, nous pouvons très bien abaisser notre taux de cortisol en recourant à des techniques de relaxation qui ne nécessitent ni fortune ni ranch luxueux. La méditation nous permet de nous détendre en faisant le vide dans notre esprit. Elle exige cependant la maîtrise de certaines compétences. Correctement exécutées, diverses techniques de relaxation peuvent produire dans notre organisme une réaction physiologique bénéfique qui abaisse notre taux de cortisol.

Bien des gens croient que la méditation ne convient qu'aux personnes mystiques ou très religieuses. En réalité, nous nous adonnons tous à une forme quelconque de méditation lorsque nous nous mettons dans un état de relaxation. Toute activité ou toute technique de respiration axée sur la concentration, qui a pour effet de libérer l'esprit de pensées préoccupantes (ou de toute pensée), abaisse automatiquement le taux de cortisol. Par exemple, certaines personnes réussissent à méditer de manière efficace lorsqu'elles sont à la pêche. Je me demandais autrefois quels bienfaits on pouvait bien tirer du simple geste consistant à lancer, encore et encore, une ligne dans une rivière. Puis, je me suis rendu compte que c'était un excellent moyen de plonger son esprit dans un état de relaxation. D'autres personnes trouvent très relaxant de fixer les motifs complexes qui donnent toute leur beauté aux feuilles mortes – technique appelée « conscience attentive ». Cependant, nous pouvons, pour la plupart, tirer profit d'une technique de méditation plus classique, qui consiste à se concentrer sur sa respiration et à détendre ses muscles. Prenez soin d'apprendre à maîtriser une technique de relaxation. Cela vous aidera à vous détendre dès que vous vous sentirez stressé, ce qui fera diminuer votre taux excessif de cortisol.

Herbert Benson, chercheur à la faculté de médecine de l'université Harvard, a inventé l'expression *réaction de relaxation* pour définir les changements physiologiques qui se produisent dans l'organisme lorsqu'on médite de manière efficace. (Cette expression définit l'antithèse de la « réaction de stress », qui entraîne une production excessive de cortisol.) Benson a décrit diverses façons efficaces d'induire une réaction de relaxation, lesquelles aident aussi à abaisser la tension artérielle et les rythmes cardiaque et respiratoire. Si vous parvenez à obtenir cette réaction de relaxation une fois par jour, votre taux de cortisol diminuera et s'élèvera beaucoup moins lorsque vous serez stressé.

Je suis le premier à reconnaître qu'il n'est pas toujours facile de prélever 20 minutes de son temps, chaque jour, pour ne penser strictement à rien. En fait, je crois qu'il est beaucoup plus facile d'intégrer dans sa vie quotidienne une séance de 30 minutes d'exercice devant la télé, ou le temps nécessaire à la préparation de 3 repas conformes au régime du juste milieu. Et, naturellement, rien n'est plus facile que de sacrifier 15 secondes par jour à l'absorption d'une dose adéquate d'huile de poisson. Néanmoins, si vous pouvez vous adonner régulièrement à une forme de relaxation, vous abaisserez votre taux de cortisol, et vous vous sentirez rasséréné après chaque séance. Voici donc trois techniques de méditation simples pour obtenir des réactions physiologiques bénéfiques qui neutralisent la libération de cortisol. Choisissez celle qui vous convient le mieux.

1. **La méditation dans sa plus simple expression.** Asseyez-vous confortablement et choisissez un mot ou une courte phrase sur lesquels vous concentrer. Si cela vous semble trop mystique, répétez simplement le chiffre « un », encore et encore. Ce n'est pas très original, mais c'est très efficace. Fermez les yeux et détendez vos muscles. Respirez lentement et naturellement et, pendant l'expiration, dites votre mot ou votre courte phrase, ou le chiffre « un ». Essayez de respirer profondément, en laissant pénétrer l'air jusqu'au diaphragme, au lieu de vous servir uniquement de vos poumons. Pendant toute votre séance de méditation, gardez une attitude passive. Ne vous demandez pas si vous appliquez la technique correctement, et laissez toute inquiétude ou pensée négative vous traverser l'esprit, mais sans vous y arrêter. Si une pensée étrangère vous vient à l'esprit, laissez-la passer et faites le vide pendant que vous continuez à répéter le mot ou la phrase. Méditez ainsi pendant 20 minutes. Vous pouvez ouvrir les yeux pour regarder l'heure, mais n'utilisez surtout pas une minuterie ou un réveil-matin. Cela perturberait votre méditation.

2. **La relaxation progressive des muscles.** Installez-vous dans un fauteuil confortable muni d'un dossier qui vous permette d'appuyer votre dos et votre tête. Vous pouvez aussi vous étendre à terre, sur un tapis matelassé. (Ne vous étendez pas sur votre lit, vous pourriez vous endormir!) Contractez chacun de vos muscles, les uns après les autres : inspirez, puis expirez lentement en relâchant la tension dans le muscle en question. Commencez par le visage, en plissant le front et en fermant les yeux aussi fort que possible. Expirez et relâchez. Tendez ensuite le cou et les épaules en haussant exagérément les épaules. Expirez et relâchez. Continuez ainsi, en tendant successivement les bras, les mains et les doigts. Contractez ensuite le ventre, puis expirez et relâchez. Arquez le dos, puis relâchez. Contractez les fessiers, puis relâchez en expirant. Pointez les orteils, puis ramenez les pieds en flexion pendant l'expiration.

Tendez tous vos muscles en même temps. Prenez une grande respiration, maintenez-la, puis expirez lentement en détendant tous les muscles et en relâchant toute tension. Savourez le fait que votre corps est bien détendu et goûtez à cet état de relaxation pendant plusieurs minutes. Pour apprendre cette technique de relaxation, vous jugerez peut-être utile d'enregistrer les instructions sur une cassette et de l'écouter pendant votre séance. La voix vous rappellera l'ordre à suivre et vous évitera d'oublier l'un ou l'autre muscle.

3. **La méditation traditionnelle.** Asseyez-vous confortablement, le dos bien droit, en prenant soin de ne pas contracter les muscles de la tête, du cou ou du dos. Choisissez une seule chose sur laquelle vous concentrer, par exemple votre respiration, ou un certain mot, ou quelques paroles d'une prière. Concentrez-vous sur la qualité de votre respiration, ou la beauté des mots (les sons ou les sensations qu'ils vous procurent) et essayez de repousser toutes les autres pensées qui s'introduisent dans votre conscience. Si une pensée arrive jusqu'à votre conscience, laissez-la passer.

Vous pouvez vous asseoir en tailleur sur le plancher, ou sur une chaise droite. Vous pouvez méditer à l'intérieur ou à l'extérieur, dans la nature, dans votre jardin. Concentrez-vous mentalement sur l'air qui entre et sort de votre corps pendant que vous respirez. Appréciez la beauté de la nature pendant que vous transcendez vos propres problèmes, mais faites-le en gardant les yeux fermés pour éviter qu'un flot continu de données visuelles ne vous envahisse l'esprit.

Tout cela vous paraît peut-être un peu mystique. Il est vrai que nous vivons à l'ère de la technologie de pointe, et nous nous attendons généralement à avoir une preuve physique de l'efficacité de nos efforts. En fait, vous pouvez mesurer la réaction de relaxation que vous réussissez à obtenir grâce à un nouveau logiciel appelé HeartMath (<www.heartmath.com>). Ce logiciel mesure votre rythme cardiaque pendant la méditation et procède ensuite à une analyse complexe de vos fréquences cardiaques. Puis il vous informe de vos progrès. Vous pouvez considérer ce logiciel comme un entraîneur « hyperbranché » qui vous aide à ramener la méditation dans le domaine médical et à en oublier l'aspect mystique.

EN RÉSUMÉ

La méditation n'aura sans doute pas un effet aussi marqué que le régime du juste milieu ou l'huile de poisson à fortes doses pour réduire votre taux de cortisol, mais elle vous apportera la touche finale indispensable pour réussir véritablement à ramener votre taux de cortisol à un niveau acceptable. Vous pourrez alors atteindre le régime anti-inflammatoire et recouvrer rapidement la santé.

Chapitre 11
Sept jours dans le juste milieu
anti-inflammatoire

Permettez-moi d'insister une fois de plus sur la réalité suivante : le régime anti-inflammatoire n'est pas un régime alimentaire, c'est l'état métabolique de contrôle hormonal qui s'installe dans notre organisme lorsque nous suivons le programme de vie dans le juste milieu. Ce programme inclut naturellement le régime du juste milieu, la prise de suppléments d'huile de poisson, un programme d'exercices anti-inflammatoires et des stratégies de relaxation par la méditation. En respectant toutes les composantes du programme de vie dans le juste milieu, vous exercerez un contrôle parfait sur vos hormones, ce qui vous permettra d'inverser le processus de l'inflammation silencieuse qui vous mine. La lutte contre l'inflammation est l'œuvre de toute une vie, et se maintenir dans le régime anti-inflammatoire doit être l'objectif de toute une vie.

Si vous suivez le programme de vie dans le juste milieu, vous constaterez au bout de 30 jours des changements importants dans vos marqueurs biologiques cliniques de bonne santé, par exemple dans votre bilan d'inflammation silencieuse. Cependant, il y a fort à parier que vous remarquerez certaines différences dès la première semaine. Voici quelques-uns des bienfaits que vous observerez après seulement une semaine de régime anti-inflammatoire :

1. Grâce à la stabilisation de votre taux de glucose sanguin, vous aurez les idées plus claires tout au long de la journée.
2. Vous verrez votre énergie physique augmenter, car la réduction de votre taux d'insuline sera telle que vous pourrez utiliser vos réserves de gras corporel comme source d'énergie.

3. Vos vêtements vous iront mieux, même si vous ne perdez pas beaucoup de poids. Il en sera ainsi parce que vous aurez perdu du gras. Le gras dont votre organisme se débarrassera en premier lieu est celui de la région abdominale.
4. Vous composerez plus efficacement avec le stress, car vous aurez réduit votre taux excessif de cortisol.

Tous ces changements vous indiqueront que vous évoluez vers le régime anti-inflammatoire et que vous êtes en voie de recouvrer la santé. Sachez cependant que le juste milieu agit comme un médicament, dont on retire les bienfaits tant que l'on continue à le prendre. En fait, pour atteindre le régime anti-inflammatoire, le programme de vie dans le juste milieu agit véritablement comme un médicament. Tant que vous le suivrez, ses bienfaits demeureront évidents. Par contre, à partir du jour où vous l'abandonnerez, vous constaterez une augmentation constante de votre inflammation silencieuse, qui vous éloignera de plus en plus de la bonne santé.

Le programme de vie dans le juste milieu est sensiblement le même pour les hommes que pour les femmes. La seule différence est la quantité de nourriture qu'ils peuvent manger. Comme les hommes ont une masse musculaire plus importante, ils doivent consommer un nombre de calories plus élevé que les femmes (la vie est toujours injuste). Cependant, tant les hommes que les femmes doivent étroitement surveiller leur indice glycémique maximal à chaque repas et à chaque collation.

Vous constaterez que bon nombre des repas comprennent de l'huile d'olive extravierge, de l'huile de sésame, du curcuma et même de l'alcool – qui rehaussent leurs propriétés anti-inflammatoires. Ce modèle d'alimentation, étalé sur une période de sept jours, constitue un guide, étape par étape, qui vous permettra de suivre le programme de vie dans le juste milieu chaque jour de votre vie, et pour le restant de vos jours. Essayez-le d'abord pendant une semaine. Puisqu'il faut manger, aussi bien manger intelligemment ! En outre, vous verrez que prendre l'habitude de vous adonner à une séance de remise en forme devant votre émission de télé préférée, et vous réserver 20 minutes pour méditer, c'est-à-dire pour ne penser à rien, ne sont pas de si terribles défis !

JOUR 1

Omelette aux légumes à l'orientale

1 c. à café (1 c. à thé) d'huile d'olive

50 g (¼ tasse) d'échalotes, émincées en diagonale

165 g (1 tasse) de champignons tranchés, en conserve, égouttés

75 g (½ tasse) de poivrons rouges et verts, tranchés

130 g (½ tasse) de pois chiches, en conserve, égouttés

180 g (3 tasses) de germes de soja

½ c. à café (½ c. à thé) d'ail, émincé

3 c. à soupe de vinaigre de cidre

½ c. à café (½ c. à thé) de gingembre frais, râpé*

1 c. à soupe de sauce soja

⅛ c. à soupe de sauce Worcestershire

180 ml (¾ tasse) de substitut d'œuf

Dans une grande poêle antiadhésive, faire chauffer ½ c. à café (½ c. à thé) d'huile d'olive. Faire revenir les échalotes pendant 1 minute à feu moyennement vif. Ajouter les champignons et faire revenir 2 minutes de plus. Ajouter les poivrons, les pois chiches, les germes de soja, l'ail, le vinaigre, le gingembre, la sauce soja et la sauce Worcestershire et faire revenir de 3 à 5 minutes ou jusqu'à ce que les germes de soja soient tendres.

Dans une autre grande poêle antiadhésive, faire chauffer l'autre ½ c. à café (½ c. à thé) d'huile d'olive à feu moyennement vif. Verser le substitut d'œuf dans la poêle. À l'aide d'une spatule, ramener l'œuf cuit vers le centre. Lorsque l'œuf est ferme, transférer l'omelette dans une assiette de service chaude et disposer les légumes de l'autre casserole sur une moitié de l'omelette. Replier l'autre moitié sur les légumes et servir.

* Remarque : Lorsqu'une recette demande du gingembre frais (vendu dans la plupart des supermarchés et marchés asiatiques), il est déconseillé d'y substituer du gingembre moulu. La saveur est très différente.

Salade verte garnie de pétoncles sautés et de bacon

1 c. à café (1 c. à thé) d'huile d'olive

30 g (1 oz) de bacon, en dés

90 g (3 oz) de petits pétoncles

3 c. à café (3 c. à thé) de vinaigre de cidre

½ c. à café (½ c. à thé) de gingembre frais, râpé

½ c. à café (½ c. à thé) de menthe fraîche, hachée

60 ml (¼ tasse) de bouillon de poulet

120 g (2 tasses) de laitue, hachée

90 g (⅓ tasse) de mandarines, tranchées

80 g (½ tasse) d'oignons rouges, en dés

50 g (¼ tasse) de haricots rognons, rincés

65 g (¼ tasse) de pois chiches, rincés

Dans une poêle moyenne antiadhésive, faire chauffer ⅓ c. à café (⅓ c. à thé) d'huile d'olive à feu moyennement vif. Faire revenir le bacon, les pétoncles, 1 c. à café (1 c. à thé) de vinaigre et ¼ c. à café (¼ c. à thé) de gingembre pendant 4 minutes ou jusqu'à ce que les pétoncles et le bacon soient cuits.

Pour faire la vinaigrette, fouetter dans un petit bol ⅔ c. à café (⅔ c. à thé) d'huile d'olive, ¼ c. à café (¼ c. à thé) de gingembre, 2 c. à café (2 c. à thé) de vinaigre, la menthe et le bouillon de poulet. Placer le reste des ingrédients dans un grand bol à salade. Y ajouter le bacon et les pétoncles. Verser la vinaigrette sur le tout et mélanger.

2 œufs cuits durs

50 g (¼ tasse) de hoummos (contient du gras)

Paprika

Trancher les œufs en deux. Jeter les jaunes et remplir chaque blanc d'œuf de la moitié du hoummos. Garnir de paprika, au goût.

Crevettes à l'indienne garnies de pommes et de yogourt

1 c. à café (1 c. à thé) d'huile d'olive

90 g (3 oz) de petites crevettes décortiquées, déveinées et cuites

2 c. à café (2 c. à thé) de vinaigre de cidre

⅛ c. à café (⅛ c. à thé) de gingembre frais, râpé

½ c. à café (½ c. à thé) d'ail, émincé

1 c. à soupe de coriandre, émincée

Un soupçon de sauce piquante

¼ c. à café (¼ c. à thé) de curcuma

⅛ c. à café (⅛ c. à thé) de coriandre moulue

⅛ c. à café (⅛ c. à thé) de cumin moulu

125 ml (½ tasse) de yogourt nature faible en gras

120 g (¾ tasse) d'oignons, émincés

½ pomme Granny Smith, en dés

300 g (5 tasses) de laitue romaine

Dans une poêle moyenne antiadhésive, faire chauffer l'huile d'olive à feu moyennement vif. Ajouter les crevettes, le vinaigre et les assaisonnements. Faire cuire de 1 à 2 minutes, jusqu'à ce que les crevettes soient opaques. Dans une deuxième poêle antiadhésive, faire chauffer le yogourt, les oignons et les dés de pomme jusqu'à ce qu'ils soient bien chauds. Ne pas laisser bouillir. Ajouter les crevettes et mélanger. Disposer le mélange de crevettes sur un lit de laitue romaine, dans une assiette de service. Manger une pomme au dessert.

COLLATION DE FIN DE SOIRÉE

60 g (¼ tasse) de fromage cottage maigre

85 g (⅓ tasse) de cocktail de fruits léger ou 130 g (½ tasse) d'ananas ou 150 g (½ tasse) de bleuets ou ½ pomme coupée en dés ou 45 g (⅓ tasse) de compote de pommes ou 1 portion de fruit favorable au juste milieu

1 noix macadamia ou 3 amandes

SUPPLÉMENTS D'HUILE DE POISSON

Prendre 2,5 grammes d'acide eicosapentaénoïque (EPA) ou d'acide docosa-hexaénoïque (DHA). Si vous prenez un concentré ultraraffiné d'EPA-DHA, cela signifie 4 comprimés de 1 gramme ou 1 c. à café (1 c. à thé) de liquide.

PROGRAMME D'EXERCICES

Faire les exercices du jour 1 du programme d'exercices hebdomadaire de la page 153.

PROGRAMME DE MÉDITATION

Faire 20 minutes de méditation simple, telle qu'elle est décrite à la page 162.

JOUR 2

Salade de fruits

180 ml (¾ tasse) de fromage cottage maigre

130 g (½ tasse) d'ananas frais ou de dés d'ananas à teneur réduite en sucre, en conserve

180 g (⅔ tasse) de mandarines en tranches, conservées dans l'eau, égouttées

3 noix macadamia, écrasées

Mettre le fromage cottage dans un bol et y incorporer les ananas, les mandarines et les noix.

Lentilles savoureuses au fromage de chèvre

150 g (¾ tasse) de lentilles, rincées et égouttées

¼ c. à café (¼ c. à thé) de sel

¼ c. à café (¼ c. à thé) de poivre noir moulu

2 ¼ c. à soupe de poivron rouge rôti, haché

1 gousse d'ail, émincée

1 ½ c. à soupe de coriandre fraîche, hachée

1 ½ c. à soupe d'oignon rouge, émincé

2 c. à soupe de ciboulette, émincée

⅛ c. à café (⅛ c. à thé) de paprika

¾ c. à café (¾ c. à thé) de cumin

1 c. à café (1 c. à thé) d'huile d'olive extravierge

Jus de 1 limette

90 g (3 oz) de fromage de chèvre, à la température ambiante

2 feuilles de chicorée italienne, pour garnir

Verser 375 ml (1 ½ tasse) d'eau dans une casserole moyenne et y ajouter les lentilles, le sel et le poivre. Couvrir et amener à ébullition sur feu moyennement vif, puis laisser mijoter pendant 20 minutes ou jusqu'à ce que les lentilles soient tendres (mais sans perdre leur texture). Retirer du feu et égoutter. Dans un bol moyen, mélanger les lentilles, le poivron rôti, l'ail, la coriandre, l'oignon et la ciboulette. Dans un petit bol, mélanger le paprika, le cumin, l'huile d'olive et le jus de limette. Verser des lentilles sur le mélange et bien remuer. Avant de servir, incorporer le fromage de chèvre. Déposer le mélange de lentilles sur un lit de feuilles de chicorée italienne et servir.

Boisson protéinique aux framboises

7 g (¼ oz) de concentré de protéines
120 g (1 tasse) de framboises surgelées, décongelées
1 c. à café (1 c. à thé) d'amandes effilées

Mélanger les ingrédients dans un mélangeur jusqu'à obtention d'une consistance lisse.

Poulet au gingembre

1 c. à café (1 c. à thé) d'huile d'olive
90 g (3 oz) de poitrine de poulet désossée et sans peau, coupée en fines lamelles dans le sens de la longueur
400 g (2 tasses) de brocoli, défait en bouquets
230 g (1 ½ tasse) de pois mange-tout
120 g (¾ tasse) d'oignons jaunes, émincés
1 c. à café (1 c. à thé) de gingembre frais, râpé
80 g (½ tasse) de raisins

Dans un wok ou une grande poêle antiadhésive, faire chauffer l'huile d'olive à feu moyennement vif. Ajouter le poulet et faire revenir pendant environ 5 minutes, en remuant fréquemment, jusqu'à ce qu'il soit légèrement doré. Ajouter le brocoli, les pois mange-tout, les oignons, le gingembre et 60 ml (¼ tasse) d'eau. Continuer la cuisson pendant environ 20 minutes, en remuant souvent, jusqu'à ce que le poulet soit cuit, que la sauce ait épaissi et que les légumes soient tendres. Si trop de liquide s'évapore pendant la cuisson, ajouter de l'eau, à raison de 1 c. à soupe à la fois. Manger les raisins au dessert.

Thon au hoummos

30 g (1 oz) de thon conservé dans l'eau
50 g (¼ tasse) de hoummos

Égoutter le thon et le mélanger avec le hoummos.

SUPPLÉMENTS D'HUILE DE POISSON

Prendre 2,5 grammes d'acide eicosapentaénoïque (EPA) ou d'acide docosa-hexaénoïque (DHA). Si vous prenez un concentré ultraraffiné d'EPA-DHA, cela signifie 4 comprimés de 1 gramme ou 1 c. à café (1 c. à thé) de liquide.

PROGRAMME D'EXERCICES

Faire les exercices du jour 2 du programme d'exercices hebdomadaire de la page 153.

PROGRAMME DE MÉDITATION

Faire 20 minutes de relaxation progressive des muscles, telle qu'elle est décrite aux pages 162-163.

JOUR 3

Omelette aux asperges et au cari

1 c. à café (1 c. à thé) d'huile d'olive

½ c. à café (½ c. à thé) d'ail, émincé

½ à 1 c. à café (½ à 1 c. à thé) de poudre de cari

⅛ c. à café (⅛ c. à thé) de sauce Worcestershire

⅛ c. à café (⅛ c. à thé) de curcuma

Sel et poivre, au goût

250 g (1 ½ tasse) de tomates épépinées, hachées

140 g (2 tasses) de champignons, hachés

100 g (½ tasse) d'asperges, coupées en morceaux de 2,5 cm (1 po)

240 g (1 ½ tasse) d'oignons, hachés

180 ml (¾ tasse) de substitut d'œuf

1 c. à café (1 c. à thé) de persil frais, haché

Dans une poêle moyenne antiadhésive, faire chauffer ½ c. à café (½ c. à thé) d'huile d'olive à feu moyennement vif. Ajouter l'ail et faire revenir pendant environ 2 minutes, jusqu'à ce qu'il soit légèrement doré. Ajouter la poudre de cari, la sauce Worcestershire, le curcuma, le sel et le poivre. Faire cuire pendant 1 minute. Ajouter les tomates, les champignons, les asperges et les oignons. Faire cuire pendant environ 5 minutes, jusqu'à ce qu'ils ramollissent. Couvrir et retirer du feu.

Dans une autre poêle antiadhésive, faire chauffer l'autre ½ c. à café (½ c. à thé) d'huile d'olive. Verser le substitut d'œuf dans la poêle et laisser cuire jusqu'à ce que le mélange soit ferme. Transférer l'omelette dans une assiette de service et disposer le mélange d'asperges sur une moitié de l'omelette. Replier l'autre moitié sur les légumes. Saupoudrer de persil et servir immédiatement.

Salade de dinde grillée et de mandarines

1 c. à café (1 c. à thé) d'huile d'olive

90 g (3 oz) de poitrine de dinde, en morceaux

120 g (1 tasse) de céleri, émincé

120 g (¾ tasse) d'oignons rouges, émincés

60 ml (¼ tasse) de vinaigrette du juste milieu (voir recette à la page 176)

½ pêche, en dés

90 g (⅓ tasse) de mandarines, conservées dans l'eau, égouttées

⅛ c. à café (⅛ c. à thé) de curcuma

1 c. à soupe de menthe fraîche, hachée

90 g (1 ½ tasse) de laitue romaine, hachée

Faire chauffer dans une petite poêle ⅓ c. à café (⅓ c. à thé) d'huile d'olive à feu moyennement vif. Ajouter la dinde et faire revenir pendant environ 8 minutes, jusqu'à ce qu'elle soit bien cuite. Dans un bol à salade, mélanger, dans ⅔ c. à café (⅔ c. à thé) d'huile d'olive, la dinde, le céleri, les oignons, la vinaigrette, la pêche, les mandarines, le curcuma et la menthe. Bien remuer. Déposer la salade de dinde sur un lit de laitue et servir.

Vinaigrette du juste milieu*

8 c. à café (8 c. à thé) de fécule de maïs

120 g (¾ tasse) d'oignons, émincés

60 g (¼ tasse) de purée de tomates

45 g (¼ tasse) de haricots rognons, en conserve, rincés et émincés

425 ml (1 ¾ tasse) d'eau

60 ml (¼ tasse) de vinaigre de cidre

2 c. à soupe de vinaigre balsamique

⅛ c. à café (⅛ c. à thé) de sauce Worcestershire

1 c. à café (1 c. à thé) d'estragon séché

1 c. à café (1 c. à thé) d'origan séché

1 c. à café (1 c. à thé) de flocons de persil séché

3 c. à café (3 c. à thé) d'ail, émincé

1 c. à café (1 c. à thé) de basilic séché

½ c. à café (½ c. à thé) de piment rouge en poudre

2 c. à café (2 c. à thé) de paprika

1 c. à café (1 c. à thé) d'aneth séché

Dans un petit bol, délayer la fécule de maïs dans un peu d'eau froide. Placer tous les ingrédients dans une petite casserole et les faire mijoter à feu moyennement doux, en remuant constamment pendant environ 5 minutes, jusqu'à ce que le mélange épaississe. Laisser refroidir la vinaigrette pendant 10 à 15 minutes, puis la passer au mélangeur pour obtenir une consistance lisse. Verser dans un récipient, laisser refroidir, couvrir et réfrigérer. **

* Remarque : Une portion de 125 ml (½ tasse) de vinaigrette du juste milieu contient 1 bloc de glucides du juste milieu. Il n'y a pas de portions de protéines ou de gras dans cette recette. Elle est utilisée dans d'autres recettes du juste milieu. Chaque fois que vous préparez un repas du régime du juste milieu, utilisez cette vinaigrette pour remplacer 1 bloc de glucides du juste milieu.

** Remarque : Cette vinaigrette se garde au réfrigérateur pendant au moins 5 jours. Elle peut aussi être congelée. Elle tolère la congélation et la décongélation, mais il faut bien la remuer pour réincorporer au mélange les petites gouttelettes d'humidité qui se forment pendant la congélation et la décongélation.

Salade de tomates et de mozzarella faible en gras

2 tomates, en dés ou tranchées

⅓ c. à café (⅓ c. à thé) d'huile d'olive extravierge

Vinaigre balsamique, au goût

1 gousse d'ail, émincée

30 g (1 oz) de fromage mozzarella faible en gras, en dés ou tranché

1 c. à café (1 c. à thé) de feuilles de basilic frais, hachées

Disposer les tomates dans une assiette. Dans un petit bol, fouetter l'huile d'olive, le vinaigre et l'ail. Verser la vinaigrette sur les tomates. Garnir de mozzarella et de basilic.

Croquette de saumon

90 g (3 oz) de saumon rose en conserve

2 blancs d'œufs

30 g (1 oz) de gruau à cuisson lente, sec

¼ d'oignon, en dés

Sel d'ail, au goût

Poivre, au goût

1 c. à café (1 c. à thé) d'huile d'olive

½ pomme

À l'aide d'une fourchette, défaire le saumon en flocons dans un petit bol. Ajouter les blancs d'œufs, le gruau, l'oignon, le sel d'ail et le poivre et bien mélanger avec les doigts. Façonner en croquette. Dans une poêle moyenne, faire chauffer l'huile d'olive à feu moyennement vif, ajouter la croquette de saumon et laisser cuire de 3 à 5 minutes de chaque côté, ou jusqu'à ce qu'elle soit bien dorée. Servir immédiatement. Manger la demi-pomme au dessert.

Yogourt faible en gras et noix

135 g (½ tasse) de yogourt nature faible en gras

1 c. à café (1 c. à thé) d'amandes effilées ou 1 noix macadamia

SUPPLÉMENTS D'HUILE DE POISSON

Prendre 2,5 grammes d'acide eicosapentaénoïque (EPA) ou d'acide docosahexaénoïque (DHA). Si vous prenez un concentré ultraraffiné d'EPA-DHA, cela signifie 4 comprimés de 1 gramme ou 1 c. à café (1 c. à thé) de liquide.

PROGRAMME D'EXERCICES

Faire les exercices du jour 3 du programme d'exercices hebdomadaire de la page 153.

PROGRAMME DE MÉDITATION

Faire 20 minutes de méditation traditionnelle, telle qu'elle est décrite à la page 163.

JOUR 4

Petit déjeuner 7 minutes

30 g (1 oz) de bacon maigre
Huile d'olive en atomiseur
1 œuf entier
2 blancs d'œufs
1 tranche de pain biologique, légèrement grillé
1 c. à café (1 c. à thé) d'huile d'olive
1 poire

Dans une poêle sèche antiadhésive, faire cuire le bacon à feu moyennement vif en suivant les instructions indiquées sur l'emballage. Transférer dans une assiette. Vaporiser légèrement la poêle d'huile d'olive et faire frire l'œuf et les blancs d'œufs (ou les brouiller). Les disposer dans la même assiette. Verser un filet d'huile d'olive sur le pain grillé et le servir avec la poire comme accompagnement.

Salade Waldorf au poulet

90 g (3 oz) de poitrine de poulet

Bouillon de légumes ou eau, pour la cuisson

Poudre de cari, au goût

Cumin, au goût

Curcuma, au goût

80 g (½ tasse) de raisins

½ pomme Granny Smith, coupée en morceaux

120 g (1 tasse) de céleri, émincé

150 g (1 tasse) de poivrons rouges, tranchés

1 c. à soupe de mayonnaise légère

2 c. à soupe de yogourt

Muscade, au goût

Cannelle, au goût

Poivre noir, au goût

Placer le poulet dans une petite casserole. Le recouvrir d'eau ou de bouillon et ajouter la poudre de cari, le cumin et le curcuma. Laisser frémir le liquide à feu moyennement vif et bien cuire le poulet pendant environ 10 à 15 minutes. Laisser refroidir le poulet et le couper en morceaux.

Dans un grand bol, placer le poulet, les raisins, la pomme, le céleri et les poivrons rouges. Y incorporer la mayonnaise, le yogourt, la muscade, la cannelle et le poivre et bien remuer le tout. Servir.

Fromage cottage et salsa

60 g (¼ tasse) de fromage cottage faible en gras

125 ml (½ tasse) de salsa douce ou piquante

1 c. à soupe de guacamole

Mélanger tous les ingrédients.

Tofu et haricots verts sautés

1 c. à café (1 c. à thé) d'huile d'olive

½ c. à café (½ c. à thé) de sauce Worcestershire

⅛ c. à café (⅛ c. à thé) de sel de céleri

180 g (6 oz) de tofu extraferme, coupé en cubes de 2,5 cm (1 po)

280 g (2 tasses) de haricots verts, coupés en morceaux de 5 cm (2 po)

240 g (1 ½ tasse) d'oignons, hachés

½ c. à café (½ c. à thé) d'ail, émincé

2 c. à café (2 c. à thé) de vinaigre de cidre

⅛ c. à café (⅛ c. à thé) de muscade

⅛ c. à café (⅛ c. à thé) de cannelle

⅛ c. à café (⅛ c. à thé) de fines herbes au citron

⅛ c. à café (⅛ c. à thé) de moutarde en poudre très fine

½ c. à café (½ c. à thé) de sauce soja

Sel et poivre, au goût

Dans une poêle moyenne antiadhésive, faire chauffer ⅔ c. à café (⅔ c. à thé) d'huile d'olive à feu moyennement vif. Ajouter la sauce Worcestershire, le sel de céleri et le tofu et faire revenir pendant environ 5 minutes, jusqu'à ce que le tofu soit bien doré de tous les côtés.

Dans une autre poêle moyenne antiadhésive, faire chauffer le reste de l'huile d'olive à feu moyennement vif et y ajouter les haricots verts, les oignons, l'ail, le vinaigre, la muscade, la cannelle, les fines herbes au citron, la moutarde, la sauce soja, le sel et le poivre. Faire revenir pendant environ 5 minutes ou jusqu'à ce que les haricots soient encore un peu croquants. Disposer les haricots dans une assiette et garnir de tofu.

COLLATION DE FIN DE SOIRÉE

125 ml (4 oz) de vin

30 g (1 oz) de fromage

SUPPLÉMENTS D'HUILE DE POISSON

Prendre 2,5 grammes d'acide eicosapentaénoïque (EPA) ou d'acide docosa-hexaénoïque (DHA). Si vous prenez un concentré ultraraffiné d'EPA-DHA, cela signifie 4 comprimés de 1 gramme ou 1 c. à café (1 c. à thé) de liquide.

PROGRAMME D'EXERCICES

Prendre un jour de congé d'exercices.

PROGRAMME DE MÉDITATION

Faire 20 minutes de méditation simple, telle qu'elle est décrite à la page 162.

JOUR 5

Omelette épicée aux crevettes et aux champignons

1 c. à café (1 c. à thé) d'huile d'olive

180 g (1 tasse) de pointes d'asperges, tranchées

⅛ c. à café (⅛ c. à thé) d'ail, émincé

¼ c. à café (¼ c. à thé) de persil séché

⅛ c. à café (⅛ c. à thé) de moutarde sèche

⅛ c. à café (⅛ c. à thé) de basilic séché

⅛ c. à café (⅛ c. à thé) de poivre de Cayenne

⅛ c. à café (⅛ c. à thé) de curcuma

Sel et poivre, au goût

120 g (¾ tasse) d'oignons, hachés

140 g (2 tasses) de champignons, hachés

45 g (1 ½ oz) de crevettes, hachées

125 ml (½ tasse) de substitut d'œuf

1 kiwi, pelé et tranché

Dans une poêle moyenne antiadhésive, faire chauffer l'huile d'olive à feu moyennement vif. Ajouter les asperges, l'ail et les assaisonnements, et faire revenir pendant 1 minute. Ajouter les oignons et les champignons. Faire cuire de 3 à 5 minutes ou jusqu'à ce que les légumes soient tendres. Retirer les légumes du feu et les garder au chaud.

Disposer les crevettes dans la poêle et les faire revenir pendant 1 minute ou jusqu'à ce qu'elles deviennent opaques. Verser le substitut d'œuf et bien répartir les crevettes dans l'omelette. Faire cuire pendant environ 2 ou 3 minutes, jusqu'à ce que l'omelette soit presque ferme. Disposer l'omelette dans un plat de service. Déposer le mélange de légumes sur une moitié de l'omelette et replier l'autre moitié dessus. Garnir l'assiette de tranches de kiwi et servir.

Taco Burger

90 g (3 oz) de bœuf haché extramaigre (sans gras à 90 %)

125 ml (½ tasse) de salsa douce ou piquante

1 c. à café (1 c. à thé) d'huile d'olive

45 g (¼ tasse) de haricots noirs cuits, rincés

55 g (⅓ tasse) d'oignons, hachés

½ c. à café (½ c. à thé) d'ail, émincé

½ c. à café (½ c. à thé) de sauce Worcestershire

⅛ c. à café (⅛ c. à thé) de sel de céleri

1 c. à soupe d'eau de source aromatisée au citron ou à la limette

120 g (2 tasses) de laitue, en chiffonnade

1 coquille à taco, brisée en morceaux

30 g (1 oz) de fromage Monterey Jack, râpé

Dans un petit bol, placer le bœuf haché et 60 ml (¼ tasse) de salsa. Façonner en boulette. Dans une poêle moyenne antiadhésive, faire chauffer ⅔ c. à café (⅔ c. à thé) d'huile d'olive à feu moyennement vif et faire cuire la boulette, en la retournant une seule fois.

Dans une deuxième poêle antiadhésive, faire chauffer le reste de l'huile d'olive. Ajouter les haricots noirs, les oignons, l'ail, le reste de la salsa, la sauce Worcestershire, le sel de céleri et l'eau de source, et bien réchauffer. Disposer la laitue dans une assiette et y placer la boulette de viande. Garnir d'abord des morceaux de coquille de taco, puis du mélange de haricots noirs et du fromage.

Salade Waldorf

120 g (1 tasse) de céleri, tranché

¼ de pomme, coupée en dés

1 c. à café (1 c. à thé) de mayonnaise légère

½ pacane, écrasée

30 g (1 oz) de fromage partiellement écrémé

Dans un petit bol, placer le céleri, les dés de pomme et la mayonnaise. Garnir avec les morceaux de pacane et servir le fromage en guise d'accompagnement.

Saumon à la sauce asiatique fruitée

1 c. à café (1 c. à thé) d'huile d'olive
135 g (4 ½ oz) de saumon, en darne
2 c. à café (2 c. à thé) de sauce soja
1 c. à café (1 c. à thé) de gingembre frais, émincé
½ c. à café (½ c. à thé) d'aneth frais, émincé
Un soupçon de sauce piquante
125 ml (½ tasse) de salsa douce ou piquante
130 g (½ tasse) d'ananas en dés, en conserve
½ pomme Granny Smith, évidée et coupée en dés

Préchauffer le four à 180 °C (350 °F). Graisser légèrement avec l'huile d'olive le fond d'un petit plat allant au four et y déposer la darne de saumon. Garnir de la sauce soja, du gingembre et de l'aneth. Ajouter le soupçon de sauce piquante. Couvrir de papier d'aluminium et faire cuire de 30 à 35 minutes ou jusqu'à ce que le saumon soit bien cuit. Dans un petit bol, placer la salsa et les fruits. Disposer le saumon d'un côté d'une assiette et la sauce aux fruits de l'autre.

Yogourt faible en gras et noix

135 g (½ tasse) de yogourt nature, faible en gras
1 c. à café (1 c. à thé) d'amandes effilées ou 1 noix macadamia

SUPPLÉMENTS D'HUILE DE POISSON
Prendre 2,5 grammes d'acide eicosapentaénoïque (EPA) ou d'acide docosa-hexaénoïque (DHA). Si vous prenez un concentré ultraraffiné d'EPA-DHA, cela signifie 4 comprimés de 1 gramme ou 1 c. à café (1 c. à thé) de liquide.

PROGRAMME D'EXERCICES
Faire les exercices du jour 5 du programme d'exercices hebdomadaire de la page 153.

PROGRAMME DE MÉDITATION
Faire 20 minutes de relaxation progressive des muscles, telle qu'elle est décrite aux pages 162 et 163.

JOUR 6

Petit déjeuner dans un bol

270 g (1 tasse) de yogourt nature sans gras

65 g (¼ tasse) de fromage cottage sans gras

1 c. à soupe de gruau à cuisson lente, sec

1 c. à soupe d'amandes effilées

4 c. à café (4 c. à thé) d'extrait de vanille

Poivre de la Jamaïque, au goût

Mélanger tous les ingrédients dans un bol de taille moyenne et réfrigérer toute la nuit afin de ramollir les flocons d'avoine.

Salade au poulet grillé

60 g (1 tasse) de laitue romaine, lavée, séchée et déchiquetée

50 g (1 tasse) de brocoli, défait en bouquets

1 poivron vert, évidé, épépiné et coupé en fines lamelles

45 g (¼ tasse) de haricots rognons

1 tomate moyenne, tranchée

1 c. à café (1 c. à thé) d'huile d'olive extravierge

2 c. à café (2 c. à thé) de vinaigre, ou plus, au goût

1 c. à soupe de jus de citron

1 c. à café (1 c. à thé) de sauce Worcestershire

½ c. à café (½ c. à thé) de poivre noir moulu, ou au goût

90 g (3 oz) de poitrine de poulet grillée, sans la peau, coupée en bouchées

½ poire moyenne

Dans un bol moyen, placer la laitue, le brocoli, le poivron vert, les haricots rognons et la tomate. Dans un petit bol, fouetter l'huile d'olive, le vinaigre, le jus de citron, la sauce Worcestershire et le poivre moulu. Bien mélanger la vinaigrette et les légumes et garnir de morceaux de poulet. Manger la poire au dessert.

Salade d'épinards

Épinards (pour une salade d'accompagnement)

2 blancs d'œufs, cuits durs

90 g (⅓ tasse) de tranches de mandarines conservées dans l'eau, égouttées

⅓ c. à café (⅓ c. à thé) d'huile d'olive

Vinaigre balsamique, au goût

Disposer les épinards dans une assiette. Garnir avec les blancs d'œufs et les tranches de mandarines. Fouetter l'huile d'olive et le vinaigre et verser sur la salade.

DÎNER

Sauté de porc et de chou à la sauce aigre-piquante

1 c. à café (1 c. à thé) d'huile d'olive

90 g (3 oz) de longe de porc maigre, coupée en gros dés

125 ml (½ tasse) de bouillon de poulet

1 c. à café (1 c. à thé) de fécule de maïs

1 c. à soupe de sauce soja

1 c. à soupe de vinaigre de cidre

100 g (½ tasse) d'échalotes, hachées

⅛ c. à café (⅛ c. à thé) de poivre noir

2 c. à soupe de piment jalapeno, en dés

2 c. à café (2 c. à thé) d'ail, émincé

2 c. à café (2 c. à thé) de gingembre frais, émincé

150 g (¾ tasse) de chou-fleur, défait en bouquets

160 g (1 tasse) d'oignons, tranchés

210 g (2 tasses) de chou, effiloché

½ poire, évidée et tranchée

Dans un bol moyen en verre, placer l'huile d'olive, le porc, le bouillon, la fécule de maïs, la sauce soja, le vinaigre, les échalotes, le poivre, le piment, l'ail et le gingembre. Mélanger. Couvrir et laisser mariner au réfrigérateur pendant 30 minutes.

Verser le mélange dans une poêle moyenne antiadhésive et faire revenir le tout à feu moyennement vif pendant environ 15 minutes, jusqu'à ce que le porc soit doré des deux côtés. Ajouter le chou-fleur, les oignons et le chou et faire cuire en remuant pendant environ 15 minutes, jusqu'à ce que les légumes soient tendres. Disposer le porc et les légumes dans une grande assiette, garnir de tranches de poire et servir immédiatement.

Tomates et fromage cottage faible en gras

70 g (¼ tasse) de fromage cottage faible en gras

2 tomates, tranchées

6 arachides

SUPPLÉMENTS D'HUILE DE POISSON

Prendre 2,5 grammes d'acide eicosapentaénoïque (EPA) ou d'acide docosa-hexaénoïque (DHA). Si vous prenez un concentré ultraraffiné d'EPA-DHA, cela signifie 4 comprimés de 1 gramme ou 1 c. à café (1 c. à thé) de liquide.

PROGRAMME D'EXERCICES

Faire les exercices du jour 6 du programme d'exercices hebdomadaire de la page 153.

PROGRAMME DE MÉDITATION

Faire 20 minutes de méditation traditionnelle, telle qu'elle est décrite à la page 163.

JOUR 7

Omelette farcie à la florentine

180 ml (¾ tasse) de substitut d'œuf

⅛ c. à café (⅛ c. à thé) de sel de céleri

⅛ c. à café (⅛ c. à thé) de muscade

⅛ c. à café (⅛ c. à thé) de cannelle

1 c. à café (1 c. à thé) d'huile d'olive

280 g (4 tasses) de champignons, tranchés

120 g (¾ tasse) d'oignons, hachés

Sel et poivre, au goût

4 c. à soupe de vinaigre balsamique

300 g (5 tasses) d'épinards frais*

1 kiwi, pelé et tranché

Dans un petit bol, placer le substitut d'œuf, le sel de céleri, la muscade et la cannelle. Dans une grande poêle antiadhésive, faire chauffer ⅔ c. à café (⅔ c. à thé) d'huile d'olive à feu moyennement vif. Verser le mélange d'œuf dans la poêle. Lorsque l'œuf est doré d'un côté, le retourner à l'aide d'une spatule et le faire dorer de l'autre côté.

Dans une autre poêle antiadhésive, faire chauffer le reste de l'huile d'olive à feu moyennement vif. Ajouter les champignons, les oignons, le sel et le poivre et faire cuire le tout pendant 3 à 5 minutes, ou jusqu'à ce que les légumes soient tendres. Ajouter le vinaigre balsamique et les épinards et faire cuire jusqu'à ce que les épinards soient mous. Disposer l'omelette dans une assiette de service, verser le mélange de légumes sur l'omelette et la replier. Garnir de tranches de kiwi et servir.

* Remarque : Il y a souvent du sable dans les épinards. Bien les laver avant de les faire cuire.

Soupe thaï à la dinde

135 g (4 ½ oz) de dinde maigre, hachée

90 g (1 ½ tasse) de germes de soja

55 g (½ tasse) d'échalotes, tranchées

1 c. à café (1 c. à thé) d'huile d'olive

3 c. à café (3 c. à thé) d'ail, émincé

½ c. à café (½ c. à thé) de gingembre frais, râpé

2 c. à soupe de sauce soja

750 ml (3 tasses) de bouillon de poulet

1 c. à soupe de piments forts, hachés fins

120 g (2 tasses) d'épinards

50 g (¼ tasse) de nouilles fines aux œufs

80 g (½ tasse) de cocktail de fruits

Placer la dinde, les germes de soja, les échalotes, l'huile d'olive, l'ail, le gingembre, la sauce soja, le bouillon et les piments forts dans une casserole de grosseur moyenne. Amener à ébullition sur feu moyennement vif, réduire la chaleur et laisser mijoter pendant 15 minutes. Ajouter les épinards et les nouilles et laisser mijoter pendant 1 minute. Servir le cocktail de fruits en accompagnement.

Légumes et trempette

60 g (2 oz) de tofu ferme

⅓ c. à café (⅓ c. à thé) d'huile d'olive

Mélange à soupe à l'oignon déshydraté, au goût

120 g (1 tasse) de céleri, tranché pour manger avec une trempette

1 poivron vert, tranché pour manger avec une trempette

Dans un petit bol, mélanger le tofu, l'huile d'olive et le mélange à soupe. Servir avec les légumes.

Tofu épicé garni d'échalotes et de radis

1 c. à café (1 c. à thé) d'huile d'olive

1 c. à café (1 c. à thé) de gingembre frais, émincé

180 g (6 oz) de tofu extraferme, coupé en cubes de 2,5 cm (1 po)

1 c. à soupe de jus de citron

4 c. à café (4 c. à thé) de sauce soja

1 ½ c. à café (1 ½ c. à thé) de vin blanc

1 c. à café (1 c. à thé) d'ail, émincé

Sel et poivre, au goût

150 g (¾ tasse) de piment jalapeno et de poivron rouge doux (dans les proportions désirées)

300 g (5 tasses) d'épinards, déchiquetés

100 g (1 tasse) de radis, émincés

225 g (1 ½ tasse) de tomates, épépinées et coupées en dés

110 g (1 tasse) d'échalotes, hachées

105 g (1 ½ tasse) de champignons frais ou en conserve, tranchés

Dans une poêle moyenne antiadhésive, faire chauffer l'huile d'olive et ½ c. à café (½ c. à thé) de gingembre à feu moyennement vif. Ajouter le tofu et le faire revenir dans la poêle pendant environ 6 minutes, jusqu'à ce qu'il soit doré de tous les côtés. Dans un petit bol, fouetter le jus de citron, 1 c. à soupe d'eau, la sauce soja, le vin, l'ail, le sel, le poivre et le reste du gingembre. Placer dans un bol moyen le piment et le poivron, les épinards, les radis, les tomates, les échalotes et les champignons. Verser la vinaigrette au soja sur les légumes et remuer pour bien les enrober. Ajouter le tofu et disposer dans une assiette de service.

Petits fruits et fromage faible en gras

75 g (½ tasse) de bleuets ou 140 g (1 tasse) de fraises

30 g (1 oz) de fromage mozzarella faible en gras

6 arachides

SUPPLÉMENTS D'HUILE DE POISSON

Prendre 2,5 grammes d'acide eicosapentaénoïque (EPA) ou d'acide docosa-hexaénoïque (DHA). Si vous prenez un concentré ultraraffiné d'EPA-DHA, cela signifie 4 comprimés de 1 gramme ou 1 c. à café (1 c. à thé) de liquide.

PROGRAMME D'EXERCICES

Faire les exercices du jour 7 du programme d'exercices hebdomadaire de la page 153.

PROGRAMME DE MÉDITATION

Faire 20 minutes de méditation simple, telle qu'elle est décrite à la page 162.

JOUR 1

Omelette aux légumes à l'orientale

1 ⅓ c. à café (1 ⅓ c. à thé) d'huile d'olive

50 g (¼ tasse) d'échalotes, émincées en diagonale

165 g (1 tasse) de champignons tranchés, en conserve, égouttés

75 g (½ tasse) de poivrons rouges et verts, tranchés

130 g (½ tasse) de pois chiches, en conserve, égouttés

180 g (3 tasses) de germes de soja

½ c. à café (½ c. à thé) d'ail, émincé

3 c. à soupe de vinaigre de cidre

½ c. à café (½ c. à thé) de gingembre frais, râpé*

1 c. à soupe de sauce soja

⅛ c. à soupe de sauce Worcestershire

240 ml (1 tasse) de substitut d'œuf

Dans une grande poêle antiadhésive, faire chauffer ⅔ c. à café (⅔ c. à thé) d'huile d'olive. Faire revenir les échalotes pendant 1 minute à feu moyennement vif. Ajouter les champignons et faire revenir 2 minutes de plus. Ajouter les poivrons, les pois chiches, les germes de soja, l'ail, le vinaigre, le gingembre, la sauce soja et la sauce Worcestershire et faire revenir de 3 à 5 minutes ou jusqu'à ce que les germes de soja soient tendres.

Dans une autre grande poêle antiadhésive, faire chauffer l'autre ⅔ c. à café (⅔ c. à thé) d'huile d'olive à feu moyennement vif. Verser le substitut d'œuf dans la poêle. À l'aide d'une spatule, ramener l'œuf cuit vers le centre. Lorsque l'œuf est ferme, transférer l'omelette dans une assiette de service chaude et disposer les légumes de l'autre casserole sur une moitié de l'omelette. Replier l'autre moitié sur les légumes et servir.

* Remarque : Lorsqu'une recette demande du gingembre frais (vendu dans la plupart des supermarchés et marchés asiatiques), il est déconseillé d'y substituer du gingembre moulu. La saveur est très différente.

Salade verte garnie de pétoncles sautés et de bacon

1 ⅓ c. à café (1 ⅓ c. à thé) d'huile d'olive

30 g (1 oz) de bacon, en dés

135 g (4 ½ oz) de petits pétoncles

3 c. à café (3 c. à thé) de vinaigre de cidre

½ c. à café (½ c. à thé) de gingembre frais, râpé

½ c. à café (½ c. à thé) de menthe fraîche, hachée

60 ml (¼ tasse) de bouillon de poulet

120 g (2 tasses) de laitue, hachée

180 g (⅔ tasse) de mandarines, tranchées

80 g (½ tasse) d'oignons rouges, en dés

50 g (¼ tasse) de haricots rognons, rincés

65 g (¼ tasse) de pois chiches, rincés

Dans une poêle moyenne antiadhésive, faire chauffer ⅓ c. à café (⅓ c. à thé) d'huile d'olive à feu moyennement vif. Faire revenir le bacon, les pétoncles, 1 c. à café (1 c. à thé) de vinaigre et ¼ c. à café (¼ c. à thé) de gingembre pendant 4 minutes ou jusqu'à ce que les pétoncles et le bacon soient cuits.

Pour faire la vinaigrette, fouetter dans un petit bol 1 c. à café (1 c. à thé) d'huile d'olive, ¼ c. à café (¼ c. à thé) de gingembre, 2 c. à café (2 c. à thé) de vinaigre, la menthe et le bouillon de poulet. Placer le reste des ingrédients dans un grand bol à salade. Y ajouter le bacon et les pétoncles. Verser la vinaigrette sur le tout et mélanger.

2 œufs cuits durs

50 g (¼ tasse) de hoummos (contient du gras)

Paprika

Trancher les œufs en deux. Jeter les jaunes et remplir chaque blanc d'œuf de la moitié du hoummos. Garnir de paprika, au goût.

Crevettes à l'indienne garnies de pommes et de yogourt

1 ⅓ c. à café (1 ⅓ c. à thé) d'huile d'olive

135 g (4 ½ oz) de petites crevettes décortiquées, déveinées et cuites

2 c. à café (2 c. à thé) de vinaigre de cidre

⅛ c. à café (⅛ c. à thé) de gingembre frais, râpé

½ c. à café (½ c. à thé) d'ail, émincé

1 c. à soupe de coriandre, émincée

Un soupçon de sauce piquante

¼ c. à café (¼ c. à thé) de curcuma

⅛ c. à café (⅛ c. à thé) de coriandre moulue

⅛ c. à café (⅛ c. à thé) de cumin moulu

125 ml (½ tasse) de yogourt nature faible en gras

120 g (¾ tasse) d'oignons, émincés

1 pomme Granny Smith, en dés

300 g (5 tasses) de laitue romaine

Dans une poêle moyenne antiadhésive, faire chauffer l'huile d'olive à feu moyennement vif. Ajouter les crevettes, le vinaigre et les assaisonnements. Faire cuire de 1 à 2 minutes, jusqu'à ce que les crevettes soient opaques. Dans une deuxième poêle antiadhésive, faire chauffer le yogourt, les oignons et les dés de pomme jusqu'à ce qu'ils soient bien chauds. Ne pas laisser bouillir. Ajouter les crevettes et mélanger. Disposer le mélange de crevettes sur un lit de laitue romaine, dans une assiette de service.

COLLATION DE FIN DE SOIRÉE

60 g (¼ tasse) de fromage cottage maigre

85 g (⅓ tasse) de cocktail de fruits léger ou 130 g (½ tasse) d'ananas ou 150 g (½ tasse) de bleuets ou ½ pomme coupée en dés ou 45 g (⅓ tasse) de compote de pommes ou 1 portion de fruit favorable au juste milieu

1 noix macadamia ou 3 amandes

SUPPLÉMENTS D'HUILE DE POISSON

Prendre 2,5 grammes d'acide eicosapentaénoïque (EPA) ou d'acide docosa-hexaénoïque (DHA). Si vous prenez un concentré ultraraffiné d'EPA-DHA, cela signifie 4 comprimés de 1 gramme ou 1 c. à café (1 c. à thé) de liquide.

PROGRAMME D'EXERCICES

Faire les exercices du jour 1 du programme d'exercices hebdomadaire de la page 153.

PROGRAMME DE MÉDITATION

Faire 20 minutes de méditation simple, telle qu'elle est décrite à la page 162.

JOUR 2

Salade de fruits

240 ml (1 tasse) de fromage cottage maigre

130 g (½ tasse) d'ananas frais ou de dés d'ananas à teneur réduite en sucre, en conserve

270 g (1 tasse) de mandarines en tranches, conservées dans l'eau, égouttées

4 noix macadamia, écrasées

Mettre le fromage cottage dans un bol et y incorporer les ananas, les mandarines et les noix.

DÉJEUNER
Lentilles savoureuses au fromage de chèvre

200 g (1 tasse) de lentilles, rincées et égouttées

¼ c. à café (¼ c. à thé) de sel

¼ c. à café (¼ c. à thé) de poivre noir moulu

2 ¼ c. à soupe de poivron rouge rôti, haché

1 gousse d'ail, émincée

1 ½ c. à soupe de coriandre fraîche, hachée

1 ½ c. à soupe d'oignon rouge, émincé

2 c. à soupe de ciboulette, émincée

⅛ c. à café (⅛ c. à thé) de paprika

¾ c. à café (¾ c. à thé) de cumin

1 ⅓ c. à café (1 ⅓ c. à thé) d'huile d'olive extravierge

Jus de 1 limette

120 g (4 oz) de fromage de chèvre, à la température ambiante

2 feuilles de chicorée italienne, pour garnir

Verser 375 ml (1 ½ tasse) d'eau dans une casserole moyenne et y ajouter les lentilles, le sel et le poivre. Couvrir et amener à ébullition sur feu moyennement vif, puis laisser mijoter pendant 20 minutes ou jusqu'à ce que les lentilles soient tendres (mais sans perdre leur texture). Retirer du feu et égoutter. Dans un bol moyen, mélanger les lentilles, le poivron rôti, l'ail, la coriandre, l'oignon et la ciboulette. Dans un petit bol, mélanger le paprika, le cumin, l'huile d'olive et le jus de limette. Verser sur le mélange de lentilles et bien remuer. Avant de servir, incorporer le fromage de chèvre. Déposer le mélange de lentilles sur un lit de feuilles de chicorée italienne et servir.

Boisson protéinique aux framboises

7 g (¼ oz) de concentré de protéines

120 g (1 tasse) de framboises surgelées, décongelées

1 c. à café (1 c. à thé) d'amandes effilées

Mélanger les ingrédients dans un mélangeur jusqu'à obtention d'une consistance lisse.

Poulet au gingembre

1 ⅓ c. à café (1 ⅓ c. à thé) d'huile d'olive

120 g (4 oz) de poitrine de poulet désossée et sans peau, coupée en fines lamelles dans le sens de la longueur

400 g (2 tasses) de brocoli, défait en bouquets

230 g (1 ½ tasse) de pois mange-tout

120 g (¾ tasse) d'oignons jaunes, émincés

1 c. à café (1 c. à thé) de gingembre frais, râpé

160 g (1 tasse) de raisins

Dans un wok ou une grande poêle antiadhésive, faire chauffer l'huile d'olive à feu moyennement vif. Ajouter le poulet et faire revenir pendant environ 5 minutes, en remuant fréquemment, jusqu'à ce qu'il soit légèrement doré. Ajouter le brocoli, les pois mange-tout, les oignons, le gingembre et 60 ml (¼ tasse) d'eau. Continuer la cuisson pendant environ 20 minutes, en remuant souvent, jusqu'à ce que le poulet soit cuit, que la sauce ait épaissi et que les légumes soient tendres. Si trop de liquide s'évapore pendant la cuisson, ajouter de l'eau, à raison de 1 c. à soupe à la fois. Manger les raisins au dessert.

Thon au hoummos

30 g (1 oz) de thon conservé dans l'eau

50 g (¼ tasse) de hoummos

Égoutter le thon et le mélanger avec le hoummos.

SUPPLÉMENTS D'HUILE DE POISSON

Prendre 2,5 grammes d'acide eicosapentaénoïque (EPA) ou d'acide docosa-hexaénoïque (DHA). Si vous prenez un concentré ultraraffiné d'EPA-DHA, cela signifie 4 comprimés de 1 gramme ou 1 c. à café (1 c. à thé) de liquide.

PROGRAMME D'EXERCICES

Faire les exercices du jour 2 du programme d'exercices hebdomadaire de la page 153.

PROGRAMME DE MÉDITATION

Faire 20 minutes de relaxation progressive des muscles, telle qu'elle est décrite aux pages 162 et 163.

JOUR 3

Omelette aux asperges et au cari

1 ⅓ c. à café (1 ⅓ c. à thé) d'huile d'olive

½ c. à café (½ c. à thé) d'ail, émincé

½ à 1 c. à café (½ à 1 c. à thé) de poudre de cari

⅛ c. à café (⅛ c. à thé) de sauce Worcestershire

⅛ c. à café (⅛ c. à thé) de curcuma

Sel et poivre, au goût

250 g (1 ½ tasse) de tomates épépinées, hachées

280 g (4 tasses) de champignons, hachés

200 g (1 tasse) d'asperges, coupées en morceaux de 2,5 cm (1 po)

240 g (1 ½ tasse) d'oignons, hachés

240 ml (1 tasse) de substitut d'œuf

1 c. à café (1 c. à thé) de persil frais, haché

Dans une poêle moyenne antiadhésive, faire chauffer ⅔ c. à café (⅔ c. à thé) d'huile d'olive à feu moyennement vif. Ajouter l'ail et faire revenir pendant environ 2 minutes, jusqu'à ce qu'il soit légèrement doré. Ajouter la poudre de cari, la sauce Worcestershire, le curcuma, le sel et le poivre. Faire cuire pendant 1 minute. Ajouter les tomates, les champignons, les asperges et les oignons. Faire cuire pendant environ 5 minutes, jusqu'à ce qu'ils ramollissent. Couvrir et retirer du feu.

Dans une autre poêle antiadhésive, faire chauffer l'autre ⅔ c. à café (⅔ c. à thé) d'huile d'olive. Verser le substitut d'œuf dans la poêle et laisser cuire jusqu'à ce que le mélange soit ferme. Transférer l'omelette dans une assiette de service et disposer le mélange d'asperges sur une moitié de l'omelette. Replier l'autre moitié sur les légumes. Saupoudrer de persil et servir immédiatement.

Salade de dinde grillée et mandarines

1 ⅓ c. à café (1 ⅓ c. à thé) d'huile d'olive

120 g (4 oz) de poitrine de dinde, en morceaux

120 g (1 tasse) de céleri, émincé

55 g (⅓ tasse) d'oignons rouges, émincés

120 ml (½ tasse) de vinaigrette du juste milieu (voir recette à la page 202)

1 pêche, en dés

90 g (⅓ tasse) de mandarines, conservées dans l'eau, égouttées

⅛ c. à café (⅛ c. à thé) de curcuma

1 c. à soupe de menthe fraîche, hachée

90 g (1 ½ tasse) de laitue romaine, hachée

Faire chauffer dans une petite poêle ⅓ c. à café (⅓ c. à thé) d'huile d'olive à feu moyennement vif. Ajouter la dinde et faire revenir pendant environ 8 minutes, jusqu'à ce qu'elle soit bien cuite. Dans un bol à salade, mélanger 1 c. à café (1 c. à thé) d'huile d'olive, la dinde, le céleri, les oignons, la vinaigrette, la pêche, les mandarines, le curcuma et la menthe. Bien remuer. Déposer la salade de dinde sur un lit de laitue et servir.

Vinaigrette du juste milieu*

8 c. à café (8 c. à thé) de fécule de maïs

120 g (¾ tasse) d'oignons, émincés

60 g (¼ tasse) de purée de tomates

45 g (¼ tasse) de haricots rognons, en conserve, rincés et émincés

425 ml (1 ¾ tasse) d'eau

60 ml (¼ tasse) de vinaigre de cidre

2 c. à soupe de vinaigre balsamique

⅛ c. à café (⅛ c. à thé) de sauce Worcestershire

1 c. à café (1 c. à thé) d'estragon séché

1 c. à café (1 c. à thé) d'origan séché

1 c. à café (1 c. à thé) de flocons de persil séché

3 c. à café (3 c. à thé) d'ail, émincé

1 c. à café (1 c. à thé) de basilic séché

½ c. à café (½ c. à thé) de piment rouge en poudre

2 c. à café (2 c. à thé) de paprika

1 c. à café (1 c. à thé) d'aneth séché

Dans un petit bol, délayer la fécule de maïs dans un peu d'eau froide. Placer tous les ingrédients dans une petite casserole et les faire mijoter à feu moyennement doux pendant environ 5 minutes, en remuant constamment, jusqu'à ce que le mélange épaississe. Laisser refroidir la vinaigrette pendant 10 à 15 minutes, puis la passer au mélangeur pour obtenir une consistance lisse. Verser dans un récipient, laisser refroidir, couvrir et réfrigérer. **

* Remarque : Une portion de 125 ml (½ tasse) de vinaigrette du juste milieu contient 1 bloc de glucides du juste milieu. Il n'y a pas de portion de protéines ou de gras dans cette recette. Elle est utilisée dans d'autres recettes du juste milieu. Chaque fois que vous préparez un repas du régime du juste milieu, utilisez cette vinaigrette pour remplacer 1 bloc de glucides du juste milieu.

** Remarque : Cette vinaigrette se garde au réfrigérateur pendant au moins 5 jours. Elle peut aussi être congelée. Elle tolère la congélation et la décongélation, mais il faut bien la remuer pour réincorporer au mélange les petites gouttelettes d'humidité qui se forment pendant la congélation et la décongélation.

Salade de tomates et de mozzarella faible en gras

2 tomates, en dés ou tranchées

⅓ c. à café (⅓ c. à thé) d'huile d'olive extravierge

Vinaigre balsamique, au goût

1 gousse d'ail, émincée

30 g (1 oz) de fromage mozzarella faible en gras, en dés ou tranché

1 c. à café (1 c. à thé) de feuilles de basilic frais, hachées

Disposer les tomates dans une assiette. Dans un petit bol, fouetter l'huile d'olive, le vinaigre et l'ail. Verser la vinaigrette sur les tomates. Garnir de mozzarella et de basilic.

Croquette de saumon

135 g (4 ½ oz) de saumon rose en conserve

2 blancs d'œufs

30 g (1 oz) de gruau à cuisson lente, sec

¼ d'oignon, en dés

Sel d'ail, au goût

Poivre, au goût

1 ⅓ c. à café (1 ⅓ c. à thé) d'huile d'olive

1 pomme

À l'aide d'une fourchette, défaire le saumon en flocons dans un petit bol. Ajouter les blancs d'œufs, le gruau, l'oignon, le sel d'ail et le poivre et bien mélanger avec les doigts. Façonner en croquette. Dans une poêle moyenne, faire chauffer l'huile d'olive à feu moyennement vif, ajouter la croquette de saumon et faire cuire de 3 à 5 minutes de chaque côté, ou jusqu'à ce qu'elle soit bien dorée. Servir immédiatement. Manger la pomme au dessert.

Yogourt faible en gras et noix

135 g (½ tasse) de yogourt nature faible en gras

1 c. à café (1 c. à thé) d'amandes effilées ou 1 noix macadamia

SUPPLÉMENTS D'HUILE DE POISSON

Prendre 2,5 grammes d'acide eicosapentaénoïque (EPA) ou d'acide docosa-hexaénoïque (DHA). Si vous prenez un concentré ultraraffiné d'EPA-DHA, cela signifie 4 comprimés de 1 gramme ou 1 c. à café (1 c. à thé) de liquide.

PROGRAMME D'EXERCICES

Faire les exercices du jour 3 du programme d'exercices hebdomadaire de la page 153.

PROGRAMME DE MÉDITATION

Faire 20 minutes de méditation traditionnelle, telle qu'elle est décrite à la page 163.

JOUR 4

Petit déjeuner 7 minutes

30 g (1 oz) de bacon maigre
Huile d'olive en atomiseur
1 œuf entier
4 blancs d'œufs
1 tranche de pain biologique, légèrement grillé
1 ⅓ c. à café (1 ⅓ c. à thé) d'huile d'olive
1 poire
80 g (½ tasse) de raisins

Dans une poêle sèche antiadhésive, faire cuire le bacon à feu moyennement vif en suivant les instructions indiquées sur l'emballage. Transférer dans une assiette. Vaporiser légèrement la poêle d'huile d'olive et faire frire l'œuf et les blancs d'œufs (ou les brouiller). Les disposer dans la même assiette. Verser un filet d'huile d'olive sur le pain grillé et le servir avec les fruits en guise d'accompagnement.

Salade Waldorf au poulet

120 g (4 oz) de poitrine de poulet

Bouillon de légumes ou eau, pour la cuisson

Poudre de cari, au goût

Cumin, au goût

Curcuma, au goût

80 g (½ tasse) de raisins

200 g (1 tasse) de pomme Granny Smith, coupée en morceaux

120 g (1 tasse) de céleri, émincé

150 g (1 tasse) de poivrons rouges tranchés

4 c. à café (4 c. à thé) de mayonnaise légère

2 c. à soupe de yogourt

Muscade, au goût

Cannelle, au goût

Poivre noir, au goût

Placer le poulet dans une petite casserole. Le recouvrir d'eau ou de bouillon et ajouter la poudre de cari, le cumin et le curcuma. Laisser frémir le liquide à feu moyennement vif et bien cuire le poulet pendant 10 à 15 minutes environ. Laisser refroidir le poulet et le couper en morceaux.

Dans un grand bol, placer le poulet, les raisins, la pomme, le céleri et les poivrons rouges. Y incorporer la mayonnaise, le yogourt, la muscade, la cannelle et le poivre et bien remuer. Servir.

Fromage cottage et salsa

60 g (¼ tasse) de fromage cottage faible en gras

125 ml (½ tasse) de salsa douce ou piquante

1 c. à soupe de guacamole

Mélanger les ingrédients.

Tofu et haricots verts sautés

1 ⅓ c. à café (1 ⅓ c. à thé) d'huile d'olive

½ c. à café (½ c. à thé) de sauce Worcestershire

⅛ c. à café (⅛ c. à thé) de sel de céleri

240 g (8 oz) de tofu extraferme, coupé en cubes de 2,5 cm (1 po)

280 g (2 tasses) de haricots verts, coupés en morceaux de 5 cm (2 po)

240 g (1 ½ tasse) d'oignons, hachés

½ c. à café (½ c. à thé) d'ail, émincé

2 c. à café (2 c. à thé) de vinaigre de cidre

⅛ c. à café (⅛ c. à thé) de muscade

⅛ c. à café (⅛ c. à thé) de cannelle

⅛ c. à café (⅛ c. à thé) de fines herbes au citron

⅛ c. à café (⅛ c. à thé) de moutarde en poudre très fine

½ c. à café (½ c. à thé) de sauce soja

Sel et poivre, au goût

½ pomme

Dans une poêle moyenne antiadhésive, faire chauffer ⅔ c. à café (⅔ c. à thé) d'huile d'olive à feu moyennement vif. Ajouter la sauce Worcestershire, le sel de céleri et le tofu et faire revenir pendant environ 5 minutes, jusqu'à ce que le tofu soit bien doré de tous les côtés.

Dans une autre poêle moyenne antiadhésive, faire chauffer le reste de l'huile d'olive à feu moyennement vif et y ajouter les haricots verts, les oignons, l'ail, le vinaigre, la muscade, la cannelle, les fines herbes au citron, la moutarde, la sauce soja, le sel et le poivre. Faire revenir pendant environ 5 minutes ou jusqu'à ce que les haricots soient encore un peu croquants. Disposer les haricots dans une assiette et garnir de tofu.

COLLATION DE FIN DE SOIRÉE

125 ml (4 oz) de vin

30 g (1 oz) de fromage

SUPPLÉMENTS D'HUILE DE POISSON

Prendre 2,5 grammes d'acide eicosapentaénoïque (EPA) ou d'acide docosa-hexaénoïque (DHA). Si vous prenez un concentré ultraraffiné d'EPA-DHA, cela signifie 4 comprimés de 1 gramme ou 1 c. à café (1 c. à thé) de liquide.

PROGRAMME D'EXERCICES

Prendre un jour de congé.

PROGRAMME DE MÉDITATION

Faire 20 minutes de méditation simple, telle qu'elle est décrite à la page 162.

JOUR 5

Omelette épicée aux crevettes et aux champignons

1 ⅓ c. à café (1 ⅓ c. à thé) d'huile d'olive

180 g (1 tasse) de pointes d'asperges, tranchées

⅛ c. à café (⅛ c. à thé) d'ail, émincé

¼ c. à café (¼ c. à thé) de persil séché

⅛ c. à café (⅛ c. à thé) de moutarde sèche

⅛ c. à café (⅛ c. à thé) de basilic séché

⅛ c. à café (⅛ c. à thé) de poivre de Cayenne

⅛ c. à café (⅛ c. à thé) de curcuma

Sel et poivre, au goût

120 g (¾ tasse) d'oignons, hachés

140 g (2 tasses) de champignons, hachés

45 g (1 ½ oz) de crevettes, hachées

185 ml (¾ tasse) de substitut d'œuf

2 kiwis, pelés et tranchés

Dans une poêle moyenne antiadhésive, faire chauffer l'huile d'olive à feu moyennement vif. Ajouter les asperges et les assaisonnements, et faire revenir pendant 1 minute. Ajouter les oignons et les champignons. Faire cuire de 3 à 5 minutes ou jusqu'à ce que les légumes soient tendres. Retirer les légumes du feu et les garder au chaud.

Disposer les crevettes dans la poêle et les faire revenir pendant 1 minute ou jusqu'à ce qu'elles deviennent opaques. Verser le substitut d'œuf et bien répartir les crevettes dans l'omelette. Faire cuire pendant environ 2 ou 3 minutes, jusqu'à ce que l'omelette soit presque ferme. Disposer l'omelette dans un plat de service. Déposer le mélange de légumes sur une moitié de l'omelette et replier l'autre moitié dessus. Garnir l'assiette de tranches de kiwi et servir.

Taco Burger

135 g (4 ½ oz) de bœuf haché extramaigre (sans gras à 90 %)

125 ml (½ tasse) de salsa douce ou piquante

1 ⅓ c. à café (1 ⅓ c. à thé) d'huile d'olive

90 g (½ tasse) de haricots noirs cuits, rincés

55 g (⅓ tasse) d'oignons, hachés

½ c. à café (½ c. à thé) d'ail, émincé

½ c. à café (½ c. à thé) de sauce Worcestershire

⅛ c. à café (⅛ c. à thé) de sel de céleri

1 c. à soupe d'eau de source aromatisée au citron ou à la limette

120 g (2 tasses) de laitue, en chiffonnade

1 coquille à taco, brisée en morceaux

30 g (1 oz) de fromage Monterey Jack, râpé

Dans un petit bol, placer le bœuf haché et 60 ml (¼ tasse) de salsa. Façonner en boulette. Dans une poêle moyenne antiadhésive, faire chauffer ⅔ c. à café (⅔ c. à thé) d'huile d'olive à feu moyennement vif et faire cuire la boulette, en la tournant une seule fois.

Dans une deuxième poêle antiadhésive, faire chauffer le reste de l'huile d'olive. Ajouter les haricots noirs, les oignons, l'ail, le reste de la salsa, la sauce Worcestershire, le sel de céleri et l'eau de source et bien réchauffer. Disposer la laitue dans une assiette et y placer la boulette de viande. Garnir d'abord avec des morceaux de coquille de taco, puis avec le mélange de haricots noirs et le fromage.

Salade Waldorf

120 g (1 tasse) de céleri, tranché

¼ de pomme, coupée en dés

1 c. à café (1 c. à thé) de mayonnaise légère

½ pacane, écrasée

30 g (1 oz) de fromage partiellement écrémé

Dans un petit bol, placer le céleri, les dés de pomme et la mayonnaise. Garnir avec des morceaux de pacane et servir le fromage en guise d'accompagnement.

Saumon à la sauce asiatique fruitée

1 ⅓ c. à café (1 ⅓ c. à thé) d'huile d'olive

180 g (6 oz) de saumon, en darne

2 c. à café (2 c. à thé) de sauce soja

1 c. à café (1 c. à thé) de gingembre frais, émincé

½ c. à café (½ c. à thé) d'aneth frais, émincé

Un soupçon de sauce piquante

125 ml (½ tasse) de salsa douce ou piquante

130 g (½ tasse) d'ananas en dés, en conserve

1 pomme Granny Smith, évidée et coupée en dés

Préchauffer le four à 180 °C (350 °F). Graisser légèrement avec l'huile d'olive le fond d'un petit plat allant au four et y déposer la darne de saumon. Garnir avec la sauce soja, le gingembre, l'aneth et la sauce piquante. Couvrir de papier d'aluminium et faire cuire de 30 à 35 minutes ou jusqu'à ce que le saumon soit bien cuit. Dans un petit bol, placer la salsa et les fruits. Disposer le saumon d'un côté d'une assiette et la sauce aux fruits de l'autre.

COLLATION DE FIN DE SOIRÉE

Yogourt faible en gras et noix

135 g (½ tasse) de yogourt nature, faible en gras

1 c. à café (1 c. à thé) d'amandes effilées ou 1 noix macadamia

SUPPLÉMENTS D'HUILE DE POISSON

Prendre 2,5 grammes d'acide eicosapentaénoïque (EPA) ou d'acide docosahexaénoïque (DHA). Si vous prenez un concentré ultraraffiné d'EPA-DHA, cela signifie 4 comprimés de 1 gramme ou 1 c. à café (1 c. à thé) de liquide.

PROGRAMME D'EXERCICES

Faire les exercices du jour 5 du programme d'exercices hebdomadaire de la page 153.

PROGRAMME DE MÉDITATION

Faire 20 minutes de relaxation progressive des muscles, telle qu'elle est décrite aux pages 162 et 163.

JOUR 6

Petit déjeuner dans un bol

270 g (1 tasse) de yogourt nature sans gras

65 g (½ tasse) de fromage cottage sans gras

2 c. à soupe de gruau à cuisson lente, sec

4 c. à café (4 c. à thé) d'amandes effilées

4 c. à café (4 c. à thé) d'extrait de vanille

Poivre de la Jamaïque, au goût

Mélanger tous les ingrédients dans un bol de taille moyenne et laisser réfrigérer toute la nuit pour ramollir les flocons d'avoine.

Salade au poulet grillé

60 g (1 tasse) de laitue romaine, lavée, séchée et déchiquetée

50 g (1 tasse) de brocoli, défait en bouquets

1 poivron vert, évidé, épépiné et coupé en fines lamelles

45 g (¼ tasse) de haricots rognons, rincés et égouttés

1 tomate moyenne, tranchée

1 c. à soupe d'huile d'olive extravierge

2 c. à café (2 c. à thé) de vinaigre, ou plus, au goût

1 c. à soupe de jus de citron

1 c. à café (1 c. à thé) de sauce Worcestershire

½ c. à café (½ c. à thé) de poivre noir moulu, ou au goût

120 g (4 oz) de poitrine de poulet grillée, sans la peau, coupée en bouchées

1 poire moyenne

Dans un bol moyen, placer la laitue, le brocoli, le poivron vert, les haricots rognons et la tomate. Dans un petit bol, fouetter l'huile d'olive, le vinaigre, le jus de citron, la sauce Worcestershire et le poivre moulu. Bien mélanger la vinaigrette et les légumes et garnir de morceaux de poulet. Manger la poire au dessert.

Salade d'épinards

Épinards (pour une salade d'accompagnement)

2 blancs d'œufs, cuits durs

90 g (⅓ tasse) de tranches de mandarines conservées dans l'eau, égouttées

⅓ c. à café (⅓ c. à thé) d'huile d'olive

Vinaigre balsamique, au goût

Disposer les épinards dans une assiette. Garnir des blancs d'œufs et des tranches de mandarines. Fouetter l'huile d'olive et le vinaigre et verser sur la salade.

DÎNER

Sauté de porc et de chou à la sauce aigre-piquante

1 ⅓ c. à café (1 ⅓ c. à thé) d'huile d'olive

120 g (4 oz) de longe de porc maigre, coupée en gros dés

125 ml (½ tasse) de bouillon de poulet

1 c. à café (1 c. à thé) de fécule de maïs

1 c. à soupe de sauce soja

1 c. à soupe de vinaigre de cidre

100 g (½ tasse) d'échalotes, hachées

⅛ c. à café (⅛ c. à thé) de poivre noir

2 c. à soupe de piment jalapeno, en dés

2 c. à café (2 c. à thé) d'ail, émincé

2 c. à café (2 c. à thé) de gingembre frais, émincé

150 g (¾ tasse) de chou-fleur, défait en bouquets

120 g (¾ tasse) d'oignons, tranchés

210 g (2 tasses) de chou, effiloché

1 poire, évidée et tranchée

Dans un bol moyen en verre, placer l'huile d'olive, le porc, le bouillon, la fécule de maïs, la sauce soja, le vinaigre, les échalotes, le poivre, le piment, l'ail et le gingembre. Couvrir et laisser mariner au réfrigérateur pendant 30 minutes.

Verser le mélange de porc dans une poêle moyenne antiadhésive et faire revenir le tout à feu moyennement vif pendant environ 15 minutes, jusqu'à ce que le porc soit doré des deux côtés. Ajouter le chou-fleur, les oignons et le chou et faire cuire en remuant pendant environ 15 minutes, jusqu'à ce que les légumes soient tendres. Disposer le porc et les légumes dans une grande assiette, garnir de tranches de poire et servir immédiatement.

Tomates et fromage cottage faible en gras

70 g (¼ tasse) de fromage cottage faible en gras

2 tomates, tranchées

6 arachides

SUPPLÉMENTS D'HUILE DE POISSON

Prendre 2,5 grammes d'acide eicosapentaénoïque (EPA) ou d'acide docosa-hexaénoïque (DHA). Si vous prenez un concentré ultraraffiné d'EPA-DHA, cela signifie 4 comprimés de 1 gramme ou 1 c. à café (1 c. à thé) de liquide.

PROGRAMME D'EXERCICES

Faire les exercices du jour 6 du programme d'exercices hebdomadaire de la page 153.

PROGRAMME DE MÉDITATION

Faire 20 minutes de méditation traditionnelle, telle qu'elle est décrite à la page 163.

JOUR 7

Omelette farcie à la florentine

240 ml (1 tasse) de substitut d'œuf

⅛ c. à café (⅛ c. à thé) de sel de céleri

⅛ c. à café (⅛ c. à thé) de muscade

⅛ c. à café (⅛ c. à thé) de cannelle

1 ⅓ c. à café (1 ⅓ c. à thé) d'huile d'olive

280 g (4 tasses) de champignons, tranchés

120 g (¾ tasse) d'oignons, hachés

Sel et poivre, au goût

4 c. à soupe de vinaigre balsamique

300 g (5 tasses) d'épinards frais*

2 kiwis, pelés et tranchés

Dans un petit bol, placer le substitut d'œuf, le sel de céleri, la muscade et la cannelle. Dans une grande poêle antiadhésive, faire chauffer ⅔ c. à café (⅔ c. à thé) d'huile d'olive à feu moyennement vif. Verser le mélange d'œuf dans la poêle. Lorsque l'œuf est doré d'un côté, le retourner à l'aide d'une spatule et le faire dorer de l'autre côté.

Dans une autre poêle antiadhésive, faire chauffer le reste de l'huile d'olive à feu moyennement vif. Ajouter les champignons, les oignons, le sel et le poivre et faire cuire le tout de 3 à 5 minutes ou jusqu'à ce que les légumes soient tendres. Ajouter le vinaigre balsamique et les épinards et faire cuire jusqu'à ce que les épinards soient mous. Disposer l'omelette dans une assiette de service, verser le mélange de légumes sur l'omelette et la replier. Garnir de tranches de kiwi et servir.

* Remarque : Il y a souvent du sable dans les épinards. Bien les laver avant de les faire cuire.

Soupe thaï à la dinde

180 g (6 oz) de dinde maigre, hachée

90 g (1 ½ tasse) de germes de soja

55 g (½ tasse) d'échalotes, tranchées

1 ⅓ c. à café (1 ⅓ c. à thé) d'huile d'olive

3 c. à café (3 c. à thé) d'ail, émincé

½ c. à café (½ c. à thé) de gingembre frais, râpé

2 c. à soupe de sauce soja

750 ml (3 tasses) de bouillon de poulet

1 c. à soupe de piments forts, hachés fins

120 g (2 tasses) d'épinards

50 g (¼ tasse) de nouilles fines aux œufs

160 g (1 tasse) de cocktail de fruits léger

Placer la dinde, les germes de soja, les échalotes, l'huile d'olive, l'ail, le gingembre, la sauce soja, le bouillon et les piments forts dans une casserole de grosseur moyenne. Amener à ébullition sur feu moyennement vif, réduire la chaleur et laisser mijoter pendant 15 minutes. Ajouter les épinards et les nouilles et laisser mijoter pendant 1 minute. Servir le cocktail de fruits en accompagnement.

Légumes et trempette

60 g (2 oz) de tofu ferme

⅓ c. à café (⅓ c. à thé) d'huile d'olive

Mélange à soupe à l'oignon déshydraté, au goût

120 g (1 tasse) de céleri, tranché pour manger avec une trempette

1 poivron vert, tranché pour manger avec une trempette

Dans un petit bol, mélanger le tofu, l'huile d'olive et le mélange à soupe. Servir avec les légumes.

Tofu épicé garni d'échalotes et de radis

1 ⅓ c. à café (1 ⅓ c. à thé) d'huile d'olive

1 c. à café (1 c. à thé) de gingembre frais, émincé

240 g (8 oz) de tofu extraferme, coupé en cubes de 2,5 cm (1 po)

1 c. à soupe de jus de citron

4 c. à café (4 c. à thé) de sauce soja

1 ½ c. à café (1 ½ c. à thé) de vin blanc

1 c. à café (1 c. à thé) d'ail, émincé

Sel et poivre, au goût

150 g (¾ tasse) de piment jalapeno et de poivron rouge doux (dans les proportions désirées)

300 g (5 tasses) d'épinards, déchiquetés

100 g (1 tasse) de radis, émincés

225 g (1 ½ tasse) de tomates, épépinées et coupées en dés

110 g (1 tasse) d'échalotes, hachées

105 g (1 ½ tasse) de champignons frais ou en conserve, tranchés

Dans une poêle moyenne antiadhésive, faire chauffer l'huile d'olive et ½ c. à café (½ c. à thé) de gingembre à feu moyennement vif. Ajouter le tofu et le faire revenir dans la poêle pendant environ 6 minutes, jusqu'à ce qu'il soit doré de tous les côtés. Dans un petit bol, fouetter le jus de citron, 1 c. à soupe d'eau, la sauce soja, le vin, l'ail, le sel, le poivre et le reste du gingembre. Placer dans un bol moyen le piment et le poivron, les épinards, les radis, les tomates, les échalotes et les champignons. Verser la vinaigrette au soja sur les légumes et remuer afin qu'ils soient bien enrobés. Ajouter le tofu et disposer dans une assiette de service.

Petits fruits et fromage faible en gras

75 g (½ tasse) de bleuets ou 140 g (1 tasse) de fraises

30 g (1 oz) de fromage mozzarella faible en gras

6 arachides

SUPPLÉMENTS D'HUILE DE POISSON

Prendre 2,5 grammes d'acide eicosapentaénoïque (EPA) ou d'acide docosahexaénoïque (DHA). Si vous prenez un concentré ultraraffiné d'EPA-DHA, cela signifie 4 comprimés de 1 gramme ou 1 c. à café (1 c. à thé) de liquide.

PROGRAMME D'EXERCICES

Faire les exercices du jour 7 du programme d'exercices hebdomadaire de la page 153.

PROGRAMME DE MÉDITATION

Faire 20 minutes de méditation simple, telle qu'elle est décrite à la page 162.

EN RÉSUMÉ

Lorsque vous aurez suivi le programme de vie dans le juste milieu pendant une semaine, je vous garantis que vous commencerez à profiter des bienfaits décrits au début de ce chapitre. Si vous les appréciez, imaginez le plaisir que vous éprouverez si vous en jouissez toute votre vie! C'est ce plaisir que vous ressentirez aussitôt que vous serez bien installé au centre du juste milieu anti-inflammatoire.

TROISIÈME PARTIE

La science
et l'inflammation silencieuse

Chapitre 12
Les eicosanoïdes :
les bons, les mauvais et les neutres

É tranges, mystérieux et presque mythiques, les eicosanoïdes sont le secret de la bonne santé, car ils contrôlent le taux d'inflammation silencieuse dans l'organisme. Malgré leur importance, la plupart des médecins ne savent rien à leur sujet. Si votre médecin ne connaît pas leur existence, vous ne la connaissez probablement pas non plus – à moins d'avoir lu l'un de mes ouvrages sur le juste milieu. Ma technologie du juste milieu a toujours été fondée sur les eicosanoïdes et sur l'influence que l'alimentation exerce sur eux. Contrôlez ces hormones et vous contrôlerez votre avenir !

Les eicosanoïdes sont les premières hormones. Elles ont commencé à être produites par les organismes vivants il y a 500 millions d'années. Mais notre histoire à nous ne débute qu'en 1929, lorsque des chercheurs découvrent, par hasard, que les animaux de laboratoire meurent lorsque les lipides sont complètement éliminés de leur alimentation. L'ajout de certains lipides (alors appelés vitamine F) permet aux animaux carencés en lipides de survivre. En fin de compte, grâce aux progrès de la technologie, les chercheurs comprennent que ces gras essentiels appartiennent à deux classes d'acides gras : les oméga-6 et les oméga-3. Malheureusement, l'organisme étant incapable de les synthétiser, ils doivent être fournis par l'alimentation.

La présence dans l'alimentation de ces acides gras essentiels n'est que la première étape dans la fabrication des eicosanoïdes. Ils doivent d'abord être métabolisés en molécules à chaînes plus longues – qui sont les composantes de base des eicosanoïdes. Le mot eicosanoïdes vient du mot grec *eicosa*, qui signifie « vingt ». Le mot a été choisi parce que toutes ces hormones sont synthétisées à partir d'acides gras essentiels d'une longueur de 20 atomes de carbone.

C'est en 1936 que Ulf von Euler découvre le premier eicosanoïde, isolé à partir de la prostate humaine (source exceptionnellement riche en eicosanoïdes). Comme on pense à l'époque que toutes les hormones sont sécrétées par une glande bien définie, il est parfaitement logique de donner à cette hormone le nom de *prosta*glandine. Par la suite, il deviendra évident que toutes les cellules du corps peuvent fabriquer des eicosanoïdes et qu'il n'y a pas de glande bien définie au centre de leur synthèse. Notre corps possède 60 billions de « glandes » d'eicosanoïdes.

La grande percée dans la recherche sur les eicosanoïdes survient en 1971, lorsque John Vane finit par découvrir le mécanisme d'action de l'aspirine (le médicament miracle du xxe siècle). L'aspirine modifie les taux d'eicosanoïdes. Le Dr Vane et ses collègues Bengt Samuelsson et Sune Bergelson recevront le prix Nobel de médecine en 1982 pour leur découverte concernant le rôle des eicosanoïdes dans les maladies.

Si les eicosanoïdes sont aussi importants, pourquoi sont-ils pratiquement inconnus de la communauté médicale? Premièrement, les eicosanoïdes sont des hormones à durée de vie très courte. En quelques secondes, ils apparaissent, remplissent leur mission et s'autodétruisent, ce qui les rend extrêmement difficiles à étudier. Deuxièmement, ce sont des médiateurs intercellulaires qui ne circulent pas dans le sang, ce qui complique le prélèvement d'un échantillon. Troisièmement, ils agissent à des concentrations extrêmement faibles, ce qui les rend à peu près impossibles à détecter. En dépit de ces facteurs, plus de 87 000 articles ont été publiés au sujet des eicosanoïdes. Au moins, la communauté scientifique, elle, s'intéresse aux eicosanoïdes, même si votre médecin n'en a pas entendu parler à la faculté de médecine.

Les eicosanoïdes comprennent un grand nombre d'hormones dont plusieurs sont complètement inconnues de la plupart des chercheurs en médecine. Les différentes classes d'eicosanoïdes sont les suivantes :

- les prostaglandines ;
- les thromboxanes ;
- les leucotriènes ;
- les lipoxines ;
- les épilipoxines induites par l'aspirine ;

- les acides gras hydroxylés;
- les isoprostanoïdes;
- les acides époxyéicosatriénoïques;
- les endocanabinoïdes.

Il y a des centaines d'eicosanoïdes et l'on en découvre de nouveaux chaque année. Mais de toutes leurs fonctions, la plus importante est le rôle qu'ils jouent dans l'inflammation.

LES EICOSANOÏDES ET L'INFLAMMATION

Comme je l'ai souligné à maintes reprises dans cet ouvrage, les eicosanoïdes sont au centre de la réaction inflammatoire. Ils la déclenchent, mais ils peuvent la neutraliser. Pour simplifier, je classe les eicosanoïdes qui déclenchent la réaction inflammatoire dans les « mauvais » eicosanoïdes, et ceux qui la neutralisent dans les « bons » eicosanoïdes. Pour survivre, il faut évidemment équilibrer les « bons » et les « mauvais » eicosanoïdes. Ce n'est que lorsque l'équilibre entre ces deux groupes opposés est rompu que l'on développe de l'inflammation silencieuse et, finalement, des maladies chroniques.

Le bilan d'inflammation silencieuse (BIS) est donc un élément clé: il révèle avec une implacable précision l'équilibre relatif entre les éléments constitutifs des « bons » et des « mauvais » eicosanoïdes dans l'organisme. Comme je l'ai mentionné au chapitre 4, si votre BIS est trop élevé (supérieur à 3), vous souffrez d'inflammation silencieuse. Plus il est élevé, plus votre surproduction de « mauvais » eicosanoïdes s'accroît et plus vous vous éloignez de la bonne santé.

Il y a deux façons de contrôler les « mauvais » eicosanoïdes pour lutter contre l'inflammation silencieuse. La première consiste à prendre des médicaments anti-inflammatoires (comme l'aspirine, le Motrin, les inhibiteurs de l'activité COX-2 et les corticostéroïdes) pour le restant de ses jours. Compte tenu du fait que les anti-inflammatoires pris selon les doses indiquées tuent presque autant d'Américains que le sida, il est clair que cette stratégie n'est pas viable à long terme. L'autre manière de contrôler les eicosanoïdes est le régime alimentaire – plus particulièrement le régime du juste milieu et les suppléments d'huile de poisson à fortes doses. Les seuls effets secondaires de ces derniers sont positifs : l'huile de poisson améliorera votre intelligence, votre silhouette et votre santé.

LA SYNTHÈSE DES ACIDES GRAS ESSENTIELS

Pour comprendre l'importance du régime du juste milieu dans le contrôle des eicosanoïdes et le rétablissement de leur équilibre, vous devez comprendre comment leurs éléments constitutifs sont fabriqués. Pour commencer, tous les eicosanoïdes sont produits à partir d'acides gras essentiels qui doivent provenir de l'alimentation, l'organisme étant incapable d'en synthétiser. Ces acides gras essentiels se divisent en acides gras oméga-6 ou oméga-3, selon la position des liaisons doubles qu'ils contiennent. Ce point est important, parce que la position des liaisons doubles dicte la structure tridimensionnelle des acides gras, laquelle détermine à son tour la réaction physiologique de l'organisme aux eicosanoïdes dérivés de cet acide gras. Cependant, les acides gras typiques ont des chaînes carbonées qui n'ont pas plus de 18 atomes de longueur, et qui doivent être allongées à 20 atomes avant qu'un eicosanoïde puisse être synthétisé. Si le nombre d'atomes de carbone est important, la configuration joue aussi un rôle crucial. Le rôle de l'alimentation et son influence sur la formation des acides gras essentiels alimentaires est une histoire plutôt compliquée, mais indispensable à la compréhension du régime du juste milieu.

LES ACIDES GRAS OMÉGA-6

Les acides gras oméga-6 sont des acteurs clés dans la saga des eicosanoïdes. Ils peuvent nous faire le plus grand bien comme ils peuvent nous faire le plus grand mal. À plusieurs égards, ils sont comme Dr Jekyll et M. Hyde. Étant fondamentalement neutres, les eicosanoïdes produits à partir d'acides gras oméga-3 sont très peu actifs. La raison pour laquelle j'insiste autant sur l'importance de l'acide eicosapentaénoïque (EPA) est la suivante : l'EPA joue un rôle clé dans la transformation des acides gras oméga-6, soit en éléments constitutifs des « bons » eicosanoïdes, soit en éléments constitutifs des « mauvais » eicosanoïdes.

La majeure partie des acides gras oméga-6 dans l'alimentation sont tirés de l'acide linolénique, qui contient deux liaisons doubles. On en trouve dans les huiles végétales, comme l'huile de maïs, l'huile de soja, l'huile de carthame et l'huile de tournesol. Ces huiles sont très connues.

La première étape dans la transformation biochimique d'huiles végétales apparemment sans danger en « mauvais » eicosanoïdes commence par l'insertion dans l'acide linolénique d'une liaison double additionnelle, à la bonne position, pour que la molécule se replie vers l'intérieur et forme l'acide gammalinolénique (GLA) à partir de l'acide linolénique, comme on le voit ci-dessous :

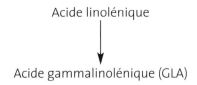

Acide linolénique

Acide gammalinolénique (GLA)

Jusqu'à présent, rien de regrettable ne s'est produit. En fait, vous voulez que votre organisme produise de l'acide gammalinolénique, car il s'agit d'un acide gras clé dans la formation de puissants eicosanoïdes anti-inflammatoires (« bons »). Malheureusement, ils ont aussi le potentiel nécessaire pour se transformer en eicosanoïdes pro-inflammatoires (« mauvais »), tout aussi puissants.

Une fois l'acide linolénique transformé en acide gammalinolénique (GLA), la réaction s'accélère vers la production de « bons » ou de « mauvais » eicosanoïdes, puisque le GLA peut rapidement être transformé en acide dihomogammalinolénique (DGLA), comme on le voit ci-dessous :

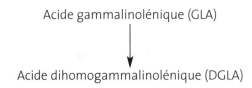

Acide gammalinolénique (GLA)

Acide dihomogammalinolénique (DGLA)

Cette réaction pourrait être très favorable, puisque le DGLA est l'élément constitutif de la plupart des « bons » eicosanoïdes ayant des propriétés anti-inflammatoires. Si le métabolisme des acides gras oméga-6 s'arrêtait là, la vie serait facile. Hélas, les eicosanoïdes ne nous font pas de cadeaux. En effet, le DGLA sert aussi de substrat à une autre enzyme connue sous le nom de delta-5-désaturase (D5D) qui produit l'acide arachidonique (AA), lequel est l'élément constitutif de tous les eicosanoïdes pro-inflammatoires, comme on le voit ci-dessous :

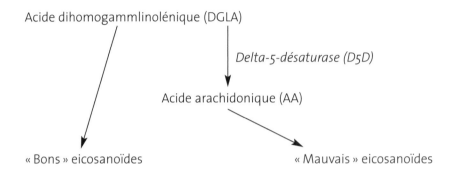

Acide dihomogammlinolénique (DGLA)

Delta-5-désaturase (D5D)

Acide arachidonique (AA)

« Bons » eicosanoïdes   « Mauvais » eicosanoïdes

Le problème vient de la consommation de quantités excessives d'huiles végétales riches en acides gras oméga-6. Par leur seule force brute, toutes ces huiles végétales à concentration élevée en acide linolénique finissent par provoquer une augmentation de la production d'AA, ce qui a pour conséquence d'exacerber l'inflammation silencieuse qui, à son tour, accélère le vieillissement et le développement de maladies chroniques.

J'ai commencé à élaborer le régime du juste milieu il y a plus de 20 ans, dès que j'ai compris l'importance capitale de l'enzyme D5D et de l'inflammation silencieuse. C'était peu après la découverte de l'action des eicosanoïdes, qui a valu un prix Nobel de médecine aux découvreurs. Je me suis dit qu'en réussissant à influencer l'activité de cette seule enzyme je pourrais modifier pour la vie l'équilibre des « bons » et des « mauvais » eicosanoïdes.

Il me restait à trouver un inhibiteur naturel de la D5D. Et j'avais à ma disposition le bon élément nutritif, soit l'acide eicosapentaénoïque (EPA), un acide gras oméga-3 à longue chaîne. J'en ai conclu que, si je pouvais fournir à une personne suffisamment de GLA (pour augmenter son taux de DGLA) et d'EPA (pour inhiber sa production d'acide arachidonique à partir de DGLA), je ferais automatiquement augmenter sa production de « bons » eicosanoïdes et diminuer sa production de « mauvais » eicosanoïdes. J'étais confiant ! Je me voyais déjà recevant le prix Nobel ! Hélas, la vie n'est pas aussi simple.

Au début des années 1980, je pensais que je pourrais agir sur les eicosanoïdes en contrôlant tout simplement l'apport alimentaire en acide eicosapentaénoïque et en acide gammalinolénique. Comme je pouvais toujours obtenir de l'EPA dans l'huile de poisson (bien qu'elle ne fut pas de très bonne qualité à cette époque), il ne me restait plus qu'à trouver une source suffisamment riche en GLA. C'était bien là le hic! Il n'y en a pas beaucoup et personne ne cultive la source la plus riche – la bourrache. Ne nous laissant pas décourager par ce léger contretemps, mon frère Doug et moi avons fait des recherches sur le marché mondial de la bourrache (cela n'a pas demandé beaucoup de travail), puis nous nous sommes dirigés vers les plaines du Canada pour la cultiver. (De toutes les régions du monde, le climat canadien est particulièrement favorable à la culture de la bourrache.) J'avais donc à ma disposition des sources d'EPA et de GLA, il ne me restait plus qu'à déterminer le rapport EPA/GLA, et ma réputation et ma fortune seraient faites! J'ai commencé par un rapport de 4/1 et j'ai fabriqué des capsules de gélatine molle contenant de l'huile de poisson (source d'EPA) et de l'huile de bourrache (source de GLA). J'ai ensuite embauché des amis qui ont accepté de me servir de cobayes. Je leur ai répété la même ritournelle: « Faites-moi confiance! » À leur grande surprise (et à mon grand soulagement), bon nombre des bienfaits physiologiques que j'avais prédits se sont manifestés en quelques semaines, pour certains, en quelques jours.

Après plusieurs mois, cependant, j'ai remarqué que des choses étranges commençaient à se produire. Au début, la combinaison EPA-GLA avait procuré des bienfaits à presque toutes les personnes qui en prenaient. Elles fabriquaient moins de « mauvais » eicosanoïdes et davantage de « bons », puisque j'agissais sur l'équilibre DGLA-AA dans chacune de leurs 60 billions de cellules. Avec le temps, pourtant, certaines personnes ont constaté que les bienfaits obtenus au début avaient diminué. Elles se sentaient néanmoins en meilleure forme qu'avant de commencer le traitement. Par contre, d'autres sujets ont déclaré que les bienfaits initiaux avaient complètement disparu et qu'ils commençaient à se sentir en moins bonne forme qu'avant de commencer le traitement. Certains de mes amis se montraient beaucoup moins amicaux! Puis j'ai compris ce qu'il se passait. J'ai appelé ce phénomène l'effet de « débordement ».

L'effet de débordement

Au début, à mesure que le rapport DGLA/AA s'améliore, l'organisme commence à fabriquer de «bons» eicosanoïdes en plus grande quantité que les «mauvais». La situation s'améliore donc, et de façon continue. Toutefois, il arrive un moment, déterminé génétiquement, où le rapport DGLA/AA commence à se dégrader parce qu'une plus grande quantité de DGLA est convertie en AA. J'ai découvert que le dosage d'EPA que j'utilisais n'inhibait que partiellement l'activité de la D5D, de sorte qu'avec le temps une plus grande quantité d'AA pouvait être produite. (Jusqu'à l'apparition sur le marché des concentrés ultraraffinés d'EPA-DHA, il était tout simplement impossible de fournir à l'organisme une dose adéquate d'EPA sans une importante surcharge de contaminants, par exemple de mercure, de BPC et de dioxines.) L'augmentation initiale de la concentration en DGLA obtenue grâce à l'acide gammalinolénique submergeait la quantité d'EPA fournie pour inhiber la delta-5-désaturase, ce qui entraînait une accumulation croissante d'acide arachidonique. Fait intéressant à noter, l'effet de débordement semblait plus répandu chez les femmes que chez les hommes. Adieu donc mon idée d'un «rapport universel» d'EPA/GLA convenant à tous!

J'en ai conclu que, sans une dose universelle convenant à tous, je devais m'atteler à la tâche consistant à élaborer une vaste gamme de combinaisons EPA-GLA et de les adapter à chaque individu. Mais comment allais-je m'y prendre? Heureusement, les eicosanoïdes laissent des traces permettant d'en déterminer les valeurs relatives dans différents organes du corps. C'est ce qui m'a aidé à mettre au point le rapport d'inflammation silencieuse dont j'ai parlé au chapitre 2. Je me suis servi d'un questionnaire pour évaluer chaque personne afin de personnaliser les ratios d'acides gras essentiels activés. (L'analyse sanguine du bilan d'inflammation silencieuse permet aujourd'hui d'obtenir une mesure encore plus précise, car il se fonde sur la chimie sanguine et non sur l'observation.)

En 1988, j'ai cru que j'étais enfin arrivé à traduire ce concept en données scientifiques, pour ainsi dire. C'était une science beaucoup plus complexe que je ne l'avais cru au départ, mais elle était tout de même gouvernée par certaines règles fondamentales de biochimie. En fin de compte, c'est mon travail avec les athlètes de haut niveau qui m'a permis de comprendre la complexité de la modulation des eicosanoïdes.

L'HISTOIRE DU RÉGIME DU JUSTE MILIEU

J'ai commencé à travailler avec des athlètes de haut niveau (principalement les équipes de natation de Stanford) afin de voir si mes combinaisons d'acide eicosapentaénoïque (EPA) et d'acide gammalinolénique (GLA) amélioraient leur performance. Je pouvais constamment modifier les combinaisons qu'ils ingéraient, ce qui écartait l'effet de débordement. Cela m'obligeait à faire un suivi hebdomadaire individuel auprès de chaque nageur, mais je puis dire que j'ai obtenu des résultats extraordinaires au cours de l'été 1989. Mais en automne, quand les nageurs ont recommencé à fréquenter les salles à manger des résidences étudiantes, les bienfaits de l'été se sont évaporés pratiquement du jour au lendemain. Les entraîneurs ne cessaient de m'appeler pour savoir pourquoi leurs athlètes, qui avaient si bien nagé pendant l'été, régressaient et se plaignaient constamment de fatigue. Je me suis creusé la tête pour comprendre ce qui avait déraillé. Qu'est-ce qui avait provoqué cette baisse soudaine de leur performance ? Tout à coup, une réponse m'est apparue. Se pouvait-il que l'alimentation à charge glycémique élevée, courante dans les résidences universitaires, fasse augmenter le taux d'insuline des étudiants ? Il y avait peut-être un lien.

Une incursion dans les dédales de la bibliothèque du Massachusetts Institute of Technology a confirmé mes soupçons. J'y ai découvert de vieilles études sur des rats, dans lesquelles les chercheurs faisaient remarquer qu'un taux élevé d'insuline (causé par la consommation de glucides) active l'enzyme delta-5-désaturase, ce qui provoque une augmentation de la production d'acide arachidonique aux dépens de l'acide dihomogammalinolénique. Chez mes athlètes, le rapport hautement favorable de DGLA/AA créé pendant l'été s'était rapidement dégradé une fois qu'ils avaient recommencé à manger dans les résidences universitaires. J'ai compris que je n'arriverais pas à contrôler parfaitement le taux d'eicosanoïdes sans contrôler d'abord le taux d'insuline. J'étais revenu à la case départ !

C'est ainsi que je tiens compte aujourd'hui de la façon dont le métabolisme des acides gras essentiels du DGLA est modifié par l'effet de l'insuline sur l'enzyme D5D, comme on le voit ci-dessous :

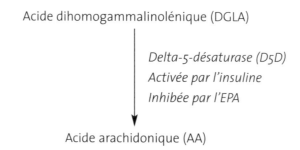

Acide dihomogammalinolénique (DGLA)

Delta-5-désaturase (D5D)
Activée par l'insuline
Inhibée par l'EPA

Acide arachidonique (AA)

L'insuline étant un activateur de l'enzyme D5D, on comprend mieux pourquoi un nombre croissant d'études font le lien entre l'excès d'insuline et les maladies cardiaques. En haussant le taux de synthèse de l'acide arachidonique, l'enzyme D5D augmente l'inflammation silencieuse. L'insuline n'est pas en soi une cause de maladies cardiaques, mais elle entraîne une augmentation de l'inflammation silencieuse, plus particulièrement en présence de quantités excessives d'acides gras oméga-6 alimentaires.

Je savais qu'on ne peut malheureusement pas contrôler l'insuline sans surveiller le rapport protéines/glucides de chacun des repas. Cela signifie qu'il faut traiter les aliments comme des médicaments à prendre, à certaines doses, à des moments précis. Mon défi consistait à déterminer le rapport protéines/glucides optimal. Je n'avais manifestement pas très bien réussi avec le rapport EPA/GLA, il me fallait recommencer à zéro et faire preuve de créativité. J'ai pensé qu'il me serait utile de tenter d'abord d'estimer le rapport protéines/glucides que consommait, il y a entre 10 000 et 40 000 ans, l'homme du néopaléolithique, car nos gènes n'ont guère changé depuis.

Une fois encore, j'ai eu de la chance dans mes recherches bibliographiques. Boyd Eaton, de l'université Emory, s'était penché sur la question bien avant moi et avait déjà entrepris d'y répondre. En comparant un grand nombre d'ethnies contemporaines de chasseurs-cueilleurs à l'aide de données anthropologiques, il a estimé que le rapport protéines/glucides de l'homme du néopaléolithique était d'environ 3 grammes de protéines pour 4 grammes de glucides, soit un rapport protéines/glucides de 0,75.

Je me suis dit que c'était un bon point de départ. J'ai commencé à élaborer un régime qui permettrait de garder le rapport protéines/glucides entre 0,5 et 1, à *chaque* repas, avec des glucides provenant de sources à charge glycémique peu élevée, comme les légumes et les fruits (les seuls glucides qui existaient il y a 10 000 ans). Ce faisant, j'étais certain que l'équilibre entre l'insuline et le glucagon serait maintenu d'un repas à l'autre. J'ai donné à cette approche diététique le nom de régime du juste milieu. J'ai mis au point le régime du juste milieu pour optimiser l'action de l'acide eicosapentaénoïque qui réduit la formation d'acide arachidonique. C'est la raison pour laquelle le régime du juste milieu est, d'abord et avant tout, un régime anti-inflammatoire et non un simple régime amaigrissant.

Pour maîtriser entièrement l'inflammation silencieuse, vous avez besoin d'un supplément d'huile de poisson à fortes doses, riche en EPA et, à chaque repas, d'une assiette équilibrée en protéines et en glucides. Qu'en est-il du contrôle de la production d'acide dihomogammalinolénique par l'acide gammalinolénique ? Il s'avère que mieux vous contrôlez l'activité de l'enzyme D5D, moins il y a de risques d'un effet de débordement de DGLA en AA. Ainsi, le faible taux d'acide linolénique que vous procure le régime du juste milieu suffirait à maintenir votre taux de DGLA assez élevé pour produire des quantités adéquates d'eicosanoïdes anti-inflammatoires. De plus, mieux vous contrôlez votre taux d'insuline par l'alimentation, moins vous avez besoin d'huile de poisson pour réduire votre inflammation silencieuse. Inversement, moins vous contrôlez efficacement votre taux d'insuline par l'alimentation, plus vous avez besoin d'huile de poisson pour maîtriser votre inflammation silencieuse.

Si l'acide eicosapentaénoïque joue un rôle aussi important dans le contrôle de l'inflammation silencieuse en inhibant l'activité de l'enzyme D5D, pourquoi nous préoccuper de l'acide docosahexaénoïque, qui contient 22 atomes de carbone et ne peut pas être transformé en un eicosanoïde classique ? Premièrement, on a découvert que le DHA est essentiel à la fonction cérébrale. Deuxièmement, il sert de réserves pouvant être reconverties en EPA. Troisièmement, le DHA peut moduler l'expression génétique. En effet, il s'attache à certains éléments de transcription de l'ADN qui contribuent à augmenter la sensibilité des cellules à l'insuline. Quatrièmement, bien que le DHA ne puisse être synthétisé en un eicosanoïde classique, il peut se transformer en une classe nouvellement découverte de puissants eicosanoïdes anti-inflammatoires connus sous le nom de résolvines. Enfin, si vous décidez de prendre de l'EPA, n'oubliez pas de prendre aussi du DHA pour couvrir tous vos besoins hormonaux. À mon avis, en me basant sur des données publiées, j'estime que le meilleur rapport EPA/DHA est d'environ 2/1.

LES VÉGÉTARIENS ET L'EPA

Bien qu'il n'existe aucune source végétale d'EPA, certaines algues produisent du DHA. Il s'agit d'un processus peu efficace, mais c'est un moyen par lequel on peut obtenir des taux suffisants d'EPA et de DHA de source végétale. Rétroconvertir du DHA en EPA est beaucoup plus efficace que de tenter de synthétiser l'EPA et le DHA d'autres sources végétales, comme l'huile de lin.

Même si les eicosanoïdes dérivés de l'EPA sont neutres, celui-ci joue un rôle crucial dans l'atteinte du juste milieu anti-inflammatoire en inhibant l'activité de l'enzyme D5D, ce qui réduit la transformation d'acides gras oméga-6 en AA. Si vous consommez des quantités très modérées d'acides gras oméga-6 et des quantités égales d'EPA, vos acides gras oméga-6 alimentaires sont susceptibles de s'accumuler sous forme de DGLA, lequel augmente la production des « bons » et puissants eicosanoïdes anti-inflammatoires. L'EPA demeure néanmoins un inhibiteur relativement faible de l'activité de l'enzyme D5D ; vous éviterez donc de le submerger en consommant de trop grandes quantités d'huile végétale riche en acides gras oméga-6, comme de l'huile de soja, de maïs ou de carthame. En fait, il est tout à fait logique de faire appel à l'aide nutritionnelle d'autres inhibiteurs de l'enzyme D5D, comme les lignanes contenues dans l'huile de sésame ou des épices comme le curcuma.

La quantité totale d'acides gras oméga-6 et oméga-3 dont vous avez besoin quotidiennement pour contrôler l'inflammation silencieuse est relativement faible. Cela signifie que vous devez ajouter du gras à votre régime alimentaire pour aider à ralentir le taux d'entrée des glucides et contrôler la sécrétion d'insuline. Ce gras devrait principalement être de type mono-insaturé. Les gras mono-insaturés ne peuvent pas être transformés en eico-sanoïdes (bons ou mauvais). Comme il n'a aucun effet sur ces derniers, le gras mono-insaturé peut fournir une quantité adéquate de lipides pour contrôler le taux d'entrée des glucides dans la circulation sanguine. De plus, le gras mono-insaturé agit sans perturber les équilibres hormonaux que vous cherchez à maintenir pour rester en bonne santé.

LES SOCIÉTÉS PHARMACEUTIQUES SONT-ELLES AU COURANT ?

Ne vous méprenez pas. Même si votre médecin ne connaît rien aux eico-sanoïdes et sait très peu de chose au sujet de l'inflammation (il sait néan-moins qu'elle est mauvaise), les sociétés pharmaceutiques, elles, sont au courant. Elles ont déjà dépensé des milliards de dollars pour développer des médicaments anti-inflammatoires pouvant modifier les eicosanoïdes. En tant que médicaments, les eicosanoïdes jouent toutefois un rôle très limité dans l'univers des sociétés pharmaceutiques. Ils sont non seulement trop dif-ficiles à utiliser (ils doivent être injectés), mais ils sont beaucoup trop puis-sants pour servir de médicaments, dans la mesure où ils ne sont pas conçus pour circuler dans le sang.

Les sociétés pharmaceutiques ne parlent jamais de l'alimentation (plus particulièrement des suppléments d'huile de poisson à fortes doses) pour traiter l'inflammation parce qu'elles présument qu'il est impossible de réduire le taux d'acide arachidonique dans les cellules. Elles ont plutôt choisi de lutter contre l'inflammation en réduisant l'activité des enzymes qui produisent des eicosanoïdes pro-inflammatoires dérivés de l'AA. Cela équivaut à fermer la porte de l'écurie une fois que les chevaux se sont enfuis, ou ce qu'on appelle, en pharmacologie : *agir en aval*. Mon approche est à l'opposé. Elle consiste à agir *en amont* et à réduire la quan-tité d'acide arachidonique (tout en augmentant le taux d'acide dihomo-gammalinolénique) dans chaque cellule de l'organisme. Non seulement cette méthode abaisse la quantité d'eicosanoïdes pro-inflammatoires qui peuvent être synthétisés, mais elle provoque une augmentation du nombre d'eicosanoïdes anti-inflammatoires qui peuvent être fabriqués à partir du DGLA.

Pour comprendre les différences fondamentales entre ces deux approches de lutte contre l'inflammation, vous devez avoir une idée de la façon dont les eicosanoïdes sont fabriqués.

LA SYNTHÈSE DES EICOSANOÏDES

Les eicosanoïdes sont des médiateurs intercellulaires. Au lieu de réagir à une hormone maîtresse, chaque cellule réagit aux modifications qui se produisent dans son environnement immédiat en libérant des eicosanoïdes. La première étape qui déclenche la réaction cellulaire est la libération, par les phospholipides de la membrane cellulaire, d'un acide gras essentiel. L'enzyme responsable de la libération de cet acide gras essentiel est la phospholipase A_2. Selon que l'acide gras essentiel est libéré ou non, vous produirez de « bons » eicosanoïdes (à partir de DGLA), de « mauvais » eicosanoïdes (à partir d'AA) ou des eicosanoïdes neutres (à partir d'EPA).

Comme il n'y a pas de boucle de rétroaction pour arrêter la production des eicosanoïdes, seule la production de cortisol par les glandes surrénales peut restreindre leur libération hors des membranes. La libération du cortisol entraîne la synthèse d'une protéine (la lipocortine) qui inhibe l'action de la phospholipase A_2. En inhibant cette enzyme, qui libère des acides gras des membranes cellulaires, vous interrompez l'approvisionnement en substrat nécessaire à la synthèse des eicosanoïdes. Évidemment, si vous produisez le cortisol en trop grandes quantités (ou si vous prenez des corticostéroïdes), vous paralysez toute synthèse d'eicosanoïdes, ce qui peut mener à l'effondrement de votre système immunitaire. En effet, en 24 heures seulement, une seule injection de corticostéroïdes abaisse le compte de globules blancs (lymphocytes), chez des personnes en bonne santé, à un niveau se rapprochant de celui de patients atteints du sida. Pas étonnant que les patients à qui l'on apprend qu'ils vont devoir prendre des corticostéroïdes se rendent compte qu'ils sont en très mauvaise santé.

Une fois que des acides gras essentiels à longue chaîne contenant 20 atomes de carbone (AA, DGLA ou EPA) sont libérés de la membrane cellulaire, le cheval s'est vraiment enfui de l'écurie. Les enzymes qui catalysent la production des eicosanoïdes sont sensibilisées à agir en leur présence. Il existe deux principales voies de synthèse des eicosanoïdes. La première est la voie de la cyclo-oxygénase (COX), qui catalyse la formation des prostaglandines et des thromboxanes ; la deuxième, la voie de la lipo-oxygénase (LOX), qui catalyse la formation des leucotriènes, des acides gras hydroxylés et des lipoxines.

Acides gras essentiels à longue chaîne de 20 atomes de carbone

COX   LOX

Prostaglandines   Leucotriènes
Thromboxanes   Acides gras hydroxylés
                                          Lipoxines

Les sociétés pharmaceutiques se sont concentrées sur l'élaboration de médicaments visant à inhiber l'une de ces deux voies ; car, une fois les acides gras libérés, un type quelconque d'eicosanoïdes sera nécessairement produit. Si vous présumez qu'il est impossible de réduire votre taux d'acide arachidonique, vous devrez mettre tous vos espoirs dans l'inhibition de diverses enzymes qui produisent les eicosanoïdes pro-inflammatoires. Comme vous le verrez plus loin, c'est un petit jeu dangereux. Certains médicaments n'inhibent que la voie de synthèse de la cyclo-oxygénase, tandis que d'autres n'inhibent que les enzymes de la lipo-oxygénase. L'inhibiteur le mieux connu de la voie de synthèse de la COX est l'aspirine. D'autres médicaments, comme les anti-inflammatoires non stéroïdiens (AINS) inhibent aussi la COX. Ces AINS ont pour nom Motrin, Advil, Aleve, etc. Les nouvelles classes d'inhibiteurs de la prostaglandine s'appellent les inhibiteurs COX-2, et ils n'agissent que sur une petite sous-classe d'enzymes de la cyclo-oxygénase. Tous ces médicaments ont des effets secondaires. Ce sont des bombes qui font beaucoup de dommages collatéraux, car ils inhibent souvent les enzymes de la COX requises pour synthétiser les « bons » eicosanoïdes. Par exemple, les inhibiteurs COX-2 ne semblent pas causer les mêmes lésions à l'estomac que les inhibiteurs COX typiques, mais leur effet sur les maladies cardiaques n'est pas aussi efficace. (En fait, un inhibiteur COX-2, le Vioxx, a récemment été retiré du marché, car on le soupçonne d'augmenter le taux de crises cardiaques.)

Le sinistre secret de tous les inhibiteurs COX est que l'AA libre qui ne peut être transformé en prostaglandine sera rapidement récupéré par les enzymes LOX pour fabriquer un type différent d'eicosanoïdes, parfois bien plus dommageables. À bien des égards, on peut comparer l'acide arachidonique libéré des membranes à une grenade active prête à exploser.

Les enzymes LOX

Contrairement aux enzymes inhibitrices de la cyclo-oxygénase (COX), qui sont très nombreuses, il n'y a que quelques inhibiteurs des enzymes de la lipo-oxygénase (LOX). Comme les leucotriènes (particulièrement le LTB_4) sont les premiers médiateurs de l'inflammation, l'acide arachidonique libre se transforme souvent en eicosanoïdes pro-inflammatoires, peu importe le nombre d'inhibiteurs COX que l'on ingère.

POURQUOI AGIR EN AMONT EST UNE BONNE PRATIQUE MÉDICALE

Les sociétés pharmaceutiques se consacrent à l'élaboration de nouveaux médicaments brevetables – des médicaments qui agissent en aval sur les enzymes COX et LOX, lesquelles catalysent la synthèse des eicosanoïdes à partir d'acide arachidonique.

Agir en amont est complètement à l'opposé : on change l'équilibre des précurseurs des eicosanoïdes dans les membranes cellulaires en diminuant l'acide arachidonique et en augmentant l'acide dihomogammalinolénique. Vous pouvez facilement le faire en suivant le régime du juste milieu et en prenant des suppléments d'huile de poisson à fortes doses. En agissant en amont, vous pouvez être quasiment certain que l'acide gras libéré sera du DGLA et non de l'AA. C'est, essentiellement, une loterie biologique qui se traduit par une plus grande quantité de « bons » eicosanoïdes et une moins grande quantité de « mauvais » eicosanoïdes. En fait, il s'agit d'une stratégie plus compliquée de manipulation des eicosanoïdes et, par conséquent, de l'inflammation. Je ne me crois pas plus intelligent que les milliers de scientifiques des sociétés pharmaceutiques ; j'ai simplement un point de vue très différent sur la façon d'atteindre le même but : réduire l'inflammation, plus particulièrement l'inflammation silencieuse. Je suis pourtant toujours étonné, chaque fois que j'assiste à une conférence internationale sur les eicosanoïdes, de constater qu'aucun chercheur – ou presque – n'a jamais envisagé la possibilité que l'on puisse réellement changer la concentration des précurseurs des eicosanoïdes dans les membranes cellulaires. Mais comme les sociétés pharmaceutiques sont les principaux commanditaires de ces conférences, faut-il s'étonner de leur manque de vision ?

FABRIQUER EN PLUS GRANDE QUANTITÉ DE « BONS » EICOSANOÏDES

Si vous êtes dans le régime anti-inflammatoire, cela veut dire que vous avez pris des mesures pour fabriquer davantage de « bons » eicosanoïdes en réduisant la quantité d'AA, mettant ainsi fin à la production des « mauvais » eicosanoïdes. Simultanément, vous augmentez votre taux de DGLA, ce qui stimule la production de « bons » eicosanoïdes.

Voilà qui est louable, mais pouvez-vous faire mieux ? Bien sûr, vous le pouvez. Voici deux méthodes pour augmenter la production d'eicosanoïdes anti-inflammatoires.

La première méthode consiste à ajouter à votre alimentation d'autres inhibiteurs de l'enzyme D5D. C'est en quelque sorte une police d'assurance qui va limiter l'effet de débordement du DGLA en AA. L'huile de sésame contient certains de ces inhibiteurs, mais en concentrations très faibles ; il faut donc en consommer de grandes quantités. Malheureusement, l'huile de sésame est très riche en acides gras oméga-6 qui peuvent être convertis en acide arachidonique. La solution consiste à extraire les inhibiteurs de l'enzyme D5D de l'huile de sésame en laissant derrière les acides gras oméga-6. C'est une opération difficile, mais elle peut être faite.

La deuxième méthode est très simple, puisqu'elle utilise l'aspirine pour induire une nouvelle série de « bons » eicosanoïdes, connus sous le nom d'épilipoxines induites par l'aspirine. L'aspirine se lie irréversiblement aux enzymes COX, empêchant toute formation de prostaglandines ou de thromboxanes. Pendant des années, on a cru qu'il s'agissait là de son seul mode d'action. Puis, Charlie Serhan, de la faculté de médecine de l'université Harvard, a découvert que l'aspirine induit la formation d'une toute nouvelle série d'eicosanoïdes (les lipoxines induites par l'aspirine), qui ont d'importantes propriétés anti-inflammatoires. Les plus puissants de ces eicosanoïdes anti-inflammatoires sont dérivés de l'acide docosahexaé-noïque et, à un moindre degré, de l'acide eicosapentaénoïque. De quelle quantité d'aspirine avez-vous besoin ? Si vous prenez de l'huile de poisson à fortes doses, vous n'avez probablement pas besoin de plus d'une aspirine pour enfants, par jour.

EN RÉSUMÉ

Pour contrôler l'inflammation silencieuse à vie, vous devez agir sur l'équi-libre des « bons » et des « mauvais » eicosanoïdes. Les médicaments anti-inflammatoires sont de véritables bombes qui peuvent causer d'énormes dommages collatéraux et avoir à long terme des effets nocifs beaucoup plus nombreux que leurs bienfaits à court terme. Par contre, la combinaison de suppléments d'huile de poisson à fortes doses et du régime du juste milieu change rapidement l'équilibre des précurseurs des eicosanoïdes dans cha-cune de vos 60 billions de cellules, de sorte que vous pouvez produire davantage de « bons » et moins de « mauvais » eicosanoïdes. Quand il s'agit des eicosanoïdes, vous êtes vraiment ce que vous mangez.

Chapitre 13

Pourquoi l'inflammation est-elle douloureuse et quel rôle joue-t-elle dans le processus de guérison ?

Comme je l'ai mentionné au début de cet ouvrage, les médecins ont souvent de la difficulté à expliquer ce qu'est l'inflammation à leurs patients. Il faut reconnaître qu'il s'agit d'un sujet éminemment complexe. L'inflammation se divise en fait en deux parties: la phase d'«attaque» proinflammatoire, et la phase de «régénération» anti-inflammatoire. Au cours de la première phase, l'organisme mène une lutte immunologique qui génère de la douleur, de l'enflure et des rougeurs. Cette phase d'initiation est relativement bien comprise par les chercheurs en médecine. La seconde phase, au cours de laquelle l'organisme doit réparer tous les dommages causés par la lutte immunologique, reste plus mystérieuse. Pourtant, c'est cette seconde phase qui est la plus fascinante, car elle porte en elle la clé de la bonne santé.

La véritable clé de la bonne santé est l'atténuation de la phase proinflammatoire, qui peut éliminer l'inflammation silencieuse, et le déclenchement, simultanément, de la phase de régénération anti-inflammatoire, qui rajeunit l'organisme. Vous pouvez induire ces deux réactions en atteignant le régime anti-inflammatoire. Trop beau pour être vrai? Voyons comment la science de l'inflammation corrobore ce concept.

LE LIEN ENTRE L'IMMUNITÉ ET L'INFLAMMATION

Toutes les armées ont besoin de soldats et votre armée immunologique ne fait pas exception. Les soldats qui sont indispensables à la phase d'attaque appartiennent à cinq bataillons distincts: (1) les médiateurs chimiques;

(2) les systèmes complémentaires ; (3) les eicosanoïdes ; (4) les cytokines ; et (5) les cellules immunitaires d'attaque. Comme dans toute bonne armée, ces soldats sont logés dans une caserne jusqu'à ce qu'ils soient appelés à participer à l'action. Une fois qu'ils en reçoivent le signal, ils se lancent immédiatement à l'attaque, de façon exceptionnellement coordonnée.

Le premier médiateur chimique envoyé au front est l'*histamine*. L'histamine, qui vous fait éternuer pendant la saison des allergies, est un système d'alarme à action rapide qui avertit le restant des troupes que votre organisme vient d'être attaqué. Sa fonction première est de dilater les vaisseaux sanguins environnants pour déclencher l'action d'autres soldats immunitaires, qui se rendent rapidement à l'endroit de la blessure. L'histamine déclenche également des mesures défensives immédiates, comme la contraction des voies respiratoires et l'augmentation de la sécrétion de mucus dans le nez.

En plus de l'herbe à poux, de nombreux autres facteurs peuvent déclencher la libération d'histamine. En voici une courte liste :

• les toxines bactériennes ;
• la chaleur ;
• les rayons UV ;
• les traumatismes ;
• les enzymes protéolytiques libérées de cellules envahissantes ou endommagées ;
• les allergènes.

Quel que soit le déclencheur, l'histamine libérée est rapidement activée dans l'organisme. D'autres médiateurs initiaux de l'inflammation, comme la sérotonine et la bradykinine, travaillent de concert avec l'histamine pour déclencher ce qu'on appelle le *système complémentaire*. Ce système extrêmement complexe se compose de 20 protéines qui, lorsqu'elles sont activées par des médiateurs chimiques, ont pour effet d'amplifier les signaux avertissant le reste de l'armée immunologique de se tenir prête au combat. Les protéines du système complémentaire se précipitent à la lésion grâce à l'action vasodilatatrice de l'histamine sur la paroi vasculaire à l'endroit de la lésion.

LE RÔLE DES MAUVAIS EICOSANOÏDES

Une fois que les protéines du système complémentaire arrivent au bon endroit, les joueurs clés, les *eicosanoïdes*, gagnent le théâtre des combats. C'est à eux qu'incombe le véritable travail de dilatation des vaisseaux sanguins qui vont permettre à l'artillerie lourde (les cellules immunologiques) d'entrer dans la mêlée. Les «mauvais» eicosanoïdes pro-inflammatoires (les prostaglandines) sont libérés pendant la bataille pour augmenter la perméabilité vasculaire, causer de la fièvre (la chaleur est un excellent moyen de tuer les envahisseurs) et déclencher une douleur perceptible. D'autres eicosanoïdes pro-inflammatoires (les leucotriènes) augmentent encore la perméabilité des vaisseaux sanguins (ce qui cause l'enflure) et émettent d'autres signaux chimiques qui, comme des fusées éclairantes lancées à l'intention des cellules immunologiques, leur révèlent le lieu où se cache l'ennemi. Comme les histamines, les leucotriènes causent la bronchoconstriction et la sécrétion de mucus, mais ils sont mille fois plus puissants. Ainsi, chaque étape de la cascade inflammatoire fait monter la barre.

L'augmentation de la perméabilité vasculaire induite par les eicosanoïdes pro-inflammatoires explique l'enflure que cause l'inflammation, ainsi que les rougeurs et la chaleur qui y sont associées, toutes causées par l'augmentation de la circulation sanguine. Vous connaissez maintenant la cause de trois (enflure, rougeurs et chaleur) des quatre signes classiques de l'inflammation. Mais qu'en est-il de la douleur? Qu'est-ce qui la cause?

La douleur est, elle aussi, déclenchée par les eicosanoïdes (par le même mécanisme d'action que les médicaments anti-inflammatoires, en réduisant la production de «mauvais» eicosanoïdes). La douleur est un signal d'alarme indiquant qu'il est grand temps de protéger la partie blessée du corps, en l'immobilisant ou en la mettant au repos. Mais comment l'information se transmet-elle de l'endroit de la lésion au cerveau?

Premièrement, l'enflure des tissus suffit à elle seule à stimuler les terminaisons nerveuses environnantes. Ce phénomène est particulièrement évident à des endroits où les tissus ont peu d'espace pour prendre de l'expansion, sous un ongle ou dans les gencives, par exemple. (C'est la raison pour laquelle certaines techniques de torture, qui consistent à insérer des éclats de bambou sous les ongles ou à fraiser une dent sans anesthésie, sont aussi efficaces.) Pour s'assurer que votre cerveau reçoit le message, les mêmes eicosanoïdes pro-inflammatoires qui causent l'enflure augmentent la sensibilité des fibres nerveuses. Le terme médical pour décrire cette sensibilité accrue est *hyperalgésie*. Mais tout ce qui vous importe, c'est la douleur.

Remarque : Je fais référence à l'inflammation qui provoque des douleurs insupportables, non pas à l'inflammation silencieuse. Le processus inflammatoire, cependant, est assez semblable dans les deux cas. La véritable différence réside dans l'intensité. Dans le cas de l'inflammation silencieuse, la libération d'eicosanoïdes pro-inflammatoires est inférieure au seuil de perception de la douleur – avec, pour résultat, l'absence de signaux d'avertissement. En conséquence, vous ne réagissez pas comme vous le feriez si vous souffriez de douleurs insoutenables. C'est la raison pour laquelle la phase d'attaque pro-inflammatoire de l'inflammation silencieuse peut se prolonger aussi longtemps.

LE RÔLE DES CELLULES IMMUNITAIRES

Aussitôt que les eicosanoïdes pro-inflammatoires arrivent sur le champ de bataille pour percer la paroi cellulaire, c'est au tour des tireurs d'élite, les *cellules immunitaires*, d'entrer en action. Ces globules blancs (macrophages et neutrophiles) attendent, pour se lancer dans la mêlée, un signal des *cytokines* pro-inflammatoires, dont la libération est stimulée par les eicosanoïdes pro-inflammatoires. Les cytokines pro-inflammatoires vous aident à conserver votre énergie pour le combat à venir en réduisant votre appétit (la digestion prend beaucoup d'énergie) et en augmentant vos besoins en sommeil. Elles provoquent aussi la libération d'autres protéines inflammatoires qui peuvent être utiles dans la lutte finale, incluant votre vieille amie, la protéine C-réactive. C'est le lien entre la protéine C-réactive et l'inflammation, mais elle intervient à une étape beaucoup plus tardive que le stimulus initial causé par la production d'eicosanoïdes pro-inflammatoires.

Une fois qu'elles sont activées par les cytokines, les cellules immunitaires doivent se rendre au champ de bataille en empruntant les vaisseaux sanguins. (L'action des eicosanoïdes pro-inflammatoires, comme les leucotriènes, facilite ce déplacement.) Arrivés à l'endroit visé, les globules blancs lancent leur attaque : ils se collent à leur cible, l'ingèrent, la tuent et en digèrent les restes. Il n'en reste absolument rien. (La guerre immunologique est impitoyable.)

Vos globules blancs emploient aussi des radicaux libres pour tuer les cellules ciblées, mais ces radicaux sont malheureusement non spécifiques. Ils tuent tant les cellules ciblées que les cellules saines avoisinantes. Les antioxydants qui combattent les radicaux libres peuvent empêcher que ces cellules soient endommagées. Cependant, lorsqu'ils sont en trop grand nombre, les antioxydants peuvent réduire la capacité des globules blancs de détruire les envahisseurs étrangers. C'est pour cette raison que l'ingestion d'antioxydants en suppléments peut détruire le système immunitaire. Vous avez besoin de la dose nécessaire d'antioxydants pour garder les radicaux libres sous contrôle sans les détruire, mais pas plus – un équilibre difficile à atteindre. C'est pourquoi je ne suis pas un adepte des mégadoses de suppléments d'antioxydants. Les aliments antioxydants (comme l'huile de poisson, l'huile de sésame et l'huile d'olive extravierge) sont beaucoup plus bénéfiques, car ils modulent la réaction inflammatoire initiale sans compromettre la capacité des globules blancs de lancer, au besoin, une attaque massive contre les radicaux libres.

Vous comprenez maintenant comment les eicosanoïdes pro-inflammatoires orchestrent votre réaction inflammatoire initiale. Une inflammation constante due à des envahisseurs microbiens accélère infailliblement le processus de vieillissement. On sait maintenant que l'augmentation de la longévité au cours du siècle dernier est attribuable non pas aux médicaments, mais à des mesures de santé publique (comme l'eau potable), qui ont réduit les assauts microbiens constants sur le corps.

Malheureusement, cette amélioration de la santé publique n'a pas eu beaucoup d'effet sur l'inflammation silencieuse, résultat d'une réaction inflammatoire continuelle. Cette réaction se déroule simplement à un taux et à une intensité qui demeurent sous le seuil de la douleur, mais qui causent néanmoins prématurément des maladies chroniques. Nous vivons peut-être plus longtemps que les générations précédentes, mais notre qualité de vie n'est pas aussi bonne qu'elle devrait l'être. Qu'adviendrait-il si ce processus inflammatoire pouvait être endigué? Notre organisme se régénérerait plus facilement. Pouvons-nous inverser la course des aiguilles de l'horloge du vieillissement?

COMMENT L'INFLAMMATION GUÉRIT-ELLE ?

La seconde phase du processus inflammatoire, dite de «régénération», peut être considérée comme une véritable action anti-inflammatoire. Alors que la phase pro-inflammatoire dégrade les envahisseurs et les tissus environnants, l'action anti-inflammatoire guérit et répare les tissus. L'équilibre entre ces deux parties de la réaction inflammatoire est la clé permettant de rester en bonne santé.

Lors des conférences sur les médecines douces, les conférenciers discutent souvent de la mobilisation des processus de guérison du corps. Ce qu'ils tentent de décrire est la seconde phase du processus inflammatoire, soit la phase de cicatrisation ou de régénération. Ce processus se déroule en fait en quatre étapes: le rappel, la résolution, la reconstruction et la réparation. Comme vous le savez peut-être, il est beaucoup plus facile de gagner une guerre que de nettoyer le champ de bataille après la victoire. Si vous le pouvez, vous êtes un général vraiment remarquable. Le programme de vie dans le juste milieu est le plan de bataille permettant d'atteindre le régime anti-inflammatoire, et vous êtes le commandant de ce processus de guérison.

Le rappel

Cette étape commence par le rappel des chiens d'attaque, les eicosanoïdes pro-inflammatoires lâchés dans la bataille par le cortisol, le pompier hormonal qui arrose les flammes des «mauvais» eicosanoïdes. Malheureusement, le cortisol éteint aussi les «bons» eicosanoïdes, ce qui retarde la guérison.

La sécrétion du cortisol résulte de l'interaction entre les cytokines pro-inflammatoires et le cerveau. C'est cette sécrétion qui initie la chaîne de réactions hormonales se terminant par la production du cortisol dans les glandes surrénales. Malheureusement, contrairement à l'inflammation, qui est localisée, le cortisol s'insinue partout. Les parties de l'organisme qui ne sont pas touchées par l'inflammation sont inondées de cortisol, qui interrompt leur production normale d'eicosanoïdes, que cela leur plaise ou non.

Bien que le cortisol soit considéré comme une hormone de stress, il devrait plutôt être perçu comme une hormone antistress, car il combat l'inflammation. L'inflammation chronique entraîne une sécrétion constante de cortisol. Nous prenons du poids (il augmente l'insulinorésistance); nous sommes encore plus malades (il diminue la réaction inflammatoire);

et nous devenons moins intelligents (il tue les cellules nerveuses associées à la mémoire dans le cerveau). Les prescriptions en matière d'alimentation et de style de vie contenues dans le programme de vie dans le juste milieu s'associent pour réduire la production excessive de cortisol en vous aidant à atteindre le régime anti-inflammatoire.

La résolution

Une fois les chiens d'attaque rappelés, votre corps doit enlever tous les débris qui jonchent le champ de bataille. Cette tâche revient à un groupe de globules blancs connus sous le nom de macrophages. En plus des débris des envahisseurs étrangers, les macrophages digèrent aussi les cellules mortes au combat et tous les globules rouges tombés au champ d'honneur. (C'est la libération et l'oxydation de l'hémoglobine des globules rouges qui causent la coloration pourpre des ecchymoses.) Si les macrophages laissent des débris, une étincelle inflammatoire constante entretient le processus inflammatoire, bien qu'à une intensité moindre.

La reconstruction

Une fois le champ de bataille nettoyé, la paroi vasculaire doit être restaurée avant que votre organisme puisse entreprendre la reconstruction des tissus endommagés. Le succès du processus de réparation dépend dans une large mesure du type de cellule qui doit être réparée. S'il s'agit d'un type de cellule qui se multiplie constamment (comme les cellules cutanées ou sanguines), la régénération est facile. Les cellules qui ont une durée de vie plus longue (comme les cellules endothéliales qui tapissent les vaisseaux sanguins) mettent plus de temps à se régénérer. Les cellules permanentes, comme les cellules musculaires (plus particulièrement les cellules du cœur) et les cellules nerveuses ont des propriétés régénératrices très limitées. Une fois endommagées par l'inflammation, elles risquent de le rester pour toujours. C'est pour cette raison que l'inflammation silencieuse est si dommageable pour le cœur et le cerveau – la fonction de ces organes peut être irréversiblement altérée.

La réparation

La phase finale de la guérison est la phase de réparation, au cours de laquelle de nouveaux tissus apparaissent. Ce processus exige un équilibre précis d'eicosanoïdes pro-inflammatoires et anti-inflammatoires.

Lorsque la plupart des eicosanoïdes pro-inflammatoires ont quitté le théâtre des combats (grâce au cortisol), les vrais acteurs de la phase de réparation entrent en scène. Il s'agit de deux groupes d'eicosanoïdes anti-inflammatoires, appelés lipoxines et résolvines. L'action anti-eicosanoïdes des lipoxines est beaucoup plus puissante que celle du cortisol, et beaucoup plus sélective, car les lipoxines n'inhibent pas les « bons » eicosanoïdes. Cependant, un autre groupe d'eicosanoïdes anti-inflammatoires, les épilipoxines, pourrait être encore plus puissant. Comme je l'ai mentionné dans le chapitre précédent, les découvertes de Charlie Serhan, de la faculté de médecine de l'université Harvard, ont révélé que l'aspirine entraîne la formation d'une toute nouvelle classe d'eicosanoïdes, les lipoxines produites par l'aspirine. Les effets magiques de l'aspirine sont peut-être attribuables non pas à l'inhibition des eicosanoïdes pro-inflammatoires, mais à la stimulation de la production de puissants eicosanoïdes anti-inflammatoires. Les lipoxines les plus puissantes produites par l'aspirine sont les résolvines, qui sont synthétisées à partir d'acides gras oméga-3 à longue chaîne, comme l'EPA et le DHA. Il est important d'arriver, au cours de cette étape, à un bon équilibre entre les eicosanoïdes pro-inflammatoires et les eicosanoïdes anti-inflammatoires, car c'est cet équilibre qui dicte quelle quantité de tissus cicatriciels superflus sera produite. Le tissu cicatriciel est un tissu réparé qui est tout simplement mal reconstruit et qui finit par nuire à la fonction du tissu ou de l'organe. Si vous avez la quantité voulue d'eicosanoïdes anti-inflammatoires, le processus de réparation se déroulera de manière ordonnée et le nouveau tissu sera plus résistant qu'avant. En outre, les eicosanoïdes anti-inflammatoires entraînent la libération de l'hormone de croissance et d'autres hormones cruciales pour la bonne reconstruction de tissus neufs. C'est exactement ce qui se produit pendant les exercices de musculation. Des microlésions dans les fibres musculaires induisent initialement une réaction pro-inflammatoire qui finit par déboucher sur la phase de réparation. En présence de quantités adéquates d'eicosanoïdes anti-inflammatoires, d'hormone de croissance et d'autres médiateurs de la croissance, les tissus sont non seulement réparés, mais aussi renforcés.

La phase de guérison de l'inflammation peut faire des miracles et rendre votre organisme plus fort, mais elle peut aussi faire long feu, bâcler son travail et vous affaiblir. Tout dépend du taux d'eicosanoïdes anti-inflammatoires. En étant dans le régime anti-inflammatoire, vous fournissez à votre système immunitaire tous les outils dont il a besoin pour soulager la douleur causée par la phase initiale de l'inflammation et pour stimuler la phase de guérison. Au lieu de dégrader vos tissus et d'accélérer le processus de vieillissement de votre organisme, vous ne cessez de construire de nouveaux tissus et vous résistez à la vieillesse. C'est pourquoi j'estime que la médecine anti-vieillissement devrait s'appeler la médecine anti-inflammatoire.

Comment savez-vous si les processus de guérison de votre organisme fonctionnent à plein régime ? Gardez simplement votre bilan d'inflammation silencieuse entre 1,5 et 3. Dans cette plage, l'inflammation travaille pour vous et non contre vous.

EN RÉSUMÉ

Il est très important de contrôler les deux phases de l'inflammation si l'on veut rester en bonne santé. Vous devez avoir pour objectif de faire pencher la balance en faveur de la régénération cellulaire, au détriment de la dégradation cellulaire causée par l'inflammation silencieuse. Rester dans le régime anti-inflammatoire est le meilleur indicateur vous assurant que vous avez fait tout ce qui était en votre pouvoir pour atteindre ce but.

Chapitre 14
L'obésité, le diabète
et l'inflammation silencieuse

L'obésité est l'un des plus importants générateurs d'inflammation silencieuse. Comme près des deux tiers des Américains souffrent d'embonpoint, cela signifie que l'épidémie d'inflammation silencieuse est elle aussi hors de contrôle. En outre, l'épidémie de diabète a progressé de 33 % au cours de la dernière décennie. On ne s'étonnera pas que ces trois épidémies soient devenues de plus en plus dévastatrices au cours des dernières années. Or, elles sont toutes trois liées à un état appelé insulinorésistance.

L'insulinorésistance survient lorsque les cellules réagissent plus faiblement à l'insuline, ce qui force le pancréas à en produire des quantités sans cesse plus grandes pour envoyer le glucose dans les cellules. Cette insuline excédentaire (produite en réaction à l'insulinorésistance) augmente les réserves de gras corporel. Pour comprendre l'épidémie d'obésité actuelle, il faut découvrir ce qui cause de l'insulinorésistance.

Personne ne le sait vraiment, mais certains chercheurs pensent que, à l'échelle moléculaire, l'insulinorésistance est causée par les cellules endothéliales. Ces cellules constituent une mince barrière qui sépare la circulation sanguine des organes. Lorsque cette barrière ne remplit pas son rôle, cette défaillance entraîne une affection appelée dysfonction endothéliale, ce qui signifie, entre autres, que l'insuline n'arrive plus à passer facilement de la circulation sanguine à travers la barrière endothéliale pour atteindre les récepteurs se trouvant à la surface des cellules. Il faut que l'insuline interagisse avec ces récepteurs pour que la cellule puisse retirer du glucose de la circulation sanguine. Tout obstacle empêchant l'insuline d'atteindre ses récepteurs cellulaires contribue à maintenir le taux d'insuline trop élevé. L'organisme réagit en libérant encore plus d'insuline, ce qui crée un phénomène appelé hyperinsulinémie.

Qu'est-ce qui provoque la dysfonction endothéliale ? À mon avis, la réponse la plus plausible est l'inflammation silencieuse. On sait que la dysfonction des cellules endothéliales est fortement associée à l'augmentation de l'inflammation silencieuse. L'important est de savoir laquelle, de l'insulinorésistance ou de l'inflammation silencieuse, précède l'autre. Une étude menée récemment à l'université d'État de la Louisiane a démontré qu'en consommant 1,8 gramme d'acide docosahexaénoïque (DHA) pur par jour, pendant 12 jours, des patients faisant de l'embonpoint ont vu leur insulinorésistance diminuer de 70 %. Pour obtenir la quantité de DHA utilisée dans l'étude, vous devez consommer quotidiennement une cuillerée à soupe de concentré ultraraffiné d'EPA-DHA.

Pour tester cette hypothèse voulant que l'inflammation silencieuse précède la résistance à l'insuline, j'ai mené une petite étude pilote sur des enfants souffrant d'obésité pédiatrique. Ces derniers étaient divisés en deux groupes, au hasard. Comme on pouvait s'y attendre, tous les enfants avaient un bilan d'inflammation silencieuse très élevé (environ 30). Les deux groupes ont reçu les mêmes conseils au sujet du régime du juste milieu. La seule différence était que l'un des groupes prenait également de l'huile de poisson à fortes doses (3 grammes par jour d'EPA et de DHA). Si l'inflammation silencieuse était la principale cause de l'insulinorésistance, on pouvait s'attendre à ce que les sujets du groupe qui prenait de l'huile de poisson à fortes doses perdent du poids beaucoup plus facilement que les sujets de l'autre groupe. C'est exactement ce qui s'est produit. À mesure que le bilan d'inflammation silencieuse diminuait, le poids diminuait également. Ces résultats suggèrent que l'inflammation silencieuse pourrait être la cause sous-jacente de l'insulinorésistance et, par conséquent, de l'obésité. Cela signifie aussi qu'à moins de traiter l'inflammation silencieuse sous-jacente vous aurez beaucoup de difficulté à perdre votre graisse corporelle, comme le savent bon nombre d'Américains.

L'OBÉSITÉ VUE SOUS UN AUTRE ANGLE

Si l'épidémie d'obésité des 20 dernières années n'est pas attribuable aux suspects habituels (repas-minute, télévision, malbouffe), mais à l'inflammation silencieuse qui augmente l'insulinorésistance, toute guerre à l'obésité pourrait être vouée à l'échec, à moins de réduire l'inflammation silencieuse sous-jacente. En outre, la simple réduction de la consommation de calories ne suffirait pas à enrayer l'épidémie d'obésité.

Je crois que l'obésité commence par un excès d'acide arachidonique. On peut augmenter la concentration d'AA dans la circulation sanguine de façon directe – en en consommant une trop grande quantité (la viande rouge et les jaunes d'œufs en contiennent beaucoup) – ou de façon indirecte – en consommant trop de glucides à charge glycémique élevée, ce qui provoque une augmentation de la production d'insuline et stimule la production d'AA. D'une façon ou d'une autre, l'organisme doit faire de grands efforts pour retirer l'AA excédentaire de la circulation sanguine et le stocker dans les cellules adipeuses pour maîtriser l'inflammation silencieuse.

C'est alors que les problèmes commencent. Les cellules adipeuses ne sont pas des boules de graisses inertes sur le ventre, les cuisses et les hanches, ce sont des glandes très actives qui peuvent sécréter de grandes quantités de médiateurs de l'inflammation, pourvu qu'on leur fournisse le bon stimulus. À mesure que les cellules adipeuses se remplissent d'acide arachidonique, une surproduction d'eicosanoïdes survient dans les tissus adipeux (gras). On peut aisément deviner la suite. Ces « mauvais » eicosanoïdes induisent la formation de nouveaux médiateurs inflammatoires qui, à partir des cellules adipeuses, se déversent dans la circulation sanguine et génèrent une inflammation silencieuse systémique.

Avant que vous ne commenciez à pester contre votre gras, je tiens à souligner que certains gras sont moins nocifs que d'autres. Cela dépend de leur activité métabolique. Le gras sous-cutané – celui qui s'accumule sur les hanches, les cuisses et les fesses et donne une silhouette en forme de poire – n'est pas dangereux. Il n'est peut-être pas très esthétique, mais au moins il ne vous tuera pas, car votre corps n'est pas pressé de métaboliser l'acide arachidonique de ces cellules adipeuses. On dit même de ce type de gras qu'il est inactif sur le plan métabolique, et qu'il agit principalement comme entrepôt.

Le gras viscéral, lui, peut causer la mort. Ce type de gras s'accumule autour des organes abdominaux, comme le foie, les reins et la vésicule biliaire. C'est celui qui donne une silhouette en forme de pomme.

QUAND UNE POMME EST-ELLE VRAIMENT UNE POMME ?

Vous pensez peut-être que la meilleure façon de déterminer si vous avez du gras viscéral est de vous regarder dans le miroir. Cet examen peut être trompeur, car, dans la région abdominale, le gras viscéral est très souvent en étroit contact avec le gras sous-cutané. Pour savoir quelle proportion de votre gras abdominal est du gras viscéral, vous devez obtenir votre rapport TG/HDL ou votre taux d'insuline à jeun. Si ces deux marqueurs biologiques sont dans le régime anti-inflammatoire, vous avez peu à craindre du gras viscéral, même si vous avez une silhouette en forme de pomme.

Le gras viscéral est très actif sur le plan métabolique et cause la libération constante de l'acide arachidonique stocké dans la circulation sanguine. Or, c'est le dernier endroit où vous devez accepter d'avoir un excès d'AA, car cet AA excédentaire peut alors être capté par chacune de vos 60 billions de cellules, qui deviennent toutes plus susceptibles de générer des eicosanoïdes pro-inflammatoires et, par conséquent, d'intensifier l'inflammation silencieuse dans tout votre organisme.

En outre, le gras viscéral est extrêmement insidieux, car il libère constamment d'autres médiateurs inflammatoires, en plus de l'acide arachidonique stocké. Deux des pires composés sont des cytokines pro-inflammatoires, c'est-à-dire le facteur de nécrose des tumeurs (TNF) et l'interleukine-6 (IL-6). Le TNF contribue à augmenter encore plus l'insulinorésistance, tandis que l'IL-6 amène le foie à synthétiser la protéine C-réactive (CRP). Celle-ci peut à son tour stimuler les globules blancs, qui génèrent une réaction inflammatoire afin de lutter contre une infection potentielle (même s'il n'y en a pas). Or, comme nous l'avons vu au chapitre 13, ce phénomène entraîne la libération d'un plus grand nombre de médiateurs inflammatoires. Le tiers des protéines C-réactives circulant dans le sang provient directement des cellules de gras viscéral. Le gras viscéral produit ces cytokines pro-inflammatoires en réaction à la plus forte production d'eicosanoïdes pro-inflammatoires causée par la hausse des taux d'acide arachidonique.

Donc, plus vous faites de l'embonpoint (en fait, plus vous avez de gras viscéral), plus vous générez d'inflammation silencieuse. C'est la preuve tangible qui établit le lien entre l'obésité et l'augmentation des risques de cardiopathie et de cancer – sans oublier la maladie d'Alzheimer. Tout ce qui peut faire augmenter l'inflammation silencieuse est de très mauvais augure pour votre avenir.

PEUT-ON ÊTRE GRAS ET EN BONNE SANTÉ ?

Cela peut paraître étonnant, mais la réponse est oui. Cependant, une mise en garde s'impose. Vous pouvez faire de l'embonpoint et être en bonne santé si vous contrôlez votre taux d'inflammation silencieuse. Comme l'obésité génère de l'inflammation, vous devrez, pour combattre l'inflammation silencieuse qu'elle induit, prendre de plus grandes quantités d'huile de poisson qu'une personne de taille moyenne. S'il faut beaucoup de temps pour perdre du poids, il en faut très peu pour réduire l'inflammation silencieuse à l'aide d'huile de poisson à fortes doses. De quelle quantité d'huile de poisson avez-vous besoin ? Cela dépend de votre régime alimentaire. Si vous suivez le régime du juste milieu, il se peut que vous n'ayez à prendre que 5 grammes d'EPA-DHA par jour. Si vous suivez le régime américain typique (à charge glycémique très élevée), vous devrez augmenter votre dose d'huile de poisson.

N'oubliez pas que toutes les complications de l'obésité sont attribuables à l'inflammation qu'elle génère. L'huile de poisson à fortes doses est un antidote immédiat à l'inflammation. Rappelez-vous que tenter d'être gras et en bonne santé est un jeu dangereux. C'est un peu comme allumer une cigarette avec un bâton de dynamite. C'est possible, mais il faut être très prudent. Une chose est certaine : le jour où l'on cesse de prendre une dose adéquate d'huile de poisson, l'inflammation silencieuse revient en force et conduit à la maladie chronique et au vieillissement accéléré. En revanche, si l'on maîtrise le bilan d'inflammation silencieuse, on a de très bonnes chances de rester en bonne santé, malgré un excès de poids.

Si des mesures ne sont pas prises pour contrer l'inflammation silencieuse et une plus forte hyperinsulinémie causée par l'insulinorésistance, ces problèmes peuvent mener tout droit à l'une des maladies chroniques les plus graves et les plus coûteuses, le diabète.

LA FILIÈRE DU DIABÈTE

Autrefois, le diabète était une maladie très rare, mais les temps ont changé. Au cours des 20 dernières années, il est devenu épidémique. Plus clairement, le diabète de type 2 (non insulinodépendant) est devenu épidémique, tandis que le diabète de type 1 (diabète juvénile) demeure relativement rare. Le diabète de type 1 est causé par la défaillance du pancréas, qui cesse de produire de l'insuline, ce qui provoque une hausse vertigineuse du taux de sucre sanguin. Le diabète de type 2, plus courant (90 % de tous les diabètes sont de ce type), survient lorsqu'une personne développe une insulinorésistance à long terme. Comme je l'ai déjà expliqué, l'insulinorésistance force le pancréas à sécréter de plus grandes quantités d'insuline (hyperinsulinémie) dans un effort pour réduire le taux de glucose sanguin. En conséquence, le pancréas (plus précisément ses cellules bêta) s'épuise et cesse de produire suffisamment d'insuline excédentaire. C'est ce que l'on pourrait appeler l'épuisement professionnel des cellules bêta. Malheureusement, si le pancréas ne sécrète pas une quantité suffisante d'insuline, le taux de glucose sanguin augmente de manière alarmante. Le danger découle de deux facteurs : (a) l'excès de glucose dans le sang produit des radicaux libres (stress oxydatif) ; et (b) en quantités excessives, le glucose est neurotoxique pour le cerveau. L'hyperinsulinémie précède habituellement d'environ huit ans l'apparition du diabète de type 2, mais ces deux affections découlent de l'augmentation de l'insulinorésistance.

Il est évident que tous ceux et celles qui font de l'insulinorésistance ne développent pas le diabète de type 2, mais un nombre non négligeable de personnes finissent par en souffrir. On estime à 16 millions le nombre d'Américains atteints de diabète de type 2. Cette maladie dévastatrice multiplie par deux, ou même par quatre, les risques de mourir de maladies cardiaques – sans compter qu'elle accroît les probabilités d'insuffisance rénale, de cécité, d'impuissance et d'amputation. En raison de ces complications, le diabète de type 2 est la maladie chronique la plus onéreuse de toutes. Aux États-Unis seulement, elle coûte approximativement 132 milliards de dollars par année. L'épidémie de diabète suit de près l'aggravation de l'épidémie d'obésité. Une bien mauvaise nouvelle pour l'industrie des soins de santé.

Heureusement, on peut réduire l'inflammation silencieuse (la cause de l'insulinorésistance à l'échelle moléculaire) en prenant de l'huile de poisson à fortes doses. Si on suit concurremment le régime du juste milieu, on atténue l'hyperinsulinémie (conséquence de l'insulinorésistance) et l'on peut ainsi inverser, en six semaines seulement, la progression du diabète de type 2.

Ces deux solutions ne semblent pourtant pas convenir du tout à l'American Diabetes Association (ADA), qui a passé les 30 dernières années à conseiller aux diabétiques de perdre du poids en consommant moins de gras et plus de glucides. Cela n'a fait qu'augmenter leur taux d'insuline. Et loin de perdre des kilos, ils en ont pris. Même aujourd'hui, l'ADA ne reconnaît pas l'importance de la charge glycémique comme facteur déterminant de la sécrétion d'insuline.

Des recherches récentes faites à l'université du Minnesota ont confirmé ma théorie : un régime à faible charge glycémique, comme le régime du juste milieu, est supérieur aux recommandations de l'ADA. Dans cette étude, les chercheurs ont soumis, pendant cinq semaines, des diabétiques de type 2 au régime du juste milieu, puis, pendant cinq autres semaines, leur ont fait suivre le régime de l'ADA. Pendant la phase où les sujets suivaient le régime du juste milieu, leurs taux de sucre sanguin et d'hémoglobine glycosylée ont diminué de façon significative – ce qui n'a pas été le cas quand ils suivaient le régime de l'ADA. La chute de ces marqueurs sanguins indique que le régime du juste milieu réduit l'insulinorésistance plus efficacement que le régime de l'ADA. Pour éviter toute confusion au sujet du rôle exact de la perte de poids, sachez que le nombre de calories contenues dans les deux régimes était suffisant pour éviter toute perte de poids. Les résultats prouvent donc que l'insulinorésistance (et par conséquent l'inflammation silencieuse) peut être réduite sans la moindre perte de poids.

L'HUILE DE POISSON PEUT-ELLE INVERSER LA PROGRESSION DU DIABÈTE DE TYPE 2 ?

Des recherches publiées indiquent que le régime du juste milieu est meilleur pour les personnes atteintes de diabète de type 2 que les recommandations nutritionnelles de l'ADA. Hélas, une des études ne portait pas sur l'huile de poisson. Il faut cependant préciser que le diabète (comme les maladies cardiaques et la dépression) est pratiquement inexistant chez les Inuits du Groenland, qui, parmi tous les peuples du monde, consomment la plus grande quantité d'acide eicosapentaénoïque et d'acide docosahexaénoïque (DHA). Malheureusement, les études portant uniquement sur l'huile de poisson et le diabète de type 2 n'ont donné que des résultats mitigés. Une analyse récente d'une vingtaine de cas d'essais cliniques sur des diabétiques a conclu que la consommation d'huile de poisson n'a aucun effet – positif ou négatif – sur le taux de sucre sanguin. On ne peut pas dire qu'il s'agisse là d'une victoire pour l'huile de poisson! Toutefois, aucune de ces études n'a examiné la combinaison du régime du juste milieu et de l'huile de poisson. En théorie, cette combinaison doit être gagnante.

Il y a plusieurs années, j'ai eu l'occasion de tester cette hypothèse dans le cadre d'une collaboration avec la Princeton Medical Resources, organisation de soins de santé intégrés de San Antonio. George Rapier, le propriétaire du centre, m'a demandé de l'aider à réduire ses dépenses en soins de santé. Comme ce sont les patients diabétiques de type 2 qui coûtent le plus cher en raison des complications à long terme résultant de leur maladie, tout ce qui pouvait soulager la condition de ces patients allait avoir des répercussions sur les finances de l'organisation.

L'année précédente, George avait embauché des nutritionnistes formés par l'ADA pour conseiller 400 de ses quelque 4000 patients diabétiques. Les sujets ont suivi fidèlement le régime alimentaire personnalisé fourni par les conseillers de l'ADA. Au bout d'un an, Rapier s'est rendu compte que les coûts des soins de santé, pour ces 400 patients, avaient augmenté d'un million de dollars.

Inutile de dire que George était fermement décidé à trouver une solution plus efficace. Il m'a téléphoné après avoir lu mon premier livre, *Le juste milieu*, et après avoir perdu lui-même 10 kilos en suivant mon régime. Il m'a proposé de travailler avec certains de ses patients, tout en me demandant de leur présenter un programme très simple, car la plupart d'entre eux étaient peu éduqués et parce que l'anglais n'était pas leur langue maternelle. En me servant uniquement de la méthode œil-main décrite au début de ce livre et en leur fournissant 1,6 gramme par jour d'EPA et de DHA (je n'avais pas de concentrés ultraraffinés d'EPA-DHA à l'époque), j'ai élaboré un programme d'éducation alimentaire simple à l'intention de 68 patients souffrant de diabète de type 2. Au bout de six semaines, mon programme alimentaire avait produit les résultats suivants:

Analyse sanguine	Début	Après 6 semaines	Changement %	Signification
Insuline	28	21	-23	< 0,0001
TG/HDL	4,2	3,1	-26	< 0,0001
HbA$_{1c}$	7,8	7,3	-7	< 0,0001
Masse adipeuse	72	70	-3	< 0,0001

Non seulement tous les paramètres associés au diabète de type 2 ont diminué, mais ils l'ont fait de façon significative. Les deux paramètres les plus touchés ont été les marqueurs (insuline et rapport TG/HDL) que j'utilise pour définir le régime anti-inflammatoire. Les taux étaient loin d'être optimaux après six semaines, mais leur diminution équivalait à celle que provoque n'importe quel médicament. D'autres marqueurs du diabète ont été réduits de la même manière. Par exemple, l'hémoglobine glycosylée (HbA$_{1c}$) est l'un des meilleurs indicateurs des complications à long terme du diabète de type 2. Tant qu'il est inférieur à 7,3, bon nombre des conséquences néfastes du diabète (défaillance rénale, amputation et cécité) ne se concrétisent tout simplement pas. Finalement, ces patients diabétiques ont perdu leur gras corporel excédentaire, ce qui était extrêmement difficile dans leur cas en raison de leur hyperinsulinémie.

Il faut souligner que la diminution de chacun de ces taux sanguins a une très grande signification statistique. La signification statistique indique la probabilité d'obtenir un résultat semblable lorsqu'on répète une expérience. Plus le chiffre est bas, plus il est probable que l'on obtienne les mêmes résultats. Dans ce cas-ci, les statistiques ont indiqué que si la même expérience alimentaire était reproduite 10 000 fois, on obtiendrait 9 999 fois le même résultat.

Bien que j'aie été très enthousiasmé par ces résultats, je sais maintenant qu'ils auraient pu être meilleurs si j'avais utilisé des concentrations plus élevées d'huile de poisson (environ 5 grammes d'EPA et de DHA par jour). En effet, la médiation de l'insulinorésistance semble s'effectuer grâce à une augmentation du taux de facteur de nécrose des tumeurs (TNF). Or, la seule façon éprouvée de réduire la sécrétion de TNF dans l'organisme consiste à consommer de l'huile de poisson à fortes doses, car celle-ci fait diminuer l'insulinorésistance et, naturellement, le taux d'insuline. Une fois ce taux abaissé, l'organisme peut enfin accéder à ses propres réserves de gras corporel pour produire de l'énergie. Essentiellement, il faut du gras pour brûler du gras, surtout si ce gras peut ralentir la libération de TNF. Or, c'est exactement ce que fait l'huile de poisson.

EN RÉSUMÉ

Si vous voulez réduire votre gras excédentaire ou inverser la progression du diabète de type 2, vous devez atténuer votre inflammation silencieuse. Pour ce faire, l'huile de poisson est le meilleur outil nutritionnel dont vous disposiez. Le régime du juste milieu peut également être efficace, mais son action est plus lente. Combinez les deux afin de disposer d'une approche nutritionnelle qui luttera efficacement contre les épidémies jumelles d'obésité et de diabète qui menacent notre système de soins de santé.

Chapitre 15

Pourquoi les maladies cardiaques n'ont pas grand-chose à voir avec le cholestérol et tout à voir avec l'inflammation silencieuse

L'une des meilleures manières de nous assurer une vie plus longue et plus agréable consiste à réduire nos risques de contracter une cardiopathie. Si nous parvenions à éliminer les maladies cardiaques, l'espérance de vie moyenne de tout Américain augmenterait d'une dizaine d'années. Même si les taux de décès attribuables aux maladies cardiaques ont diminué grâce aux progrès de la médecine, l'incidence de cardiopathie est en hausse. Un plus grand nombre de gens développent une cardiopathie parce qu'ils ne se préoccupent pas suffisamment d'une cause sous-jacente : l'inflammation de leurs artères. Comme toute inflammation silencieuse, l'inflammation artérielle résulte d'une production accrue de « mauvais » eicosanoïdes. Au lieu de mettre vos espoirs dans une nouvelle technique chirurgicale ou un nouveau médicament, pourquoi ne vous souciez-vous pas plutôt d'éviter de développer une maladie cardiaque ?

On nous fait croire que c'est le taux élevé de cholestérol qui provoque les maladies cardiaques. En conséquence, nous avons déclaré la guerre au cholestérol alimentaire et, par ricochet, au gras alimentaire. Comme je l'ai expliqué dans le chapitre précédent, cette approche nutritionnelle a débouché sur une épidémie d'obésité, ce qui a incité le monde médical à se préoccuper, avant tout, d'abaisser le plus possible le taux de cholestérol sanguin. Fait peu étonnant, les médicaments (statines) les plus rentables connus dans l'industrie pharmaceutique sont aussi les armes les plus courantes utilisées dans cette guerre permanente contre le cholestérol. Mais si le cholestérol ne jouait qu'un rôle mineur, secondaire, dans les maladies cardiaques ?

Pour vous protéger contre la cardiopathie, il ne vous suffit pas d'abaisser vos taux de cholestérol. En fait, la moitié des patients qui sont hospitalisés après avoir fait une crise cardiaque ont des taux de cholestérol normaux. En outre, le quart des personnes qui font des crises cardiaques prématurément ne présentent aucun facteur de risque reconnu. Si une concentration élevée de cholestérol n'est pas la cause principale de la cardiopathie, quelle est cette cause ?

INFLAMMATION SILENCIEUSE = CŒUR EN MAUVAIS ÉTAT

Une crise cardiaque se définit simplement comme la mort de cellules musculaires du cœur à la suite d'un manque d'oxygène causé par une constriction des vaisseaux sanguins. Si le manque d'oxygène se prolonge et tue suffisamment de cellules musculaires, la crise cardiaque devient mortelle.

La circulation d'oxygène vers le cœur peut être interrompue pour diverses raisons. Elle peut se produire à la suite d'une rupture dans une plaque instable sur la paroi de l'artère, ce qui entraîne une activation des plaquettes, qui s'agglutinent et bloquent la circulation sanguine. En outre, une artère peut être secouée par un spasme qui entrave la circulation du sang vers le cerveau. Le plus souvent, le spasme peut être attribué à un flutter électrique qui désynchronise les battements du cœur – qui finit par cesser de fonctionner. Ces causes de crises cardiaques n'ont absolument rien à voir avec des taux de cholestérol élevés. Par contre, elles sont très étroitement liées à l'inflammation silencieuse.

Un certain nombre de facteurs permettent d'établir des liens entre l'inflammation silencieuse et les crises cardiaques mortelles. Premièrement, les eicosanoïdes pro-inflammatoires présents dans la plaque instable peuvent déclencher une inflammation qui provoque une augmentation des risques de rupture. Souvent, les plaques sont tellement petites qu'elles ne peuvent être décelées à l'aide de la technologie conventionnelle, comme l'angiogramme. Lorsqu'une plaque éclate, elle libère des débris cellulaires, et les plaquettes se ruent sur les lieux dans l'espoir de réparer les dégâts – comme s'il s'agissait d'une blessure. De nouveaux caillots sanguins formés de plaquettes agglutinées peuvent bloquer l'artère et stopper complètement la circulation sanguine. La survie dépend du taux d'inflammation dans les minuscules plaques instables, ce qui explique pourquoi de nombreuses personnes survivent à une crise cardiaque malgré des artères très obstruées, tandis que d'autres ne survivent pas.

NE SUFFIT-IL PAS DE PRENDRE UNE ASPIRINE PAR JOUR ?

Puisque l'inflammation est liée à la cardiopathie, pourquoi ne prendriez-vous pas une aspirine tous les jours pour la contrer et garder votre cœur en bonne santé ? L'aspirine n'est-elle pas très efficace pour réduire les crises cardiaques ? On a toujours cru que l'aspirine freinait la production de « mauvais » eicosanoïdes, comme la thromboxane A_2, qui déclenche l'agrégation des plaquettes, responsable de la formation de caillots.

L'aspirine est une arme très efficace contre les crises cardiaques parce qu'elle peut réduire la production d'eicosanoïdes pro-inflammatoires dans une plaque d'athérosclérose instable déjà existante – ce qui augmente les risques de rupture. Malheureusement, l'aspirine peut aussi causer la mort par hémorragie interne. Elle est donc loin d'être le médicament idéal pour supprimer à long terme l'inflammation cardiaque.

L'huile de poisson à fortes doses a les mêmes effets bénéfiques que l'aspirine. L'huile de poisson agit en amont pour enrayer la production d'acide arachidonique, nécessaire à la formation d'eicosanoïdes pro-inflammatoires. Des études récentes montrent que la prise d'huile de poisson pendant 45 jours peut réduire de manière appréciable le taux d'inflammation dans les plaques instables, alors beaucoup moins susceptibles de se fracturer.

Charlie Serhan, de la faculté de médecine de l'université Harvard, a peut-être trouvé la solution idéale pour atténuer l'inflammation cardiaque. Cette solution découle du lien qu'il fait entre l'aspirine et l'huile de poisson, et sa découverte d'une nouvelle classe d'eicosanoïdes, appelés épilipoxines induites par l'aspirine. Ces nouveaux eicosanoïdes sont les plus puissants eicosanoïdes anti-inflammatoires connus. Ce qui est encore plus impressionnant, c'est que les plus puissantes de ces épilipoxines induites par l'aspirine sont fabriquées à partir d'EPA et de DHA, les deux acides gras présents dans l'huile de poisson. Cela signifie que plus vous consommez d'huile de poisson, conjuguée à une faible dose d'aspirine, plus vous favorisez la production dans votre organisme de ces épilipoxines anti-inflammatoires nouvellement découvertes. Si vos risques de cardiopathie sont particulièrement élevés, prenez de l'aspirine à faibles doses et de l'huile de poisson à fortes doses pour maximiser votre production d'épilipoxines anti-inflammatoires induites par l'aspirine et pour abaisser votre taux d'inflammation dans les plaques instables d'athérosclérose.

Ces mêmes eicosanoïdes pro-inflammatoires sont également responsables des spasmes vasculaires, la deuxième cause de crises cardiaques mortelles. Les eicosanoïdes pro-inflammatoires sont de puissants constricteurs des artères et peuvent provoquer un spasme vasculaire, crampe potentiellement fatale qui bloque l'irrigation du cœur.

Et comme si cela ne suffisait pas, l'absence de taux adéquats d'acides gras oméga-3 à longue chaîne dans le muscle cardiaque peut dérégler l'activité électrique et provoquer une crise cardiaque mortelle. La mort est subite, et cette cause de décès compte pour plus de la moitié de toutes les crises cardiaques mortelles. Pour pomper le sang efficacement, le muscle cardiaque se contracte et se relâche de manière synchronisée, grâce à un courant électrique qui dépend du maintien du taux de calcium sur l'extérieur de la membrane des cellules cardiaques. L'afflux incontrôlé d'ions calcium (causé par le manque d'oxygène dans les cellules musculaires du cœur) peut entraîner une perturbation des contractions rythmiques coordonnées du cœur et arrêter ses battements. Des études faites sur des animaux ont démontré que de fortes doses d'acides gras oméga-3 à longue chaîne bloquent les canaux calciques dans les cellules cardiaques et empêchent l'influx d'ions calcium, même lorsque le cœur est privé d'oxygène.

LE MYTHE DU CHOLESTÉROL

Je ne dis pas que le cholestérol ne joue aucun rôle dans la cardiopathie. Dans le cas des crises cardiaques mortelles, cependant, il constitue un facteur secondaire beaucoup moins déterminant que l'inflammation silencieuse. Si vous voulez vraiment réduire vos risques de mourir d'une crise cardiaque, il est beaucoup plus important d'abaisser votre taux d'inflammation silencieuse que de réduire votre taux de cholestérol. Mais pourquoi néglige-t-on à ce point l'importance de l'inflammation ? Et comment tout ce tapage au sujet du cholestérol a-t-il commencé ? Pour répondre à cette question, il faut retourner près de 150 ans en arrière.

Le Dr Rudolf Virchow a été l'un des plus grands médecins du XIXe siècle. Il y a près de 150 ans, il a déclaré, se fondant sur ses observations lors d'autopsies pratiquées sur les très rares personnes qui, à cette époque, mouraient d'une crise cardiaque, que l'athérosclérose était une maladie inflammatoire. Au tournant du XXe siècle, le plus célèbre médecin des États-Unis était Sir William Osler. Un jour où on lui demandait pourquoi il n'avait pas inclus, dans son grand ouvrage de médecine, un chapitre sur les maladies cardiaques, il avait répondu qu'il s'agissait de maladies tellement inhabituelles que la plupart des médecins s'y verraient rarement confrontés. La situation a bien changé depuis!

En 1913, des études dirigées par des chercheurs russes ont démontré que des lapins auxquels on donnait de fortes quantités de cholestérol développaient des lésions d'athérosclérose. C'est ainsi que les médecins ont commencé à se dire que le cholestérol pouvait être la cause principale de la cardiopathie. Malheureusement, des études ultérieures ont établi que le cholestérol alimentaire provoque de l'athérosclérose chez les lapins parce qu'il déprime leur fonction thyroïdienne. Lorsque ces lapins recevaient à la fois des extraits thyroïdiens et du cholestérol, leurs artères ne subissaient aucun dommage. En outre, des études menées sur des primates ont suggéré qu'une alimentation riche en cholestérol n'entraîne une aggravation des lésions artérielles que dans les cas où les artères sont déjà fortement enflammées. Ces données auraient dû ébranler la conviction des médecins convaincus qu'il existe un lien déterminant entre le cholestérol et la cardiopathie, mais cela n'a malheureusement pas été le cas.

Dans les recherches sur les maladies du cœur, le grand problème auquel se heurtent les chercheurs est la distinction entre cause et corrélation. Il peut exister une *corrélation* entre une substance dans le sang et la cardiopathie, mais cela ne signifie pas nécessairement que ce même marqueur clinique est la *cause* de la cardiopathie. Par exemple, il peut y avoir une corrélation entre le fait d'être frappé par la foudre et la phase de la lune. Cependant, cela ne signifie pas que la phase de la lune est la cause de l'électrocution d'une personne frappée par la foudre. De nos jours, plus de 200 facteurs de risque sont corrélés avec la cardiopathie. Est-ce que chacun de ces facteurs de risque cause une cardiopathie, ou ne s'agit-il que d'indices secondaires lorsque la véritable cause de la cardiopathie a déjà commencé à faire des ravages ? Pour qu'un facteur soit véritablement une cause, le taux de mortalité par cardiopathie doit diminuer ou augmenter chaque fois que ce facteur particulier change. En outre, si un facteur de risque n'a pas toujours le même impact sur le taux de mortalité attribuable à la cardiopathie, on peut en conclure qu'il s'agit d'un facteur de risque secondaire qui accompagne la cause. Voyons maintenant quelques mythes sur le cholestérol qui font étroitement partie de nos « croyances » médicales. On nous a dit que l'un des facteurs de risque de mortalité par cardiopathie est une consommation élevée de gras. Et on suppose que l'autre facteur de risque est un taux élevé de cholestérol sérique.

Le mythe du régime riche en gras

Des études épidémiologiques réalisées durant les années 1950 suggèrent que ce sont les populations qui ont le régime alimentaire le plus riche en gras qui présentent les risques les plus élevés de mourir de cardiopathie. Malheureusement, les chercheurs ont négligé des populations un peu partout dans le monde (comme les Masai, en Afrique, les Crétois et les Inuits du Groenland) qui ont une alimentation extrêmement riche en gras (beaucoup plus riche en gras que l'alimentation de l'Américain moyen), mais qui présentent néanmoins des taux extrêmement faibles de cardiopathie, plus particulièrement les Masai et les Inuits, qui, en plus, ont un régime alimentaire riche en cholestérol. Comme ces faits ruinaient une très intéressante théorie, les chercheurs ont bien pris soin de les éliminer.

Ce mythe a entraîné la recommandation de régimes alimentaires faibles en gras (ayant une charge glycémique élevée), comme la pyramide des aliments de l'USDA (département d'agriculture des États-Unis). Ces régimes ont provoqué l'épidémie d'obésité et de diabète de type 2 qui sévit en Amérique. En outre, cette situation a provoqué une augmentation des taux d'inflammation silencieuse dans la population.

Le mythe du cholestérol sérique élevé

Autrefois, les médecins croyaient que l'on devait se préoccuper uniquement du taux de cholestérol total. Puis, les chercheurs ont découvert que le cholestérol total n'était pas un indicateur très fiable en ce qui concerne les risques de cardiopathie. Que le principal médicament permettant de prévenir les crises cardiaques, l'aspirine, n'abaisse pas le taux de cholestérol mais réduise très efficacement l'inflammation n'a cependant pas ébranlé la merveilleuse théorie sur les bienfaits résultant de la diminution radicale des taux de cholestérol sérique. C'est ainsi que, de nos jours, tous les cardiologues américains recommandent en priorité la réduction des taux de cholestérol.

Je remets en question la théorie des mandarins de la cardiologie voulant qu'un taux de cholestérol sérique élevé soit la cause des décès par maladie cardiovasculaire, et cela, pour une seule raison : les données. Diverses études épidémiologiques ont révélé que les personnes atteintes de cardiopathie avaient souvent des taux de cholestérol sérique plus élevés. Cependant, leurs taux n'étaient que de 5 à 10 % plus élevés que ceux des personnes qui ne développaient pas de cardiopathie. Pour expliquer à quel point cette différence est négligeable, l'étude Farmingham a démontré que 38 % des patients ne souffrant d'aucune cardiopathie présentaient un taux de cholestérol total égal ou inférieur à 220 mg/dl, tout comme les 32 % de patients cardiaques. Une analyse plus poussée des mêmes données a indiqué que des taux élevés de cholestérol total après l'âge de 47 ans n'ont aucune influence sur la mortalité par maladie cardiovasculaire. L'étude MONICA, menée en Europe, a confirmé l'absence de liens entre un taux de cholestérol élevé et les crises cardiaques mortelles. Les chercheurs ont découvert que les sujets français ayant des taux de cholestérol d'environ 240 mg/dl étaient cinq fois moins nombreux à mourir d'une crise cardiaque que les sujets finlandais affichant des taux de cholestérol semblable. On appelle cela le paradoxe français. Cependant, il ne s'agit d'un paradoxe que si l'on considère le cholestérol sérique total comme la principale cause de décès par cardiopathie.

Lorsque les chercheurs en cardiologie se sont rendu compte que les liens entre la cardiopathie et le cholestérol sérique devenaient de plus en plus ténus, ils ont élaboré des théories plus complexes. Comme le cholestérol total ne semblait pas être un indicateur très fiable du décès par cardiopathie, ils en ont conclu qu'une composante individuelle du cholestérol total serait peut-être un indicateur plus efficace. C'est ainsi que le « mauvais » cholestérol, présent dans les particules de lipoprotéines de basse densité

(LDL), est devenu le grand coupable – ce qui a déclenché une nouvelle guerre, cette fois contre le « mauvais » cholestérol.

La théorie du mauvais cholestérol s'est complexifiée lorsque les chercheurs ont découvert deux types de particules de LDL : les grosses particules floconneuses de LDL (le *bon* « mauvais » cholestérol), qui semblent peu susceptibles de provoquer la formation de plaques dans les artères, et les petites particules denses de LDL (le *mauvais* « mauvais » cholestérol), qui sont fortement associées à une augmentation des risques de maladie cardiaque. En résumé, vous pouvez maintenant avoir du *bon* « mauvais » cholestérol (grosses particules floconneuses de LDL) et du *mauvais* « mauvais » cholestérol (petites particules denses de LDL). Vous n'y comprenez plus rien ? Eh bien, c'est le cas de toutes les personnes qui font la guerre au cholestérol, parce que nous savons maintenant que plus nous avons de *mauvais* « mauvais » cholestérol, plus nous sommes susceptibles de faire une crise cardiaque, tandis qu'un taux élevé de *bon* « mauvais » cholestérol est peu susceptible d'avoir d'effets nocifs sur notre santé !

Vous pouvez aisément déterminer si vous avez du *mauvais* « mauvais » cholestérol ou du *bon* « mauvais » cholestérol en vérifiant le rapport entre vos triglycérides (TG) et votre cholestérol HDL (TG/HDL), rapport qui apparaît normalement dans les résultats d'un dépistage de cholestérol à jeun. Si vous avez un rapport TG/HDL inférieur à 2, vous avez surtout de grosses particules floconneuses de LDL, qui vous feront peu de tort. En revanche, si vous avez un rapport TG/HDL supérieur à 4, vous avez surtout de petites particules denses de LDL qui peuvent accélérer la formation de plaques d'athérosclérose, quel que soit votre taux de cholestérol total ou même votre taux de cholestérol LDL. Le rapport TG/HDL est l'un des marqueurs sanguins que je vous suggère d'utiliser pour déterminer si vous êtes ou non dans le régime anti-inflammatoire. Le taux total de cholestérol et le taux de cholestérol LDL ne sont pas des marqueurs efficaces.

Des études réalisées à la faculté de médecine de l'université Harvard ont confirmé le lien entre le rapport TG/HDL et les crises cardiaques. Ces recherches ont démontré que plus le rapport TG/HDL est élevé, plus les risques de crise cardiaque augmentent. Mais que veut dire « élevé » ? Selon cette étude, les sujets présentant les rapports TG/HDL les plus élevés avaient 16 fois plus de risques de crise cardiaque que les sujets ayant les rapports les moins élevés. C'est là une énorme augmentation des risques de la cause de mortalité la plus courante !

Pour vous permettre de vous faire une idée plus précise de la situation, voici comment les autres facteurs de risque se présentent :

RISQUE RELATIF D'ÊTRE VICTIME D'UNE CRISE CARDIAQUE

FACTEUR DE RISQUE	FACTEUR DE RISQUE (X = MULTIPLICATION DU RISQUE)
En bonne santé sans facteur de risque	1 (aucune augmentation du risque)
Taux élevé de cholestérol total (supérieur à 200)	2
Fumeur (un paquet de cigarettes par jour)	4
Rapport TG/HDL élevé (supérieur à 7)	16

Après avoir examiné ce tableau, vous vous demandez sans doute pourquoi on n'a pas déclaré une guerre nationale aux rapports TG/HDL trop élevés. Il y a lieu de se poser la question, car un rapport TG/HDL élevé n'a pas pour seul effet d'accroître le risque de cardiopathie. Il est aussi le marqueur d'un syndrome métabolique indiquant le développement de l'insulinorésistance. Or, l'insulinorésistance mène à l'obésité, au diabète de type 2 et à une accélération de la survenue des maladies cardiaques. De plus, à mesure que le rapport TG/HDL s'élève, l'insulinorésistance s'accentue. Comme on le sait, un taux d'insuline trop élevé entraîne une plus grande synthèse d'acide arachidonique (AA). Or, l'augmentation de la concentration d'AA pousse l'organisme à générer plus d'inflammation silencieuse.

Publiés récemment, les résultats d'une étude toujours en cours, la *Copenhagen Male Study*, attestent l'importance du rapport TG/HDL. Les chercheurs ont suivi des sujets en bonne santé qui avaient soit un rapport TG/HDL peu élevé (inférieur à 1,7) soit un rapport TG/HDL élevé (supérieur à 6), afin de voir lesquels développeraient une cardiopathie. Ils ont été très étonnés de découvrir que les sujets qui présentaient un rapport TG/HDL peu élevé et qui fumaient, étaient sédentaires, souffraient d'hypertension et avaient un taux élevé de cholestérol LDL étaient deux fois moins à risque de développer une cardiopathie que les sujets qui avaient un style de vie beaucoup plus sain, mais un rapport TG/HDL plus élevé. Autrement dit, abaisser votre rapport TG/HDL peut avoir sur vos risques de cardiopathie un effet beaucoup plus important que le fait d'adopter des habitudes de vie plus saines. Peut-on en conclure que l'on doit fumer, mener une existence sédentaire, et ne pas s'inquiéter de notre tension artérielle ou de notre taux de cholestérol? Absolument pas! Cela signifie simplement que si vous voulez réellement réduire vos risques de maladie cardiaque, vous devez multiplier vos efforts pour abaisser votre rapport TG/HDL.

EST-IL SOUHAITABLE DE PRENDRE UN MÉDICAMENT QUI ABAISSE LE CHOLESTÉROL (HYPOCHOLESTÉROLÉMIANT)?

Voici un scénario classique : votre médecin vous dit que votre taux de cholestérol est élevé et vous recommande de prendre un médicament pour l'abaisser. Au début, vous résistez, car vous vous sentez en forme. Mais vous ne voulez pas mourir d'une crise cardiaque. En outre, presque toutes vos connaissances prennent un médicament de ce genre. Vous ne savez vraiment pas quoi faire.

Pour prendre une décision éclairée, vous avez besoin d'information. Il a été établi que les médicaments fabriqués durant les années 1970 et les années 1980 n'avaient qu'un effet limité sur la réduction des décès par crises cardiaques. Pis encore, ils accroissaient la mortalité, toutes causes confondues, ce qui, naturellement, n'était pas une bonne chose. En 1994, une nouvelle classe de médicaments, les statines, s'est révélée beaucoup plus efficace que les autres hypocholestérolémiants pour prévenir les crises cardiaques. Les chercheurs étaient convaincus que ces médicaments miracles abaissaient le taux de « mauvais » cholestérol. (Au fait, réduire le taux d'insuline abaisse aussi le taux de « mauvais » cholestérol.)

En réalité, les statines ne font pas qu'abaisser le taux de cholestérol. Elles ont, en fait, un spectre d'action beaucoup plus étendu que quiconque l'avait prévu. Elles agissent comme anti-inflammatoires généraux en empêchant le foie de libérer la protéine C-réactive (CRP). Les chercheurs ont découvert que la mortalité par cardiopathie, chez les sujets ayant le taux le plus élevé de CRP (un marqueur général d'inflammation) diminuait considérablement lorsque ces derniers prenaient des statines. En réalité, les statines ne sont pas de très bons agents anti-inflammatoires, dans la mesure où elles ne réduisent pas les cytokines pro-inflammatoires, comme les interleukines 6, qui entraînent la production de CRP (laquelle n'est pas au départ un très bon marqueur biologique d'inflammation). Les statines inhibent simplement la libération de CRP dans le foie. Elles semblent aussi inhiber le facteur rhô, qui sert de médiateur dans les réactions inflammatoires. En conséquence, les statines diminuent le nombre de crises cardiaques parce qu'elles atténuent certains types d'inflammation, alors que l'huile de poisson à fortes doses atténue tous les types d'inflammation en réduisant la production d'acide arachidonique. La réduction du taux de cholestérol LDL par les statines pourrait simplement être un facteur secondaire dans la diminution de la mortalité par cardiopathie.

En outre, les statines ont de nombreux effets secondaires, dont les pertes de mémoire, les faiblesses musculaires, les lésions hépatiques et un risque plus élevé de lésions nerveuses (neuropathie). En fait, la moitié des patients cessent de prendre des statines au bout d'un an en raison de ces effets secondaires. Mais les statines ont aussi un autre effet secondaire dont les compagnies pharmaceutiques n'aiment pas parler. Elles entraînent une forte augmentation de la production d'acide arachidonique. On peut donc conclure que l'utilisation à long terme de statines finit par accentuer l'inflammation silencieuse. En fait, une étude a indiqué que le nombre de cancers du sein (une autre affection causée par l'inflammation silencieuse) était significativement plus élevé chez les patientes qui prenaient des statines que chez celles qui prenaient un placebo.

J'imagine que de telles nouvelles ne vous réjouissent pas vraiment, surtout si vous êtes censé prendre ces médicaments pour le restant de vos jours.

Vous voulez savoir si je recommande les statines ? Uniquement si vous avez suivi toutes les prescriptions sur l'alimentation et le style de vie décrites dans cet ouvrage sans réussir à atteindre le régime anti-inflammatoire – comme vous l'indique votre profil biochimique. Si vous prenez des statines, vous avez intérêt à prendre aussi de l'huile de poisson à fortes doses pour freiner la production d'acide arachidonique et, donc, l'inflammation que ces médicaments entraînent.

LE RÉGIME ANTI-INFLAMMATOIRE ET LA MORTALITÉ
CAUSÉE PAR LES MALADIES CARDIOVASCULAIRES

Vous comprenez à présent que les risques de cardiopathie associés à des régimes alimentaires riches en gras et aux taux élevés de cholestérol sérique ont été fortement exagérés, tandis que les risques très réels que pose l'inflammation silencieuse ont été minimisés. Si vous avez peur de mourir d'une crise cardiaque, la meilleure solution consiste à atteindre le régime anti-inflammatoire.

Il y a 30 ans, lorsque j'ai entrepris mes recherches, je voulais voir si je pouvais modifier l'expression de mes propres gènes. Mes gènes étaient programmés pour me faire mourir prématurément d'une maladie cardiaque – comme mon père, mes oncles et mon grand-père. J'avais donc des raisons très personnelles de vouloir découvrir la véritable cause des maladies cardiaques. Je ne croyais pas à la théorie du cholestérol, mais la théorie de l'inflammation me semblait très sensée. C'est ainsi que j'ai élaboré le concept du juste milieu anti-inflammatoire, dans lequel l'inflammation est maîtrisée en permanence.

Les meilleurs indicateurs d'une possibilité de crise cardiaque sont déterminés par des études prospectives dans lesquelles des chercheurs suivent des sujets sains pendant un certain nombre d'années afin de voir quels sont ceux qui développent une cardiopathie, et pourquoi. Comme elles sont très coûteuses, ces études sont peu nombreuses. Celles qui ont été réalisées permettent cependant de conclure que le taux de cholestérol est, en fait, un indicateur relativement piètre en la matière. Les probabilités d'une crise cardiaque dépendent avant tout de taux excessifs d'eicosanoïdes pro-inflammatoires – soit les hormones que mes prescriptions alimentaires peuvent modifier.

Lorsque j'ai écrit mon premier ouvrage sur le juste milieu, on m'a beaucoup critiqué parce que j'affirmais qu'un taux d'insuline anormalement élevé constituait un facteur de risque majeur de cardiopathie (bien qu'il fût reconnu que les diabétiques étaient plus à risque d'avoir une maladie cardiaque). J'expliquais dans cet ouvrage qu'un taux d'insuline anormalement élevé était un facteur de risque parce qu'il faisait augmenter la production d'acide arachidonique, qui accroît à son tour l'inflammation silencieuse.

Si la réduction de l'inflammation réduit aussi efficacement qu'on le dit le taux de mortalité causée par les crises cardiaques, la solution est très simple : il faut ajouter à son alimentation une plus grande quantité d'huile de poisson pour atténuer l'inflammation silencieuse. Des études épidémiologiques menées à la fin des années 1970 ont étayé cette hypothèse en établissant que les Inuits du Groenland ne souffraient pratiquement pas de maladies cardiaques. Leur alimentation était pourtant riche en gras et en cholestérol, mais elle avait aussi une teneur extrêmement élevée en acides gras oméga-3 à longue chaîne, comme l'EPA et le DHA. Les Japonais, qui ont pour leur part une alimentation faible en gras, affichent également de très faibles taux de cardiopathie. Or, le gras que les Japonais consomment est très riche en EPA et en DHA. L'élément commun à ces deux populations est un bilan d'inflammation silencieuse très peu élevé. Ce n'est donc pas leur taux de cholestérol alimentaire ni leur consommation totale de gras qui réduit leur risque de cardiopathie, mais plutôt l'absence d'inflammation silencieuse, induite par une alimentation riche en EPA et en DHA.

La preuve la plus irréfutable des bienfaits de l'huile de poisson a été donnée par les résultats de l'expérience GISSI, au cours de laquelle des patients italiens atteints de cardiopathie et ayant déjà fait une crise cardiaque ont pris environ un gramme par jour de concentrés ultraraffinés d'EPA et de DHA. Comparativement aux groupes qui avaient pris un placebo ou de simples comprimés de vitamine E, le groupe qui avait pris un supplément d'huile de poisson pendant trois ans et demi a vu chuter de 45 % ses risques de mourir subitement d'une crise cardiaque (causée par un dérèglement électrique). Ce groupe avait également réduit ses risques de mortalité par maladie cardiovasculaire de 20 % et ses risques de décès pour d'autres causes de 10 %. La diminution du taux de mortalité (la seule conclusion clinique qui compte) était semblable à celle obtenue dans les expériences sur les statines. En outre, l'écart entre les taux de mortalité avait commencé à se manifester durant les trois mois suivant le début de l'expérience.

Il est évident que c'est l'alimentation dans son ensemble qui joue un des rôles les plus importants dans la lutte contre les risques de cardiopathie, comme l'atteste de manière étayée l'étude de la *Lyon Diet Heart* que j'ai mentionnée plus tôt. Dans cette étude, les survivants à une crise cardiaque qui ont suivi un régime à faible charge glycémique (procurant de très faibles quantités d'acides gras oméga-6 pro-inflammatoires) ont réduit de 70 % leurs risques de crise cardiaque mortelle, comparativement au groupe suivant un régime à charge glycémique élevée, c'est-à-dire riche en acides gras oméga-6 pro-inflammatoires. Plus remarquable encore, on ne rapportait *aucune* mort subite (la principale cause de mortalité cardiovasculaire causée par la cardiopathie) dans le groupe suivant le régime à charge glycémique peu élevée procurant de très faibles quantités d'acides gras oméga-6.

Lorsque les chercheurs de la *Lyon Diet Heart Study* ont analysé le sang des sujets de deux groupes pour découvrir ce qui pouvait expliquer ces différences remarquables dans la mortalité cardiovasculaire, ils n'ont observé aucune différence dans les taux de cholestérol ou de cholestérol LDL. (Adieu la thèse faisant du cholestérol la cause des crises cardiaques mortelles !) C'est dans le bilan d'inflammation silencieuse qu'ils ont observé la principale différence entre les deux groupes. Le bilan d'inflammation silencieuse des sujets du groupe suivant le régime à faible charge glycémique était de 6,1, comparativement à 9 dans le groupe suivant le régime à charge glycémique élevée. Ainsi, il semble qu'une réduction de 30 % du bilan d'inflammation silencieuse fait diminuer de plus de 70 % les risques de crise cardiaque mortelle. Il n'existe dans le monde médical aucun médicament connu qui produise de tels résultats cliniques. C'est pour cela que je suis convaincu que le bilan d'inflammation silencieuse est de loin l'indicateur le plus efficace d'une possibilité de crise cardiaque.

Aussi remarquables qu'aient été les résultats de la *Lyon Diet Heart Study,* je suis certain qu'ils auraient pu être meilleurs encore si les patients avaient suivi le programme de vie dans le juste milieu – ce qui leur aurait permis d'atteindre le régime anti-inflammatoire. Aucun des sujets de l'étude n'a pu atteindre le bilan d'inflammation silencieuse optimal de 5,1, qui se rapproche de celui des Japonais, dont le taux de cardiopathie est le plus faible au monde. De même, les sujets des deux groupes avaient un rapport TG/HDL élevé (3,4), ce qui indiquait que leur taux d'insuline n'avait pas baissé suffisamment et que leur régime était trop riche en glucides.

Comparée à la *Lyon Diet Heart Study*, la combinaison du régime du juste milieu et d'huile de poisson à fortes doses aurait produit des résultats supérieurs. Le régime du juste milieu aurait abaissé à la fois le rapport TG/HDL et le bilan d'inflammation silencieuse de manière suffisante pour amener les patients au juste milieu anti-inflammatoire. Selon les données disponibles provenant d'études prospectives, abaisser le rapport TG/HDL et le bilan d'inflammation silencieuse peut donc réduire encore davantage les risques de mourir d'une crise cardiaque. Ces données sont illustrées dans le tableau ci-dessous :

Paramètre	*Lyon Heart Diet Study* Charge glycémique élevée	*Lyon Diet Heart Study* Charge glycémique faible	Paramètres du juste milieu anti-inflammatoire
Bilan d'inflammation silencieuse	9,1	6,1	1,5
Rapport TG/HDL	3,4	3,4	1
Risque de crise cardiaque mortelle	1	0,3	?

Les études semblables à celles de la *Lyon Diet Heart Study* et de GISSI, qui reposent sur des régimes d'intervention, sont longues et coûteuses, ce qui explique leur rareté. Cependant, je manquerais à mon devoir si j'omettais de mentionner une autre étude sur un régime d'intervention portant sur des patients souffrant de maladie cardiovasculaire. La *Lifestyle Study* comprenait deux groupes de sujets. Un groupe recevait une alimentation conforme aux lignes directrices de l'American Heart Association, tandis que l'autre groupe suivait un régime végétarien faible en gras et riche en glucides. Voici les résultats de cette étude au bout de cinq ans :

Groupe	Rapport TG/HDL au début	Rapport TG/HDL à la fin	Nombre de crises cardiaques mortelles
Groupe végétarien	5,7	6,7	2
Groupe témoin	4,3	4,3	1

Contrairement aux résultats de la *Lyon Diet Heart Study* et de l'étude GISSI, les résultats font état d'une *augmentation* des crises cardiaques mortelles. Il est pratiquement certain que l'exercice et les techniques de réduction du stress n'augmentent pas le nombre de crises cardiaques mortelles, mais qu'une augmentation du rapport TG/HDL, elle, le ferait. Les chercheurs ont constaté à plusieurs reprises que les personnes qui adoptent ces régimes très faibles en gras et à charge glycémique élevée voient souvent leur taux de triglycérides augmenter de manière dangereuse. C'est sans doute pour cette raison que l'American Heart Association considère que les régimes très faibles en gras et très riches en glucides sont encore au stade expérimental, même s'ils existent depuis 20 ans et ont été recommandés à des dizaines de milliers de patients cardiaques comme moyen « éprouvé » de lutter contre les maladies cardiaques. À mon avis, les résultats de la *Lyon Diet Heart Study* et de l'étude GISSI indiquent le contraire. L'une des rares occasions où l'American Heart Association s'est sensiblement montrée de mon avis a été soulignée lorsqu'elle a fait, en 1988, la déclaration suivante sur les régimes très faibles en gras, dans un numéro de *Circulation* :

> *À court terme, les régimes très faibles en gras provoquent une augmentation du taux de triglycérides et font baisser le taux de cholestérol HDL, sans toutefois procurer une diminution additionnelle du taux de cholestérol LDL.*
>
> *Dans certains cas, par exemple chez les personnes atteintes d'hypertriglycéridémie ou d'hyperinsulinémie et chez les personnes âgées, ou chez les très jeunes enfants, les risques potentiels d'un taux de triglycérides élevé, d'un taux de cholestérol HDL plus faible et de carences nutritionnelles doivent être pris en compte.*
>
> *Comme les régimes très faibles en gras s'éloignent radicalement des lignes directrices nutritionnelles prudentes qui ont cours à l'heure actuelle, il reste à démontrer qu'ils sont à la fois bénéfiques et sûrs avant que des recommandations nationales puissent être émises.*

On ne peut pas dire que l'American Heart Association recommande très chaudement les régimes très faibles en gras et à charge glycémique élevée. Si j'ai certaines réserves au sujet des lignes directrices générales de l'American Heart Association en matière de nutrition, nous partageons la même opinion sur les régimes très faibles en gras.

EN RÉSUMÉ

Le juste milieu anti-inflammatoire est votre meilleure protection contre une crise cardiaque mortelle, et la façon la plus rapide de vous mettre à l'abri consiste à suivre le programme de vie dans le juste milieu. En contrôlant votre inflammation silencieuse, vous réduirez vos risques de mourir d'une crise cardiaque. Si tout le monde agissait de la sorte, on pourrait en revenir aux très faibles risques qui prévalaient au début du XXe siècle.

Chapitre 16

Le cancer et l'inflammation silencieuse

Nous sommes beaucoup plus susceptibles de mourir de cardiopathie que de cancer, mais c'est pourtant le cancer – ou plutôt les pénibles traitements qu'il faut subir pour le traiter – que nous redoutons le plus. En dépit des quelque 30 milliards de dollars consacrés à la lutte contre le cancer, le gouvernement américain n'a encore découvert aucun moyen fiable et définitif de le guérir ou de le prévenir de manière efficace. Malgré le battage médiatique sur les progrès de la recherche, les trois interventions en vigueur contre cette terrible maladie restent les mêmes : brûler, sectionner, empoisonner. Ces solutions barbares prolongent sans doute l'espérance de vie des cancéreux, mais elles n'en restent pas moins des prescriptions incompatibles avec une bonne qualité de vie.

Des chercheurs mettent l'accent sur différents moyens de réduire les risques de cancer. Ils savent qu'une augmentation de la consommation de fruits et de légumes protège contre cette maladie. Ils savent aussi que les personnes qui prennent des anti-inflammatoires de manière régulière sont moins à risque que d'autres. En outre, des études sur des animaux indiquent que l'huile de poisson à fortes doses retarde le développement d'un grand nombre de tumeurs, ou les fait régresser. Que révèlent ces observations ? Comment peuvent-elles nous aider à prévenir le cancer ? À mon sens, elles pointent toutes en direction de la suppression de l'inflammation silencieuse.

Depuis des années, on sait que les régimes alimentaires riches en fruits et en légumes réduisent généralement les risques de cancer. On suppose que ces régimes doivent leur efficacité aux substances phytochimiques présentes dans ces glucides. Mais il existe des milliers de substances phytochimiques. Comment savoir lesquelles choisir? Les compagnies pharmaceutiques ont tenté d'isoler divers nutriments en vue d'en faire des médicaments pour prévenir le cancer. Leurs recherches ont porté, sans succès, sur les vitamines, et certaines études ont même révélé que l'utilisation de bêtacarotène entraînait une augmentation des tumeurs pulmonaires. Ces substances phytochimiques ont surtout des propriétés antioxydantes, et elles ne sont pas très efficaces pour atténuer l'inflammation silencieuse.

On peut cependant interpréter différemment ces données épidémiologiques. Lorsqu'on consomme des fruits et des légumes en abondance, on remplace des glucides à charge glycémique élevée par des glucides à charge glycémique faible, ce qui freine la production excessive d'insuline. Or, en diminuant la production d'insuline, on réduit l'accumulation de gras corporel excédentaire (un stimulant potentiel de l'inflammation silencieuse) tout en inhibant l'activité de l'enzyme D5D, qui accroît la production d'acide arachidonique. Il en résulte une diminution de l'inflammation silencieuse.

Puisque l'inflammation est la cause sous-jacente de la progression du cancer, les anti-inflammatoires (quels que soient leurs effets secondaires) devraient réduire les risques de cancer. C'est exactement ce que l'on observe: les anti-inflammatoires font diminuer, entre autres, l'incidence du cancer du côlon, du cancer du sein et du cancer des ovaires.

Si les anti-inflammatoires réduisent les risques de cancer, qu'en est-il de l'huile de poisson et de ses propriétés anti-inflammatoires? En fait, de nombreuses études sur des animaux ont prouvé que l'huile de poisson à fortes doses est remarquablement efficace pour ralentir la croissance des tumeurs. Les chercheurs savent depuis des années que le fait de donner à des animaux des acides gras oméga-6 pro-inflammatoires (comme de l'huile de maïs) augmente significativement leur taux de mortalité par cancer lorsque des cellules tumorales ont été implantées dans leur organisme. Ils savent aussi que lorsque ces mêmes animaux reçoivent des suppléments d'huile de poisson, les tumeurs implantées rapetissent énormément, et que leur espérance de vie s'accroît. Rien d'étonnant à cela. Lorsqu'ils reçoivent des acides gras oméga-6 pro-inflammatoires, les animaux produisent davantage de « mauvais » eicosanoïdes; lorsqu'ils reçoivent des suppléments d'huile de poisson, leur production de « bons » eicosanoïdes augmente. Or, quand le cancer est présent, l'équilibre entre les eicosanoïdes peut faire la différence entre la vie et la mort.

L'huile de poisson a un autre effet anticancer bénéfique : elle modifie l'appareillage génétique de la cellule cancéreuse elle-même. On a découvert que l'huile de poisson à fortes doses peut provoquer une augmentation radicale de la production de certaines protéines qui inhibent le potentiel métastatique de cellules prostatiques cancéreuses. Des études démontrent que la consommation d'huile de poisson ralentit la prolifération métastatique du cancer de la prostate chez les Américains. Et l'on sait que les Japonais, qui consomment d'énormes quantités de poisson, affichent de très faibles taux de mortalité causée par le cancer de la prostate.

QUELLE EST LA VÉRITABLE CAUSE DU CANCER ?

Personne ne sait vraiment ce qui amène une cellule normale à se diviser rapidement et à devenir cancéreuse. Personne ne peut expliquer pourquoi le système immunitaire n'arrive pas, dans certains cas, à détruire les cellules devenues cancéreuses, ce qui leur permet de proliférer et de former une tumeur. Le système immunitaire est peut-être déjà trop sollicité par son combat contre l'inflammation silencieuse, ce qui l'empêche de remplir sa tâche adéquatement. Voici quelques-uns des principaux mécanismes de prolifération du cancer et le rôle que joue l'inflammation dans chacun d'eux.

Les métastases

En général, la principale menace du cancer n'est pas la tumeur principale, mais la prolifération ou les métastases de la tumeur dans d'autres parties de l'organisme. Les métastases sont épaulées par un groupe de « mauvais » eicosanoïdes, appelés acides gras hydroxylés. Ces eicosanoïdes, dérivés de l'acide arachidonique, permettent aux cellules tumorales expulsées dans la circulation sanguine de se fixer à un autre endroit dans l'organisme. Un acide gras hydroxylé particulier, le 12-HETE, est réputé causer la dilatation des cellules endothéliales qui tapissent le système vasculaire, ce qui permet aux cellules cancéreuses de pénétrer dans un organe – même éloigné de la tumeur initiale – où elles peuvent proliférer et former une nouvelle tumeur. La meilleure façon de freiner la production de ces acides gras hydroxylés est la même que celle qui permet de freiner la production de tous les « mauvais » eicosanoïdes : abaisser le taux d'acide arachidonique dans les cellules. Vous pouvez y parvenir en abaissant votre bilan d'inflammation silencieuse à l'aide d'huile de poisson à fortes doses.

L'apoptose

Nous pensons souvent au cancer comme à une prolifération incontrôlable de cellules, mais il y a peut-être une autre explication. Les cellules cancéreuses pourraient aussi être des cellules dont l'horloge interne est défectueuse, ce qui signifie qu'elle ne leur indique plus à quel moment mourir. L'apoptose, ou mort cellulaire programmée, est vitale pour le bon fonctionnement de l'organisme. Sans l'apoptose, nous ne disposerions d'aucun moyen de régénérer notre corps, de façon continue, en remplaçant nos vieilles cellules par des cellules jeunes.

Pendant des années, les chercheurs se sont montrés pessimistes ; ils voyaient dans le cancer une maladie hors contrôle qui provoquait une division effrénée de cellules malignes immortelles. Ils se demandaient comment on pouvait empêcher ces cellules immortelles de se reproduire aussi impunément. Aujourd'hui, bon nombre d'entre eux se montrent plus optimistes. Ils émettent l'hypothèse que certaines cellules tumorales pourraient simplement être des cellules saines qui ont oublié à quel moment mourir.

On procède présentement à l'essai de nouveaux médicaments anticancéreux dont l'action consiste à provoquer l'apoptose. Malheureusement, ils provoquent l'apoptose de cellules saines comme de cellules malignes, ce qui se traduit par de graves effets secondaires pour le patient. Il existe cependant un remède qui semble provoquer uniquement l'apoptose des cellules tumorales, et ce remède est l'huile de poisson à fortes doses. L'huile de poisson est un supplément très efficace qui rend les cellules cancéreuses plus sensibles à l'apoptose provoquée par la chimiothérapie ou la radiothérapie, tout en épargnant aux cellules saines les effets dévastateurs des thérapies anticancéreuses actuelles.

L'angiogenèse

Les tumeurs croissent en détournant à leur profit des nutriments destinés à l'organisme. Pour avoir accès à cette nourriture, elles provoquent le développement de nouveaux vaisseaux sanguins, grâce à un processus appelé angiogenèse. En fait, le principal espoir, dans la recherche sur le cancer, est la découverte d'un composé qui ferait diminuer l'angiogenèse induite par les tumeurs. Les recherches ont démontré que les leucotriènes, qui figurent parmi les plus puissants des «mauvais» eicosanoïdes pro-inflammatoires, favorisent l'angiogenèse. Or, comme les leucotriènes sont dérivées de l'acide arachidonique, on peut abaisser le taux de ces eicosanoïdes en améliorant le bilan d'inflammation silencieuse.

La cachexie

Dans la phase terminale du cancer, les patients sont surtout menacés par la cachexie, une grave détérioration de l'état physique. Une perte de poids rapide indique généralement que la fin est proche. Un taux plus élevé de la cytokine pro-inflammatoire connue sous le nom de facteur de nécrose des tumeurs (TNF) accélère la cachexie. Comme l'huile de poisson réduit la libération de TNF, on peut en conclure que, prise à fortes doses, elle peut freiner, sinon mettre fin à la perte de poids des patients, et prolonger leur vie.

En fait, c'est exactement ce qui se produit. Une étude a démontré que lorsqu'on administre quotidiennement à des patients atteints de cachexie de fortes doses d'acides gras oméga-3 à longue chaîne, ceux-ci prennent du poids, tandis que les patients du groupe de contrôle continuent à en perdre. Une étude subséquente consistant à administrer des doses quotidiennes pouvant atteindre 18 grammes d'acides gras oméga-3 à longue chaîne a été menée sur des patients atteints de cancer du pancréas à un stade avancé. Dans les deux cas, les sujets prenant de l'huile de poisson ont survécu bien au-delà des pronostics établis pour de tels cancers en phase terminale.

LA FILIÈRE DE L'INSULINE

Dès 1919, les médecins savaient que le taux de glycémie peut permettre d'établir un pronostic pour les patients cancéreux : plus le taux de glucose sanguin est élevé, plus le pronostic est sombre. Comme vous le savez déjà, l'insulinorésistance élève le taux de glucose sanguin. Un taux élevé de glucose sanguin constitue un bon facteur de prédiction, car les cellules cancéreuses prolifèrent mieux dans un milieu anaérobique, ce qui signifie qu'elles ont besoin de grandes quantités de glucose sanguin. En plus de provoquer l'augmentation du taux de glucose sanguin, l'insulinorésistance élève aussi le taux d'insuline. Cette insuline excédentaire sert de facteur de croissance et favorise encore davantage la division des cellules tumorales. Autrement dit, le glucose sanguin excédentaire nourrit les cellules tumorales et l'insuline excédentaire les encourage à se diviser. En outre, l'insuline excédentaire favorise la synthèse d'acide arachidonique, précurseur de tous les eicosanoïdes pro-inflammatoires. En fait, tout cela explique les résultats d'études épidémiologiques menées en Italie, qui ont démontré que les personnes dont l'alimentation est riche en amidon (pâtes) sont plus à risque de développer un cancer que les personnes qui suivent un régime à charge glycémique plus faible. L'insulinorésistance et le cancer forment un duo mortel – auquel il faut échapper à tout prix si l'on apprend qu'on a contracté cette maladie.

MIEUX VIVRE AVEC LE CANCER À L'AIDE DU RÉGIME ANTI-INFLAMMATOIRE

Malheureusement, personne ne guérit jamais complètement du cancer, pas plus que des maladies cardiaques ou du diabète. Il faut simplement apprendre à vivre avec sa maladie, en sachant qu'elle peut réapparaître à tout moment, plus particulièrement lorsqu'on modifie son style de vie de manière négative.

Le juste milieu anti-inflammatoire constitue votre meilleure police d'assurance pour bien vivre avec le cancer. C'est aussi votre arme la plus efficace pour contrer une récurrence, car vous gardez votre organisme dans un état qui ne permet pas aux cellules cancéreuses de proliférer. Le juste milieu prive vos cellules cancéreuses de nutriments vitaux comme le glucose excédentaire et, en abaissant votre taux d'insuline, empêche leur division rapide. Plus important encore, en restant dans le régime anti-inflammatoire, vous abaissez votre taux d'acide arachidonique, ce qui limite la production de « mauvais » eicosanoïdes, lesquels dépriment le système immunitaire. En conséquence, vos systèmes normaux de surveillance repèrent plus vite les cellules cancéreuses, ce qui accroît les possibilités de les détruire.

J'ai pu constater de visu les merveilles qu'opère le régime anti-inflammatoire. J'aimerais relater l'histoire de Sam, qui a développé pendant son adolescence une tumeur au cerveau particulièrement agressive. Le cancer du cerveau est le cancer le plus difficile à traiter, car les médicaments anticancéreux réussissent très difficilement à traverser la barrière hémato-encéphalique pour atteindre la tumeur. Les parents de Sam l'avaient emmené dans les meilleurs hôpitaux pour enfants, mais le pronostic demeurait sombre. Pour avoir une chance de survivre, il allait devoir suivre des traitements comportant des risques élevés, y compris des traitements de radiothérapie et de chimiothérapie à fortes doses.

La mère de Sam m'a demandé conseil. Je lui ai, bien entendu, recommandé le régime du juste milieu, que Sam devrait suivre rigoureusement, et l'huile de poisson à fortes doses. Le bilan d'inflammation silencieuse de Sam a servi à déterminer la quantité d'huile de poisson dont il avait besoin. Pour atteindre le régime anti-inflammatoire, il devait ingérer, chaque jour, environ 10 grammes de concentrés ultraraffinés d'EPA-DHA.

Pendant son traitement, qui a duré deux ans, des phénomènes remarquables se sont produits. Au début, Sam se sentait très fatigué après une radiothérapie et une chimiothérapie, mais sa fatigue était loin d'être aussi intense que celle d'autres enfants recevant les mêmes traitements. En fait, il était le seul élève à pouvoir continuer à fréquenter l'école pendant ses traitements. En outre, contrairement aux autres jeunes malades dans sa situation, le nombre de ses globules blancs n'avait pas diminué; il avait au contraire augmenté. Au bout des deux années de traitement, Sam a été déclaré « guéri ». Le personnel médical voulait néanmoins lui faire subir des tests cognitifs. Sam et ses parents ont accepté cette requête, même si elle leur paraissait un peu bizarre: Sam avait toujours eu de très bonnes notes pendant qu'il suivait ses traitements. Comme ils s'y attendaient, les habiletés cognitives de Sam se sont révélées excellentes. Les médecins étaient très étonnés. Comme ils l'ont expliqué aux parents, Sam était le seul enfant qui, après avoir suivi le traitement habituel pour ce genre de tumeur au cerveau, ne présentait pas de graves dommages neurologiques après sa « guérison ».

Sam a été admis plus tard dans l'un des meilleurs collèges des États-Unis.

Pourquoi Sam était-il une exception ? Contrairement aux médicaments anticancéreux, les fortes doses d'EPA-DHA qu'il prenait traversaient aisément la barrière hémato-encéphalique pour se rendre au cerveau. Ces doses élevées d'EPA-DHA provoquaient l'augmentation de l'apoptose des cellules cancéreuses exposées aux médicaments et aux radiations, tout en protégeant simultanément les cellules nerveuses saines. En outre, le régime du juste milieu lui permettait de contrôler son taux d'insuline, ce qui accentuait davantage l'effet anti-inflammatoire de l'huile de poisson à fortes doses.

Il est très important d'atteindre le régime anti-inflammatoire pendant un traitement anticancéreux, non pas parce qu'il se substitue aux thérapies standards, mais parce qu'il les rend plus efficaces et moins toxiques.

PEUT-ON PRÉVENIR LE CANCER ?

Si l'huile de poisson à fortes doses peut atténuer les effets dévastateurs des traitements anticancéreux traditionnels, peut-elle aussi réduire les risques de développer un cancer ?

Nous savons qu'il existe une corrélation entre un taux plus élevé de l'enzyme COX-2 (qui produit des eicosanoïdes pro-inflammatoires) et un grand nombre de tumeurs. Il a été démontré que les taux d'EPA et de DHA dans les cellules prélevées chez des patientes souffrant de cancer du sein et des patients souffrant d'un cancer de la prostate sont plus faibles que dans les cellules de patients de groupes témoins. De même, on sait que les femmes qui consomment les plus grandes quantités de poisson sont les moins susceptibles de souffrir d'un cancer du sein. Ces conclusions suggèrent que la prévention du cancer est liée au contrôle de l'inflammation silencieuse.

Si vous abaissez le taux d'AA dans vos cellules tumorales en accroissant vos taux d'EPA et de DHA, vous pouvez contrecarrer les effets de l'augmentation de l'activité de l'enzyme COX-2. En fait, vous retirez le substrat dont l'enzyme COX-2 a besoin pour agir. En conséquence, malgré un taux plus élevé de l'enzyme, cette dernière est beaucoup moins apte à fabriquer des eicosanoïdes pro-inflammatoires, comme la prostaglandine E_2 (PGE_2), qui est fortement associée à une croissance tumorale rapide. La PGE_2 agit essentiellement comme un bouclier invisible qui cache à votre système immunitaire l'identité des cellules cancéreuses anormales. Lorsque la production de PGE$_2$ est interrompue, les cellules cancéreuses ne peuvent plus se dérober au système immunitaire et sont sans défense contre une attaque. En atténuant l'inflammation silencieuse grâce à la diminution de l'acide arachidonique, vous réduisez aussi la production d'autres eicosanoïdes pro-inflammatoires, comme les leucotriènes, qui jouent un rôle important dans l'angiogenèse. Bref, vous retirez aux cellules cancéreuses les outils moléculaires qu'elles utilisent pour échapper au système immunitaire, pour proliférer, pour s'étendre à de nouveaux organes ou tissus, et pour détourner des nutriments à leur profit.

Je crois sincèrement qu'il vaut mieux prévenir (en atténuant l'inflammation silencieuse) que guérir (en subissant les effets dévastateurs de la chimiothérapie). Sam a eu de la chance, car lui et ses parents se sont montrés très proactifs, n'hésitant pas à prendre, en plus de la radiothérapie et de la chimiothérapie, des mesures supplémentaires. Sam comprend que c'est au juste milieu inflammatoire qu'il doit le résultat unique qu'il a obtenu. Il a réussi à stimuler la production d'eicosanoïdes anti-inflammatoires dans son organisme tout en abaissant simultanément sa production d'eicosanoïdes pro-inflammatoires qui favorisent le cancer – ce qu'aucun traitement de chimiothérapie ne pouvait accomplir.

EN RÉSUMÉ

La prévention du cancer est avant tout une question de réduction de l'inflammation silencieuse. La première étape consiste à contrôler votre taux d'insuline en consommant de grandes quantités de fruits et de légumes et en réduisant votre consommation de glucides à forte charge glycémique. Or, c'est là une bonne description du régime du juste milieu. Ensuite, il convient de prendre des quantités adéquates d'EPA-DHA ultraraffinés jusqu'à ce que le profil d'inflammation silencieuse se situe entre 1,5 et 3. Si vous suivez des traitements contre le cancer, il est impératif que vous adoptiez ces mêmes stratégies alimentaires pour réduire la toxicité inhérente aux traitements utilisés contre cette maladie.

Vous pouvez aussi décider de ne prendre aucune mesure et espérer que les traitements standards que sont la radiothérapie et la chimiothérapie ne tuent que les cellules cancéreuses et laissent vos cellules saines intactes. Mais cette attente est très irréaliste. Pourquoi ne chercheriez-vous pas plutôt à échapper aux pénibles effets secondaires des traitements actuels contre le cancer? Il y a une approche plus saine : entrer dans le régime anti-inflammatoire.

Chapitre 17
Les lésions cérébrales causées par l'inflammation silencieuse

L'esprit est la dernière frontière de la science médicale. Le cerveau humain est le lieu de milliers de mystères inexpliqués. Ses complexités ne cessent d'étonner les chercheurs qui s'efforcent de découvrir les régions du cerveau qui sont responsables de la façon dont nous nous exprimons, vivons l'amour, apprenons à haïr ou exprimons notre créativité.

En raison de la complexité de la fonction neurologique, le cerveau est très sensible à l'inflammation silencieuse. Comme il n'est pas muni de récepteurs de la douleur, l'inflammation silencieuse peut s'y transformer en véritable inflammation (suffisante pour causer des douleurs dans d'autres parties de notre corps) sans que nous ayons la moindre idée de ce qui nous arrive. C'est ce qui rend les maladies neurologiques aussi terrifiantes. En général, on ne se rend compte de l'attaque inflammatoire que subit notre cerveau que lorsqu'il est trop tard. Une maladie irréversible s'y est déjà développée. Dans le cas de la démence causée par la maladie d'Alzheimer, par exemple, il est présentement impossible de conjurer cette attaque une fois que les dommages sont faits. De nouveaux médicaments peuvent ralentir la progression de cette maladie, mais ils ne peuvent pas ramener le cerveau à un état de fonctionnement normal.

La meilleure protection contre les lésions cérébrales est l'attaque. Autrement dit, il faut maîtriser l'inflammation silencieuse pendant toute sa vie. L'huile de poisson à fortes doses est le principal « médicament » anti-inflammatoire. Contrairement aux produits pharmaceutiques qui parviennent difficilement à traverser la barrière hémato-encéphalique, les acides gras oméga-3 à longue chaîne présents dans l'huile de poisson la traversent sans problème. En fait, 60 % du poids des matières sèches de notre cerveau se composent de gras, dont une bonne partie vient du DHA, une composante cruciale nécessaire à la conduction nerveuse, à la clarté de la vision et à la production d'énergie. C'est pourquoi notre grand-mère disait de l'huile de poisson qu'elle était la «nourriture du cerveau».

Si l'huile de poisson a une telle importance, est-il possible qu'une carence en huile de poisson puisse compromettre le fonctionnement du cerveau? Les gens qui souffrent d'inflammation silencieuse ne sont-ils pas plus susceptibles que d'autres de développer une maladie neurologique? La réponse à ces deux questions est un oui catégorique.

Des études démographiques déjà anciennes ont démontré que les gens qui vivent dans des pays où la consommation de poisson est très élevée (au Japon, par exemple) présentent les taux les plus bas au monde de troubles neurologiques, comme la dépression. Malgré ces données, la quantité d'huile de poisson dans le régime alimentaire américain a diminué de manière constante au cours du dernier siècle. Aux États-Unis, on estime que la consommation d'EPA et de DHA ne représente que 5 % de ce qu'elle était il y a cent ans. Pendant la même période, cependant, la consommation de gras oméga-6 pro-inflammatoire provenant d'huiles végétales a augmenté de manière radicale. À la lumière de ces faits, conjugués à une hausse alarmante du taux d'insuline, on peut facilement comprendre pourquoi les maladies neurologiques atteignent des sommets aux États-Unis. L'inflammation silencieuse dans le cerveau y est beaucoup plus prononcée qu'elle ne l'était autrefois!

Avec l'arrivée sur le marché de concentrés ultraraffinés d'EPA-DHA, nous disposons maintenant d'un moyen sûr d'en élever les taux dans notre cerveau. Si nous réussissons à élever suffisamment nos taux de ces acides gras anti-inflammatoires, nous pourrons réduire nos risques de développer une maladie mentale causée par l'inflammation silencieuse. Mieux encore, nous aurons peut-être enfin le pouvoir d'inverser les effets de ces maladies lorsqu'elles ont déjà altéré notre fonction mentale. Ces nouvelles catégories purifiées d'huile de poisson sont une bénédiction. Nous disposons enfin d'un produit que nous pouvons prendre en quantités suffisantes pour combattre l'inflammation silencieuse dans notre cerveau. Tout comme les personnes âgées retrouvent leur masse musculaire en faisant de l'haltérophilie, je crois que les personnes atteintes de troubles mentaux peuvent rétablir le fonctionnement normal de leur cerveau en suivant mes recommandations diététiques pour atteindre le régime anti-inflammatoire.

LA MALADIE D'ALZHEIMER

La maladie d'Alzheimer est la maladie que les gens redoutent le plus en vieillissant – ils ont peur que leur cerveau ne « lâche » avant leur corps. On estime qu'entre 1 et 5 % des Américains auront développé la maladie d'Alzheimer à l'âge de 65 ans, et que 50 % d'entre eux en souffriront à l'âge de 85 ans. En outre, on estime que d'ici l'année 2040, il y aura aux États-Unis 10 fois plus de lits dans les centres d'hébergement que dans les hôpitaux. Allez dans une maison d'hébergement (plus particulièrement une maison pour patients souffrant d'Alzheimer) et vous aurez une idée de ce que l'avenir vous réserve.

Malheureusement, il n'existe pas encore de médicaments capables de guérir la maladie d'Alzheimer à un stade précoce ou modérément avancé. Les médicaments censés ralentir la progression de la maladie ne se sont pas montrés très efficaces lorsqu'ils ont été testés dans le cadre d'études indépendantes non financées par les compagnies pharmaceutiques. Mais nous savons que la maladie d'Alzheimer est une affection inflammatoire, et c'est cette connaissance qui nous fournit notre meilleure arme pour lutter contre elle.

On croit que la maladie d'Alzheimer résulte de la formation dans le cerveau de plaques amyloïdes semblables, à de nombreux égards, aux plaques qui bloquent les parois artérielles et finissent par provoquer des crises cardiaques. En fait, les personnes qui ont une susceptibilité génétique aux crises cardiaques courent aussi des risques beaucoup plus élevés de développer la maladie d'Alzheimer. Par conséquent, il est logique d'adopter une stratégie anti-inflammatoire pour prévenir à la fois la cardiopathie et la maladie d'Alzheimer. Il y a quelque 2300 ans, Hippocrate déclarait : « Ce qui est bon pour le cœur l'est probablement aussi pour le cerveau. »

Comme la réduction de l'inflammation a un effet bénéfique sur le cœur, elle devrait avoir un effet semblable sur le cerveau. Certaines données le suggèrent. En effet, des études épidémiologiques ont révélé que l'incidence de la maladie d'Alzheimer était plus faible chez les personnes qui prennent régulièrement des anti-inflammatoires.

Naturellement, je ne vous recommande pas de prendre des anti-inflammatoires non stéroïdiens de manière permanente en raison de leurs effets secondaires (voir le chapitre 12 pour plus de détails). Mais existe-t-il des mesures diététiques pouvant réduire les probabilités de développer la maladie d'Alzheimer ? Consultons les données scientifiques. Des études démographiques ont montré que les personnes de plus de 85 ans qui consomment les plus fortes quantités de poisson ont 40 % moins de risques de développer la maladie d'Alzheimer que celles qui ne mangent pas de poisson. En outre, des autopsies pratiquées sur des patients morts de la maladie d'Alzheimer ont révélé que le cerveau de ces patients contenait 30 % de DHA en moins que le cerveau de patients décédés d'autres maladies. Selon des données provenant de la *Framingham Heart Study,* une étude phare, les risques de développer la maladie d'Alzheimer sont de 67 % plus élevés chez les patients qui ont les taux sanguins les plus faibles d'acides gras oméga-3 à longue chaîne. Enfin, selon une expérimentation, il appert que des suppléments de DHA peuvent améliorer la fonction cognitive des patients atteints d'Alzheimer. Ces mêmes suppléments ont également permis de réduire l'apparition rapide de lésions cérébrales chez des souris génétiquement conçues pour développer la maladie d'Alzheimer.

Les personnes qui consomment le plus d'acides gras oméga-6 pro-inflammatoires (comme ceux qui sont présents dans les huiles végétales) augmentent de 250 % leurs risques de développer la maladie d'Alzheimer, ce qui est assez inquiétant. Rappelez-vous que c'est une surconsommation de ces acides gras qui entraîne une plus forte production d'acide arachidonique. Ainsi, je n'ai pas besoin de chercher davantage pour affirmer, qu'en théorie, une production excessive d'eicosanoïdes pro-inflammatoires provoque une augmentation des risques de développer la maladie d'Alzheimer. J'avais émis l'hypothèse voulant que le bilan d'inflammation silencieuse des personnes atteintes d'Alzheimer soit plus élevé que celui de témoins normaux du même âge. Or, c'est exactement la conclusion à laquelle est arrivée une étude menée par Julie Conquer, à l'université de Guelph, au Canada. Le bilan d'inflammation silencieuse des patients atteints d'Alzheimer était presque deux fois plus élevé que celui des sujets sains. Ainsi, votre bilan d'inflammation silencieuse peut servir à prédire vos risques de développer la maladie d'Alzheimer. Mieux vaut prévenir que guérir ! En fait, des études récemment publiées indiquent que les hommes d'âge mûr ayant un taux élevé de protéine C-réactive (un marqueur moins précis de l'inflammation) ont 300 % plus de risques de développer la maladie d'Alzheimer 25 ans plus tard.

Combien d'EPA et de DHA devez-vous prendre pour contrer l'inflammation qui provoque la maladie d'Alzheimer ? Si vous êtes en bonne santé, prenez-en suffisamment (environ 2,5 grammes par jour) pour amener votre bilan d'inflammation silencieuse dans la plage optimale, soit entre 1,5 et 3. Si vous souffrez déjà de la maladie d'Alzheimer, vous devrez prendre une quantité d'huile de poisson beaucoup plus élevée afin d'atténuer les effets inflammatoires de la maladie. Les études que j'ai menées sur plus de 300 patients indiquent qu'une dose quotidienne de 20 grammes (l'équivalent de 3 cuillerées à soupe de concentrés ultraraffinés d'EPA-DHA) est nécessaire pour abaisser le bilan d'inflammation silencieuse des patients atteints d'Alzheimer. Pourquoi une aussi grande quantité ? Il semble que la maladie d'Alzheimer produise chez les personnes qui en sont atteintes une plus forte oxydation bêta des acides gras oméga-3, ce qui abaisse radicalement les taux d'EPA-DHA dans la circulation sanguine. Ces acides gras sont brûlés comme source d'énergie au lieu d'être emmagasinés dans les tissus où leurs propriétés anti-inflammatoires seraient utiles. Par conséquent, de très fortes doses orales de concentrés d'EPA-DHA sont nécessaires pour maintenir un taux sanguin de ces substances suffisamment élevé pour ramener le bilan d'inflammation silencieuse à un niveau approprié.

Le contrôle de l'insuline est un autre facteur clé dans le traitement (et la prévention) de la maladie d'Alzheimer. Il a été démontré que les neurones insulinorésistants constituent de puissants stimulateurs de production de plaques amyloïdes. Or, l'huile de poisson à fortes doses et le contrôle du taux d'insuline constituent les deux principaux moyens d'abaisser la concentration des marqueurs biologiques qui définissent le régime anti-inflammatoire.

En dernière analyse, votre meilleure protection contre cette maladie consiste à vous maintenir dans le régime anti-inflammatoire pour le restant de vos jours. Pour atteindre ce juste milieu, vous devez absorber beaucoup d'huile de poisson (la dose optimale étant déterminée par votre bilan d'inflammation silencieuse, mesuré périodiquement) et contrôler votre taux d'insuline afin d'empêcher l'exacerbation de votre inflammation silencieuse. Si vous présentez les premiers symptômes de la maladie d'Alzheimer ou s'il y a de graves antécédents de cette maladie dans votre famille, mon programme de vie dans le juste milieu sera votre meilleur remède, sinon votre seul espoir.

LA SCLÉROSE EN PLAQUES

Comme la maladie d'Alzheimer, la sclérose en plaques est étroitement associée à l'inflammation. Lorsqu'il y a sclérose en plaques, la membrane isolante qui enveloppe les cellules nerveuses se déroule en raison d'une inflammation permanente, ce qui rend plus difficile la transmission de leurs signaux. Bien que les scientifiques ne connaissent pas la cause moléculaire de la sclérose en plaques, ils s'entendent pour dire qu'il s'agit d'une maladie principalement stimulée par l'inflammation.

Comme toutes les maladies inflammatoires, la sclérose en plaques se caractérise par une surproduction d'eicosanoïdes pro-inflammatoires. Actuellement, le principal traitement consiste en injections hebdomadaires d'interféron bêta, qui agit comme une cytokine anti-inflammatoire. Cette approche se fonde sur l'hypothèse voulant que l'interféron bêta inhibe la synthèse de cytokines pro-inflammatoires (comme l'interféron gamma), ce qui, espère-t-on, ralentit la progression de la maladie. Malheureusement, ce médicament extrêmement coûteux n'est efficace que dans un tiers des cas. Mais on l'utilise, car c'est à peu près la seule intervention médicale connue pour traiter les patients atteints de sclérose en plaques.

Pour ces patients, l'huile de poisson à fortes doses est un traitement non pharmaceutique beaucoup plus prometteur. Les acides gras oméga-3 à longue chaîne sont des agents anti-inflammatoires qui peuvent traverser la barrière hémato-encéphalique; en outre, les patients atteints de sclérose en plaques ont de faibles taux de DHA dans le cerveau. On sait aussi que les acides gras oméga-3 à longue chaîne inhibent la production de cytokines pro-inflammatoires comme l'interféron gamma (de manière semblable à l'interféron bêta). Cela peut expliquer pourquoi les populations qui consomment le plus de poisson sont moins susceptibles de contracter la sclérose en plaques.

Une étude faite sur des patients atteints de sclérose en plaques était la seule façon de prouver la valeur de ces théories. Cette étude a été réalisée récemment en Norvège. Des patients atteints de sclérose en plaques ont reçu quotidiennement des suppléments d'huile de poisson à fortes doses pendant deux ans ; ils ont en outre pris trois ou quatre repas de poisson par semaine, réduit leur consommation de viande rouge et augmenté celle des fruits et des légumes. (Ces prescriptions ressemblent beaucoup au régime du juste milieu.)

À la fin de la première année, le bilan d'inflammation silencieuse moyen des patients était passé de 6 à 1,5 (le niveau observé dans la population japonaise) et il s'est maintenu à ce niveau pendant toute l'année suivante. Le nombre de crises de sclérose en plaques de ces patients a diminué de 90 % au cours de la première année. Au bout de deux ans, le taux d'incapacité des patients avait diminué de 25 %, ce qui signifie qu'ils avaient regagné une partie importante de leur mobilité. Comme l'état des patients atteints de sclérose en plaques ne s'améliore généralement pas avec le temps, ces résultats sont assez remarquables et représentent peut-être la première preuve attestant que l'on peut inverser la progression de la sclérose en plaques, du moins partiellement.

LE TROUBLE DÉFICITAIRE DE L'ATTENTION

Ces dernières années, on a beaucoup parlé du trouble déficitaire de l'attention, qui a pris des proportions épidémiques aux États-Unis. Selon les estimations, il frappe de 3 à 5 % des enfants. Bien qu'il y ait six types de troubles déficitaires de l'attention, y compris le déficit d'attention avec hyperactivité, je traite tous les six indistinctement, car tous les sujets atteints de ce trouble ont en commun la déficience d'un neurotransmetteur, la dopamine. Des médicaments comme le Ritalin, qui élèvent la production de dopamine, sont communément prescrits pour maîtriser la maladie. Comme l'huile de poisson à fortes doses élève aussi le taux de dopamine, il est sensé de croire qu'elle peut atténuer le trouble déficitaire de l'attention et remplacer les médicaments.

Bon nombre de mes idées sur le trouble déficitaire de l'attention découlent de mon association avec deux collègues, Ned Hallowell, autorité très respectée en matière de traitement du trouble déficitaire de l'attention chez les enfants, et Dan Amen, qui a fait des recherches de pointe à l'aide de scintigraphies cérébrales. Dan Amen tentait de définir les différents types de troubles déficitaires de l'attention en repérant les différences dans la circulation du sang vers le cerveau (à l'aide d'une technique d'imagerie spécialisée appelée tomographie par émission de photon unique). Il semble que la circulation sanguine est altérée dans certaines régions du cerveau. Une autre observation intéressante a révélé que la gravité du trouble déficitaire de l'attention est directement liée au taux d'inflammation dans le sang, que l'on peut mesurer à l'aide du bilan d'inflammation silencieuse. Les enfants souffrant du trouble déficitaire de l'attention ont un bilan d'inflammation silencieuse beaucoup plus élevé que les enfants qui n'en souffrent pas. En conséquence, le problème que pose le trouble déficitaire de l'attention est beaucoup plus complexe qu'une simple insuffisance de dopamine dans le cerveau.

On traite surtout le trouble déficitaire de l'attention à l'aide de médicaments comme le Ritalin, qui augmente le taux de dopamine. Mais ce manque de dopamine n'est-il pas un symptôme secondaire d'une inflammation silencieuse plus forte ? On sait, d'après des expériences sur des animaux, que les acides gras oméga-3 à longue chaîne élèvent à la fois le taux de dopamine et le nombre de récepteurs de dopamine dans le cerveau. Le trouble déficitaire de l'attention pourrait donc être plus étroitement lié à une carence alimentaire (manque d'EPA et de DHA alimentaires) qu'à une affection médicale ou psychologique. Cette hypothèse est en corrélation avec des études sur des animaux qui indiquent qu'au bout de trois générations les carences en acides gras oméga-3 entraînent des troubles cognitifs et comportementaux chez les rejetons. Aujourd'hui, les enfants représentent la troisième génération d'Américains qui ont reçu une alimentation procurant beaucoup moins d'acides gras oméga-3 à longue chaîne. Selon les premières études publiées, l'administration de petites quantités d'EPA et de DHA à des enfants souffrant du trouble déficitaire de l'attention améliore généralement leur comportement. Dans le cadre de mes études pilotes sur des enfants souffrant de ce trouble, je devais souvent leur faire prendre 15 grammes par jour d'EPA et de DHA pour ramener leur bilan d'inflammation silencieuse à 2. Lorsque leur bilan d'inflammation silencieuse revenait à ce niveau, leurs troubles comportementaux étaient aussi bien contrôlés que s'ils avaient pris du Ritalin. Contrairement au Ritalin, cependant, qui ne fait que traiter les symptômes de la maladie, l'huile de poisson à fortes doses semble s'attaquer à la cause sous-jacente de la maladie : l'inflammation silencieuse.

Si les enfants qui souffrent du trouble déficitaire de l'attention ont besoin de beaucoup d'EPA et de DHA, c'est parce que, comme les personnes atteintes d'Alzheimer, ils métabolisent trop rapidement les acides gras oméga-3. Des données récentes ont confirmé cette hypothèse. Mais comment pouvez-vous convaincre votre enfant de prendre tous les jours d'aussi fortes doses d'huile de poisson ? C'est simple, préparez-lui un lait frappé pour le cerveau (décrit à la page 103). Il devra en prendre deux par jour pour obtenir suffisamment d'EPA et de DHA pour abaisser son bilan d'inflammation silencieuse. Les laits frappés pour le cerveau ont aussi l'avantage de stabiliser le taux de glucose sanguin. D'autres suggestions pour faciliter la consommation d'huile de poisson sont données aux pages 101 et 102. Un avertissement important : aussitôt qu'on réduit l'apport en huile de poisson, le bilan d'inflammation silencieuse recommence à augmenter et les améliorations comportementales s'estompent rapidement.

LA MALADIE DE PARKINSON

La maladie de Parkinson présente certaines similarités avec la maladie d'Alzheimer et le trouble déficitaire de l'attention. Il s'agit d'une affection neurologique inflammatoire située dans une partie spécialisée du cerveau, la substance noire, et qui se caractérise par une perte de dopamine. La maladie de Parkinson est l'une des maladies neurologiques les plus redoutées, car le malade conserve toutes ses facultés mentales dans un corps qui ne répond plus à ses ordres. Bref, l'esprit de la personne atteinte est emprisonné dans un corps qui devient de plus en plus dysfonctionnel.

Malheureusement, il n'est pas aussi facile qu'on pourrait le croire de remplacer la dopamine manquante dans le cerveau en prenant cette substance oralement. Les premiers résultats notoires obtenus par le Dr Oliver Sacks, qui a administré de la dopamine alimentaire à des patients (qui présentaient des symptômes extrêmes de la maladie de Parkinson sans souffrir véritablement de cette maladie), ont été décrits dans le livre *L'éveil*, ainsi que dans le film qui en a été tiré. En quelques semaines seulement, des personnes qui étaient restées pendant longtemps immobiles et incapables de parler – coincées dans un corps inerte comme dans une tombe – ont recommencé à bouger et à s'ouvrir au monde. Malheureusement, les effets secondaires de cette substance, notamment des tremblements incontrôlés et d'autres problèmes neurologiques, en ont fait un choix impossible pour le traitement à long terme de cette maladie chronique.

De nos jours, on entend souvent parler de nouveaux traitements potentiels, comme l'implantation dans le cerveau de cellules souches censées devenir, en théorie, de nouvelles cellules nerveuses – et non, espère-t-on, des cellules cancéreuses. Mais ces traitements, qui seront sans doute efficaces, ne seront pas au point avant des dizaines d'années. Je crois donc qu'il est plus sûr et sans doute plus prometteur d'opter pour une approche déjà à notre portée : la réduction de l'inflammation silencieuse dans le cerveau.

Je dois mon optimisme aux résultats que j'ai observés chez certains patients au cours des trois dernières années. L'un de ces cas est particulièrement intéressant. Un nageur de classe internationale, âgé de 55 ans, est venu me consulter après avoir reçu un diagnostic de maladie de Parkinson. Au cours de sa carrière, il a établi de nombreux records mondiaux dans des compétitions très importantes, et il n'était pas prêt à céder à la maladie. Je lui ai immédiatement recommandé de prendre de l'huile de poisson à fortes doses (soit une dose quotidienne d'environ 15 grammes d'EPA-DHA) et de suivre à la lettre le régime du juste milieu. Aujourd'hui, il nage encore plus vite qu'il y a trois ans, et lorsqu'il s'est rendu récemment en Utah pour suivre des cours de ski pour la première fois de sa vie, son instructeur lui a dit qu'il n'avait jamais vu un débutant posséder autant d'équilibre. Pas mal pour une personne atteinte de la maladie de Parkinson !

LA DÉPRESSION

La dépression clinique est une affection débilitante. La personne qui est frappée par la dépression cesse d'apprécier toutes les choses auxquelles elle prenait autrefois plaisir. Elle peut même avoir peine à évoquer avec bonheur les bons moments du passé. Elle perd toute motivation et devient incapable d'envisager l'avenir – et même le lendemain.

Les cas de dépression ont considérablement augmenté au cours du dernier siècle, et près de 20 millions d'Américains en sont présentement affligés. Or, tout comme l'augmentation de l'incidence du trouble déficitaire de l'attention, la plus forte incidence de dépression est corrélée de manière très frappante avec la diminution, au cours de la même période, de la consommation de poisson et d'huile de poisson.

Les recherches en psychiatrie ont permis d'établir, il y a de nombreuses années, que la dépression est souvent associée à une carence en sérotonine, un neurotransmetteur. En fait, les compagnies pharmaceutiques ont gagné des milliards grâce à l'élaboration de médicaments qui élèvent le taux de sérotonine, comme le Prozac, le Paxil et le Zoloft, que tout le monde connaît. Des recherches plus récentes ont démontré que même les personnes qui ne sont pas déprimées voient leur humeur s'améliorer quand elles prennent ces médicaments.

Vous n'auriez jamais pensé que la dépression pouvait être une maladie inflammatoire, n'est-ce pas ? Pourtant, le bilan d'inflammation silencieuse permet de déterminer la gravité de la dépression. Les personnes qui présentent un taux élevé d'inflammation silencieuse souffrent des formes les plus graves de la dépression. Entre autres effets bénéfiques étonnants, l'huile de poisson à fortes doses élève le taux de sérotonine, comme elle élève le taux de dopamine. Ce fait est d'ailleurs confirmé par des données épidémiologiques qui montrent que les populations qui consomment beaucoup de poisson, comme les Inuits du Groenland et les Japonais, ont un très faible taux de dépression. En fait, le taux de dépression au Japon ne représente qu'une fraction minime des taux observés aux États-Unis et dans les pays où la consommation de poisson est minimale. En Nouvelle-Zélande, par exemple, le pays industrialisé où les gens mangent le moins de poisson, le taux de dépression est 50 fois plus élevé qu'au Japon. (Les Néo-Zélandais consomment de très fortes quantités d'acides gras oméga-6 pro-inflammatoires.) Au Groenland, les Inuits, qui consomment tous les jours entre 7 et 10 grammes d'acides gras oméga-3 anti-inflammatoires à longue chaîne, ne connaissent à peu près pas la dépression, malgré leurs conditions de vie déprimantes et le manque de lumière solaire pendant les mois d'hiver. Enfin, des études cliniques réalisées en Europe indiquent que plus les taux sanguins d'acides gras oméga-3 sont faibles, plus l'incidence de dépression augmente.

Une des raisons qui justifie une plus forte consommation d'acides gras oméga-3, c'est qu'elle atténue la dépression en réduisant le taux d'acide arachidonique dans l'organisme, ce qui entraîne une diminution de la production d'eicosanoïdes pro-inflammatoires, comme la prostaglandine E_2, présente dans le fluide spinal en quantités beaucoup plus fortes chez les patients déprimés que chez des témoins sains.

Tous ces résultats de recherche ne fournissent que des indices. Il a fallu attendre une expérience menée par Andrew Stoll et ses collègues, à la faculté de médecine de l'université Harvard, pour avoir des preuves concrètes. Lors de cette expérience, un groupe de patients souffrant de dépression bipolaire ont reçu environ 10 grammes par jour d'EPA-DHA (environ 4 c. à café (4 c. à thé) de concentrés ultraraffinés d'EPA-DHA), tandis qu'un autre groupe recevait un placebo contenant de l'huile d'olive. Quatre mois après le début de l'expérimentation qui devait durer neuf mois, les chercheurs y ont mis fin, estimant que les différences entre les deux groupes étaient tellement marquées qu'il serait, sur le plan éthique, inacceptable de la poursuivre. Les symptômes des patients du groupe qui prenait de l'huile de poisson s'étaient stabilisés de manière significative, tandis que ceux des patients de l'autre groupe s'étaient considérablement aggravés. Des études semblables ont confirmé les bienfaits de l'administration d'huile de poisson à des patients cliniquement déprimés (qui ne souffraient pas de dépression bipolaire). Une amélioration de leur humeur est survenue au bout de trois semaines seulement.

Aussi impressionnants que soient ces résultats, je crois qu'ils auraient pu être meilleurs encore si les chercheurs de Harvard avaient contrôlé le taux d'insuline des patients grâce au régime du juste milieu, tout en augmentant leurs doses d'huile de poisson jusqu'à ce qu'ils atteignent le juste milieu anti-inflammatoire – ce qu'ils auraient pu vérifier à l'aide du bilan d'inflammation silencieuse. Un taux d'insuline plus faible aurait abaissé encore davantage la production d'acide arachidonique, ce qui aurait amplifié les bienfaits des suppléments d'huile de poisson à fortes doses.

LA SCHIZOPHRÉNIE

La schizophrénie, qui se caractérise par des hallucinations, des délires, des voix intérieures et des comportements bizarres, a toujours été redoutée. Avec l'apparition de nouveaux médicaments, elle semble maintenant « contrôlable ». Cependant, ces médicaments ne sont pas efficaces chez tous les patients, et bon nombre d'entre eux refusent de les prendre en raison d'effets secondaires très désagréables, comme la suppression de la personnalité et la perte de créativité.

La cause de la schizophrénie demeure inconnue, et l'action des médicaments utilisés pour la soigner demeure nébuleuse. On sait toutefois que les schizophrènes ont un très faible taux sanguin d'acides gras oméga-3, comparativement à des sujets sains. Les premières tentatives faites pour atténuer la schizophrénie à l'aide de suppléments d'acides gras oméga-3 uniquement n'ont donné que des résultats mitigés. Les suppléments d'EPA semblaient avoir un effet bénéfique, mais les suppléments de DHA se révélaient relativement inefficaces. C'est ce qui explique pourquoi il faut utiliser une combinaison de ces deux suppléments pour traiter les maladies neurologiques. L'EPA a des propriétés anti-inflammatoires, tandis que le DHA fournit les propriétés structurelles nécessaires à un fonctionnement optimal du cerveau. Pour traiter les troubles neurologiques, utiliser de l'EPA sans DHA, ou vice versa, est une recette nutritionnelle vouée à l'échec.

Naturellement, il faut se demander si les chercheurs ont utilisé des doses d'EPA et de DHA suffisamment élevées pour obtenir des résultats valables. Toutes les études publiées portant sur la schizophrénie (comme presque toutes les expérimentations à l'aide d'huile de poisson) se fondent sur des doses hypothétiques d'huile de poisson plutôt que sur une augmentation de ces doses jusqu'à l'atteinte d'un bilan d'inflammation silencieuse approprié, mesuré par la composition sanguine.

L'AUTISME

Comme on peut s'y attendre, les personnes atteintes d'autisme affichent généralement les mêmes taux faibles d'EPA et de DHA et le même bilan d'inflammation silencieuse trop élevé que les personnes qui souffrent d'autres affections neurologiques. À ce jour, aucune expérimentation n'a été effectuée pour déterminer si des suppléments d'huile de poisson à fortes doses pouvaient apporter des améliorations comportementales. Compte tenu du lien qui existe entre les troubles mentaux, l'inflammation et les faibles taux d'acides gras oméga-3, je dirais que les enfants autistiques auraient, en théorie, intérêt à prendre des suppléments. Cependant, ils devraient absorber de fortes quantités d'EPA et de DHA (comparables aux doses que prennent les enfants souffrant du trouble déficitaire de l'attention) pour ramener leur bilan d'inflammation silencieuse à un niveau pouvant susciter des changements de comportement. Ici encore, des analyses sanguines périodiques seraient nécessaires pour ajuster les doses.

LA VIOLENCE

La violence n'est pas considérée comme une maladie mentale, mais de nombreuses personnes ont tendance à y recourir pour régler des problèmes dans leur vie quotidienne. Les comportements violents pourraient avoir une cause sous-jacente biologique qu'il serait possible de corriger en abaissant le bilan d'inflammation silencieuse. Il faut savoir que les animaux qui font preuve d'une agressivité anormale présentent généralement un faible taux sanguin de DHA. Des études ont également démontré que les prisonniers violents ont un plus faible taux sanguin de DHA que les prisonniers non violents. Lorsque des prisonniers reçoivent des suppléments d'huile de poisson, la violence diminue.

On sait maintenant que la violence et les jeux vidéo violents provoquent une augmentation du taux de dopamine. En conséquence, certaines personnes ont tendance à l'utiliser comme une sorte de médication pour augmenter leur niveau insuffisant de dopamine. D'autres études ont révélé qu'un taux de sérotonine trop peu élevé peut également contribuer à des comportements violents, dans la mesure où la sérotonine agit comme une hormone « moralisatrice » qui nous empêche de céder à nos impulsions. Si de faibles taux de neurotransmetteurs, comme la sérotonine et la dopamine, jouent un rôle important dans les comportements violents, il se pourrait que des suppléments d'huile de poisson à fortes doses, qui élèvent les taux de ces deux substances, puissent avoir un effet décisif sur la modification de ces comportements.

L'ALCOOLISME

L'alcoolisme est une maladie qui a une forte composante génétique et un lien très étroit avec la dépression et les autres troubles de l'humeur. Les personnes qui abusent de l'alcool constatent souvent que leur envie de boire l'emporte de loin sur les conséquences sociales négatives de leur compulsion.

Tous les gens qui boivent de l'alcool ne deviennent pas alcooliques. Cependant, les alcooliques ont souvent un taux sanguin d'acides gras oméga-3 moins élevé que les gens qui ne le sont pas. L'alcool épuise aussi les réserves de DHA dans le cerveau. Fait à souligner, l'alcool que consomme une femme enceinte épuise le DHA dans le cerveau du fœtus, ce qui peut mener au syndrome d'alcoolisme fœtal et à des dommages permanents au cerveau de l'enfant.

Les alcooliques affichent également un taux sanguin plus faible d'acide gammalinolénique (GLA), l'élément constituant des bons eicosanoïdes, ce qui suggère fortement qu'ils devraient combiner les suppléments d'huile de poisson à fortes doses avec de petites quantités de GLA, à raison de 10 mg environ par jour – ce qui atténuerait considérablement leur envie de consommer de l'alcool.

Pour traiter l'alcoolisme, le contrôle de l'insuline est tout aussi vital que l'ingestion d'huile de poisson à fortes doses, additionnée d'une petite quantité de GLA. Si jamais vous assistez à une réunion des Alcooliques anonymes, vous comprendrez cela dès que vous y verrez une table bien garnie de beignets. Les aliments sucrés sont une autre forme d'automédication qui contribue à maintenir le taux de glycémie. Lorsque l'insuline n'est pas contrôlée, cependant, les suppléments d'huile de poisson à fortes doses ont peu d'effets durables dans le traitement de l'alcoolisme. En suivant toutes les composantes du programme de vie dans le juste milieu, l'alcoolique repenti obtiendra tous les outils hormonaux dont il a besoin pour lutter contre ses mauvais gènes.

EN RÉSUMÉ

Atteindre le régime anti-inflammatoire est la meilleure façon d'épargner à votre cerveau de constantes attaques inflammatoires. Comme on ne ressent pas les « douleurs cérébrales », on n'a conscience des lésions au cerveau que lorsqu'il est trop tard. C'est pourquoi vous devez obtenir une mesure de votre bilan d'inflammation silencieuse, et la vérifier périodiquement pour vous assurer que vous vous maintenez dans le régime anti-inflammatoire. C'est votre meilleure stratégie pour échapper aux maladies que vous redoutez le plus – celles qui endommagent le cerveau et qui vous empêcheraient de vivre pleinement.

Chapitre 18
Des douleurs atroces

Tout au long de cet ouvrage, je n'ai cessé de parler de l'inflammation silencieuse et de son influence sur les maladies chroniques. L'inflammation silencieuse est et reste de l'inflammation. Si nous ne la sentons pas, c'est parce qu'elle reste sous le seuil de perception de la douleur. Mais qu'arrive-t-il quand l'inflammation devient suffisamment grave pour dépasser le seuil de la douleur? Des douleurs insoutenables se déclenchent. C'est le type classique d'inflammation que les médecins combattent depuis le tout début de la médecine moderne, qui remonte à plus de 2000 ans.

Les douleurs atroces que cause l'inflammation peuvent se manifester dans plusieurs affections. En général, les affections dont le nom se termine par le suffixe «ite» sont, au moins en partie, inflammatoires. En voici quelques exemples:

Description médicale	Site de l'inflammation
Arthrite	Articulations
Encéphalite	Cerveau
Pancréatite	Pancréas
Hépatite	Foie
Méningite	Cerveau
Bronchite	Poumons
Colite	Côlon
Gastrite	Estomac

Mais il y a d'autres maladies inflammatoires qui peuvent causer des douleurs insupportables, notamment:

- la fibromyalgie ;
- le syndrome de fatigue chronique ;
- la maladie de Crohn ;
- la phase terminale de nombreux cancers.

Les maladies liées à l'inflammation silencieuse dont j'ai déjà parlé (cardiopathie, maladie d'Alzheimer, cancer et autres) peuvent toutes provoquer des douleurs atroces lorsqu'elles causent des lésions suffisamment importantes aux organes. C'est à ce moment-là que les dommages de l'inflammation silencieuse dépassent le seuil de perception de la douleur et attirent finalement notre attention.

Comme vous le savez, la cause sous-jacente de la douleur est la surproduction d'eicosanoïdes pro-inflammatoires. On peut donc raisonnablement en conclure que l'atteinte du juste milieu anti-inflammatoire devrait être le premier choix pour soulager les douleurs chroniques. Pour ce faire, il faut d'abord déterminer quelle est la dose optimale d'huile de poisson qui doit être absorbée.

Mon insistance à vanter les vertus de l'huile de poisson à fortes doses comme panacée vous paraît peut-être suspecte – comme les discours des vendeurs d'huile de serpent l'étaient, au tournant du xxe siècle, pour ceux qui les écoutaient. Cependant, dès que l'on a compris que toutes les maladies chroniques (ou presque) incluant des douleurs insupportables sont causées par une surproduction d'eicosanoïdes pro-inflammatoires, on se rend compte que le besoin universel de prendre de l'huile de poisson à fortes doses pour atteindre le régime anti-inflammatoire est parfaitement logique sur le plan médical.

Au cours des siècles, l'une des failles principales dans le traitement de la douleur a été l'absence des mesures physiologiques nécessaires pour en évaluer la gravité. Les médecins se fiaient aux déclarations de leurs patients. Sans moyen clinique pour mesurer l'efficacité d'un traitement, la gestion de la douleur se rapprochait parfois du vaudou.

Or, le bilan d'inflammation silencieuse fournit toutes les informations nécessaires sur la cause sous-jacente de la douleur : la surproduction d'eicosanoïdes pro-inflammatoires.

ET POURQUOI PAS DE L'HUILE DE SERPENT ?

La commercialisation de l'huile de serpent originale était basée sur des données scientifiques valables. Prélevée sur les serpents de mer, cette huile médicinale a été apportée en Amérique par les immigrants chinois à la fin du XIXe siècle. Les serpents de mer se nourrissent uniquement de poissons. En conséquence, l'huile extraite de ces serpents était très riche en acide eicosapentaénoïque (EPA) et en acide docosahexaénoïde (DHA). En fait, la véritable huile de serpent contenait des concentrations plus élevées d'EPA et de DHA que l'huile de foie de morue. En raison de ses propriétés anti-inflammatoires, l'huile de serpent a sans doute été un des meilleurs « remèdes » de son temps. Sa mauvaise réputation vient du fait que des charlatans ont vendu des produits frelatés qui ne contenaient ni EPA ni DHA – tout en ayant un goût aussi horrible. (Tout cela fait penser aux premiers balbutiements de l'industrie de l'alimentation naturelle.) Les concentrés ultraraffinés d'EPA-DHA devraient être considérés comme la version du XXIe siècle de l'authentique huile de serpent.

Si les traitements anti-inflammatoires de votre médecin ne réussissent pas à abaisser votre bilan d'inflammation silencieuse, cela signifie tout simplement que vous traitez les symptômes de vos douleurs atroces et non leur cause. Par conséquent, elles deviennent chroniques et vous devez vivre avec les coûts toujours plus élevés des médicaments anti-inflammatoires, et avec les effets secondaires qui y sont associés.

LE PROBLÈME DES MÉDICAMENTS ANTI-INFLAMMATOIRES

Bien qu'il semble parfaitement sensé de traiter les douleurs insupportables à la source (taux excessif d'acide arachidonique AA), l'industrie pharmaceutique a concentré toute son attention sur la réduction des dommages collatéraux que cause l'excès d'AA. Elle a, plus particulièrement, mis au point des médicaments qui inhibent les enzymes de synthèse des eicosanoïdes pro-inflammatoires dérivés de l'AA. Ce type de procédé, c'est comme appeler les pompiers une fois la maison incendiée. Comme je l'ai mentionné dans un chapitre précédent, cette approche s'appelle *agir en aval*. C'est le mode d'action de l'aspirine et d'autres anti-inflammatoires non stéroïdiens (AINS). Les médicaments antidouleur les plus puissants, cependant, sont les corticosté-roïdes. Ils traitent la douleur *en amont* en prévenant la libération de l'acide arachidonique des membranes. Malheureusement, les corticostéroïdes inhibent aussi la libération de l'acide dihomogammalinolénique (DGLA) et de l'EPA. Il est vrai que les corticostéroïdes ont des effets analgésiques immédiats, mais ils détruisent, sans discrimination, tous les eicosanoïdes (« bons » et « mauvais »). C'est pourquoi l'usage prolongé de corticostéroïdes peut provoquer des effets secondaires graves, comme l'affaiblissement du système immunitaire, les troubles cognitifs et l'insulinorésistance. En fait, si les corticostéroïdes sont actuellement les médicaments de dernier recours pour lutter contre la douleur, c'est en raison de leurs effets secondaires.

Imaginons que vous puissiez remonter plus loin encore en amont pour traiter les douleurs atroces, mais sans provoquer les effets secondaires indésirables des corticostéroïdes. Pour ce faire, il faut abaisser le taux d'acide arachidonique des membranes sans influencer leurs taux de DGLA et d'EPA, ce qui réduit la production d'eicosanoïdes pro-inflammatoires sans inhiber les puissants eicosanoïdes anti-inflammatoires. Cette méthode est peut-être un outil exceptionnellement puissant pour lutter contre la douleur et pratiquement toutes les maladies qui ont une composante inflammatoire. Voilà où réside le pouvoir des concentrés ultraraffinés d'EPA-DHA : ils agissent de concert avec tous les médicaments anti-inflammatoires, car ils interviennent en amont, alors que les médicaments le font en aval. L'utilisation de concentrés ultraraffinés d'EPA-DHA représente simplement une méthode beaucoup plus élégante de traiter tant les douleurs insupportables que les maladies chroniques. Les compagnies pharmaceutiques, elles, sont très nerveuses au sujet des concentrés ultraraffinés d'EPA-DHA, et cela pour deux raisons. Premièrement, les concentrés d'EPA-DHA représentent une façon bien plus rationnelle de traiter l'inflammation que les médicaments actuels. Deuxièmement, les concentrés d'EPA-DHA ne peuvent pas être brevetés.

L'atteinte du juste milieu anti-inflammatoire est la condition préalable à tout traitement contre les douleurs atroces. Une fois que vous l'aurez atteint, vous aurez réduit le taux d'acide arachidonique dans chacune de vos 60 billions de cellules et, par la même occasion, coupé l'approvisionnement des matières premières qui entrent dans la fabrication d'eicosanoïdes pro-inflammatoires. Il a été démontré que l'huile de poisson à fortes doses permet d'atténuer de manière significative certaines maladies douloureuses. Voyons quelques-unes de ces maladies.

L'ARTHRITE

Le premier article publié dans une revue scientifique sur les bienfaits de l'huile de poisson à fortes doses remonte à 1775. L'huile utilisée dans l'étude était une forme grossière d'huile de foie de morue. Les patients qui réussissaient à en supporter le goût horrible voyaient leurs douleurs diminuer de manière spectaculaire. D'autres, trouvant l'huile trop répugnante, se tournaient vers des élixirs anti-inflammatoires plus agréables au goût (mais beaucoup moins efficaces), comme l'alcool (n'oubliez pas que l'alcool a certaines propriétés anti-inflammatoires), pour soulager leur arthrite.

Aujourd'hui, plus de deux siècles plus tard, l'huile de poisson revient sur l'avant-scène comme remède contre l'arthrite. Durant les années 1980, des découvertes positives ont valu à l'huile de poisson la réputation de « nouvelle » cure miracle contre l'arthrite. Comme l'huile de poisson est plus raffinée et présentée sous forme de gélules, elle est beaucoup plus facile à avaler qu'autrefois. Les premières études consacrées à ce sujet n'utilisaient qu'entre 3 et 4 grammes d'acides gras oméga-3 à longue chaîne, ce qui explique leurs résultats positifs mais non spectaculaires. Premièrement, la dose était trop faible pour modifier significativement le taux d'acide arachidonique. Deuxièmement, l'écart entre la dose prise oralement et la dose absorbée dans la circulation sanguine était très variable. C'est pourquoi le bilan d'inflammation silencieuse joue un rôle aussi important dans la détermination de la dose adéquate.

LES MALADIES AUTO-IMMUNES

L'huile de poisson à fortes doses peut également soulager les maladies auto-immunes, caractérisées par une agression du système immunitaire contre l'organisme – comme si cette agression était faite par un corps étranger. La sclérose en plaques, par exemple, réagit bien à l'huile de poisson à fortes doses, ainsi que je l'ai expliqué au chapitre 17. Le lupus, maladie très grave qui peut causer une défaillance rénale et de nombreux autres problèmes, peut aussi être soulagé grâce aux suppléments d'huile de poisson à fortes doses. Lorsque des souris élevées dans le but précis de développer un lupus recevaient des suppléments d'huile de poisson à fortes doses, leur longévité dépassait de beaucoup leur espérance de vie normale. Plus intéressant encore, les injections d'eicosanoïdes anti-inflammatoires empêchaient toute progression de la maladie chez ces animaux, même lorsque cette maladie était bien incrustée.

La néphropathie IgA est une autre maladie auto-immune dans laquelle le système immunitaire s'attaque aux reins. Des études à long terme ont démontré que l'huile de poisson à fortes doses réduit considérablement les risques de défaillance rénale chez les patients qui en prennent, comparativement à ceux qui reçoivent un placebo. N'oubliez pas que l'huile de poisson agit non seulement comme modulateur des eicosanoïdes proinflammatoires, mais aussi comme inhibiteur de diverses cytokines inflammatoires, comme l'Il-6 et le facteur de nécrose des tumeurs (TNF). En fait, l'huile de poisson à fortes doses est utilisée comme traitement de première ligne contre les douleurs insupportables parce qu'elle a, avant tout, le pouvoir d'abaisser les taux d'une vaste gamme de médiateurs inflammatoires (eicosanoïdes et cytokines).

LES DOULEURS ASSOCIÉES AU CANCER EN PHASE TERMINALE

Bien que le cancer soit causé par l'inflammation silencieuse, sa phase terminale se caractérise par des douleurs très intenses. Ces douleurs obligent habituellement les patients à prendre de puissants narcotiques, qui leur embrouillent l'esprit et rendent difficile toute communication avec leurs êtres chers. S'ils en avaient le choix, la plupart des patients préféreraient mourir à la maison, entourés de leur famille et de leurs amis, dans la dignité, avec leurs facultés mentales intactes. Au lieu de cela, ils sont souvent condamnés à mourir dans un hôpital et dans un état de stupeur médicamenteuse.

C'était le dilemme auquel était confronté Akira, le père d'un de mes bons amis. Akira avait 85 ans quand il a reçu un diagnostic de cancer du pancréas inopérable. L'organisation de soins intégrés de santé (OSIS) lui a annoncé qu'il recevrait des doses élevées de narcotiques pour soulager la douleur qui ne manquerait pas d'apparaître. Plutôt que de finir sa vie de cette façon, il a choisi l'alternative. Il a commencé à prendre de l'huile de poisson à fortes doses (environ 30 grammes d'EPA et de DHA par jour). Chaque semaine, l'infirmière de l'OSIS lui demandait s'il voulait ses narcotiques, car la douleur était censée être très intense. Mais il n'en était rien : il était faible et se sentait très fatigué, mais il ressentait très peu de douleur. Il est mort sans souffrances, chez lui, en pleine possession de ses facultés mentales et entouré de sa famille. C'est de cette façon que toute vie devrait se terminer.

Comme j'en ai discuté précédemment, la cachexie est une autre manifestation des douleurs insoutenables qu'endurent les patients cancéreux en phase terminale. L'huile de poisson à fortes doses (environ 18 grammes par jour) demeure le seul traitement connu pour réduire la cachexie. Elle freine la production d'une cytokine pro-inflammatoire appelée facteur de nécrose des tumeurs (TNF). Il s'agit de la même cytokine pro-inflammatoire dont le taux peut être réduit grâce à des injections du médicament Enbreal. La réduction du TNF et le soulagement de la douleur qui en résulte ont fait de l'Enbreal le médicament anti-arthrite le plus vendu (plus de 500 millions de dollars en 2003). Dommage que ces patients ne se rendent pas compte que l'huile de poisson à fortes doses est moins coûteuse et beaucoup plus facile à prendre (dans le « lait frappé pour le cerveau ») et moins pénible que les injections d'Enbreal. Il est évidemment très peu probable que les compagnies pharmaceutiques les en informent.

LES DOULEURS LIÉES AU SPORT

Les athlètes de haut niveau souffrent souvent de douleurs atroces en raison des exigences de l'entraînement et de la compétition. C'est la raison pour laquelle les anti-inflammatoires sont les médicaments les plus prescrits en médecine sportive. Les athlètes de haut niveau seraient incapables de s'entraîner sans eux.

Examinons par exemple le cas d'un nageur d'élite italien, Lorenzo Vismara. À l'âge de 26 ans, Lorenzo avait de constantes blessures inflammatoires. Ses entraîneurs avaient consulté en vain tous les spécialistes de médecine sportive d'Europe dans l'espoir de trouver une solution à ce grave problème. Ils étaient sur le point d'abandonner et avaient même informé Lorenzo que ses jours au sein de l'équipe nationale étaient comptés…

En désespoir de cause, ils se sont tournés vers un de mes collègues italiens, le Dr Riccardo Pina. Le Dr Pina a rapidement analysé le problème et pointé du doigt l'alimentation de Lorenzo comme cause de ses souffrances. À l'instar de nombreux athlètes de haut niveau, Lorenzo pensait que son estomac était un haut fourneau et qu'il pouvait manger tout ce qui lui plaisait, puisqu'il brûlerait le tout en nageant.

Or, le régime à charge glycémique élevée que consommait Lorenzo alimentait son inflammation silencieuse, qui en était arrivée à un stade où elle lui causait des douleurs atroces. Lorenzo a immédiatement été mis au régime du juste milieu (à l'italienne, bien sûr) additionné d'huile de poisson à fortes doses (7,5 grammes d'EPA et de DHA par jour). Après un mois, tant son bilan d'inflammation silencieuse que ses performances athlétiques ont commencé à s'améliorer. Un an plus tard, Lorenzo a fracassé sept records nationaux en une seule compétition sportive. Pas mal pour un nageur qui avait presque été chassé de l'équipe nationale un an auparavant !

L'équipe nationale de basket-ball d'Italie a elle aussi fait appel au Dr Pina. Les spécialistes prédisaient qu'elle se classerait dernière au championnat de qualification européen en vue des Jeux olympiques de 2004. Les joueurs n'avaient donc rien à perdre. L'équipe a adopté le même régime que Lorenzo. Six mois plus tard, l'équipe d'Italie se qualifiait pour les Olympiques en finissant troisième au championnat d'Europe. L'Italie a ensuite battu l'équipe américaine, composée d'étoiles de la NBA, par plus de 20 points lors d'un match amical préolympique. Enfin, l'équipe de basket-ball italienne a remporté la médaille d'argent, à la grande surprise de toute la communauté internationale du basket-ball, aux Jeux olympiques d'Athènes en 2004. Au lieu d'être « cool » à tout prix, les athlètes (surtout ceux qui souffrent de douleurs chroniques) devraient faire ce qu'il faut pour atteindre le régime anti-inflammatoire.

MA PRESCRIPTION CONTRE LES DOULEURS INSOUTENABLES

Les douleurs insupportables requièrent un traitement immédiat, plus précisément une approche en deux volets. Premièrement, prenez un anti-inflammatoire en vente libre, comme de l'aspirine ou un AINS, pour un soulagement rapide de la douleur. Deuxièmement, étape beaucoup plus importante, faites tous les efforts imaginables pour vous rapprocher le plus possible du juste milieu anti-inflammatoire. Je vous suggère de commencer par une dose quotidienne d'environ 7,5 grammes d'EPA et de DHA (cela équivaut à une cuillerée à soupe de concentré ultraraffiné d'EPA-DHA) pour réduire le taux d'acide arachidonique (AA) dans vos membranes. Ce serait également le moment de faire un bilan d'inflammation silencieuse, mais vous voulez sans doute, en premier lieu, commencer par éradiquer la douleur. Même avec cette dose d'huile de poisson, vous devrez attendre environ 30 jours avant de constater une réduction de votre taux d'AA. Après 30 jours, réduisez graduellement votre dose d'anti-inflammatoire tout en continuant à prendre la même dose d'huile de poisson. Puis, au bout de deux semaines, commencez à réduire votre dose d'huile de poisson jusqu'à ce que votre douleur réapparaisse. Idéalement, l'huile de poisson devrait à elle seule maîtriser la douleur, mais en réalité vous devrez peut-être prendre une combinaison d'anti-inflammatoire à faible dose et d'huile de poisson à fortes doses pour y arriver. Vous devriez obtenir un bilan d'inflammation silencieuse tous les six mois afin de vous assurer que vous prenez des quantités adéquates d'EPA et de DHA pour contrôler votre taux d'AA.

EN RÉSUMÉ

La douleur chronique est débilitante et prive ceux qui en souffrent de nombreux plaisirs de la vie. La cause qui se cache à la racine du problème est un excès d'acide arachidonique, qui provoque une surproduction d'eicosanoïdes pro-inflammatoires. Au lieu de prendre, à long terme, des médicaments anti-inflammatoires qui abordent le problème en aval, pro-cédez plutôt en amont en vous attaquant à sa cause (l'excès d'AA). Votre corps vous en sera éternellement reconnaissant.

QUATRIÈME PARTIE
Que nous réserve l'avenir ?

Chapitre 19
Qui doit porter le blâme pour l'épidémie d'inflammation silencieuse ?

Aujourd'hui, les Américains dépensent en soins de santé plus d'argent que tous les autres peuples au monde, et les résultats sont désolants. Qu'on utilise pratiquement n'importe quel marqueur de santé nationale, les États-Unis font piètre figure lorsqu'on les compare à d'autres pays industrialisés. À mon avis, ces résultats sont attribuables à l'épidémie d'inflammation silencieuse qui sévit dans notre société. On se pose inévitablement la question : qui doit porter le blâme pour cette augmentation considérable de l'inflammation silencieuse et pour ses conséquences néfastes sur notre état de santé ?

LA TECHNOLOGIE

L'ironie dans tout cela, c'est que le coupable pourrait bien être la technologie. Nous sommes devenus accros à la technologie. C'est vrai qu'elle augmente la productivité, mais elle réduit, par contre, le temps disponible pour de simples activités humaines, comme préparer des repas équilibrés sur le plan hormonal et avoir le temps de les manger sans se presser. Nous sommes la génération du prêt-à-manger, et je ne fais pas seulement allusion à McDonald's et à Pizza Hut. La même technologie nous a également offert le gruau instantané qui cuit en 1 minute au lieu de 30. Je fais aussi référence aux céréales du petit déjeuner, aux sandwichs sous cellophane du lunch et aux dîners surgelés que l'on peut réchauffer en quelques secondes au four à micro-ondes. La vraie cuisine faite à partir d'ingrédients crus est un art qui se perd aux États-Unis, tout simplement parce que nous manquons de temps.

En conséquence, un nombre croissant d'Américains mangent à l'extérieur faute de temps pour préparer leurs repas. Les restaurants minute existent parce qu'on y mange rapidement, mais c'est aussi le cas dans les autres restaurants, à peu de choses près. Nous prenons donc plus de la moitié de nos repas à l'extérieur. Tous les restaurants cherchent à plaire à leurs clients dans l'espoir de les voir revenir. La façon la plus facile d'offrir de grosses portions consiste à utiliser les ingrédients les moins coûteux, soit beaucoup de grains, de féculents et de gras ajouté (principalement sous forme d'acides gras oméga-6 pro-inflammatoires) comme agent de sapidité des aliments. Nous sommes devenus les victimes de notre succès dans le domaine agroalimentaire. Nous avons les aliments les moins coûteux au monde, ce qui nous porte à manger plus souvent et en plus grandes quantités.

NOS GÈNES

Des technologies nouvelles en constante évolution augmentent sans cesse notre productivité. Or, comme je l'ai dit au chapitre 2, nos gènes, eux, sont stables, bien enracinés dans notre lointain passé. Nous nous rendons compte aujourd'hui qu'il existe des liens inextricables entre nos gènes et nos systèmes hormonaux. Ils travaillent de concert non seulement pour contrôler le flux de gras entreposé dans notre organisme, mais aussi pour maintenir un taux adéquat de réactions inflammatoires. Ces systèmes ont évolué quand les humains avaient un régime à charge glycémique faible, riche en protéines et en acides gras oméga-3 à longue chaîne (un régime paléolithique) et relativement constant. Malheureusement, ces liens entre les hormones et l'alimentation ont été sabotés par les changements diététiques d'aujourd'hui.

Vous n'êtes pas sans savoir que notre survie en tant qu'espèce dépend de notre capacité d'emmagasiner les calories excédentaires sous forme de gras pour que nous puissions survivre aux jours de disette et déclencher des attaques inflammatoires contre les envahisseurs microbiens étrangers. Ce phénomène était très avantageux en cas de famine et en l'absence de mesures d'hygiène publique, mais les mêmes gènes conspirent maintenant contre nous dans un monde où nous absorbons continuellement une quantité excessive de calories (principalement sous forme de glucides peu coûteux à charge glycémique élevée) et où notre alimentation comporte de plus en plus d'acides gras oméga-6 pro-inflammatoires. C'est ainsi que les régimes inflammatoires sont devenus la norme aux États-Unis.

LE GOUVERNEMENT

Pour les médias, le fait d'accuser le manque de temps consécutif aux progrès de la technologie et à nos gènes semble un peu simpliste ; ils préfèrent pointer du doigt les gouvernements. L'infrastructure de l'industrie agroalimentaire américaine repose sur la production de grains et de féculents. Le lobby du grain est l'un des plus puissants auprès du gouvernement. Le ministère de l'agriculture (USDA) se voue entièrement à garder ces lobbies satisfaits et se préoccupe bien peu des conséquences de ses politiques sur la santé des citoyens. Pour l'USDA, établir une pyramide alimentaire équivaudrait à introduire le renard dans le poulailler.

Le problème a commencé avec les subventions aux cultivateurs. Cette pratique a débuté pendant la Grande Dépression. Son objectif était de protéger les fermes familiales, car une proportion importante de la population y travaillait. Aujourd'hui, ces subventions se chiffrent à près de 20 milliards de dollars par année, même si moins de 1 % de la population américaine vit dans une ferme. Les progrès technologiques des gigantesques sociétés agroalimentaires ont rendu ces travailleurs inutiles. Ainsi, les agriculteurs représentent moins de votes que par le passé, mais ils ont été remplacés par les contributions des sociétés – l'essence même de la politique partisane. Ces subventions gouvernementales continuent à être accordées, même si nous produisons deux fois plus de nourriture que nous ne devrions normalement en consommer. Pourquoi ? Les deux lobbies agricoles les plus importants (bénéficiaires de ces subventions) sont les lobbies du maïs et du blé. La grande majorité du maïs cultivé sert à nourrir le bétail et à produire du sirop de maïs (comme édulcorant). Pour faire bonne mesure (même si cela crée de nouveaux emplois), le maïs excédentaire est transformé en éthanol pour les voitures. Le lobby du blé est tout aussi puissant, surtout quand on pense que les animaux (les premiers bénéficiaires des subventions au maïs) ne mangent pas de blé. Ils mangent du maïs, de l'avoine et beaucoup d'autres grains, mais ils ne mangent pas de blé. En fait, le blé est surtout utilisé pour l'alimentation humaine, sous forme d'aliments à charge glycémique élevée, comme le pain, les céréales du petit déjeuner, les pâtes et les bagels. Ainsi, la seule façon de nous débarrasser du blé excédentaire consiste à encourager les humains à manger davantage de produits qui en sont dérivés! C'est l'autre mission de l'USDA : s'assurer que les Américains consomment les denrées excédentaires. Il ne faut donc pas s'étonner que l'USDA propose une pyramide alimentaire composée principalement de grains et de féculents, comme le blé et le maïs.

Alors que les producteurs de blé et de maïs vivent grassement des largesses du gouvernement, moins de 1 % de toutes les subventions gouvernementales vont aux producteurs de fruits et de légumes. En fait, on estime que, si les Américains consommaient les faibles quantités de fruits et légumes recommandées par la pyramide alimentaire, il faudrait doubler le nombre d'hectares consacrés à ces cultures. Ces surfaces devraient donc être détournées de la production de maïs et de blé – une éventualité très peu probable.

La production de soja bénéficie aussi de subventions gouvernementales, dans le but de favoriser la production d'huile de soja, riche en acides gras oméga-6 pro-inflammatoires. L'USDA n'agit pas seul, il a trouvé en l'industrie de la transformation des aliments un partenaire idéal.

LA TRANSFORMATION DES ALIMENTS

Avec les subventions de l'USDA, on a concocté des huiles riches en acides gras oméga-6 et des produits céréaliers raffinés (farines et édulcorants) à base de blé et de maïs, les aliments les moins coûteux au monde par calorie. Ensuite, l'industrie de transformation des aliments a utilisé tous les moyens possibles pour incorporer ces ingrédients peu coûteux dans des aliments transformés capables de se conserver plus longtemps et qui offrent des marges bénéficiaires beaucoup plus élevées. Il y a aujourd'hui sur les tablettes des grands supermarchés jusqu'à 50 000 produits dont une grande partie est fabriquée à base de grains raffinés et de gras peu coûteux. Les ventes annuelles de ces produits s'élèvent à environ 175 milliards de dollars par année. Ce montant n'est pas sans rappeler de manière inquiétante le chiffre des ventes de médicaments prescrits aux États-Unis – soit près de 160 milliards de dollars.

L'industrie de transformation des aliments des États-Unis est la plus avancée au monde sur le plan technologique : elle peut fabriquer à peu près n'importe quoi à partir de grains raffinés et d'huiles végétales bon marché. De plus, l'industrie de transformation des aliments sait comment leur donner bon goût. C'est un autre dilemme pour les producteurs d'aliments transformés : la palatabilité ou la satiété. Les aliments qui ont bon goût donnent faim (car ils sont riches en glucides à charge glycémique élevée). Les aliments qui induisent la satiété (contrôle de la faim) n'ont pas très bon goût. Une tablette de chocolat a très bon goût, mais elle ne contrôle pas efficacement la faim. Une assiettée de brocoli rassasie très bien, mais elle est moins agréable au goût. Il est dans la nature humaine de rechercher les aliments au goût agréable, et l'industrie alimentaire possède les bons outils (grâce aux subventions de l'USDA) pour fabriquer exactement ce que le consommateur aime manger. Et pour commercialiser ses produits, elle dépense environ 33 milliards de dollars en publicité (dont un tiers s'adresse aux enfants), publicité grâce à laquelle vous savez où vous procurer les aliments les moins coûteux et les plus savoureux.

Cette situation mène à un réel problème : les aliments à bas prix. Pour les groupes socioéconomiques moins favorisés, la meilleure décision économique consiste à acheter les produits alimentaires contenant le plus de calories, au plus bas prix possible. Autrefois, c'était le riz, le pain et les pommes de terre. Aujourd'hui, ce sont les aliments transformés composés de grains raffinés, de sucre et d'huiles végétales. Demander aux pauvres d'acheter plus de fruits et de légumes frais pour abaisser la charge glycémique de leur régime, c'est, selon Adam Drewnowski, de l'université de Washington, faire de l'« élitisme économique ». Cela ne se produira tout simplement pas. Pourquoi ? Pour la simple raison que les subventions alimentaires de l'USDA gardent les prix des grains, des féculents et des huiles végétales incroyablement bas et que l'industrie de transformation en fait des aliments très savoureux et très peu coûteux.

Les porte-parole de l'industrie de transformation des aliments ont appris une leçon de l'industrie du tabac : ils affirment que la consommation de leurs produits relève de la seule responsabilité personnelle. Si vous voulez vraiment perdre du poids, disent-ils, vous devez « manger moins et faire de l'exercice ». Ce qu'ils ne précisent pas, c'est qu'il faut marcher pendant six heures pour brûler les calories d'un repas Big Mac géant de McDonald's. En tout cas, si tous les Américains ne suivaient que la première partie de ce conseil – «manger moins» –, c'est toute l'industrie agroalimentaire des États-Unis qui s'effondrerait, ainsi qu'une proportion importante de l'industrie de la transformation, de la vente au détail et de la restauration. Pour faire des profits, il leur faut que le plus grand nombre de gens possible mangent le plus possible.

L'USDA et l'ensemble de l'industrie de transformation des aliments sont-ils les seuls responsables de l'épidémie actuelle d'inflammation silencieuse? Il reste un autre suspect auquel on ne s'attend pas: le corps médical américain.

« JE PENSAIS QUE C'ÉTAIT BON POUR VOUS »

L'enfer est pavé de bonnes intentions. Dans leur lutte contre les maladies cardiaques, par exemple, les médecins, pourtant plein de bonnes intentions, se sont basés sur des données erronées et, ce faisant, ont indirectement provoqué l'épidémie d'inflammation silencieuse. Dès les années 1950, un nombre grandissant de chercheurs en médecine ont déclaré la guerre au gras en raison de son contenu en cholestérol. Ils voyaient dans le cholestérol alimentaire la cause des maladies cardiaques (ce qui est faux). Pour eux, la solution consistait à retirer de l'alimentation un grand nombre de sources de cholestérol (surtout des protéines animales) et à les remplacer par des glucides sans gras (comme des grains et des féculents). Si on voulait y ajouter une source de gras, il fallait s'assurer qu'il s'agissait d'acides gras oméga-6, qui semblaient réduire le cholestérol. En rétrospective, les recommandations diététiques cautionnées par le corps médical étaient une façon infaillible d'ouvrir la voie à l'augmentation épidémique de l'inflammation silencieuse. Néanmoins, cet appel à l'action des chercheurs en médecine (qui savaient très peu de choses sur les conséquences de l'alimentation sur les hormones) a été entendu par une nouvelle génération de nutritionnistes (qui ne savaient absolument rien sur le sujet). Ils se sont aussitôt mobilisés pour répandre la nouvelle: le gras était mauvais et les aliments sans gras à base de grains et de glucides féculents étaient la panacée. Ils n'ont jamais compris que plus on élève la charge glycémique, plus on a faim. Et plus on a faim, plus on consomme de calories, principalement sous forme de glucides sans gras. C'est la raison pour laquelle la consommation moyenne a augmenté de 300 calories par jour au cours des 30 dernières années. Nous ne sommes pas plus actifs, mais nous avons davantage faim en raison de notre taux d'insuline élevé.

Malgré les résultats très peu probants de nombreuses études cliniques sur les effets de la diminution du gras (ou du cholestérol) alimentaire sur les maladies cardiaques, le corps médical restait convaincu que le gras et le cholestérol étaient la cause de ces maladies. Dans le but de rallier des soutiens politiques (les soutiens scientifiques étant rares ou inexistants) en faveur de la guerre au gras, le gouvernement a décidé d'organiser une conférence de « consensus » sur le gras et le cholestérol alimentaires. C'était à la fin des années 1980. Les organisateurs gouvernementaux avaient invité un très grand nombre de scientifiques qui abondaient dans leur sens et une petite poignée de chercheurs qui préconisaient le contraire. Chacun a donné son point de vue, puis on est passé au vote – un vote sans surprise. La conférence a émis un communiqué dans lequel on pouvait lire qu'en réduisant sa consommation de gras et de cholestérol alimentaires on diminuait ses risques de crise cardiaque.

L'absence de toute étude scientifique corroborant le communiqué n'a pas empêché le lancement d'une vaste campagne de santé publique destinée à changer les habitudes alimentaires des Américains. L'USDA a utilisé cette conférence comme base pour valider sa fameuse pyramide alimentaire – qui est aujourd'hui de plus en plus décriée, et considérée comme erronée et trompeuse. Comme l'écrivait Walter Willett, chef du département de santé publique à la faculté de médecine de l'université Harvard au sujet des recommandations de l'USDA, dans son ouvrage *Manger, boire et vivre en bonne santé* : « La pyramide de l'USDA est fausse. Elle a été […] élaborée à partir de données erronées […] la pyramide de l'USDA offre des conseils douteux sans fondement scientifique […] et n'a jamais été testée pour déterminer si elle est vraiment efficace. »

On ne peut pas dire que Harvard accorde à la pyramide alimentaire de l'USDA un soutien retentissant. La pyramide alimentaire de l'USDA compte parmi les pires programmes gouvernementaux qui aient été conçus et mis en œuvre. La guerre au gras et au cholestérol alimentaires a été lancée à grand renfort de publicité par le corps médical et elle se pour-suit encore à ce jour. Les armes pour faire la guerre au cholestérol ont été fournies par le gouvernement (des glucides bon marché à charge glycémique élevée et des acides gras oméga-6 pro-inflammatoires). Nous étions loin de nous douter que cette guerre fondée sur les meilleures intentions du monde finirait par miner la santé de millions d'Américains en déclenchant une épi-démie nouvelle et effrayante d'inflammation silencieuse attisée par l'obésité.

La version la plus récente de la pyramide alimentaire de l'USDA, qui a été publiée en 2005, ne tient toujours pas compte du rôle de la charge glycémique dans l'alimentation, mais elle recommande au moins d'aug-menter la consommation de fruits et de légumes. Les nouvelles directi-ves sont tellement vagues qu'elles n'offrent aucune information utile pour lutter contre les épidémies jumelles que sont l'obésité et l'inflam-mation silencieuse. Autrement dit, rien n'a changé pour l'industrie agroalimentaire et les industries de transformation des aliments. Tout changement majeur dans le statu quo causerait un véritable séisme poli-tique et ferait diminuer radicalement les contributions politiques de l'in-dustrie agroalimentaire. Bien entendu, personne, au gouvernement ne souhaite une telle chose.

VOUS N'ÉCOUTEZ PAS VOTRE GRAND-MÈRE

Il reste un autre responsable de l'épidémie d'inflammation silencieuse : nous et notre refus de suivre les conseils de nos grands-mères au sujet de l'huile de poisson. Il y a deux générations, tous les enfants se querellaient avec leurs parents au sujet de leur dose quotidienne d'une cuillerée à soupe d'huile de poisson. Même si on la considère toujours comme l'un des aliments les plus difficiles à avaler à cause de son goût horrible, cette dose d'huile de poisson fournit environ 2,5 grammes d'acide eicosapentaé-noïque (EPA) et d'acide docosahexaénoïque (DHA) et confère d'importantes propriétés anti-inflammatoires. Le jour où les parents américains ont cessé de donner quotidiennement à leurs enfants une forte dose d'huile de pois-son marque l'avènement du pire désastre de santé publique du XXe siècle. Notre épidémie d'inflammation silencieuse en est le résultat.

L'EXPORTATION DE L'INFLAMMATION SILENCIEUSE

Un grand nombre de modes prennent naissance aux États-Unis et sont ensuite exportées sur toute la planète. Notre épidémie d'inflammation silencieuse n'en est qu'une parmi tant d'autres. Nous avons exporté nos Big Mac et notre Coca-Cola, puis la pyramide alimentaire de l'USDA – que pratiquement tous les gouvernements du monde ont adoptée comme norme sur laquelle fonder leurs recommandations nationales en matière d'alimentation. Pas étonnant que l'obésité soit sur le point de devenir un problème mondial : il y a plus de gens affligés d'un excès de poids que de gens souffrant de malnutrition. Les tendances qui sont présentement à l'œuvre aux États-Unis conspirent pour exporter notre épidémie d'inflammation silencieuse en Europe et dans les classes moyennes d'Extrême-Orient, d'Amérique latine et de l'Inde. Depuis quelques années, les enfants italiens sont les plus gras d'Europe, alors qu'ils étaient parmi les plus minces. Cette augmentation du poids corporel s'accompagne d'une hausse proportionnelle de l'inflammation silencieuse et de l'accélération du développement de maladies chroniques, comme le diabète de type 2. En fait, il y a en Inde et en Chine plus de diabétiques de type 2 qu'aux États-Unis. Si cette épidémie de diabète menace de détruire le régime de soins de santé des États-Unis, quel sera l'impact de cette maladie sur les régimes chinois et indien, qui ont une capacité limitée d'assumer les frais médicaux exorbitants consécutifs aux terribles problèmes (cécité, amputation, maladies cardiaques et insuffisance rénale) qu'engendre le diabète de type 2 ?

Suis-je pessimiste ? Pas vraiment. On ne peut pas régler un problème avant d'en connaître la cause. Il est facile de pointer du doigt le gouvernement, l'industrie agroalimentaire, la restauration minute ou l'industrie de transformation des aliments, mais cela ne résout rien. Le véritable problème est que vous ne savez pas comment vous y prendre pour exercer un contrôle sur vos hormones. En dernière analyse, c'est vous qui devez décider de changer votre avenir en contrôlant vos hormones afin d'atteindre le régime anti-inflammatoire. Pour cela, il faut d'abord que vous compreniez les conséquences hormonales de vos choix alimentaires.

Le dernier chapitre résume les mesures que notre société doit prendre pour contrer cette épidémie d'inflammation silencieuse, et les conséquences qui résulteraient de son inaction.

Chapitre 20
Comment éviter l'effondrement
du système de soins de santé

Malgré tous les progrès de la médecine moderne, il semble que nous soyons incapables d'enrayer l'épidémie d'inflammation silencieuse qui menace de détruire notre système de soins de santé. Et la bonne santé des Américains se détériore rapidement.

Notre alimentation a changé tellement vite que les conséquences hormonales de ce changement l'emportent sur nos gènes. Nous avons fait fi des conséquences hormonales de notre alimentation, et la plus grande menace qui plane actuellement sur les États-Unis est l'effondrement de son système de soins de santé – qui peut se produire dans un avenir rapproché. Les premiers signes de cet effondrement commencent à apparaître, comme en témoignent le coût de plus en plus élevé des assurances médicales et le nombre croissant de personnes qui n'ont plus les moyens d'en assumer les frais.

La maladie chronique qui aura le plus grand impact sur cet effondrement est le diabète de type 2. C'est la maladie la plus coûteuse de toutes. Elle est extrêmement débilitante et les personnes qui en sont atteintes peuvent survivre pendant de nombreuses années avec les maux qui les affligent. Le diabète de type 2 est la première cause de cécité, la principale cause d'amputation, un déclencheur majeur de maladies cardiaques et une cause courante d'insuffisance rénale. Une somme d'au moins 200 000 $ US par année est nécessaire pour garder en vie un seul patient dialysé. En tout, cette maladie coûte 132 milliards de dollars par année aux États-Unis.

Actuellement, environ 7 % des adultes américains souffrent de diabète de type 2. Selon mes estimations, lorsque cette maladie touchera 10 % de la population adulte, nous serons incapables de payer les coûts des soins de santé qui en résulteront. La seule spéculation porte sur le temps qu'il reste avant d'atteindre ces 10 %. Cinq ans ? Dix ans ? Quinze ans, à la limite. Que nous ayons une assurance universelle, une assurance privée ou pas d'assurance, le système de soins de santé des États-Unis va tout simplement faire faillite. Quand cela se produira, les Américains se demanderont ce qui s'est passé, mais lorsque l'épidémie d'inflammation silencieuse atteindra son sommet, il sera trop tard. Le diabète de type 2 ne sera que la première de nombreuses autres maladies chroniques comme la cardiopathie, le cancer, la maladie d'Alzheimer – qui frapperont des personnes de plus en plus jeunes et un pourcentage toujours plus élevé de la population. Si le diabète de type 2 ne porte pas le coup fatal à notre système de soins de santé, ces autres maladies, alimentées par l'inflammation silencieuse, s'en chargeront.

Avoir une assurance médicale est le problème principal des travailleurs et des employeurs américains. Nous vivons dans le pays le plus riche du monde, et plus de 40 millions d'Américains n'ont pas d'assurance ! Pourquoi les assurances médicales coûtent-elles si cher ? Demandez aux organisations de soins intégrés de santé. Près de 80 % des coûts de ces organisations sont consacrés à des maladies associées à l'inflammation silencieuse. Plus on tarde à traiter l'inflammation silencieuse, plus les dommages s'accumulent. C'est pour cette raison que le prix des assurances médicales grimpe en flèche et qu'un nombre croissant de personnes n'ont pas les moyens de s'en procurer. Quant aux employeurs, ils résistent à l'augmentation des coûts en embauchant moins de nouveaux employés.

Bien que l'avenir semble sombre, nous pouvons changer le cours des choses en prenant immédiatement les mesures nécessaires pour réduire l'inflammation silencieuse. Une telle campagne exige des approches réalistes axées sur les individus et non sur des slogans politiques. Les mesures dont je vais parler dans les paragraphes suivants concernent aussi l'obésité pédiatrique et l'obésité des adolescents, le segment de l'épidémie d'obésité qui croît le plus rapidement. On estime que le tiers des enfants nés après l'an 2000 souffriront de diabète de type 2 à un moment ou à un autre de leur vie. Ils seront plus vulnérables aux maladies cardiaques, au cancer et aux troubles neurologiques, et cela à un âge relativement jeune. Si nous ne prenons pas les mesures qui s'imposent, je crains fort que la prochaine génération d'Américains ne soit, de toute l'histoire, celle dont l'espérance de vie sera plus courte que celle de ses parents.

Voilà pour les mauvaises nouvelles. Si nous ne faisons rien, notre avenir est sombre, très, très sombre. Nous devons donc nous demander ce que font les compagnies d'assurances, les sociétés et le gouvernement pour éviter l'effondrement imminent de notre système de soins de santé.

LES COMPAGNIES D'ASSURANCES

Les compagnies d'assurances devraient être à l'avant-garde de la lutte contre l'inflammation silencieuse, puisque ce sont elles qui en paient les conséquences. Ce raisonnement paraît logique, jusqu'à ce que l'on se rende compte que les compagnies d'assurances ne sont que des bookmakers. Tant qu'elles obtiennent leur marge, elles sont prêtes à prendre votre argent. C'est ainsi que les gens se font exploiter. Nous prenons une assurance par crainte de devenir malades, les compagnies d'assurances prennent notre argent dans l'espoir que nous ne serons pas malades. Comme tout bon bookmaker, elles calculent simplement les probabilités de manière à toujours y trouver leur compte, quelle que soit l'issue. Elles n'ont aucun réel intérêt à promouvoir la réduction de l'inflammation silencieuse, puisque les gens continuent à contracter des assurances médicales, quel qu'en soit le coût. Si les maladies augmentent dans la population, les compagnies d'assurances augmenteront tout simplement leurs taux afin de couvrir la hausse des coûts. Et si vous êtes incapable de payer les primes plus élevées, tant pis pour vous !

On peut être cynique au sujet des compagnies d'assurances. Je pense néanmoins qu'elles changeraient d'attitude si elles étaient convaincues de pouvoir gagner encore plus d'argent en nous gardant en bonne santé plutôt qu'en traitant les symptômes de nos maladies. Cela pourrait se faire par capitation, une situation dans laquelle le médecin serait payé pour garder ses patients en bonne santé – vérifiée par une analyse sanguine peu coûteuse, comme le rapport TG/HDL. Si le rapport TG/HDL du patient reste inférieur à un certain niveau (comme 2), le médecin recevrait un boni. Si ce rapport est supérieur, il recevrait ses honoraires habituels pour traiter les symptômes de maladies chroniques. Cette méthode l'inciterait à éduquer ses patients sur la façon de s'alimenter, et il leur prescrirait de l'huile de poisson à fortes doses. Les résultats cliniques seraient probants : lorsque le rapport TG/HDL diminue, tout va pour le mieux. Malheureusement, les assureurs pourraient prendre des décennies avant d'arriver à cette conclusion – mais on peut toujours espérer…

LES SOCIÉTÉS AUTOASSURÉES

Un grand nombre de sociétés assurent elles-mêmes leurs employés, mais elles ont découvert que les coûts croissants de l'assurance médicale grugent leurs profits. Dans ce cas-ci, cependant, l'avenir est peut-être un peu moins sombre. On sait que la promotion de la santé n'a jamais constitué un incitatif économique pour les sociétés. En effet, si un employé change d'emploi après quelques années, c'est son nouvel employeur qui en retire tous les avantages potentiels sans en avoir payé les coûts, tandis que la première société n'obtient rien en contrepartie de ses dépenses. Cependant, si les employeurs pouvaient être convaincus qu'un véritable programme de bonne santé augmente la productivité des travailleurs, ils y verraient une possibilité d'augmenter leur bénéfice net, ce qui constituerait un incitatif financier suffisant pour agir en conséquence.

C'est l'avantage que procurerait le régime du juste milieu aux employeurs. En sept jours, les sociétés commenceraient à voir une augmentation significative de la productivité de leurs employés. Dans la plupart des sociétés, la productivité baisse pratiquement à zéro entre 14 h et 15 h, lorsque le taux de sucre sanguin diminue en raison du repas à charge glycémique élevée du midi. Il serait beaucoup moins coûteux de fournir des repas subventionnés aux employés, destinés à stabiliser leur glucose sanguin de manière qu'ils soient productifs toute la journée. On trouve une application un peu grossière de ce concept dans les sociétés d'informatique qui offrent gratuitement à leurs employés des boissons gazeuses sucrées afin que leur taux de sucre sanguin reste élevé. Les maisons de courtage de Wall Street font circuler des chariots de nourriture gratuite à l'intention de leurs négociateurs. Le fait que les informaticiens et les courtiers s'épuisent en raison d'un taux élevé d'inflammation silencieuse ne constitue pas une préoccupation pour la société qui les emploie, pourvu que leur productivité se maintienne. Pourtant, les repas et les collations du juste milieu ne coûteraient pratiquement pas plus cher, et ils contribueraient à réduire l'inflammation silencieuse. Dans des cafétérias de sociétés, on pourrait offrir des repas du juste milieu subventionnés, et des repas à charge glycémique élevée à prix régulier. Pour l'employé, le choix ne serait pas difficile et l'employeur obtiendrait une augmentation de la productivité en temps réel. Toute réduction subséquente des coûts des soins de santé ne serait que la cerise sur le gâteau, et non le gâteau. Cette solution devrait plaire aux directeurs des finances, car son coût est peu élevé par rapport à l'augmentation de la productivité. Grâce à de nouveaux marqueurs de bonne santé (comme le bilan d'inflammation silencieuse et le rapport TG/HDL moins coûteux), le rendement du capital investi dans les programmes de santé (incluant les repas subventionnés) pourrait enfin être validé et vérifié. Au lieu d'installer un plus grand nombre de pistes de jogging ou de gymnases, les sociétés pourraient savoir, par l'analyse de sang de leurs employés, si leurs investissements dans le domaine de la santé sont rentables. Si les paramètres sanguins qui déterminent l'état de bonne santé (et principalement l'étendue de l'inflammation silencieuse) étaient insuffisants, elles pourraient tout simplement mettre fin à ces dépenses pour se concentrer sur des mesures destinées à améliorer réellement la santé (et la productivité). Malheureusement, il faudra du temps avant que les sociétés, même les plus innovatrices, intègrent cette façon de penser à leurs programmes existants, même si la logique financière la justifie pleinement.

LE GOUVERNEMENT

Comme je l'ai déjà mentionné, les subventions gouvernementales aux producteurs de grains et de soja sont l'un des facteurs majeurs de l'épidémie d'inflammation silencieuse. Évidemment, le gouvernement pourrait commencer à accorder d'importantes subventions aux producteurs de fruits et légumes pour équilibrer le marché, mais cette approche est peu probable en raison des déficits gouvernementaux. Il est encore moins probable que les subventions aux producteurs de blé et de maïs diminuent en raison de leurs contributions politiques et de leurs puissants lobbies. Voilà pourquoi le gouvernement est disposé à augmenter la couverture d'assurance (Medicare) pour les médicaments qui ne font que traiter les symptômes des maladies chroniques résultant de l'inflammation silencieuse, mais pas à s'attaquer au problème sous-jacent des subventions à une industrie (agroalimentaire) qui surproduit des marchandises qui alimentent l'inflammation silencieuse. Et n'oublions pas que dans quelques années seulement la cohorte des baby-boomers arrivera à l'âge où elle aura droit à toutes les prestations d'assurance maladie. C'est alors que sonnera l'heure de vérité financière, car le gouvernement n'aura tout simplement pas les moyens de payer ces soins de santé.

LES USINES DE TRANSFORMATION DES ALIMENTS

J'ai le sentiment que l'institution la plus susceptible de renverser l'épidémie d'inflammation silencieuse sera, en bout de ligne, le secteur de la transformation des aliments. Ce sont ces gens qui ont précipité l'épidémie d'inflammation silencieuse que nous connaissons et, aussi étonnant que cela puisse paraître, ce sont eux qui sont le plus susceptibles de nous en sortir. Comme je l'ai dit au chapitre précédent, les sociétés de transformation des aliments ont maîtrisé l'art d'utiliser des denrées peu coûteuses (grâce aux subventions gouvernementales) et de les transformer en aliments bon marché qui ont beaucoup de saveur, mais qui ne nourrissent pas. Or, la technologie existe pour produire des aliments transformés agréables au goût et peu coûteux qui offrent à la fois palatabilité et satiété. Il suffit d'ajouter des protéines (de soja ou de produits laitiers) sans sacrifier le goût. On tranche alors immédiatement le nœud gordien de la faim grâce à ce rapport amélioré de protéines et de glucides. Si vous n'avez pas faim entre les repas, vous consommez moins de calories. Lorsque la consommation de calories diminue, il s'ensuit une perte de poids et une réduction du principal générateur de l'inflammation silencieuse, l'excès de poids. Essentiellement, il faudrait produire les aliments minute les meilleurs pour la santé et les plus équilibrés sur le plan hormonal. Une telle stratégie atteindrait toutes les couches de la société. Dans le contexte de la compression du temps par la technologie, ce serait la stratégie idéale : utilisation d'ingrédients alimentaires peu coûteux pour fabriquer des aliments qui procurent à la fois palatabilité et satiété, à un coût très abordable.

Le conseil «moins manger et faire de l'exercice» n'a pas eu les effets escomptés et il ne les aura jamais. Encourager les gens à manger plus de fruits et de légumes est une bonne chose, mais cela n'est possible que pour les bien nantis. Augmenter l'accès aux aliments minute qui sont bons pour la santé (barres nutritives, crème glacée, laits frappés, croustilles de maïs, pâte à pizza et ainsi de suite) pourrait être la seule façon d'éviter l'effondrement annoncé de notre système de soins de santé. Je sais que cela est possible, car j'ai développé dans mon laboratoire des prototypes de ces aliments qui ressemblent en tous points aux aliments minute typiques. C'est une approche audacieuse qui suscitera certainement l'ire des nutritionnistes, mais, de mon point de vue, ce pourrait être notre seul espoir institutionnel. Reste à savoir si les grandes sociétés de transformation des aliments pourront trouver leur compte en vendant des aliments minute santé. Dans l'affirmative, l'épidémie d'inflammation silencieuse pourrait rapidement devenir chose du passé.

LA RESPONSABILITÉ INDIVIDUELLE

Heureusement, vous n'avez pas besoin d'attendre les institutions et les grandes sociétés américaines pour lutter contre votre inflammation silencieuse. Vous avez le pouvoir de commencer dès aujourd'hui à changer votre avenir en réduisant le taux d'inflammation silencieuse dans votre organisme. Les bienfaits sont presque immédiats et, dans bien des cas, quasi miraculeux.

En fin de compte, rester en bonne santé en réduisant l'inflammation silencieuse relève de la responsabilité personnelle. Cependant, dans une société où le temps est compté, il faut mettre un véritable plan au point pour obtenir les meilleurs résultats en un minimum de temps. Ce plan est le programme de vie dans le juste milieu, qui vous conduit pratiquement sans effort au juste milieu anti-inflammatoire.

Si vous n'avez que 15 secondes à consacrer à la réduction de l'inflammation silencieuse, prenez une quantité suffisante d'huile de poisson. Rien n'agit aussi rapidement ni aussi efficacement que l'huile de poisson à fortes doses. Une subvention gouvernementale qui pourrait améliorer immédiatement la santé de tous les Américains sans déclencher de tempête politique dans l'industrie agricole : offrir gratuitement de l'huile de poisson à toutes les personnes qui veulent en prendre. Cette idée n'est pas aussi farfelue qu'on pourrait le croire : cela se fait déjà en Italie et en Finlande. Ces deux pays, qui ont des systèmes de soins de santé nationalisés, ont inscrit les concentrés ultraraffinés d'EPA-DHA sur la liste des médicaments remboursés, de sorte que tous les citoyens de ces pays reçoivent gratuitement leur huile de poisson.

Si vous êtes prêt à faire quelques efforts, rappelez-vous que l'adoption du régime du juste milieu est tout aussi cruciale pour inverser le processus de l'inflammation silencieuse. Ce régime vous aidera à perdre rapidement votre gras corporel excédentaire. Soyons réalistes, il est difficile de perdre du poids, et encore plus difficile de ne pas le reprendre quand on se laisse tenter par les aliments transformés riches en glucides offerts sur le marché. Puisqu'il faut manger, mangeons intelligemment.

Vous pouvez indéniablement perdre du poids en suivant n'importe quel régime, pourvu que vous limitiez votre consommation de calories. Il est probable que des fringales plus fréquentes en raison de votre taux élevé d'insuline (dans le cas d'un régime riche en glucides) ou de l'augmentation de la production de cortisol (dans le cas d'un régime faible en glucides) perturbent votre équilibre hormonal. On comprend pourquoi une étude clinique d'une durée de 12 mois menée à la faculté de médecine de l'université Tufts a indiqué que les personnes qui suivent le régime du juste milieu y sont plus fidèles que les personnes qui suivent des régimes à teneur élevée ou faible en glucides. Pourquoi ? Parce que le régime du juste milieu permet de contrôler efficacement les fringales entre les repas. Si vous ne souffrez pas de la faim, vous n'avez pas besoin d'avoir une volonté de fer pour couper vos calories. En revanche, si vous avez constamment faim, vous devrez faire preuve de beaucoup de volonté pour ne pas en consommer avec excès. Comme le savent la plupart des Américains, c'est souvent la deuxième possibilité qui se concrétise.

Enfin, l'exercice et la méditation jouent un rôle dans la réduction de l'inflammation silencieuse. Ils exigent tous deux plus de temps et ils n'ont pas un impact aussi évident sur l'inflammation silencieuse que l'huile de poisson à fortes doses et le régime du juste milieu. Néanmoins, utilisés à bon escient, ils constituent, lorsque vous avez atteint le régime anti-inflammatoire grâce à votre alimentation, de puissantes composantes secondaires pour vous aider à y rester.

Le contrôle de l'inflammation silencieuse est une lutte à vie. N'oubliez pas que les barbares sont à nos portes, n'attendant que l'occasion de ruiner notre avenir. Votre première ligne de défense contre l'inflammation silencieuse est la perte de votre gras corporel excédentaire. Vous savez à quel point cela peut être difficile, et vous savez aussi pourquoi. Parce que nous avons toujours les mêmes gènes que nos ancêtres du paléolithique. Nous ne pouvons pas changer nos gènes, mais nous pouvons suivre le programme de vie dans le juste milieu, qui fait travailler nos gènes en notre faveur et non contre nous.

Ne me croyez pas sur parole. Votre sang vous dira si vous êtes dans le régime anti-inflammatoire et, par conséquent, en bonne santé. Il vous suffit de continuer à ajuster votre régime et votre mode de vie jusqu'à ce que votre sang vous dise que vous avez atteint votre but. Lorsque vous avez atteint le régime anti-inflammatoire, essayez de garder le même style de vie pour le restant de vos jours. Sinon l'inflammation silencieuse redeviendra votre compagne.

En dernière analyse, il vous suffit simplement de suivre les prescriptions contenues dans le présent ouvrage pour recouvrer la santé en réduisant votre inflammation silencieuse. Toutes les révolutions commencent avec les individus. La révolution de la bonne santé ne fait pas exception.

Annexe A
Un soutien continu

Les données scientifiques qui corroborent le juste milieu ne cessent de s'accumuler. C'est pourquoi je maintiens plusieurs sites Web en service pour vous aider à rester à la fine pointe de l'information sur la théorie du contrôle hormonal par l'alimentation. Si vous désirez en savoir davantage sur les essais cliniques présentement en cours pour déterminer les effets de l'alimentation sur l'inflammation silencieuse, je vous suggère de visiter le site <www.inflammationresearchfoundation.org>. C'est le site d'une fondation sans but lucratif qui effectue de nombreux essais sur le rôle de l'alimentation dans la réduction de l'inflammation silencieuse associée à des maladies chroniques, comme le diabète de type 2, la cardiopathie, les troubles neurologiques, le cancer et d'autres maladies inflammatoires. Si vous désirez obtenir de l'aide pour composer des repas et des collations du juste milieu, je vous suggère de visiter le site <www.zonediet.com> et si vous voulez vous procurer des concentrés ultraraffinés d'EPA-DHA cliniquement testés, visitez le site <www.zonelabsinc.com>. Pour en savoir plus long sur ma technologie du juste milieu et pour trouver des solutions pratiques et utiles, je vous conseille le site <www.drsears.com>. C'est mon site personnel. Vous y trouverez une énorme quantité d'archives qui vous aideront à mieux connaître les fondements scientifiques du juste milieu. Vous pouvez aussi, bien sûr, composer le 1-800-404-8171 pour communiquer avec mon personnel, qui répondra à vos questions sur le rôle de l'alimentation, et sur l'inflammation silencieuse.

Annexe B
Les bons et les mauvais glucides

Dans le régime du juste milieu, il n'y a pas de glucides défendus, mais vous devez faire des choix qui vous aideront à contrôler votre taux d'insuline et, de ce fait, votre inflammation silencieuse. Ces choix sont basés sur la charge glycémique de chaque glucide. Plus la charge glycémique d'un repas est élevée, plus l'organisme produira d'insuline. Les termes *bon* et *mauvais* font uniquement référence à la charge glycémique d'un glucide. Une portion moyenne de bons glucides a une charge glycémique faible, tandis que la même portion de mauvais glucides a une charge glycémique élevée.

Pour composer un repas du juste milieu, commencez par des protéines faibles en gras de l'épaisseur et de la taille de la paume de votre main. Puis, ajoutez des quantités adéquates de bons glucides, dont le volume ne dépassera pas le double de celui des protéines. Essayez de vous assurer qu'au moins les deux tiers des glucides de votre repas figurent sur la liste des bons glucides.

Enfin, pour compléter votre repas du juste milieu, ajoutez une touche (très petite quantité) de gras mono-insaturé, comme de l'huile d'olive, des amandes effilées ou de l'avocat.

Bons glucides	Mauvais glucides
Légumes non féculents	Grains
Fruits	Féculents
	Jus de fruits
	Pain, céréales, pâtes
	Aliments transformés (aliments vides)

Annexe C
Les blocs de glucides du juste milieu

Vous pouvez quantifier encore plus précisément les bons glucides et les mauvais glucides à l'aide des blocs de glucides du juste milieu. Un bloc de glucides contient 9 grammes de glucides qui stimulent la production d'insuline (les glucides totaux, moins les fibres). Les bons glucides sont ceux qui ont un indice glycémique faible, tandis que les mauvais glucides ont un indice glycémique élevé. La méthode des blocs de glucides du juste milieu vous permet de quantifier plus précisément votre consommation totale de glucides à chaque repas.

Pour préparer un repas du juste milieu, commencez par mettre dans votre assiette une portion de protéines faibles en gras qui ne soit pas plus large ou plus épaisse que la paume de votre main. En général, les femmes ont besoin de 90 grammes (3 onces) de protéines, tandis que les hommes ont besoin de 120 grammes (4 onces). Ajoutez-y ensuite la quantité appropriée de blocs de glucides du juste milieu. À chaque repas, une femme moyenne a besoin de 3 blocs de glucides du juste milieu, tandis qu'un homme doit en avoir 4. Faites en sorte que plus des deux tiers de vos glucides proviennent de la liste des bons glucides. Si vous respectez cette règle, vous aurez toujours une assiette bien garnie.

Enfin, ajoutez un soupçon (une très petite quantité) de gras mono-insaturé, comme de l'huile d'olive, des amandes effilées ou de l'avocat pour compléter votre repas du juste milieu.

Bons glucides

LÉGUMES CUITS	QUANTITÉ ÉQUIVALANT À 1 BLOC DE GLUCIDES DU JUSTE MILIEU
Artichauts	4 gros
Asperges	12 pointes
Aubergine	150 g (1 ½ tasse)
Bette à cardes, hachée	250 g (2 ½ tasses)
Brocoli	760 g (4 tasses)
Carottes, tranchées	100 g (1 tasse)
Champignons, bouillis	330 g (2 tasses)
Chou	450 g (3 tasses)
Choucroute	250 g (1 tasse)
Chou-fleur	760 g (4 tasses)
Chou frisé	280 g (2 tasses)
Chou rosette, haché	280 g (2 tasses)
Choux de Bruxelles	245 g (1 ½ tasse)
Cœurs d'artichaut	200 g (1 tasse)
Courge à spaghetti	260 g (1 tasse)
Courge jaune, tranchée	480 g (2 tasses)
Courgettes, tranchées	200 g (2 tasses)
Épinards	720 g (4 tasses)
Feuilles de navet, hachées	600 g (4 tasses)
Haricots noirs	45 g (¼ tasse)
Haricots rouges	45 g (¼ tasse)
Haricots verts ou jaunes	210 g (1 ½ tasse)
Lentilles	50 g (¼ tasse)
Navet, en purée	245 g (1 ½ tasse)
Oignons, hachés et bouillis	110 g (½ tasse)
Okra, tranché	160 g (1 tasse)
Pak-choï	540 g (3 tasses)
Poireaux	110 g (1 tasse)
Pois chiches	65 g (¼ tasse)

LÉGUMES CRUS	QUANTITÉ ÉQUIVALANT À 1 BLOC DE GLUCIDES DU JUSTE MILIEU
Brocoli, défait en fleurons	720 g (4 tasses)
Carottes, râpées	100 g (1 tasse)
Céleri, tranché	240 g (2 tasses)
Champignons, tranchés	280 g (4 tasses)
Châtaignes d'eau	75 g (½ tasse)
Chou, râpé	720 g (4 tasses)
Chou-fleur, défait en fleurons	420 g (4 tasses)
Concombre	1 ½, moyen
Concombre, tranché	440 g (4 tasses)
Cresson	600 g (10 tasses)
Endives, hachées	650 g (10 tasses)
Épinards, hachés	600 g (10 tasses)
Germes de haricots	50 g (3 tasses)
Germes de luzerne	160 g (10 tasses)
Hoummos	65 g (¼ tasse)
Laitue iceberg, 15 cm (6 po) de diamètre	2 pommes
Laitue romaine, hachée	600 g (10 tasses)
Oignons, hachés	240 g (1 ½ tasse)
Piments Jalapeno	400 g (2 tasses)
Pois mange-tout	230 g (1 ½ tasse)
Poivrons rouges ou verts	2
Poivrons rouges ou verts, hachés	320 g (2 tasses)
Pousses de bambou	480 g (4 tasses)
Radis, tranchés	400 g (4 tasses)
Salsa	125 ml (½ tasse)
Scarole, hachée	600 g (10 tasses)
Tomates	2
Tomates, hachées	300 g (1 ½ tasse)
Tomates cerises	400 g (2 tasses)

FRUITS	QUANTITÉ ÉQUIVALANT À
	1 BLOC DE GLUCIDES DU JUSTE MILIEU
Abricots	3
Cerises	8
Citron	1
Compote de pommes, non sucrée	45 g ($\frac{1}{3}$ tasse)
Fraises, en dés fins	140 g (1 tasse)
Framboises	120 g (1 tasse)
Kiwi	1
Lime	1
Mandarines conservées dans l'eau	90 g ($\frac{1}{3}$ tasse)
Mûres	115 g ($\frac{3}{4}$ tasse)
Mûres de Boysen	80 g ($\frac{1}{2}$ tasse)
Nectarine, moyenne	$\frac{1}{2}$
Orange	$\frac{1}{2}$
Pamplemousse	$\frac{1}{2}$
Pêche	1
Pêches en conserve, tranchées	130 g ($\frac{1}{2}$ tasse)
Poire	$\frac{1}{2}$
Pomme	$\frac{1}{2}$
Prune	1
Raisins	80 g ($\frac{1}{2}$ tasse)
Salade de fruits	90 g ($\frac{1}{3}$ tasse)
Tangerine	1

GRAINS	QUANTITÉ ÉQUIVALANT À
	1 BLOC DE GLUCIDES DU JUSTE MILIEU
Gruau d'avoine, cuisson lente, cuit	65 g ($\frac{1}{3}$ tasse)
Gruau d'avoine, cuisson lente, sec	15 g ($\frac{1}{2}$ oz)
Orge, sec	50 g ($\frac{1}{4}$ tasse)

PRODUITS LAITIERS	QUANTITÉ ÉQUIVALANT À
	1 BLOC DE GLUCIDES DU JUSTE MILIEU
Lait (faible en gras)	250 ml (1 tasse)
Lait de soja	250 ml (1 tasse)
Yogourt, nature	135 g ($\frac{1}{2}$ tasse)

Mauvais glucides

LÉGUMES CUITS	QUANTITÉ ÉQUIVALANT À 1 BLOC DE GLUCIDES DU JUSTE MILIEU
Betteraves, tranchées	90 g (½ tasse)
Courge butternut	110 g (½ tasse)
Courgeon	110 g (½ tasse)
Haricots, cuits	30 g (¼ tasse)
Haricots, frits	30 g (¼ tasse)
Haricots de Lima	45 g (¼ tasse)
Haricots pinto	65 g (¼ tasse)
Maïs	55 g (¼ tasse)
Panais	50 g (⅓ tasse)
Patate douce, au four	55 g (⅓ tasse)
Patate douce, en purée	65 g (¼ tasse)
Petits pois	85 g (½ tasse)
Pomme de terre, au four	¼
Pomme de terre, bouillie	55 g (⅓ tasse)
Pomme de terre, en purée	65 g (¼ tasse)
Pomme de terre, frite	5 bâtonnets

FRUITS	QUANTITÉ ÉQUIVALANT À 1 BLOC DE GLUCIDES DU JUSTE MILIEU
Ananas, en dés	130 g (½ tasse)
Banane	⅓
Canneberges	90 g (¾ tasse)
Cantaloup	¼
Cantaloup, en dés	180 g (¾ tasse)
Figue	1
Goyave	½
Kumquat	3
Mangue, tranchée	85 g (⅓ tasse)
Melon d'eau, en dés	180 g (¾ tasse)
Melon de miel, en dés	170 g (⅔ tasse)
Papaye, en dés	195 g (¾ tasse)
Pruneaux, séchés	2
Raisins secs	1 c. à table
Sauce aux canneberges	3 c. à café (3 c. à thé)

JUS DE FRUITS	QUANTITÉ ÉQUIVALANT À 1 BLOC DE GLUCIDES DU JUSTE MILIEU
Cidre de pomme	75 ml ($\frac{1}{3}$ tasse)
Jus d'ananas	60 ml ($\frac{1}{4}$ tasse)
Jus de canneberge	60 ml ($\frac{1}{4}$ tasse)
Jus de légumes	175 ml ($\frac{3}{4}$ tasse)
Jus de lime	75 ml ($\frac{1}{3}$ tasse)
Jus de pamplemousse	75 ml ($\frac{1}{3}$ tasse)
Jus de pomme	75 ml ($\frac{1}{3}$ tasse)
Jus de raisin	60 ml ($\frac{1}{4}$ tasse)
Jus de tomate	250 ml (1 tasse)
Jus d'orange	75 ml ($\frac{1}{3}$ tasse)
Limonade, non sucrée	75 ml ($\frac{1}{3}$ tasse)
Punch aux fruits	60 ml ($\frac{1}{4}$ tasse)

CÉRÉALES ET PAINS	QUANTITÉ ÉQUIVALANT À 1 BLOC DE GLUCIDES DU JUSTE MILIEU
Bagel (petit)	$\frac{1}{4}$
Bâtonnet de pain, séché	1
Bâtonnet de pain, tendre	$\frac{1}{2}$
Biscuit	$\frac{1}{2}$
Blé bulghur, sec	15 g ($\frac{1}{2}$ oz)
Céréales, sèches	15 g ($\frac{1}{2}$ oz)
Chapelure	15 g ($\frac{1}{2}$ oz)
Coquille taco	1
Couscous (sec)	15 g ($\frac{1}{2}$ oz)
Craquelins graham	1 $\frac{1}{2}$
Craquelins saltine	4
Craquelins Triscuit	3
Crêpe (10 cm) (4 po)	1
Croissant nature	$\frac{1}{4}$
Fécule de maïs	4 c. à café (4 c. à thé)
Galette de riz soufflé	1
Gaufre	$\frac{1}{2}$
Granola	15 g ($\frac{1}{2}$ oz)
Gruau de maïs, cuit	65 g ($\frac{1}{3}$ tasse)
Maïs soufflé, éclaté	15 g (2 tasses)

Millet, sec	15 g ($\frac{1}{2}$ oz)
Muffin anglais	$\frac{1}{4}$
Muffin aux bleuets	$\frac{1}{2}$
Nouilles aux œufs, cuites	40 g ($\frac{1}{4}$ tasse)
Pain à salade	$\frac{1}{4}$
Pain complet ou blanc	$\frac{1}{2}$ tranche
Pain de maïs	1 (10 cm²) (4 po²)
Pain hamburger	$\frac{1}{2}$
Pain pita	$\frac{1}{2}$
Pâtes alimentaires, cuites	40 g ($\frac{1}{4}$ tasse)
Petit pain à salade	$\frac{1}{2}$
Petit pain pita	1
Riz blanc, cuit	40 g ($\frac{1}{5}$ tasse)
Riz brun, cuit	40 g ($\frac{1}{5}$ tasse)
Sarrasin, sec	15 g ($\frac{1}{2}$ oz)
Toast Melba	15 g ($\frac{1}{2}$ oz)
Tortilla de farine (20 cm) (8 po)	$\frac{1}{2}$
Tortilla de maïs (15 cm) (6 po)	1

ALCOOL	QUANTITÉ ÉQUIVALANT À 1 BLOC DE GLUCIDES DU JUSTE MILIEU
Bière, légère	180 ml (6 oz)
Bière normale	120 ml (4 oz)
Spiritueux distillés	30 ml (1 oz)
Vin	120 ml (4 oz)

DIVERS	QUANTITÉ ÉQUIVALANT À 1 BLOC DE GLUCIDES DU JUSTE MILIEU
Bretzels	15 g ($\frac{1}{2}$ oz)
Confiture ou gelée	2 c. à soupe
Crème glacée de première qualité	25 g ($\frac{1}{6}$ tasse)
Crème glacée ordinaire	35 g ($\frac{1}{4}$ tasse)
Croustilles	15 g ($\frac{1}{2}$ oz)
Croustilles tortilla	15 g ($\frac{1}{2}$ oz)
Gâteau	$\frac{1}{3}$ tranche
Ketchup	2 c. à soupe

Mélasse légère	½ c. à café (½ c. à thé)
Miel	½ c. à soupe
Petit biscuit	1
Sauce aux prunes	1 ½ c. à soupe
Sauce barbecue	2 c. à soupe
Sauce cocktail	2 c. à soupe
Sauce Teriyaki	1 c. à soupe
Sirop d'érable	2 c. à café (2 c. à thé)
Sirop de maïs	2 c. à café (2 c. à thé)
Sucre brun	2 c. à café (2 c. à thé)
Sucre en cubes	3
Sucre glace	1 c. à soupe
Sucre granulé	2 c. à café (2 c. à thé)
Tablette de friandise	¼
Tofu glacé	25 g (⅙ tasse)

ANNEXE D
Les points du juste milieu

Les points du juste milieu constituent une autre manière de déterminer l'indice glycémique de chaque repas. Les points du juste milieu représentent l'indice glycémique relatif d'une portion standard de glucides.

Pour préparer un repas du juste milieu, commencez par vous réserver une quantité appropriée de protéines faibles en gras qui soit de la taille et de l'épaisseur de la paume de votre main. En général, cela signifie une portion de 90 grammes (3 onces) de protéines faibles en gras pour une femme moyenne et une portion de 120 grammes (4 onces) pour un homme moyen. Ajoutez-y ensuite suffisamment de glucides pour les équilibrer avec les protéines. Une femme devrait consommer environ 15 points du juste milieu à chaque repas, tandis qu'un homme devrait en consommer 20. Comme dans le cas des blocs de glucides du juste milieu, faites en sorte que les deux tiers des glucides que vous consommez à chaque repas figurent sur la liste des bons glucides. En utilisant le système de points du juste milieu, vous constaterez que les bons glucides vous permettent de vous préparer des assiettes bien garnies, contrairement aux mauvais glucides, qui laisseront beaucoup d'espace vide dans votre assiette. Le secret consiste à savoir quand arrêter d'ajouter des glucides à un repas.

Enfin, ajoutez un soupçon (une très petite quantité) de gras mono-insaturé, comme de l'huile d'olive, des amandes effilées ou de l'avocat, pour compléter votre repas du juste milieu.

Bons glucides

LÉGUMES CUITS	PORTION	POINTS DU JUSTE MILIEU
Artichauts	100 g (½ tasse)	3
Asperges	100 g (1 tasse)	3
Aubergine	50 g (½ tasse)	3
Bette à cardes, hachée	100 g (1 tasse)	1
Brocoli	190 g (1 tasse)	1
Carottes, tranchées	100 g (1 tasse)	4
Champignons, bouillis	85 g (½ tasse)	1
Chou	150 g (1 tasse)	1
Choucroute	125 g (½ tasse)	2
Chou-fleur	190 g (1 tasse)	1
Chou frisé	140 g (1 tasse)	2
Chou rosette, haché	140 g (1 tasse)	1
Choux de Bruxelles	80 g (½ tasse)	1
Cœurs d'artichaut	100 g (½ tasse)	2
Courge à spaghetti	130 g (½ tasse)	2
Courge jaune, tranchée	120 g (½ tasse)	1
Courgettes, tranchées	50 g (½ tasse)	1
Épinards	90 g (½ tasse)	1
Feuilles de navet, hachées	150 g (1 tasse)	1
Haricots noirs	90 g (½ tasse)	6
Haricots rouges	90 g (½ tasse)	6
Haricots verts ou jaunes	70 g (½ tasse)	3
Lentilles	50 g (½ tasse)	6
Navet, en purée	90 g (½ tasse)	1
Oignons, hachés et bouillis	110 g (½ tasse)	3
Okra, tranché	80 g (½ tasse)	2
Pak-choï	90 g (½ tasse)	1
Poireaux	55 g (½ tasse)	2
Pois chiches	130 g (½ tasse)	6

LÉGUMES CRUS	PORTION	POINTS DU JUSTE MILIEU
Brocoli, défait en fleurons	180 g (1 tasse)	1
Carottes, râpées	100 g (1 tasse)	4
Céleri, tranché	60 g (½ tasse)	1
Champignons, tranchés	70 g (1 tasse)	1
Châtaignes d'eau	75 g (½ tasse)	3
Chou, râpé	180 g (1 tasse)	1
Chou-fleur, défait en fleurons	105 g (1 tasse)	1
Concombre	1, moyen	2
Concombre, tranché	110 g (1 tasse)	1
Cresson	60 g (1 tasse)	1
Endives, hachées	65 g (1 tasse)	1
Épinards, hachés	60 g (1 tasse)	1
Germes de haricots	20 g (1 tasse)	1
Germes de luzerne	16 g (1 tasse)	1
Hoummos	130 g (½ tasse)	3
Laitue iceberg, 15 cm (6 po) de diam.	60 g (1 tasse)	1
Laitue romaine, hachée	60 g (1 tasse)	1
Oignons, hachés	80 g (½ tasse)	1
Piments Jalapeno	100 g (½ tasse)	1
Pois mange-tout	80 g (½ tasse)	1
Poivrons rouges ou verts	1	2
Poivrons rouges ou verts, hachés	160 g (1 tasse)	1
Pousses de bambou	120 g (1 tasse)	1
Radis, tranchés	100 g (1 tasse)	1
Salsa	125 ml (½ tasse)	3
Scarole, hachée	60 g (1 tasse)	1
Tomates	1	1
Tomates, hachées	100 g (½ tasse)	1
Tomates cerises	100 g (½ tasse)	1

FRUITS	PORTION	POINTS DU JUSTE MILIEU
Abricots	4	9
Bleuets	115 g (¾ tasse)	5
Cerises	12	8
Citron	1	5
Compote de pommes, non sucrée	70 g (½ tasse)	8
Fraises, en dés fins	140 g (1 tasse)	3
Framboises	120 g (1 tasse)	5
Kiwi	1	5
Lime	1	5
Mandarines conservées dans l'eau	195 g (¾ tasse)	11
Mûres	115 g (¾ tasse)	3
Mûres de Boysen	120 g (¾ tasse)	5
Nectarine, moyenne	1	10
Orange	1	10
Pamplemousse	½	5
Pêche	1	5
Pêches en conserve, tranchées	130 g (½ tasse)	5
Poire	1	10
Pomme	1	10
Prune	1	5
Raisins	80 g (½ tasse)	5
Salade de fruits	135 g (½ tasse)	8
Tangerine	1	5

GRAINS	PORTION	POINTS DU JUSTE MILIEU
Gruau d'avoine, cuisson lente, cuit	100 g (½ tasse)	8
Gruau d'avoine, cuisson lente, sec	120 g (½ tasse)	20
Orge, sec	120 g (½ tasse)	20

PRODUITS LAITIERS	PORTION	POINTS DU JUSTE MILIEU
Lait (faible en gras)	250 ml (1 tasse)	5
Lait de soja	250 ml (1 tasse)	5
Yogourt, nature	270 g (1 tasse)	5

Mauvais glucides

LÉGUMES CUITS	PORTION	POINTS DU JUSTE MILIEU
Betteraves, tranchées	90 g (½ tasse)	7
Courge butternut	110 g (½ tasse)	7
Courgeon	110 g (½ tasse)	7
Haricots, cuits	60 g (½ tasse)	14
Haricots, frits	60 g (½ tasse)	14
Haricots de Lima	90 g (½ tasse)	14
Haricots pinto	130 g (½ tasse)	14
Maïs	110 g (½ tasse)	14
Panais	75 g (½ tasse)	11
Patate douce, au four	130 g (½ tasse)	11
Patate douce, en purée	130 g (½ tasse)	14
Petits pois	85 g (½ tasse)	7
Pomme de terre, au four	130 g (½ tasse)	14
Pomme de terre, bouillie	130 g (½ tasse)	11
Pomme de terre, en purée	130 g (½ tasse)	14
Pomme de terre, frite	20 bâtonnets	28

FRUITS	PORTION	POINTS DU JUSTE MILIEU
Ananas, en dés	130 g (½ tasse)	7
Banane	1	21
Canneberges	60 g (½ tasse)	6
Cantaloup	⅓	9
Cantaloup, en dés	120 g (½ tasse)	6
Figue	1	7
Goyave	130 g (½ tasse)	7
Kumquat	1	2
Mangue, tranchée	130 g (½ tasse)	11
Melon d'eau, en dés	240 g (1 tasse)	11
Melon de miel, en dés	255 g (1 tasse)	11
Papaye, en dés	280 g (1 tasse)	9
Pruneaux, séchés	100 g (½ tasse)	25
Raisins secs	2 c. à table	14
Sauce aux canneberges	60 ml (¼ tasse)	21

JUS DE FRUITS	PORTION	POINTS DU JUSTE MILIEU
Cidre de pomme	125 ml (½ tasse)	11
Jus d'ananas	125 ml (½ tasse)	14
Jus de canneberge	125 ml (½ tasse)	14
Jus de légumes	125 ml (½ tasse)	5
Jus de lime	125 ml (½ tasse)	11
Jus de pamplemousse	125 ml (½ tasse)	11
Jus de pomme	125 ml (½ tasse)	11
Jus de raisin	125 ml (½ tasse)	14
Jus de tomate	125 ml (½ tasse)	4
Jus d'orange	125 ml (½ tasse)	11
Limonade, non sucrée	125 ml (½ tasse)	11
Punch aux fruits	125 ml (½ tasse)	14

CÉRÉALES ET PAINS	PORTION	POINTS DU JUSTE MILIEU
Bagel (petit)	½	14
Bâtonnet de pain, séché	2	14
Bâtonnet de pain, tendre	1	14
Biscuit	1	14
Blé bulghur, sec	30 g (1 oz)	14
Céréales, sèches	30 g (1 oz)	14
Chapelure	30 g (1 oz)	14
Coquille taco	2	14
Couscous (sec)	30g (1 oz)	14
Craquelins graham	3	14
Craquelins saltine	6	11
Craquelins Triscuit	5	14
Crêpe (10 cm) (4 po)	2	14
Croissant nature	1	28
Fécule de maïs	4 c. à café (4 c. à thé)	7
Galette de riz soufflé	2	14
Gaufre	1	14
Granola	60 g (¼ tasse)	14
Gruau de maïs, cuit	100 g (½ tasse)	11
Maïs soufflé, éclaté	25 g (3 tasses)	11

Millet, sec	30 g (1 oz)	14
Muffin anglais	1	28
Muffin aux bleuets, mini	1	14
Nouilles aux œufs, cuites	80 g (½ tasse)	14
Pain à salade	½	14
Pain complet ou blanc	1 tranche	14
Pain de maïs	60 g (2 oz)	14
Pain hamburger	1	14
Pain pita	1	14
Pâtes alimentaires, cuites	80 g (½ tasse)	14
Petit pain à salade	1	14
Petit pain pita	1	7
Riz blanc, cuit	100 g (½ tasse)	18
Riz brun, cuit	100 g (½ tasse)	18
Sarrasin, sec	30 g (1 oz)	14
Toast Melba	4 tranches	14
Tortilla de farine (20 cm) (8 po)	1	14
Tortilla de maïs (15 cm) (6 po)	1	7

ALCOOL	PORTION	POINTS DU JUSTE MILIEU
Bière, légère	360 ml (12 oz)	14
Bière normale	360 ml (12 oz)	21
Spiritueux distillés	30 ml (1 oz)	7
Vin	120 ml (4 oz)	7

DIVERS	PORTION	POINTS DU JUSTE MILIEU
Bretzels	30 g (1 oz)	14
Confiture ou gelée	1 c. à soupe	4
Crème glacée de première qualité	75 g (½ tasse)	21
Crème glacée ordinaire	75 g (½ tasse)	14
Croustilles	30 g (1 oz)	14
Croustilles tortilla	30 g (1 oz)	14
Gâteau	1 tranche	21
Ketchup	1 c. à soupe	4
Mélasse légère	1 c. à café (1 c. à thé)	14

Miel	1 c. à soupe	14
Petit biscuit	2	14
Sauce aux prunes	4 c. à café (4 c. à thé)	7
Sauce barbecue	2 c. à soupe	7
Sauce cocktail	1 c. à soupe	4
Sauce Teriyaki	1 c. à soupe	7
Sirop d'érable	1 c. à soupe	11
Sirop de maïs	1 c. à soupe	11
Sucre brun	1 c. à soupe	11
Sucre en cubes	1	2
Sucre glace	1 c. à soupe	7
Sucre granulé	1 c. à soupe	11
Tablette de friandise	1	28
Tofu glacé	75 g (½ tasse)	21

ANNEXE E
Le calcul du gras corporel

Pour calculer rapidement votre taux d'adiposité ou de gras corporel, vous avez simplement besoin d'un ruban à mesurer. Prenez vos mensurations directement sur la peau et non par-dessus vos vêtements, en prenant soin de ne pas trop serrer le ruban à mesurer. Celui-ci ne doit pas comprimer la peau et les tissus sous-jacents. Prenez chaque mesure trois fois, puis faites la moyenne. Toutes les mesures doivent être en centimètres.

CALCUL DU POURCENTAGE DE GRAS CORPOREL D'UNE FEMME

Voici les cinq étapes à suivre pour calculer votre pourcentage de gras corporel :

1. Mesurez vos hanches au point le plus large et votre taille au niveau du nombril. Il est très important de prendre la mesure au niveau du nombril et non au niveau le plus étroit de la taille. Prenez la mesure trois fois, puis faites la moyenne.
2. Mesurez votre taille en centimètres, pieds nus.
3. Inscrivez vos mesures, taille, tour de hanches et tour de taille sur la fiche prévue à cet effet.
4. Repérez chaque mesure dans la colonne correspondante des tableaux et notez les constantes sur la fiche.
5. Additionnez les constantes A et B, soustrayez la constante C du total, puis arrondissez pour obtenir un chiffre entier. Ce chiffre représente votre pourcentage de gras corporel.

TABLEAU 1

CONSTANTES DE CONVERSION POUR LE CALCUL
DU POURCENTAGE DE GRAS CORPOREL (FEMMES)

Tour de hanches		Tour de taille		Taille	
Cm	Constante	Cm	Constante	Cm	Constante
	A		B		C
76,2	33,48	50,8	14,22	139,7	33,52
77,5	33,83	52,1	14,4	141	33,67
78,7	34,87	53,3	14,93	142,2	34,13
80	35,22	54,6	15,11	143,5	34,28
81,3	36,27	55,9	15,64	144,8	34,74
82	36,62	57,2	15,82	146,1	34,89
83,8	37,67	58,4	16,35	147,3	35,35
85,1	38,02	59,7	16,53	148,6	35,5
86,4	39,06	61	17,06	149,9	35,96
87,6	39,41	62,2	17,24	151,1	36,11
88,9	40,46	63,5	17,78	152,4	36,57
90,2	40,81	64,8	17,96	153,7	36,72
91,4	41,86	66	18,49	154,9	37,18
92,7	42,21	67,3	18,67	156,2	37,33
94	43,25	68,6	19,2	157,5	37,79
95,3	43,6	69,9	19,38	158,8	37,94
96,5	44,65	71,1	19,91	160	38,4
97,8	45,32	72,4	20,27	162,6	39,01
99,1	46,05	73,7	20,62	162,6	39,01
100,3	46,4	74,9	20,8	163,8	39,16
101,6	47,44	76,2	21,33	165,1	39,62
102,9	47,79	77,5	21,51	166,4	39,77
104,1	48,84	78,7	22,04	167,6	40,23
105,4	49,19	80	22,22	168,9	40,38
106,7	50,24	81,3	22,75	170,2	40,84
108	50,59	82,6	22,93	171,5	40,99
109,2	51,64	83,8	23,46	172,7	41,45
110,5	51,99	85,1	23,64	174	41,6
111,8	53,03	86,4	24,18	175,3	42,06
113	53,41	87,6	24,36	176,5	42,21

Tour de hanches		Tour de taille		Taille	
Cm	Constante A	Cm	Constante B	Cm	Constante C
114,3	54,53	88,9	24,89	177,8	42,67
115,6	54,86	90,2	25,07	179,1	42,82
116,8	55,83	91,4	25,6	180,3	43,28
118,1	56,18	92,7	25,78	181,6	43,43
119,4	57,22	94	26,31	182,9	43,89
120,7	57,57	95,3	26,49	184,2	44,04
121,9	58,62	96,5	27,02	185,4	44,5
123,2	58,97	97,8	27,2	186,7	44,65
124,5	60,02	99,1	27,73	188	45,11
125,7	60,37	100,3	27,91	189,2	45,26
127	61,42	101,6	28,44	190,5	45,72
128,3	61,77	102,9	28,62	191,8	45,87
129,5	62,81	104,1	29,15	193	46,32
130,8	63,16	105,4	29,33		
132,1	64,21	106,7	29,87		
133,4	64,56	108	30,05		
134,6	65,61	109,2	30,58		
135,9	65,96	110,5	30,76		
137,2	67	111,8	31,29		
138,4	67,35	113	31,47		
139,7	68,4	114,3	32		
141	68,75	115,6	32,18		
142,2	69,8	116,8	32,71		
143,5	70,15	118,1	32,89		
144,8	71,19	119,4	33,42		
146,1	71,54	120,7	33,6		
147,3	72,59	121,9	34,13		
148,6	72,94	123,2	34,31		
149,9	73,99	124,5	34,84		
151,1	74,34	125,7	35,02		
152,4	75,39	127	35,56		

Fiche de calcul du pourcentage de gras corporel (femmes)

Moyenne du tour de hanches _____ (Constante A)

Moyenne du tour de taille (abdomen) _____ (Constante B)

Moyenne de la taille _____ (Constante C)

En vous servant du tableau figurant sur les pages 356 et 357, repérez chacune de vos mesures dans la colonne appropriée, ainsi que la constante qui y correspond.

Constante A = _____

Constante B = _____

Constante C = _____

Pour calculer approximativement votre pourcentage de gras corporel, additionnez les constantes A et B et soustrayez la constante C du total. Le chiffre obtenu représente votre pourcentage de gras corporel, selon le calcul suivant :

(Constante A + Constante B) - Constante C = % de gras corporel

CALCUL DU POURCENTAGE DE GRAS CORPOREL D'UN HOMME

Voici les quatre étapes à suivre pour calculer votre pourcentage de gras corporel :

1. Mesurez votre tour de taille au niveau du nombril. Prenez la mesure trois fois et faites la moyenne.
2. Mesurez le poignet de la main droite si vous êtes droitier et de la main gauche si vous êtes gaucher. Mesurez-le à la rencontre de la main et de l'os du poignet.
3. Inscrivez ces mesures sur la fiche de calcul pour les hommes.
4. Soustrayez la mesure de votre poignet de la mesure de votre tour de taille et trouvez la valeur correspondante dans le tableau fourni. Dans la colonne de gauche, trouvez votre poids. Trouvez ensuite le point d'intersection en descendant la colonne correspondant à votre mesure taille-poignet jusqu'à la ligne correspondant à votre poids. Le point d'intersection indique votre pourcentage de gras corporel.

Fiche de calcul du pourcentage de gras corporel (hommes)

Moyenne du tour de taille _____ (cm)

Moyenne du tour de poignet _____ (cm)

Soustrayez la mesure du poignet de la mesure de la taille. En vous servant du tableau commençant à la page 360, trouvez votre poids. Trouvez ensuite le chiffre correspondant à la différence entre votre tour de taille et votre tour de poignet. Le point d'intersection de la colonne et de la ligne indique votre pourcentage approximatif de gras corporel.

Calcul du pourcentage de gras corporel (hommes)

Taille – poignet (cm)	49,5	57,15	58,42	59,69	60,96
Poids (kg)					
54,5	4	6	8	10	12
56,8	4	6	7	9	11
59,1	3	5	7	9	11
61,4	3	5	7	8	10
63,6	3	5	6	8	10
65,9		4	6	7	9
68,2		4	6	7	9
70,5		4	5	6	8
72,7		4	5	6	8
75		3	5	6	8
77,3		3	4	6	7
79,5			4	6	7
81,8			4	5	7
84,1			4	5	6
86,4			4	5	6
88,6			3	5	6
90,9			3	4	6
93,2				4	5
95,5				4	5
97,7				4	5
100				4	5
102,3				3	4
104,5				3	4
106,8				3	4
109,1					4
111,4					4
113,6					4
115,9					3
118,2					3
120,5					
122,7					
125					
127,3					
129,5					
131,8					
134,1					
136,4					

62,23	63,5	64,77	66,04	67,31	68,58	69,85
14	16	18	20	21	23	25
13	15	17	19	20	22	24
12	14	16	18	20	21	23
12	13	15	17	19	20	22
11	13	15	16	18	19	21
10	12	14	15	17	19	20
10	12	13	15	16	18	19
9	11	13	14	16	17	19
9	11	12	14	15	17	18
9	10	12	13	15	16	17
8	10	11	13	14	15	17
8	10	11	12	12	15	16
8	9	10	12	13	14	16
7	9	10	11	13	14	15
7	8	10	11	12	13	15
7	8	9	11	12	13	14
6	8	9	10	11	12	14
6	8	9	10	11	12	13
6	7	8	9	11	12	13
6	7	8	9	10	11	12
6	7	8	9	10	11	12
5	7	8	9	10	11	12
5	6	7	8	9	10	11
5	6	7	8	9	10	11
5	6	7	8	9	10	11
5	6	7	8	9	9	10
4	6	6	7	8	9	10
4	5	6	7	8	9	10
4	5	6	7	8	9	10
4	5	6	7	8	8	9
4	5	6	7	7	8	9
4	5	5	6	7	8	9
4	4	5	6	7	8	9
3	4	5	6	7	8	8
3	4	5	6	7	7	8
3	4	5	6	6	7	8
3	4	5	5	6	7	8

Taille – poignet (cm)	71,12	72,39	73,66	74,93	76,2	77,47
Poids (kg)						
54,5	27	29	31	33	35	37
56,8	26	28	20	32	33	35
59,1	25	27	28	30	32	34
61,4	24	26	27	29	31	32
63,6	23	24	26	28	29	31
65,9	22	23	25	27	28	30
68,2	21	23	24	26	27	29
70,5	20	22	23	25	26	28
72,7	19	21	22	24	25	27
75	19	20	22	23	24	26
77,3	18	19	21	22	24	25
79,5	17	19	20	21	23	24
81,8	17	18	19	21	22	23
84,1	16	18	19	20	21	23
86,4	16	17	18	19	21	22
88,6	15	16	18	19	20	21
90,9	15	16	17	18	19	21
93,2	14	15	17	18	19	20
95,5	14	15	16	17	18	19
97,7	13	15	16	17	18	19
100	13	14	15	16	17	18
102,3	13	14	15	16	17	18
104,5	12	13	14	15	16	17
106,8	12	13	14	15	16	17
109,1	12	13	14	15	16	17
111,4	11	12	13	14	15	16
113,6	11	12	13	14	15	16
115,9	11	12	13	14	14	15
118,2	10	11	12	13	14	15
120,5	10	11	12	13	14	15
122,7	10	11	12	13	13	14
125	10	11	11	12	13	14
127,3	9	10	11	12	13	14
129,5	9	10	11	12	12	13
131,8	9	10	11	11	12	13
134,1	9	10	10	11	12	13
136,4	9	9	10	11	12	12

78,74	80,01	81,28	82,55	83,82	85,09	86,36	87,63
39	41	43	45	47	49	50	52
37	39	41	43	45	46	48	50
36	37	39	41	43	44	46	48
34	36	38	39	41	43	44	46
33	34	36	38	39	41	43	44
31	33	35	36	38	39	41	43
30	32	33	35	36	38	40	41
29	31	32	34	35	37	38	40
28	30	31	33	34	35	37	38
27	29	30	31	33	34	36	37
26	28	29	30	32	33	34	36
25	27	28	29	31	32	33	35
25	26	27	28	30	31	32	34
24	25	26	28	29	30	31	33
23	24	26	27	28	29	30	32
22	24	25	26	27	28	30	31
22	23	24	25	26	28	29	30
21	22	23	25	26	27	28	29
21	22	23	24	25	26	27	28
20	21	22	23	24	25	26	28
19	20	22	23	24	25	26	27
19	20	21	22	23	24	25	26
18	19	20	21	22	23	24	25
18	19	20	21	22	23	24	25
17	18	19	20	21	22	23	24
17	18	19	20	21	22	23	24
17	18	18	19	20	21	22	23
16	17	18	19	20	21	22	23
16	17	18	19	19	20	21	22
15	16	17	18	19	20	21	22
15	16	17	18	19	19	20	21
15	16	16	17	18	19	20	21
14	15	16	17	18	19	19	20
14	15	16	17	17	18	19	20
14	15	15	16	17	18	19	19
14	14	15	16	17	17	18	19
13	14	15	16	16	17	18	19

Taille – poignet (cm)	88,9	90,17	91,44	92,71	93,98
Poids (kg)					
54,5	54				
56,8	52	54			
59,1	50	52	53	55	
61,4	48	50	51	53	55
63,6	46	48	49	51	53
65,9	44	46	47	49	51
68,2	43	44	46	47	49
70,5	41	43	44	46	47
72,7	40	41	43	44	46
75	38	40	41	43	44
77,3	37	39	40	41	43
79,5	36	37	39	40	41
81,8	35	36	37	39	40
84,1	34	35	36	38	39
86,4	33	34	35	37	38
88,6	32	33	34	35	37
90,9	31	32	33	35	36
93,2	30	31	32	34	35
95,5	29	30	32	33	34
97,7	29	30	31	32	33
100	28	29	30	31	32
102,3	27	28	29	30	31
104,5	26	27	28	30	31
106,8	26	27	28	29	30
109,1	25	26	27	28	29
111,4	25	26	27	27	28
113,6	24	25	26	27	28
115,9	24	24	25	26	27
118,2	23	24	25	26	27
120,5	22	23	24	25	26
122,7	22	23	24	25	25
125	22	22	23	24	25
127,3	21	22	23	24	24
129,5	21	21	22	23	24
131,8	20	21	22	23	23
134,1	20	21	21	22	23
136,4	19	20	21	22	22

95,25	96,52	97,79	99,06	100,33	101,6	102,87
54						
52	54	55				
50	52	53	55			
49	50	52	53	55		
47	48	50	51	53	54	
45	47	48	50	51	52	54
44	45	47	48	49	51	52
43	44	45	47	48	49	51
41	43	44	45	47	48	49
40	41	43	44	45	46	48
39	40	41	43	44	45	46
38	39	40	41	43	44	45
37	38	39	40	41	43	44
36	37	38	39	40	41	43
35	36	37	38	39	40	42
34	35	36	37	38	39	40
33	34	35	36	37	38	39
32	33	34	35	36	37	38
32	33	34	35	36	37	38
31	32	33	34	35	36	37
30	31	32	33	34	35	36
29	30	31	32	33	34	35
29	30	31	31	32	33	34
28	29	30	31	32	33	34
27	28	29	30	31	32	33
27	28	29	29	30	31	32
26	27	28	29	30	31	31
26	27	27	28	29	30	31
25	26	27	28	29	29	30
25	26	26	27	28	29	30
24	25	26	27	27	28	29
24	25	25	26	27	28	28
23	24	25	26	26	27	28

Taille – poignet (cm)	104,14	105,41	106,68	107,95	109,22
Poids (kg)					
54,5					
56,8					
59,1					
61,4					
63,6					
65,9					
68,2					
70,5					
72,7					
75	55				
77,3	54	55			
79,5	52	53	55		
81,8	50	52	53	54	
84,1	49	50	51	53	54
86,4	48	49	50	51	52
88,6	46	47	49	50	51
90,9	45	46	47	48	50
93,2	44	45	46	47	48
95,5	43	44	45	46	47
97,7	42	43	44	45	46
100	41	42	43	44	45
102,3	40	41	42	43	44
104,5	39	40	41	42	44
106,8	38	39	40	41	42
109,1	37	38	39	40	41
111,4	36	37	38	39	40
113,6	35	36	37	38	39
115,9	34	35	36	37	38
118,2	34	35	35	36	37
120,5	33	34	35	36	36
122,7	32	33	34	35	36
125	32	32	33	34	35
127,3	31	32	33	33	34
129,5	30	31	32	33	34
131,8	30	31	31	32	33
134,1	29	30	31	32	32
136,4	29	29	30	31	32

110,49	111,76	113,03	114,30	115,57	116,84	118,11	119,38
55							
54	55						
52	53	55					
51	52	53	54	55			
49	51	52	53	54	55		
48	49	50	51	53	54	55	
47	48	49	50	51	52	53	54
46	47	48	49	50	51	52	53
45	46	47	48	49	50	51	52
44	45	46	47	48	49	50	51
43	44	45	46	47	48	49	50
42	43	44	45	46	46	47	48
41	42	43	44	44	45	46	47
40	41	42	43	44	44	45	46
39	40	41	42	43	44	44	45
38	39	40	41	42	43	43	44
37	38	39	40	41	42	43	43
37	37	38	39	40	41	42	43
36	37	38	38	39	40	41	42
35	36	37	38	38	39	40	41
34	35	36	37	38	39	39	40
34	35	35	36	37	38	39	39
33	34	35	36	36	37	38	39
33	33	34	35	36	36	37	38

Taille – poignet (cm)	120,65	121,92	123,19	124,46	125,73	127
Poids (kg)						
54,5						
56,8						
59,1						
61,4						
63,6						
65,9						
68,2						
70,5						
72,7						
75						
77,3						
79,5						
81,8						
84,1						
86,4						
88,6						
90,9						
93,2						
95,5						
97,7	55					
100	54	55				
102,3	53	54	55			
104,5	52	53	54	55		
106,8	51	51	52	53	54	55
109,1	49	50	51	52	53	54
111,4	48	49	50	51	52	53
113,6	47	48	49	50	51	52
115,9	46	47	48	49	50	51
118,2	45	46	47	48	49	50
120,5	44	45	46	47	48	49
122,7	43	44	45	46	47	48
125	43	43	44	45	46	47
127,3	42	43	43	44	45	46
129,5	41	42	43	43	44	45
131,8	40	41	42	43	43	44
134,1	39	40	41	42	43	43
136,4	39	39	40	41	42	43

Bibliographie

Introduction

SEARS, B., *Le juste milieu dans votre assiette*, Montréal, Les Éditions de l'Homme, 1997, 2003.

Chapitre 1 — Être en bonne santé

OATES, J. A., « The 1982 Nobel prize in physiology or medicine », *Science*, vol. 218, 1982, p. 765-768.

SEARS, B., *Le juste milieu dans votre assiette*, Montréal, Les Éditions de l'Homme, 1997, 2003.

_____ , *Le régime Omega*, Montréal, Les Éditions de l'Homme, 2003.

_____ , *The Anti-Aging Zone*, New York, ReganBooks, 1999.

Chapitre 2 — Pourquoi l'inflammation silencieuse est-elle aussi dangereuse ?

BRAUNWALD, E., « Cardiovascular medicine at the turn of the millennium : triumphs, concerns, and applications », *N Engl J Med*, vol. 337, 1997, p. 1360-1369.

MCGEER, P. L., M. Shulzer et E.G. McGeer, « Arthritis and anti-inflammatory agents as possible protective factors for Alzheimer's disease : a review of 17 epidemiological studies », *Neurology*, vol 47, 1996, p. 425-432.

MORRIS, M.C., D.A. Evans, J.-L. Bienias, C.C. Tangney, D.A. Bennett, R.S. Wilson, N. Aggarwal et J. Schneider, « Consumption of fish and n-3 fatty acids and risk of incident Alzheimer disease », *Arch Neurol*, vol. 60, 2003, p. 940-966.

MOGHADASIAN, M.H., « Experimental atherosclerosis. A historical overview », *Life Sci*, vol. 70, 2002, p. 855-865.

OLSER, W., *Lectures on Angina Pectoris and Allied States*, New York, Appleton, 1897.

ROSS, R., « Atherosclerosis is an inflammatory disease », *N Engl J Med*, vol. 340, 1999, p. 115-126.

WOLFE, M.M., R.D. Lichtenstein et G. Singh., « Gastrointestinal toxicity of nonsteroidal antiinflammatory drugs » *N Engl J Med*, vol. 340, 1999, p. 1888-1889.

YUDKIN, J.-S., C.D.A. Stehouwer, J.-J. Emeis et S.W. Coppack, « C-reactive protein in healthy subjects : associations with obesity, insulin resistance, and endothelial dysfunction – a potential role for cytokines originating from adipose tissue ? », *Arterioscler Thromb Vasc Biol*, vol. 19, 1999, p. 972-978.

Chapitre 3 — La cause et le remède de l'inflammation silencieuse

SEARS, B., *Le juste milieu dans votre assiette*, Montréal, Les Éditions de l'Homme, 2003.

_____ , *Le régime Omega*, Montréal, Les Éditions de l'Homme, 2003.

_____ , *The Anti-Aging Zone*, New York, ReganBooks, 1999.

Chapitre 4 — Souffrez-vous d'inflammation silencieuse ?

ADAMS, P., S. Lawson, A. Sanigorski et J.A. Sinclair, « Arachidonic acid to eicosapentaenoic acid ratio in blood correlates positively with clinical symptoms of depression », *Lipids*, vol. 31, 1996, p. S157-S161.

BOIZEL, R., P.Y. Behhamou, B. Lardy, E. Laporte, T. Foulon et S. Halimi, « Ratio of triglycerides to HDL cholesterol is an indicator of LDL particle size in patients with type 2 diabetes and normal HDL cholesterol levels », *Diabetes Care*, vol. 23, 2000, p. 1679-1685.

CAMPBELL, B., T. Badrick, R. Harman et D. Kanowshi, « Limited clinical utility of high-sensitivity plasma C-reactive protein assays », *Ann Clin Biochem*, vol. 39, 2002, p. 85-88.

_____ , R. Flatman, T. Badrick et D. Kanowshi, « Problems with high-sensitivity C-reactive protein », *Clin Chem*, vol. 49, 2003, p. 201.

CONQUER, J.A., M.C Tierney, J. Zecevic, W.J. Bettger et R.H. Fisher, « Fatty acid analysis of blood plasma of patients with Alzheimer's disease, other types of dementia, and cognitive impairment », *Lipids*, vol. 35, 2000, p. 1305-1312.

DANESH, J., J.-G. Wheeler, G.M. Hirschfield, G. Eiriksdottir, A. Remley, G.D. Lowe, M.B. Pepys et J. Gudnason, « C-reactive protein and other circulating markers of inflammation in the prediction of coronary heart disease » *N Engl J Med*, vol. 350, 2004, p. 1387-1397.

DELONGERIL, M., S. Renaud, N. Mamelle, P. Salen, J.-L. Martin, I. Monjaud, J. Guidollet, P. Touboul et. J. Delaye « Mediterranean alpha-linolenic acid rich diet in secondary prevention of coronary heart disease », *Lancet*, vol. 343, 1994, p. 1454-1459.

_____ , P. Salen, J.-L. Martin, I. Monjand, J. Delaye et N. Mamelle, « Mediterranean diet, traditional risk factors, and the rate of cardiovascular complications after myocardial infarction : final report of the Lyon Diet Heart Study », *Circulation*, vol. 99, 1999, p. 779-785.

DERON, S.J., *C-reactive Protein*, Chicago, Contemporary Books, 2003.

FELDMAN, M., I. Jialal, S. Devaraj et B. Cryer, « Effects of low-dose aspirin on serum C-reactive protein and thromboxane B2 concentrations : a placebo-controlled study using a highly sensitive C-reactive protein assay », *J Am Col Cardiol*, vol. 37, 2001, p. 2036-2041.

FENG, D., R.P. Tracy, I. Lipinska, J. Murillo, C. McKenna et G.H. Tofler, « Effect of short-term aspirin use on C-reactive protein », *J Thromb Thrombolysis*, vol. 9, 2000, p. 37-41.

GAZIANO, J.-M., C.H. Hennekens, C.J. O'Donnell, J.-L. Breslow et J.E. Buring, « Fasting triglycerides, high-density lipoproteins and risk of myocardial infarction » *Circulation*, vol. 96, 1997, p. 2520-2525.

ISO, H., S. Sato, A.R. Falsm, T. Shimamoto, A. Terao, R.G. Munger, A. Kitamure, M. Konishi, M. Iida et Y. Komachi, « Serum fatty acids and fish intake in rural Japanese, urban Japanese, Japanese American and Caucasian American men », *Int J Epidemiol*, vol. 18, 1989, p. 374-381.

JEPPESEN, J., H.O. Hein, P. Suadicani et F. Gyntelberg, « Low triglycerides-high high-density lipoprotein cholesterol and risk of ischemic heart disease », *Arch Intern Med*, vol. 161, 2001, p. 361-366.

KAGAWA, Y., M. Nishizawa, M. Suzuki, T. Miyatake, T. Hamamoto, K. Goto, E. Motonaga, H. Izumikawa, H. Hirata et A. Ebihara, « Eicosapolyenoic acid of serum lipids of Japanese islanders with low incidence of cardiovascular diseases », *J Nutr Sci Vitaminol*, vol. 28, 1982, p. 441-453.

Kluft, C. et M.P.M. de Maat, « Genetics of C-reactive protein », *Arterioscler Thromb Vasc Biol*, vol. 23, 2003, p. 1956-1959.

KROMANN, N. et A. Green, « Epidemiological studies in Upernavik district, Greenland », *Acta Med Scand*, vol. 208, 1974, p. 401-406.

LAIDLAW, M. et B.J. Holub, « Effects of supplementation with fish oil-derived n-3 fatty acids and gamma-linolenic acid on circulating plasma lipids and fatty acid profiles in women », *Am J Clin Nutr*, vol. 77, 2003, p. 37-42.

LAMARCHE, B., A. Tchernot, P. Mauriege, B. Cantin, G.R. Gagenais, P.J. Lupien et J.-P. Desptes, « Fasting insulin and apolipoprotein B levels and low-density particle size as risk factors for ischemic heart disease », *JAMA*, vol. 279, 1998, p. 1965-1971.

MAES, M., « Fatty acid composition in major depression: decreased n-3 fractions in cholesterol esters and increased C20: n6/C20: 5n3 ratio in cholesterol ester and phospholipids », *J Affect Dis*, vol. 38, 1996, p. 35-46.

MAES, M., A. Christophe, J. Delanghe, C. Altamura, H. Neels et H.Y. Meltzer, « Lowered omega-3 polyunsaturated fatty acids in serum phospholipids and cholesterol esters of depressed patients », *Psychiatry Res*, vol. 85, 1999, p. 275-291.

NAKAMURA, T., A. Azuma, T. Kuribayashi, H. Sugihara, S. Okuda et M. Nakagawa, « Serum fatty acid levels, dietary style and coronary heart in three neighbouring areas in Japan », *British Journal of Nutrition*, vol. 89, 2003, p. 267-272.

NORDVIK, I., K.M. Myhr, H. Nyland et K.S. Bjerve, « Effect of dietary advice and n-3 supplementation in newly diagnosed MS patients », *Acta Neurol Scand*, vol. 102, 2000, p. 143-149.

PEDESEN, H.S., G. Mulvad, K.N. Seidelin, G.T. Malcom et D.A. Doudreau, « N-3 fatty acids as a risk marker for haemorrhagic stroke », *Lancet*, vol. 353, 1999, p. 812-813.

PIRRO, M., J. Bergeron, G.R. Dagenais, P.-M. Bernard, B. Cantin, J.-P. Depres et B. Lamarche, « Age and duration of follow-up as modulators of the risk for ischemic heart disease associated with high plasma C-reactive protein levels in men », *Arch Intern Med*, vol. 161, 2001, p. 2474-2480.

RIDKER, P. M., « High-sensitivity C-reactive protein », *Circulation*, vol. 103, 2001, p. 1813-1818.

_____ , M. Cushman, M.J. Stampfer, R.P. Tracy et C.H. Hennekens, « Inflammation, aspirin, and the risk of cardiovascular disease in apparently healthy men », *N Engl J Med*, vol. 336, 1996, p. 973-979.

_____ , N. Fifai, M.J. Stampfer et C.H. Hennekens, « Plasma concentration of interleukin-6 and the risk of future myocardinal infarction among apparently healthy men », *Circulation*, vol. 101, 2000, p. 1767-1772.

_____ , C.H. Hennekens, J.E. Buring et N. Rifai, « C-reactive protein and other markers of inflammation in the prediction of cardiovascular disease in women », *N Engl J Med*, vol. 42, 2000, p. 836-843.

_____ , N. Rifai, M.A. Pfeffer, E.M. Sacks, L.A. Moye, S. Goldman, G.C. Flaker et E. Braunwald, « Inflammation, pravastatin, and the risk of coronary events after myocardial infarction in patients with average cholesterol levels. Cholesterol and Recurrent Events (CARE) Investigators », *Circulation*, vol. 98, 1998, p. 839-844.

RIFAI, N. et P.M. Ridker, « High-sensitivity C-reactive protein: a novel and promising marker of coronary heart disease », *Clin Chem*, vol. 47, 2001, p. 403-411.

SEARS, B., *Le régime Omega*, Montréal, Les Éditions de l'Homme, 2003.

STEVENS, L.J. et J. Burgess, « Omega-3 fatty acids in boys with behavior, learning, and health problems », *Physiology Behavior*, vol. 59, 1996, p. 915-920.

STEVENS, L.J., S.S. Zentall, J.-L. Deck, M.L. Abate, B.A. Watkins, S.A., Lipp et J.-R. Burgess, « Essential fatty acid metabolism in boys with attention-deficit hyperactivity disorder », *Am J Clin Nutr*, vol. 62, 1995, p. 761-768.

TAKEDA, T., S. Hoshida, M. Nishino, J. Tanouchi, K. Otsu et M. Hon, « Relationship between effects of statins, aspirin and angiotensin II modulators on high-sensitive C-reactive protein levels », *Atherosclerosis*, vol. 169, 2003, p. 155-188.

TALL, A.R., « C-reactive protein reassessed », *N Engl J Med*, vol. 350, 2004, p. 1450-1452.

UPRITCHARD, J.E., W.H. Sutherland et J.I. Mann, « Effect of supplementation with tomato juice, vitamin E, and vitamin C on LDL oxidation and products of inflammatory activity in type 2 diabetes », *Diabetes Care*, vol. 23, 2000, p. 733-738.

YAMADA, T., J.-P. Strong, T. Ishii, T. Ueno, M. Koyama, H. Wagayama, A. Shimizu, T. Sakai, G.T. Malcom et M.A. Guzman, « Atherosclerosis and omega-3 fatty acids in the populations of a fishing village and a farming village in Japan », *Atherosclerosis*, vol. 153, 2000, p. 469-481.

YENI-KOMSHIAN, H., M. Caratoni, F. Abbasi et G.M. Reaven, « Relationship between several surrogate estimates of insulin resistance and quantification of insulin-mediated glucose disposal in 490 healthy nondiabetic volunteers », *Diabetes Care*, vol. 23, 2000, p. 171-175.

Chapitre 5 — La première ligne de défense contre l'inflammation silencieuse : le régime du juste milieu

ASTRUP, P.A., D.T. Meinert Larsen et A. Harper, « Atkins and other low-carbohydrate diets : hoax or an effective tool for weight loss ? », *Lancet*, vol. 364, 2004, p. 897-899.

BELL, S.J. et B. Sears, « A proposal for a new national diet : a low glycemic load diet with a unique macronutrient composition », *Metabolic Syndrome and Related Disorders*, vol.1, 2003, p. 199-200.

_____ , « Low glycemic load diets : impact on obesity and chronic diseases », *Crit Rev Food Sci Nutr*, vol. 43, 2003, p. 357-377.

FLEGAL, K.M., M.D. Carroll, C.L. Ogden et C.L. Johnson, « Prevalence and trends in obesity among US adults, 1999-2000 », *JAMA*, vol. 288, 2002, p. 1723-1727.

FOSTER-POWELL, K., S.H. HoIt et J.-C. Brand-Miller, « International table of glycemic index and glycemic load values : 2002 », *Am J Clin Nutr*, vol. 76, 2002, p. 5-56.

JENKINS, D.J., T.M. Wolever, R.H. Taylor, H. Barker, H. Fielden, J.-M. Baldwin, A.C. Bowling, H.C. Newman, A.L. Jenkins et D.V. Goff, « Glycemic index of foods : a physiological basis for carbohydrate exchange », *Am J Clin Nutr*, vol. 34, 1981, p. 362-366.

LEEDS, A.R., « Glycemic index and heart disease », *Am J Clin Nutr*, vol. 76, 2002, p. 286S-289S.

LIU, S., J.E. Manson, J.E. Buring, M.J. Stampfer, W.C. Willett et P.M. Ridker, « Relation between a diet with a high glycemic load and plasma concentrations of high-sensitivity C-reactive protein in middle-aged women », *Am J Clin Nutr*, vol. 75, 2002, p. 492-498.

_____ , J.E. Manson, M.J. Stampfer, M.D. Holmes, F.B. Hu, S.E. Hankinson et W.C. Willett, « Dietary glycemic load assessed by food-frequency questionnaire in relation to plasma high-density-lipoprotein cholesterol and fasting plasma triacylglycerols in postmenopausal women », *Am J Clin Nutr*, vol. 73, 2001, p. 560-566.

_____ , W.C. Willett, M.J. Stampfer, F.B. Hu, M. Franz, L. Sampson, C.H. Hennekens et J.E. Manson, « A prospective study of dietary glycemic load, carbohydrate intake, and risk of coronary heart disease in US women », *Am J Clin Nutr*, vol. 71, 2002, p. 1455-1461.

LUDWIG, D.S., « The glycemic index : physiological mechanisms relating to obesity, diabetes, and cardiovascular disease », *JAMA*, vol. 287, 2002, p. 2414-2423.

_____ , J.A. Majzoub, A. Al-Zahrani, G.E. Dallal, I. Blanco et S.B. Roberts, « High glycemic index foods, overeating, and obesity », *Pediatrics*, vol. 103, 1999, p. E26.

MOKDAD, A.H., E.S. Ford, B.A. Bowman, W.H. Dietz, F. Vinicor, V.S. Bales et J.-S. Marks, « Prevalence of obesity, diabetes, and obesity-related health risk factors, 2001 », *JAMA*, vol. 289, 2003, p. 76-79.

_____ , E.S. Ford, B.A. Bowman, D.E. Nelson, M.M. Engelgau, F. Vinicor et J.-S. Marks, « Diabetes trends in the U.S., 1990-1998 », *Diabetes Care*, vol. 23, 2000, p. 1278-1283.

OGDEN, C.L., K.M. Flegal, M.D. Carroll et C.L. Johnson, « Prevalence and trends in overweight among US children and adolescents, 1999-2000 », *JAMA*, vol. 288, 2002, p. 1728-32.

ROBERTS, S.B., « High-glycemic index foods, hunger, and obesity : is there a connection ? », *Nutr Rev*, vol. 58, 2000, p. 163-169.

SALMERON, J., J.E. Manson, M.J. Stampfer, G.A.Colditz, A.L. Wing et W.C. Willert, « Dietary fiber, glycemic load, and risk of non-insulin-dependent diabetes mellitus in women », *JAMA*, vol. 277, 1997, p. 472-477.

SEARS, B., *A Week in the Zone*, New York, ReganBooks, 2000.

_____ , *Le juste milieu dans votre assiette*, Montréal, Les Éditions de l'Homme, 2003.

_____ , *Les recettes du juste milieu dans votre assiette*, Montréal, Les Éditions de l'Homme, 1997, 2003.

_____ , et S.J. Bell, « The Zone Diet : an anti-inflammatory, low glycemic-load diet », *Metabolic Syndrome and Related Disorders*, vol. 2, 2004, p. 24-38.

_____ , et L. Sears, *Zone Meals in Seconds*, New York, ReganBooks, 2002.

WILLETT, W., J. Manson et S. Liu, « Glycemic index, glycemic load, and risk of type 2 diabetes », *Am J Clin Nutr*, vol. 76, 2002, p. 274S-280S.

Chapitre 6 — Transformez votre cuisine en pharmacie anti-inflammatoire

SEARS, B., *A Week in the Zone*, New York, ReganBooks, 2000.

_____ , *Le juste milieu dans votre assiette*, Montréal, Les Éditions de l'Homme, 2003.

_____ , *Les recettes du juste milieu dans votre assiette*, Montréal, Les Éditions de l'Homme, 1997, 2003.

_____ , *Top 100 Zone Foods*, New York, ReganBooks, 1999.

_____ , *Zone Food Blocks*, New York, ReganBooks, 1998.

_____ , *Zone Perfect Meals in Minutes*, New York, ReganBooks, 1998.

_____ , et L. Sears, *Zone Meals in Seconds*, New York, ReganBooks, 2004.

Chapitre 7 — Votre ultime ligne de défense contre l'inflammation silencieuse

ARISAWA, K., T. Matsummura, C. Tohyama, H. Saito, M. Hagai, M. Morita et T. Suzuki, « Fish intake, plasma omega-3 polyunsaturated fatty acids, and polychlorinated dibenzo-p-dioxins/polychlorinated dibenzo-furans and co-planar polychlorinated biphenyls in the blood of the Japanese population », *Int Arch Occup Environ Health*, vol. 76, 2003, p. 205-215.

PEDESEN, H.S., G. Mulvad, K.N. Seidelin, G.T. Malcom et D.A. Doudreau, « N-3 fatty acids as a risk marker for haemorrhagic stroke », *Lancet*, vol. 353, 1999, p. 812-813.

SEARS, B., *Le régime Omega*, Montréal, Les Éditions de l'Homme, 2003.

ZUIJDGEEST-VAN LEEUWEN, S.D., P.C. Dagnelie, T. Rietveld, J.W.O. van den Berg et J.H.P. Wilson, « Incorporation and washout of rally administered n-3 fatty acid ethyl esters in different plasma lipid fracions », *Brit J Nutr*, vol. 82, 1999, p. 481-488.

Chapitre 8 — Des suppléments additionnels qui aident à réduire l'inflammation silencieuse

ALBERT, M.A., R.J. Glynn et P.M. Ridker, « Alcohol consumption and plasma concentration of C-reactive protein », *Circulation*, vol. 107, 2003, p. 443-447.

DELONGERIL, M., S. Renaud, N. Mamelle, P. Salen, J.-L. Martin, I. Monjaud, J. Guidollet, P. Touboul et. J. Delaye, « Mediterranean alpha-linolenic acid rich diet in secondary prevention of coronary heart disease », *Lancet*, vol. 343, 1994, p. 1454-1459.

_____ , P. Salen, J.-L. Martin, I. Monjaud, J. Delaye et N. Mamelle, « Mediterranean diet, traditional risk factors, and the rate of cardiovascular complications after myocardial infarction : final report of the Lyon Diet Heart Study », *Circulation*, vol. 99, 1999, p. 779-785.

GISSI-Prevenzione Investigators, « Dietary supplementation with n-3 polyunsaturated fatty acids and vitamin E after myocardial infarction : results of the GISSI-Prevenzione trial », *Lancet*, vol. 354, 1999, p. 447-455.

HIGDON, J.V., S.H. Du, Y.S. Lee, T. Wu et R.C. Wander, « Supplementation of postmenopausal women with fish oil does not increase overall oxidation of LDL ex vivo compared to dietary oils rich in oleate and linoleate », *J Lipid Res*, vol. 42, 2001, p. 407-418.

HORROCKS, L.A. et Y.K. Yeo, « Health benefits of docosahexaenoic acid (DHA) », *Pharmacol Res*, vol. 40, 1999, p. 211-225.

JACOBS, E.J., C.J. Connell, A.V. Patel, A. Chao, C. Rodriguez, J. Seymour, M.L. McCullough, E.E. Calle et M.J. Thun, « Vitamin C and vitamin E supplement use and colorectal cancer mortality in a large American Cancer Society cohort », *Cancer Epidemiol Biomarkers Prey*, vol. 10, 2001, p. 17-23.

KANGASAHO, M., M. Hillbom, M. Kaste et H. Vapaatalo, « Effects of ethanol intoxication and hangover on plasma levels of thromboxane B2 and 6-keto-prostaglandin Fi alpha and on thromboxane B2 formation by platelets in man », *Thromb Haemost*, vol. 48, 1982, p. 232- 234.

LEE, S.H. et I.A. Blair, « Vitamin C-induced decomposition of lipid hydroperoxides to endogenous genotoxins », *Science*, vol. 292, 2001, p. 2083-2086.

LEITZMANN, M.E., M.J. Stampfer, D.S. Michaud, K. Augustsson, G.C. Colditz, W.C. Willett et E.L. Giovannucci, « Dietary intake of n-3 and n-6 fatty acids and the risk of prostate cancer », *Am J Clin Nutr*, vol. 80, 2004, p. 204-216.

LONN, E., S. Yusuf, B. Hoogwerf, J. Pogue, Q. Yi, B. Zinman, J. Bosch, G. Dagenais, J.-F. Mann et H.C. Gerstein, « Effects of vitamin E on cardiovascular and microvascular outcomes in high-risk patients with diabetes: results of the HOPE study and MICRO-HOPE substudy », *Diabetes Care*, vol. 25, 2002, p. 1919-1927.

OMENN, G.S., G.E. Goodman, M.D. Thornquist, J. Balmes, M.R. Cullen, A. Glass, J.-P. Keogh, F.L. Meyskens, B. Valanis, J.H. Williams, S. Barnhart, M.G. Cherniack, C.A.Brodkin et S. Hammar, « Risk factors for lung cancer and for intervention effects in CARET, the Beta-Carotene and Retinol Efficacy Trial », *J Natl Cancer Inst*, vol. 88, 1996, p. 1550-1559.

STEPHENS, N.G., A. Parsons, P.M. Schofield, F. Kelly, K. Cheeseman et M.J. Mitchinson, « Randomised controlled trial of vitamin E in patients with coronary disease: Cambridge Heart Antioxidant Study (CHAOS) », *Lancet*, vol. 347, 1996, p. 781-786.

TORNWALL, M.E., J. Virtamo, P.A. Korhonen, M.J. Virtanen, P.R. Taylor, D. Albanes et J.K. Huttunen, « Effect of alpha-tocopherol and beta-carotene supplementation on coronary heart disease during the 6-year post-trial follow-up in the ATBC study », *Eur Heart J*, vol. 25, 2004, p. 1171-1178.

Chapitre 9 — Des exercices pour réduire l'inflammation silencieuse

CALDER, P.C. et P. Yaqoob, « Glutamine and the immune system », *Amino Acids*, vol. 17, 1999, p. 227-241.

CHURCH, T.S., Y.J. Cheng, C.P. Earnest, C. E. Barlow, L.W. Gibbons, E.L. Priest et S.N. Blair, « Exercise capacity and body composition as predictors of mortality among men with diabetes », *Diabetes Care*, vol. 27, 2004, p. 83-88.

FARRELL, S.W., L. Braun, C.E. Barlow, Y.J. Cheng et S.N. Blair, « The relation of body mass index, cardiorespiratory fitness, and all-cause mortality in women », *Obesity Res*, vol. 10, 2002, p. 417-423.

HOMER, P.J. et E.H. Gage, « Regenerating the damaged central nervous system », *Nature*, vol. 407, p. 963-970.

LEE, C.D., S.N. Blair et A.S. Jackson, « Cardiorespiratory fitness, body composition, and all-cause and cardiovascular disease mortality in men », *Am J Clin Nutr*, vol. 69, 1999, p. 373-380.

NEEPER, S.A., F. Gomez-Pinilla, J. Choi et C.W. Cotman, « Physical activity increases mRNA for brain-derived neurotrophic factor and nerve growth factor in rat brain », *Brain Res*, vol. 726, 1996, p. 49-56.

NEWSHOLME, P., « Why is L-glutamine metabolism important to cells of the immune system in health, postinjury, surgery or infection? », *J Nutr*, vol. S131, 2001, p. 2515S-2522S.

SEARS, B., *Le régime Omega*, Montréal, Les Éditions de l'Homme, 2003.

WOJTASZEWSKI, J.R.P., B.F. Hansen, J. Gade, B. Kiena, J.-F. Markuna, L.J. Goodyear et E.A. Richter, «Insulin signaling and insulin sensitivity after exercise in human skeletal muscle», *Diabetes*, vol. 49, 2000, p. 325-331.

Chapitre 10 — Réduire les dommages collatéraux de l'inflammation silencieuse : stratégies de réduction du cortisol

BENSON, H., *The Relaxation Response*, New York, William Morrow, 1975.

CARRINGTON, P., *The Book of Meditation*, Boston, Element Books, 1998.

HAMAZAKI, T., M. Itomura, S. Sawazaki et Y. Nagao, «Anti-stress effects of DHA», *Biofactors*, vol. 13, 2000, p. 41-45.

HOMER, H., D. Packan et R.M. Sapolsky, «Glucocorticoids inhibit glucose transport in cultured hippocampal neurons and glia», *Neuroendocrinology*, vol. 52, 1990, p. 57-63.

KAMEI, T., Y. Toriumi, H. Kimura, S. Ohno, H. Kumano et K. Kimura, «Decrease in serum cortisol during yoga exercise is correlated with alpha wave activation», *Percept Mot Skills*, vol. 90, 2000, p. 1027-1032.

MACLEAN, C.R., K.G. Walton, S.R. Wenneberg, D.K. Levitsky, J.-P. Mandarino, R. Waziri, S.L. Hillis et R.H. Schneider, «Effects of the Transcendental Meditation program on adaptive mechanisms: changes in hormone levels and responses to stress after 4 months of practice», *Psychoneuroendocrinology*, vol. 22, 1997, p. 277-295.

MAES, M., A. Christophe, E. Bosmans, A. Lin et H. Neels, «In humans, serum polyunsaturated fatty acid levels predict the response of proinflammatory cytokines to psychologic stress» *Psychiatry*, vol. 47, 2000, p. 910-920.

MAIER, S.F. et L. R, Watkins, «Cytokines for psychologists: implications of bidirectional immune-to-brain communication for understanding behavior, mood, and cognition», *Psychol Rev*, vol. 105, 1998, p. 83-107.

SEARS, B., *Le régime Omega*, Montréal, Les Éditions de l'Homme, 2003.

_____ , *The Anti-Aging Zone*, New York, ReganBooks, 1999.

SPIEGEL, K., R. Leproult et E. Van Cauter, «Impact of sleep debt on metabolic and endocrine function», *Lancet*, vol. 354, 1999, p. 1435-1439.

SPOLSKY, R.M., *Stress, the Aging Brain, and the Mechanisms of Neuron Death*, Cambridge, MA: MIT Press, 1992.

SPOLSKY, R.M., D.R. Packan et W.W. Vale, «Glucocorticoid toxicity in the hippocampus», *Brain Res*, vol. 453, 1988, p. 367-371.

SUDSUANG, R., V. Chentanez et K. Veluvan, «Effect of Buddhist meditation on serum cortisol and total protein levels, blood pressure, pulse rate, lung volume and reaction time», *Physiol Behav*, vol. 50, 1991, p. 543-548.

TALBOTT, S. et W. Kramer, *The Cortisol Connection*, Berkeley, CA, Hunter House, 2002.

VGONTZAS, A.N., E. Zoumakis, E.O. Bixler, H.M. Lin, H. Follett, A. Kales et G.P. Chrousos, «Adverse effects of modest sleep restriction on sleepiness, performance, and inflammatory cytokines», *J Clin Endocrinol Metab*, vol. 89, 2004, p. 2119-2126.

WILSON, J.-L., *Adrenal Fatigue*, Petaluma, CA, Smart Publications, 2001.

Chapitre 12 — Les eicosanoïdes : les bons, les mauvais et les neutres

BARHAM, J.-B., M.B. Edens, A.N. Fonteh, M.M. Johnson, L. Easter et F.H. Chilton, « Addition of eicosapentaenoic acid to gamma-linolenic-acid supplemented diets prevents serum arachidonic acid accumulation in humans », *J Nutr*, vol.130, 2000, p. 1925-1931.

BRENNER, R.R., « Nutrition and hormonal factors influencing desaturation of essential fatty acids », *Prog Lipid Res*, vol. 20, 1982, p. 41-48.

BURR, G.O. et M.R. Burr, « A new deficiency disease produced by rigid exclusion of fat from the diet », *J Biol Chem*, vol. 82, 1929, p. 345-367.

CHAPKIN, R.S., S.D. Somer et K.L. Erickson, « Dietary manipulation of macrophage phospholipids classes : selective increase in dihomo gamma linolenic acid », *Lipids*, vol. 23, 1988, p. 776-770.

CHAVALI, S.R. et R.A. Forse, « Decreased production of interleukin-6 and prostaglandin E2 associated with inhibition of delta-5 desaturation of omega 6 fatty acids in mice fed safflower oil diets supplemented with sesamol », *Prostagtandins Leukot Essent Fatty Acids*, vol. 61, 1999, p. 347-352.

CHO, H.P., M. Nakamura et S.D. Clarke, « Cloning, expression, and fatty acid regulation of human delta 5 desaturase », *J Biol Chem*, vol. 274, 1999, p. 37335-37399.

CLARKE, S.D., « Polyunsaturated fatty acid regulation of gene transcription : a mechanism to improve energy balance and insulin resistance », *Br J Nutr*, vol. 83, 2000, p. S59-S66.

CONNOR, W.E., « Importance of n-3 fatty acids in health and disease », *Am J Clin Nutr*, vol. 71, 2000, p. S171S-S175.

CONQUER, J.A. et B.J. Holub, « Dietary docosahexaenoic acid as a source of eicosapentaenoic acid in vegetarians and omnivores », *Lipids*, vol. 32, 1997, p. 341-345.

EL BOUSTANI, S., J.E. Gausse, B. Descomps, L. Monnier, F. Mendy et A. Crastes de Paulet, « Direct in vivo characterization of the delta-5 desaturase activity in humans by deuterium labeling : effect of insulin », *Metabolism*, vol. 38, 1989, p. 3315-3321.

FERRERIA, S.H., S. Moncada et J.-R. Vane, « Indomethacin and aspirin abolish prostaglandin release from the spleen », *Natur New Bio*, vol. 231, 1971, p. 237-239.

GARG, M.L., A.B.R. Thomson et M.T. Clandinin, « Effect of dietary cholesterol and/or omega-3 fatty acids on lipid composition and delta 5-desaturase activity of rat liver microsomes », *J Nutr*, vol. 118, 1998, p. 661-668.

HILL, E.G., S.B. Johnson, L.D. Lawson, M.M. Mahfouz et R.T. Holman, « Perturbation of the metabolism of essential fatty acids by dietary partially hydrogenated vegetable oil », *Proc Natl Acad Sci USA*, vol. 79, 1982, p. 953-957.

OATES, J.A., « The 1982 Nobel prize in physiology or medicine », *Science*, vol. 218, 1982, p. 765-768.

PELIKONOVA, T., M. Kohout, J. Base, Z. Stefka, L. Kovar, L. Kerdova et J. Valek, « Effect of acute hyperinsulinemia on fatty acid composition of serum lipid in non-insulin dependent diabetics and healthy men », *Clin Chem Acta*, vol. 203, 1991, p. 329-337.

PHINNEY, S., « Potential risk of prolonged gamma-linolenic acid use », *Ann Intern Med*, vol. 120, 1994, p. 692.

ROBERTSON, R.P., D.J. Gavarenski, D. Porte et E.L. Bierman, « Inhibition of in vivo insulin secretion by prostaglandin El », *J Clin Invest*, vol. 54, 1974, p. 310-315.

SEARS, B., *Le juste milieu dans votre assiette*, Montréal, Les Éditions de l'Homme, 2003.

_____ , *Le régime Omega*, Montréal, Les Éditions de l'Homme, 2003.

_____ , *The Anti-Aging Zone*, New York, ReganBooks, 1999.

SERHAN, C.N., « Lipoxins and aspirin-triggered 15-epi-lipoxin biosynthesis : an update and role in anti-inflammation and pro-resolution », *Prostaglandins Other Lipid Mediat*, vol. 69, 2002, p. 433-455.

SHIMIZU, S., K. Akimoto, Y. Shinmen, H. Kawashima, M. Sugano et H. Yamada, « Sesamin is a potent and specific inhibitor of delta 5 desaturase in polyunsaturated fatty acid biosynthesis », *Lipids*, vol. 26, 1991, p. 512-516.

SMITH, D.L., A.L. Willis, N. Nguyen, D. Conner, S. Zahedi et J. Fulks, « Eskimo plasma constituents, dihomo gamma linolenic acid, eicosapentaenoic acid, and docosahexaenoic acid inhibit the release of atherogenic rnitogens », *Lipids*, vol. 24, 1989, p. 70-75.

STONE, K.J., A.L. Willis, M. Hurt, S.J. Kirtland, P.B.A. Kernof et G.F. McNichol, « The metabolism of dihomo gamma linolenic acid in man », *Lipids*, vol. 14, 1979, p. 174-180.

VON EULER, U.S., « On specific vasodilating and plain muscle stimulating substances from accessory genital glands in men and certain animals (prostaglandins and vesiglandin) », London, *J Physiol*, vol. 88, 1936, p. 213-234.

WILLIS, A.L., *Handbook of Eicosanoids, Prostaglandins, and Related Lipids*, Boca Raton, CRC Press, 1987.

YAM, D., B. Elitaz, B. Eliraz et M. Elliot, « Diet and disease : the Israeli paradox : possible dangers of a high omega-6 polyunsaturated fatty acid diet », *Isr J Med Sci*, vol. 32, 1996, p. 1134-1143.

Chapitre 13 — Pourquoi l'inflammation est-elle douloureuse et quel rôle jour-t-elle dans le processus de guérison ?

BABCOK, T., W.S. Helton et N.J. Espat, « Eicosapentaenoic acid : an anti-inflammatory omega-3 fat with potential clinical applications », *Nutrition*, vol. 16, 2000, p. 1116-1118.

BAZAN, N.G. et R.L. Flower, « Lipid signals in pain control », *Nature*, vol. 420, 2002, p. 135-138.

BECHOUA, S., M. Dubois, G. Nemoz, P. Chapy, E. Vericel, M. Lagarde et A.E. Prigent, « Very low dietary intake of n-3 fatty acids affects the immune function of healthy elderly people », *Lipids*, vol. 34, 1999, p. S143.

BLEUMINK, G.S., J. Feenstra, M.C.M.J. Sturkenboom et B.H.C. Stricker, « Nonsteroidal anti-inflammatory drugs and heart failure », *Drugs*, vol. 63, 2003, p. 525-534.

BLOK, W.L., M.B. Katan et J.W. van der Meer, « Modulation of inflammation and cytokine production by dietary (n-3) fatty acids », *J Nutr*, vol. 126, 1996, p. 1515-1533.

CALDER, P.C., « n-3 polyunsaturated fatty acids and cytokine production in health and disease », *Ann Nutr Metab*, vol. 41, 1997, p. 203-234.

_____ , « n-3 polyunsaturated fatty acids, inflammation and immunity », *Nutr Res*, vol. 21, 2001, p. 309-341.

_____ , « Dietary modification of inflammation with lipids », *Proc Nutr Soc*, vol. 61, 2002, p. 345-358.

ENDRES, S., « Messengers and mediators : interactions among lipids, eicosanoids, and cytokines », *Am J Clin Nutr*, vol. 57, 1993, p. 798S-800S.

_____ , « n-3 polyunsaturated fatty acids and human cytokine synthesis », *Lipids*, vol. 31, 1996, p. S239-242.

_____ , R. Ghorbani, V.E. Kelley, K. Georgilis, G. Lonnemann, J.W. van der Meer, J.-G. Cannon, T.S. Rogers, M.S. Klempner et P.C. Weber, « The effect of dietary supplementation with n-3 polyunsaturated fatty acids on the synthesis of interleukin-1 and tumor necrosis factor by mononuclear cells », *N Engl J Med*, vol. 320, 1989, p. 265-271.

_____ , R. Lorenz et K. Loeschke, « Lipid treatment of inflammatory bowel disease », *Curr Opin Clin Nutr Metab Care*, vol. 2, 1999, p. 117-120.

_____ , et C. von Schacky, « n-3 polyunsaturated fatty acids and human cytokine synthesis », *Curr Opin Lipidol*, vol. 7, 1996, p. 48-52.

HONG, S., K. Gronert, P.R. Devchand, R.L. Moussignac et C.N. Shernan, « Novel docosatrienes and 17S-resolvins generated from docosahexaenoic acid in murine brain, human blood, and glial cells. Autocoids in anti-inflammation », *J Biol Chem*, vol. 278, 2003, p. 14677-14687.

JOZSEF, L., C. Zouki, N.A. Petasis, C.N. Serhan et J.-G. Filep, « Lipoxin A4 and aspirin-triggered 15-epi-lipoxin A4 inhibit peroxynitriete formation, NF kappa B and AP-1 activation, and IL-8 gene expression in human leukocytes », *Proc Natl Acad Sci USA*, vol. 99, 2002, p. 13266-13271.

Lawrence, T., D.A. Willoughby et D.W. Gilroy, « Anti-inflammatory lipid mediators and insights into the resolution of inflammation », *Nature Rev Immunol*, vol. 2, 2002, p. 787-795.

Levy, B., C.B. Clish, B. Schmidt, K. Gronert et C.N. Serhan, « Lipid mediator class switching during acute inflammation : signals in resolution », *Nature Immunol*, vol. 2, 2001, p. 612-619.

Lo, C.J., K.C. Chiu, M. Fu, R. Lo et S. Helton, « Fish oil decreases macrophage tumor necrosis factor gene transcription by altering the NF kappaB activity », *J Surg Res*, vol. 82, 1999, p. 216-221.

Meydani, S.N., « Effect of n-3 polyunsaturated fatty acid on cytokine production and their biological action », *Nutrition*, vol. 12, 1996, p. S8-14.

Perretti, M., N. Chiang, M. La, I.M. Fierro, S. Marullo, S.J. Getting, E. Solito et C.N. Sethan, « Endogenous lipid and peptide derived anti-inflammatory pathways generated with glucocorticoid and aspirin treatment activate the lipoxin A4 receptor », *Nature Med*, vol. 9, 2002, p. 1296-1302.

Serhan, C.N., « Lipoxins and aspirin-triggered 15-epi-lipoxin biosynthesis : an update and role in anti-inflammation and pro-resolution », *Prostaglandins Other Lipid Mediat*, vol. 69, 2002, p. 433-455.

Serhan, C.N., S. Hong, K. Gronert, S.P. Colgan, P.R. Devchand, G. Mirick et R.L. Moussignac, « Resolvins : a family of bioactive products of omega-3 fatty acid transformation circuits intiated by aspirin treatment that counter proinflammation signals », *J Exp Med*, vol. 196, 2002, p. 1025-1037.

Sperling, R.I., « The effects of dietary n-3 polyunsaturated fatty acids on neutrophils », *Proc Nutr Soc*, vol. 57, 1998, p. 527-534.

Talc, P.P. et G.S. Firestein, « NF-kappaB : a key role inflammatory diseases », *J Clin Invest*, vol. 107, 2001, p. 7-11.

Teitelbaum, J.E. et W. Allan Walker, « The role of omega-3 fatty acids in intestinal inflammation », *J Nutr Biochem*, vol. 12, 2001, p. 21-32.

Tracey, K.J., « The inflammatory reflex », *Nature*, vol. 420, 2002, p. 853-859.

Trowbridge, H.O. et R.C. Emling, *Inflammation*, Chicago, Quintessence Publishing, 1997.

Van Dyke, T.E. et C.N. Serhan, « Resolution of inflammation », *J Dental Res*, vol. 82, 2003, p. 82-90.

Zurier, R.B., « Eicosanoids and inflammation », dans W.D. Watkins, M.B. Peterson et J.-R. Flectcher, ed., *Prostaglandins in Clinical Practice*, New York, Raven Press, 1989, p. 79-96.

Chapitre 14 — L'obésité, le diabète et l'inflammation silencieuse

Allison, D.B., R. Zannolli, M.S. Faith, M. Heo, A. Pietrobelli, T.B. Van Itallie, F.X. Pi-Sunyet et S.B. Heymsfield, « Weight loss increases and fat loss decreases all-cause mortality rate », *Int J Obes*, vol. 23, 1999, p. 603-611.

American Diabetes Association, « Economic costs of diabetes in the U.S. in 2002 », *Diabetes Care*, vol. 26, 2003, p. 917-932.

Bloomgarden, Z.T., « Cardiovascular disease and diabetes », *Diabetes Care*, vol. 26, 2003, p. 230-237.

_____ , « Inflammation and insulin resistance », *Diabetes Care*, vol. 26, 2003, p. 1922-1926.

Borkman, M., L.H. Storlien, D.A. Pan, A.B. Jenkins, D.J. Chisholm et L.V. Campbell, « The relation between insulin sensitivity and the fatty-acid composition of skeletal-muscle phopholipids », *N Engl J Med*, vol. 328, 1993, p. 911-917.

Botion, L.M. et A. Green, « Long-term regulation of lipolysis and hormone-sensitive lipase by insulin and glucose », *Diabetes*, vol. 48, 1999, p. 1691-1697.

Brandes, J., « Insulin induced overeating in the rat », *Physiol Rev*, vol.18, 1977, p. 1095-1102.

Challem, J., B. Berkson et M.D. Smith, *Syndrome X*, New York, John Wiley and Sons, 2000.

Coste, T.C., A. Gerbi, P. Vague, G. Pieroni et. D. Raccah, « Neuroprotective effect of docosa-hexaenoic acid-enriched phospholipids in experimental diabetic neuropathy », *Diabetes*, vol. 52, 2003, p. 2578-2585.

CSHE, K., G. Winkler, Z. Melczer et E. Baranyi, « The role of tumor necrosis factor resistance in obesity and insulin resistance », *Diabetologia*, vol. 43, 2000, p. 525.

DESPRES, J-P., I. Lemieux et D. Prudhomme, « Treatment of obesity: need to focus on high risk abdominally obese patients », *Brit J Med*, vol. 322, 2001, p. 716-720.

DREWNOWSKI, A., « Nutrition transition and global dietary trends », *Nutrition*, vol. 16, 2000, p. 486-487.

EBBELING, C.B., M.M. Leidig, K.B.Sinclair, J.-P. Hangen et D.S. Ludwig, « A reduced glycemic load diet in the treatment of adolescent obesity », *Arch Pediatr Adoles Med*, vol. 157, 2003, p. 773-779.

FERNANDEZ-REAL, J-M., M. Vayreda, C. Richart, C. Gutierrez, M. Broch, J. Vendrell et W. Ricart, « Circulating interleukin-6 levels, blood pressure, and insulin sensitivity in apparently healthy men and women », *J Clin Endocrinol Metab*, vol. 86, 2001, p. 1154-1159.

FESTA, A., R. D'Agostino, G. Howard, L. Mykkanen, R.P. Tracy et S.M. Haffner, « Chronic subclinical inflammation as part of the insulin resistance syndrome », *Circulation*, vol. 102, 2000, p. 42-47.

FREEMAN, D.J., J. Norrie, M.J. Caslake, A. Gaw, I. Ford, G.D.O. Lowe, D. O'Reilly, C.J. Packard et N. Sattar, « C-reactive protein is an independent predictor of risk for the development of diabetes in the West of Scotland coronary prevention study », *Diabetes*, vol. 51, 2002, p. 1596-1600.

FREETH, A., V. Udupi, R. Basile et A. Green, « Prolonged treatment with prostaglandin El increases rate of lipolysis in rat adipocytes », *Life Sci*, vol. 73, 2003, p. 393-401.

FRIEDMAN, A.N., L.G. Hunsicker, J. Selhub et A.G. Bostom, « Clinical and nutritional correlates of C-reactive protein in type 2 diabetic nephropathy », *Atherosclerosis*, vol. 172, 2004, p. 121-125.

FOLSOM, A.R., J. Ma, P.G. McGovern et H. Eckfeldt, « Relationship between plasma phospholipid saturated fatty acids and hyperinsulinemia », *Metabolism*, vol. 45, 1996, p. 223-228.

FONTAINE, K.R., D.T. Redden, C. Wang, A.O. Westfall et D.B. Allison, « Years of life lost due to obesity », *JAMA*, vol. 289, 2003, p. 187-193.

FORD, E.S., W.H. Giles et W.H. Dietz, « Prevalence of the metabolic syndrome among US adults », *JAMA*, vol. 287, 2002, p. 356-359.

_____ , W.H. Giles, G.L. Myers, N. Rifai, P.M. Ridker et D.M. Mannino, « C-reactive protein concentration distribution among US children and young adults », *Clin Chem*, vol. 49, 2003, p. 1353-1357.

FRUHBECK, G., J. Gomez-Ambrosi, F.J. Muruzabal et M.A. Burrell, « The adipocyte: a model for integration of endocrine and metabolic signaling in energy metabolism regulation », *Am J Physiol Endocrinol Metab*, vol. 280, 2001, p. E827-E847.

GANNON, M.C., F.Q. Nuttall, A. Saeed, K. Jordan et H. Hoover, « An increase in dietary protein improves the blood glucose response in persons with type 2 diabetes », *Am J Clin Nutr*, vol. 78, 2003, p. 734-741.

GARG, A., « High-monounsaturated fat diets for patients with diabetes mellitus: a meta analysis », *Am J Clin Nutr*, vol. 67, 1998, p. 577S-582S.

GERBI, A., J.-M. Maixent, J.-L. Ansaldi, M. Pierlovisi, T. Coste, J.-F. Pelissier, P. Vague et D. Raccah, « Fish oil supplementation prevents diabetes-induced nerve conduction velocity and neuroanatomical changes in rats », *J Nutr*, vol. 129, 1999, p. 207-213.

_____ , J.-M. Maxient, O. Barbey, I. Jamme, M. Pierlovishi, T. Coste, G. Pieroni, A. Nouvelot, P. Vague et D. Raccah, « Neuroprotective effect of fish oil in diabetic neuropathy », *Lipids*, vol. 34, 1999, p. S93-S94.

HAEMMERLE, G., R. Zimmermann et R. Zechner, « Letting lipids go: hormone-sensitive lipase », *Cur Opin Lipidol*, vol. 14, 2003, p. 289-297.

HASLER, G., D.J. Buysse, R. Klaghofer, A. Gamma, V. Ajdacic, D. Eich, W. Rossler et J. Angst, « The association between short sleep duration and obesity in young adults: a 13-year prospective study », *Sleep*, vol. 15, 2004, p. 661-666.

HAUNER, H., « Insulin resistance and the metabolic syndrome-a challenge of the new millennium », *EurJ Clin Nutr*, vol. 56, 2002, p. S25-S29.

HERKNER, H., N. Klein, C. Joukhadar, E. Lackner, H. Langenberger, M. Frossard, C. Bieglmayer, O. Wagner, M. Roden et M. Muller, « Transcapillary insulin transfer in human skeletal muscle », *Eur J Clin Invest*, vol. 33, 2003, p. 141-146.

HOSTENS, K., D. Pavlovic, Y. Zambre, Z. Ling, C. van Schravendijk, D.L. Eizirik et D.G. Pipeleers, « Exposure of human islets to cytokines can result in the disproportionately elevated proinsulin release », *J Clin Invest*, vol.104, 1999, p. 67-72.

HOTAMISLIGIL, G. S., « Mechanisms of TNT induced insulin resistance », *Exp Clin Endocrinol Diabetes*, vol. 107, 1999, p. 119-125.

————— , P. Amer, J.-F. Caro, R.L. Atkinson et B.M. Spiegelman, « Increase adipose tissue », *J Clin Invest*, vol. 95, 1995, p. 2409-2415.

JANSEN, M.D., « Cytokine regulation of lipolysis in humans », *J Clin Endocrinol Metab*, vol. 88, 2003, p. 3003-3004.

JAVISALO, M.J., A. Harmoinen, M. Hakanen, U. Paakunainen, J. Vilkari, J. Hariala, T. Lehtimaki, O. Simell et O.T. Raitakari, « Elevated C-reactive protein levels and early arterial changes in healthy children », *Arterioscler Thromb Vasc Biol*, vol. 22, 2002, p. 1323-1328.

JENSEN, T., S. Stender, K. Goldstein, G. Holmer et T. Deckert, « Partial normalization by dietary cod liver oil of increased microvascular albumin leakage in patients with insulin-dependent diabetes and albuminuria », *N Engl J Med*, vol. 321, 1989, p. 1572-1577.

KAHN, B.B. et J.-S. Flier, « Obesity and insulin resistance », *J Clin Invest*, vol. 106, 2000, p. 473-481.

KATAN, M.B., S.M. Grundy et W.C. Willett, « Should a low-fat, high-carbohydrate diet be recommended for everyone? Beyond low-fat diets », *N Engl J Med*, vol. 337, 1997, p. 563-567.

KERN, P.A., S. Ranganathan, C. Li, L. Wood et G. Ranganathan, « Adipose tissue tumor necrosis factor and interleukin-6 expression in human obesity and insulin resistance », *Am J Physiol Endocrinol Metab*, vol. 280, 2001, p. E745-E751.

KHAN, L.K. et B.A. Bowman, « Obesity: a major global public health problem », *Ann Rev Nutr*, vol. 19, 1999, p. xii-xvii.

KIM, S. et N. Moustaid-Moussa, « Secretory, endocrine and autocrine/paracrine function of the adipocyte », *J Nutr*, vol. 130, 2000, p. 3110S-3115S.

KROGH-MADSEN, R., P. Plomgaaard, Keller Pernlle, C. Keller et B.K. Pedersen, « Insulin stimulates interleukin-6 and tumor necrosis factor-alpha gene expression in human subcutaneous adipose tissue », *Am J Physiol Endocrinol Metab*, vol. 286, 2004, p. E234-E238.

KYSELOVA, P., M. Zourek, Z. Rusavy, L. Trefil et J. Racek, « Hyperinsulinemia and oxidative stress », *Physiol Res*, vol. 51, 2002, p. 591-595.

LEHRKE, M. et M.A. Lazar, « Inflamed about obesity », *Nature Med*, vol. 10, 2004, p. 126-127.

LUO, J., S.W. Rizkalla, J. Boillot, C. Alamowitch, H. Chaib, F. Bruzzo, N. Desplanque, A.M. Dalix, G. Durand et G. Slama, « Dietary (n-3) polyunsaturated fatty acids improve adipocyte insulin action and glucose metabolism in insulin-resistant rats: relationship to membrane fatty acids », *J Nutr*, vol. 126, 1996, p. 1951-1958.

MARETT, A., « Molecular mechanisms of inflammation in obesity-linked insulin resistance », *Int J Obesity*, vol. 27, 2003, p. S46-S48.

MARKOVIC, T.P., A.C. Fleury, L.V. Campbell, L.A. Simons, S. Balasubramanian, D.J. Chisholm et A.B. Jenkins, « Beneficial effect on average lipid levels from energy restriction and fat loss in obese individuals with or without type 2 diabetes », *Diabetes Care*, vol. 21, 1998, p. 695-700.

MARKOVIC, T.P., A.B. Jenkins, L.V. Campbell, S.M. Furler, E.W. Kragen et D.J. Chisholm, « The determinants of glycemic responses to diet restriction and weight loss in obesity and NIDDM », *Diabetes Care*, vol. 21, 1998, p. 687-694.

MCLAUGHLIN, T., F. Abbasi, C. Lemendola, L. Liang, G. Reaven, P. Schaaf et P. Reaven, « Differentiation between obesity and insulin resistance in the association with C-reactive protein », *Circulation*, vol. 106, 2002, p. 2908-2912.

MOBBS, C.V., « Genetic influences on glucose neurotoxicity, aging and diabetes: a possible role for glucose hysteresis », *Genetica*, vol. 91, 1993, p. 239-253.

MOKDAD, A.H., E.S. Ford, B.A. Bowman, W.H. Dietz, F. Vinicor, V.S. Bales et J.-S. Marks, « Prevalence of obesity, diabetes, and obesity-related health risk factors, 2001 », *JAMA*, vol. 289, 2003, p. 76-79.

_____ , E.S. Ford, B.A. Bowman, D.E. Nelson, M.M. Engelgau, F. Vinicor et J.-S. Marks, « Diabetes trends in the U.S., 1990-1998 », *Diabetes Care*, vol. 23, 2000, p. 1278-1283.

_____ , M.K. Serdula, W.H. Dietz, B.A. Bowman, J. S, Marks et J.-P. Kaplan, « The spread of the obesity epidemic in the United States. 1991-1998 », *JAMA*, vol. 282, 1999, p. 1519-1522.

MONTAGUE, C.T. et S. O'Rahilly, « The perils of portliness: causes and consequences of visceral adiposity », *Diabetes*, vol. 49, 2000, p. 883-888.

MONTORI, V.M., A. Farmer, P.C. Wollan. et S.F. Dinneen, « Fish oil supplementation in type 2 diabetes: a quantitative systematic review », *Diabetes Care*, vol. 23, 2000, p. 1407-1415.

MORAN, T.H., « Cholecystokinin and satiety », *Nutrition*, vol. 16, 2000, p. 858-865.

MORI, T.A., D.Q. Bao, V. Burke, I.B. Puddey, G.F. Watts et L.J. Beilin, « Dietary fish as a major component of a weight-loss diet: effect on serum lipids, glucose, and insulin metabolism in overweight hypertensive subjects », *Am J Clin Nutr*, vol. 70, 1999, p. 817-825.

NARAYAN, K.M.V., J.-P. Boyle, T.J. Thompson, S.W. Sorensen et D.F. Williamson, « Lifetime risk for diabetes mellitus in the United States », *JAMA*, vol. 290, 2003, p. 1884-1890.

NICHOLS, G.A., H.S. Glauber et J.-B. Brown, « Type 2 diabetes: incremental medical care costs during the 8 years preceding diagnosis », *Diabetes Care*, vol. 23, 2000, p. 1654-1659.

NUTTALL, F.Q., M.C. Gannon, A. Saeed, K. Jordan et H. Hoover, « The metabolic response of subjects with type 2 diabetes to a high-protein, weight-maintenance diet », *J Clin Endocrinol Metab*, vol. 88, 2003, p. 3577-3583.

PARK, Y.-W., S. Zhu, L. Palaniappan, S. Heshka, M.R. Carethon et S. Heymsfield, « The metabolic syndrome », *Arch Intern Med*, vol. 163, 2003, p. 427-436.

PERALDI, P. et B. Spegelman, « TNF and insulin resistance: summary and future prospects », *Mol Cell Biochem*, vol. 182, 1998, p. 169-175.

PITTAS, A.G., N.A. Joseph et A.S. Greenberg, « Adipocytokines and insulin resistance », *J Clin Endocrinol Metab*, vol. 89, 2004, p. 447-452.

PRADEEPA, R. et V. Mohan, « The changing scenario of the diabetes epidemic: implications for India », *Indian J Med Res*, vol. 116, 2002, p. 121-132.

QI, C. et P.H. Pekala, « Tumor necrosis factor alpha induced insulin resistance in adipocytes », *Proc Soc Exp Biol Med*, vol. 223, 2000, p. 128-135.

RAHEJA, B.S., S.M. Sakidot, R.B. Phatak et M.B. Rao, « Significance of the N-6/N-3 ratio for insulin action in diabetics », *Ann N Y Acad Sci*, vol. 983, 1993, p. 258-271.

BASK-MADSEN, C., H. Dominguez, N. Ihlemann, T. Hermann, L. Lober et C. Torp-Pedersen, « Tumor necrosis factor-alpha inhibits insulin's stimulating effect on glucose uptake and endothelium-dependent vasodilation in humans », *Circulation*, vol. 108, 2003, p. 1815-1821.

REAVEN, G.M. et A. Laws, *Insulin Resistance. The Metabolic Syndrome X.*, Totowa, NJ, Humana Press, 1999.

RIVELLESE, A., A. Maffettone, C. Iovine, L. Di Marino, G. Annuzzi, M. Mancini et G. Piccardi, « Long-term effects of fish oil on insulin resistance and plasma lipoprotein in NIDDM patients with hypertriglyceridemia », *Diabetes Care*, vol. 19, 1996, p. 1207-1213.

ROBERTS, S. B., « High glycemic index foods, hunger, and obesity: is there a connection », *Nutr Rev*, vol. 58, 2000, p. 163-169.

ROSENBLOOM, A.L., J.-R. Joe, R.S. Young et W.E. Winter, « Emerging epidemic of type 2 diabetes in youth », *Diabetes Care*, vol. 22, 1999, p. 345-354.

SALMERON, J., A. Ascherio, E.B. Rimm, G.A. Colditz, D. Spiegelman, D.J. Jenkins, M.J. Stampfer, A.L. Wing et W.C. Willett, « Dietary fiber, glycemic load, and risk of NIDDM in men », *Diabetes Care*, vol. 20, 1997, p. 545-550.

_____, J.E. Manson et W.C. Willett, « Dietary fiber, glycemic load, and risk of noninsulin dependent diabetes mellitus in women », *JAMA*, vol. 277, 1997, p. 472-477.

SAMARAS, K. et L.V. Campbell, « Increasing incidence of type 2 diabetes in the third millennium », *Diabetes Care*, vol. 23, 2000, p. 441-442.

SEARS, B., *Le juste milieu dans votre assiette*, Montréal, Les Éditions de l'Homme, 1997, 2003.

_____ , *Le régime Oméga*, Montréal, Les Éditions de l'Homme, 2003.

_____ , *The Anti-Aging Zone*, New York, ReganBooks, 1999.

SEIDELL, J. C., « Obesity, insulin resistance and diabetes-a worldwide epidemic », *Brit J Nutr*, vol. 83, 2000, p. S5-S8.

SIRTORI, C.R., G. Crepaldi, E. Manzato, M. Mancini, A. Rivellese, R. Paolett, F. Pazzucconi, F. Pamparana et E. Stragliotto, « One-year treatment with ethyl esters of n-3 fatty acids in patients with hypertriglyceridemia and glucose intolerance. Reduced triglyceridemia, total cholesterol and increased HDL-C with glycemic alterations », *Atherosclerosis*, vol. 137, 1998, p. 419-427.

SKOV, A.R., S. Toubro, B. Renn, L. Holm et A. Astrup, « Randomized trial on protein vs. carbohydrate in ad libitum fat reduced diet for the treatment of obesity », *Int J Obes*, vol. 23, 1999, p. 528-536.

STEINBERG, H.O., H. Chaker, R. Learning, A. Johnson, G. Brechtel et A.D. Baron, « Obesity/insulin resistance is associated with endothelial dysfunction. Implications for the syndrome of insulin resistance », *J Clin Invest*, vol. 97, 1996, p. 2601-2610.

STENE, L.C., J. Ulriksen, P. Magnus et G. Joner, « Use of cod liver oil during pregnancy associated with lower risk of type I diabetes in the offspring », *Diabetologia*, vol. 42, 2000, p. 1093-1098.

STORLIEN, L.H., A.B. Jenkins, D.J. Chisholm, W.S. Pascoe, S. Khour et E.W. Kragen, « Influence of dietary fat composition on development of insulin resistance in rats. Relationship to muscle triglycerides and omega-3 fatty acids in muscle phospholipids », *Diabetes*, vol. 40, 1991, p. 280-289.

_____ , E.W. Kraegen, D.J. Chisholm, G.L. Ford, D.G. Bruce et W.S. Pascoe, « Fish oil prevents insulin resistance induced by high-fat feeding in rats », *Science*, vol. 237, 1987, p. 885-888.

UNGER, R.H., « Glucagon and the insulin-glucagon ratio in diabetes and other catabolic illnesses », *Diabetes*, vol. 20, 1971, p. 834-838.

_____ , et P.J. Lefebvre, *Glucagon: Molecular Physiology Clinical and Therapeutic Implications*, Oxford, Pergamon Press, 1972.

VESSBY, B., S. Tengblad et H. Lithell, « Insulin sensitivity is related to the fatty acid composition of serum lipids and skeletal muscle phospholipids in 70-year-old men », *Diabetologia*, vol. 37, 1994, p. 1044-1050.

VINIK, A.I., T.S. Park, K.B. Stansberry et G.L. Pittenger, « Diabetic neuropathies », *Diabetologia*, vol. 43, 2000, p. 957-973.

VISSER, M., « Higher levels of inflammation in obese children », *Nutrition*, vol. 17, 2001, p. 480-484.

_____ , L.M. Bouter, G.M. McQuillan, M.H. Wener et T.B. Harris, « Elevated C-reactive protein levels in overweight and obese adults », *JAMA*, vol. 282, 1999, p. 2131-2315.

WILLETT, W. C., « Dietary fat and obesity: an unconvincing relation », *Am J Clin Nutr*, vol. 68, 1998, p. 1149-1150.

_____ , « Is dietary fat a major source of body fat? », *Am J Clin Nutr*, vol. 67, 1998, p. 556S-562S.

YUDKIN, J.-S., M. Kumari, S.E. Humphries et V. Modamed-Ali, « Inflammation, obesity, stress and coronary heart disease: is interleukin-6 the link? », *Atherosclerosis*, vol. 148, 2000, p. 209-214.

YUDKIN, J.-S., C.D.A. Stehouwer, J.-J. Emeis et S.W. Coppack, « C-reactive protein in healthy subjects: associations with obesity, insulin resistance, and endothelial dysfunctiona potential role for cytokines originating from adipose tissue?», *Arterioscler Thromb Vasc Biol*, vol. 19, 1999, p. 972-978.

Chapitre 15 — Pourquoi les maladies cardiaques n'ont pas grand-chose à voir avec le cholestérol et tout à voir avec l'inflammation silencieuse

ALBERT, C.M., H. Campos, M.J. Stampfer, P.M. Ridker, J.E. Manson, W.C. Willett et J. Ma, «Blood levels of long-chain n-3 fatty acids and risk of sudden death», *N Engl J Med*, vol. 346, 2002, p. 1113-1118.

_____ , C.H. Hennekens, C.I. O'Donnel, U.A. Ajani, V.J. Carey et W.C. Willett, «Fish consumption and risk of sudden cardiac death», *JAMA*, vol. 279, 1998, p. 23-28.

ANDERSON, J.-L. et J.-B. Muhlestein, «Restenosis after coronary intervention : narrowing C-reactive protein's prognostic potential?», *Am J Med*, vol. 115, 2003, p. 147-149.

ANDERSON, K.M., W.P. Castelli et D. Levy, «Cholesterol and mortality : 30 years of follow-up from the Framingham Study», *JAMA*, vol. 257, 1987, p. 2176-2180.

ANGERER, P. et C. von Schacky, «N-3 polyunsaturated fatty acids and cardiovascular system», *Curr Opin Lipidol*, vol. 11, 2000, p. 57-63.

ASCHERIO, A., C.H. Hennekens, J.E. Buring, C. Master, M.J. Stampfer et W.C. Willett, «Trans fatty acid intake and risk of myocardial infarction», *Circulation*, vol. 89, 1994, p. 94-101.

_____ , E.B. Rimm, M.J. Stampfer, E.L. Giovannucci et W.C. Willett, «Dietary intake of marine n-3 fatty acids, fish intake, and risk of coronary heart disease among men», *N Engl J Med*, vol. 332, 1995, p. 977-982.

_____ , et W.C. Willett, «Health effects of trans fatty acids», *Am J Clin Nutr*, vol. 66, 1997, p. 1006S-1010S.

AUSTIN, M.A., «Plasma trigicyceride and coronary heart disease», *Arterioscler Thromb Vast Biol*, vol. 11, 1991, p. 2-14.

_____ , J.-L. Breslow, C.H. Hennekens, J.E. Buring, W.C. Willett et R.M. Krauss, «Low density lipoprotein subclass patterns and risk of myocardinal infarction», *JAMA*, vol. 260, 1988, p. 1917-1920.

BANG, H., O. Dyerberg et A.B. Nielsen, «Plasma lipid and lipoprotein pattern in Greenlandic west-coast Eskimos», *Lancet*, vol. i, 1971, p. 1143-1145.

BAO, W., S.R. Srinivasan et G.S. Berenson, «Persistent elevation of plasma insulin levels is associated with increased cardiovascular risk in children and young adults», *Circulation*, vol. 93, 1996, p. 54-59.

BATAILE, R. et B. Klein, «C-reactive protein levels as a direct indicator of interleukin-6 levels in humans in vivo», *Arthritis Rheum*, vol. 35, 1992, p. 982-983.

BELLAMY, C.M., P.M. Schofield, E.B. Faragher et D.R. Ramsdale, «Can supplementation of diet with omega-3 polyunsaturated fatty acids reduce coronary angioplasty restenosis rate?», *Eur Heart J*, vol. 13, 1992, p. 1626-1631.

BELLOSTA, S., N. Ferri, F. Bernini, R. Paoletti et A. Corsini, «Non-lipid related effects of statins», *Ann Med*, vol. 32, 2000, p. 164-176.

BILLMAN, G.E., J.X. Kang et A. Leaf, «Prevention of sudden cardiac death by dietary pure omega-3 polyunsaturated fatty acids in dogs», *Circulation*, vol. 99, 1999, p. 2452-2457.

BLACK, H.R., «The coronary artery disease paradox. The role of hypeninsulinemia and insulin resistance and implications for therapy», *J Cardiovascular Pharmacol*, vol. 15, 1990, p. 26S-38S.

BOIZEL, R., P.Y. Behhamou, B. Lardy, F. Laporte, T. Foulon et S. Halimi, «Ratio of triglycerides to HDL cholesterol is an indicator of LDL particle size in patients with type 2 diabetes and normal HDL cholesterol levels», *Diabetes Care*, vol. 23, 2000, p. 1679-1685.

Bowles, M.H., D. Klonis, T.G. Plavac, B. Gonzales, D.A. Francisco, R.W. Roberts, G.R. Boxberger, L.R. Poliner et J.-P. Galichia, « EPA in the prevention of restenois post PTCA », *Angiology*, vol. 42, 1991, p. 187-194.

Braunwald, E., « Cardiovascular medicine at the turn of the millennium : triumphs, concerns, and applications », *N Engl J Med*, vol. 337, 1997, p. 1360-1369.

Burr, M. L., « Lessons from the story of n-3 fatty acids », *Am J Clin Nutr*, vol. 7 l, 2000, p. 397S-398S.

_____ , A.M. Fehily, J.-F. Gilbert, S. Rogers, R.M. Holliday, P.M. Sweetnam, P.C.Elwood et N.M. Deadman, « Effects of changes in fat, fish, and fibre intakes on the death and myocardial reinfarction : diet and reinfarction trial (DART) », *Lancet*, vol. ii, 1989, p. 757-761.

Busse, R. et I. Flemining, « Endothelial dysfunction in atherosclerosis », *J Vasc Res*, vol. 33, 1996, p. 181-194.

Campbell, B., T. Badrick, R. Flatman et D. Kanowshi, « Limited clinical utility of high-sensitivity plasma C-reactive protein assays », *Ann Clin Biochem*, vol. 39, 2002, p. 85-88.

_____ , R. Flatman, T. Badrick et D. Kanowshi, « Problems with high-sensitivity C-reactive protein », *Clin Chem*, vol. 49, 2003, p. 201.

Carantoni, M., F. Abbasi, F. Warmerdan, M. Klebanov, P.W. Wang, Y.D. Chen, S. Azhar et G.M. Reaven, « Relationship between insulin resistance and partially oxidized LDL particles in healthy, nondiabetic volunteers », *Arterioscler Thromb Vasc Biol*, vol.18, 1998, p. 762-767.

Chan, D.C., G.F. Watts, T.A. Mori, P.H.R. Barrett, L.J. Beilin et T.G. Redgrave, « Factorial study of the effects of atorvastatin and fish oil on dyslipidaemia in visceral obesity », *Eur J Clin Invest*, vol. 32, 2002, p. 429-436.

Christensen, J.H., M.S. Christensen, J. Dyerberf et E.B. Scmidt, « Heart rate variability and fatty acid content of blood cell membranes : a dose-response study with n-3 fatty acids », *Am J Clin Nutr*, vol.70, 1999, p. 331-337.

Cleland, S.J., N. Sattar, J.-R. Petrie, N.G. Forouhi, H.L. Elliott et J.M.C. Connell, « Endothelial dysfunction as a possible link between C-reactive protein and cardiovascular disease », *Clin Sci*, vol. 98, 2000, p. 531-535.

Coresh, J., P.O. Kwiterovich et H.H. Smith, « Association of plasma triglyceride concentration and LDL particle diameter, density, and chemico-compostion with premature coronary artery disease », *J Lipid Res*, vol. 34, 1993, p. 1687-1697.

Corti, M.-C., J.-M. Guraink, M.E. Saliva, T. Harris, T.S. Field, R.B. Wallace, L.F. Berkman, T.E. Seeman, R.J. Glynn, C.H. Hennekens et R.J. Havlik, « HDL cholesterol predicts coronary heart disease mortality in older persons », *JAMA*, vol. 274, 1995, p. 539-544.

Cullen, P., S. Lorkowski, H. Schulte, U. Seedorf et G. Assmann, « Inflammation in atherosclerosis, not yet for a paradigm shift ? », *Curr Opin Lipidol*, vol. 14, 2003, p. 325-328.

Davidson, J. et D. Rotondo, « Lipid metabolism : inflammatory-immune response in atherosclerosis », *Curr Opin Lipidol*, vol. 14, 2003, p. 337-339.

Daviglus, M.L., M. Stamler, A.J. Orencia, A.R. Dyer, K. Liu, P. Greenland, M.K.Walsh, D. Morris et R.B. Shekelle, « Fish consumption and the 30-year risk of myocardial infarction », *N Engl J Med*, vol. 336, 1997, p. 1046-1053.

Davignon, J. et J.-S. Cohn, « Triglycerides : a risk factor for coronary heart disease », *Atherosclerosis*, vol. 124, 1996, p. S57-S64.

De Caterina, R., M.I. Cybulsk, S.K. Clinton, M.A.Gimbrone et P. Libby, « The omega-3 fatty acid docosahexaenoate reduces cytokine-induced expression of proatherogenic and proinflammatory protein in human endothelial cells », *Arterioscler Thromb Vasc Biol*, vol. 14, 1994, p. 1829-1836.

_____ , A. Zampolli, « n-3 fatty acids : antiatherosclerotic effects », *Lipids*, vol. 36, 2001, p. S69-S78.

DEHMER, G.J., J.-J. Popma, E.K. van den Ber, E.J. Eichorn, J.B.Prewitt, W.B. Campbell, L. Jennings, J.T. Willerson et J.-M. Schmitz, « Reduction in the rate of early restenosis after coronary angioplasty by a diet supplemented with n-3 fatty acids », *N Engl J Med*, vol. 319, 1988, p. 733-740.

DELONGERIL, M., S. Renaud, N. Mamelle, P. Salen, J.-L. Martin, I. Monjaud, J. Guidollet, P. Touboul et J. Delaye, « Mediterranean alpha-linolenic acid rich diet in secondary prevention of coronary heart disease », *Lancet*, vol. 343, 1994, p. 1454-1459.

————, P. Salen et J. Delaye, « Effect of a Mediterranean type of diet on the rate of cardiovascular complications in patients with coronary artery disease », *J Am Coll Cardiology*, vol. 28, 1996, p. 1103-1108.

————, P. Salen, J.-L. Martin, I. Monjaud, J. Delaye et N. Mamelle, « Mediterranean diet, traditional risk factors, and the rate of cardiovascular complications after myocardial infarction : final report of the Lyon Diet Heart Study », *Circulation*, vol. 99, 1999, p. 779-785.

DEPRES, J-P., B. Lamarche, P. Mauriege, B. Cantin, G.R. Dagenais, S. Moorjani et P.-J. Lupien, « Hypeninsulinemia as an independent risk factor for ischemic heart disease », *N Engl J Med*, vol. 334, 1996, p. 952-957.

————, B. Lamarche, P. Mauriege, B. Cantin, P.-J. Lupien et G.R. Dagenais, « Risk factors for ischaemic heart disease : is it time to measure insulin ? », *Eur Heart J*, vol. 17, 1996, p. 1453-1454.

DIOMEDE, L., D. Albani, M. Sottocorno, M.B. Donati, M. Bianchi, Fruscella et M. Salmona, « In vivo anti-inflammatory effect statins is mediated by nonsterol mevalonate products », *Arterioscler Thromb Vasc Biol*, vol. 21, 2001, p. 1327-1332.

DRAZNIN, B., P. Miles, Y. Kruszynska, J. Olefsky, J. Friedman, I. Golovchenko, R. Stjernholm, K. Wall, M. Reitman, D. Accili, R. Cooksey, D. McClain et M. Goalstone, « Effects of insulin on the prenylation as a mechanism of potentially detrimental influence of hyperinsulinemia », *Endocrinology*, vol. 141, 2000, p. 1310-1316.

DREON, D.M., H.A. Fernstrom, B. Miller et R.M. Krauss, « Low-density lipoprotein subclass patterns and lipoprotein response to a reduced-fat diet in men », *FASEB J*, vol. 8, 1994, p. 121-126.

DREON, D.M., H.A. Fernstrom, P.T. Williams et R.M. Krauss, « A very-low fat is not associated with improved lipoprotein profiles in men with a predominance of large, low-density lipoproteins », *Am J Clin Nutr*, vol. 69, 1999, p. 411-418.

DUCIMETIERE, P., E. Eschwege, G. Papoz, J.-L. Richard, J.-R. Claude et G. Rosselin, « Relationship of plasma insulin to the incidence of myocardial infraction and coronary heart disease mortality in a middle-aged population », *Diaberologia*, vol. 19, 1980, p. 205-210.

DURRINGTON, P.N., « Triglycerides are more important in atherosclerosis than epidemiology has suggested », *Atherosclerosis*, vol. 141, 1998, p. S57-S62.

DYERBERG, J., H.O. Bang, E. Stofferson, S. Moncada et J.-R. Vane, « Eicosapentaenoic acid and prevention of thrombosis and atherosclerosis », *Lancet*, vol. ii, 1978, p. 117-119.

ERITSLAND, J., H. Arnesen, K. Bronseth, N.B. Fjeld et M. Abdelnoor, « Effect of dietary supplementation with n-3 fatty acids on coronary artery bypass graft patency », *Am J Cardiol*, vol.77, 1996, p. 31-36.

ERKKILA, A. T., S. Lehto, Pyorala et M.I.J. Uusitupa, « n-3 fatty acids and 5-y risks of death and cardiovascular disease events in patients with coronary artery disease », *Am J Clin Nutr*, vol. 78, 2003, p. 65-71.

ESCHWEGE, E., J.-L. Richard, N. Thibult, P. Ducimetiere, J.-M. Warsnot, J.-R. Claude et G.E. Rosselin, « Coronary heart disease mortality in relation with diabetes, blood glucose, and plasma insulin levels », *Horm Metab Res Suppl*, vol. 15, 1985, p. 41-46.

FERNS, G.A.A., « Differential effects of statins on serum CRP levels », *Atherosclerosis*, vol. 169, 2003, p. 349-351.

FISCHER, S., P.C. Weber et J. Dyerberg, « The prostacyclin/thromboxane balance is favourably shifted in Greenland Eskimos », *Prostaglandins*, vol. 32, 1986, p. 235-241.

FONTBONNE, A., M.A. Charles, N. Thibult, J.-L. Richard, J.-R. Claude, J.-M. Warner, G.E. Rosselin et E. Eschwege, « Hyperinsulinemia as a predictor of coronary heart disease mortality in a healthy population. The Paris Prospective Study, 15 year follow-up », *Diabetologia*, vol. 34, 1991, p. 356-361.

FORD, E.S. et S. Liu, « Glycemic index and serum high-density lipoprotin cholesterol concentration among US adults », *Arch Intern Med*, vol. 161, 2001, p. 572-576.

FOSTER, D., « Insulin resistance-a secret killer ? », *N Engl J Med*, vol. 320, 1989, p. 733-734.

FROLKIS, J.P., G.L. Pearce, V. Nambi, S. Minor et D.L. Sprecher, « Statins do not meet expectations for lowering low-density lipoprotein cholesterol levels when used in private practice », *Am J Med*, vol. 113, 2002, p. 625-629.

GAZIANO, J.-M., C.H. Hennekens, C.J. O'Donnell, J.-L. Breslow et J.E. Buring, « Fasting triglycerides, high-density lipoproteins and risk of myocardial infarction », *Circulation*, vol. 96, 1997, p. 2520-2525.

GAZIANO, J.-M., P.J. Skerrett et J.E. Buring, « Aspirin in the treatment and prevention of cardiovascular disease », *Haemostasis*, vol. 30, 2000, p. 1-13.

GERTLER, M., H.E. Leetma, E. Saluste, J.-L. Rosenberger et R.G. Guthrie, « Ischemic heart disease, insulin, carbohydrate and lipid inter-relationship », *Circulation*, vol. 46, 1972, p. 103-111.

GILLMAN, M.W., A. Cupples, B.E. Millen, C. Ellison et P.A. Wolf, « Inverse association of dietary fat with development of ischemic stroke in men », *JAMA*, vol. 278, 1997, p. 2145-2150.

GINSBURG, G. S., C. Safran et R.C. Pasternak, « Frequency of low serum high-density lipoprotein cholesterol levels in hospitalized patients with 'desireable' total cholesterol levels », *Am J Cardiol*, vol. 1, 1991, p. 187-192.

GINSBERG, H.N., « Insulin resistance and cardiovascular disease », *J Clin Invest*, vol. 106, 2000, p. 453-458.

GISSI-Prevenzione Investigators, « Dietary supplementation with n-3 polyunsaturated fatty acids and vitamin E after myocardial infarction : results of the GISSI-Prevenzione trial », *Lancet*, vol. 354, 1999, p. 447-455.

GLUECK, C.J., J.E. Lang, T. Tracy, L. Sieve-Smith et P. Wang, « Contribution of fasting hyperinsulinemia to prediction of atherosclerotic cardiovascular disease status in 293 hyperlipidemic patients », *Metabolism*, vol. 48, 1999, p. 1437-1444.

GOTO, D., S. Fujii et A. Kitabatake, « Rho/Rho kinase as a novel theraeutic target in the treatment of cardiovascular diseases », *Drugs of the Future*, vol. 28, 2003, p. 267-271.

GOULD, K.L., « Very low-fat diets for coronary heart disease : perhaps but which one », *JAMA*, vol. 275, 1996, p. 1402-1403.

GRUNDY, S.M., « Small LDL, atherogenic dyslipidemia, and the metabolic syndrome », *Circulation*, vol. 95, 1997, p. 1-4.

HAFFNER, S.M., L. Mykkanen, M.P. Stern, R. Valdez, J.A. Heisserman et R.R. Bowsher, « Relationship of proinsulin and insulin to cardiovascular risk factors in nondiabetic subjects », *Diabetes*, vol. 42, 1993, p. 1297-1302.

HARRIS, T B., L. Ferrucci, R.P. Tracy, M.C. Corti, S. Wacholder, W.H. Ettinger, H. Heimovitz, H.J. Cohen et R. Wallace, « Association of elevated interleukin-6 and C-reactive protein levels with mortality in the elderly », *Am J Med*, vol. 106, 1999, p. 506-512.

HARRIS, W.S., « n-3 fatty acids and serum lipoproteins : human studies », *Am J Clin Nutr*, vol. 65, 1997, p. 1645S-1654S.

————— , H.N. Ginsberh, N. Arunakul, N.S. Shachter, S.L. Windsor, M. Adams, L. Berlund et K. Osmundsen, « Safety and efficacy of Omacor in severe hypertriglyceridemia », *J Cardiovasc Risk*, vol. 4, 1997, p. 385-392.

HARRIS, W.S., «n-3 fatty acids and human lipoprotein metabolism: an update», *Lipids*, vol. 34, 1999, p. S257-S258.

_____ , et W.L. Isley, «Clinical trial evidence for the cardioprotective effects of omega-3 fatty acids», *Curr Atheroscler Rep*, vol. 3, 2001, p. 174-179.

HEGELE, R.A., «Premature atherosclerosis associated with monogenic insulin resistance», *Circulation*, vol. 103, 2001, p. 2225-2229.

HIRAI, A., T. Hamazaki, T. Terano, T. Nishikawa, Y. Tamura, A. Kumagai et J. Sajiki, «Eicosapentaenoic acid and platelet function in Japanese», *Lancet*, vol. ii, 1982, p. 1132 .

_____ , T. Terano, Y. Tamura et S. Yoshida, «Eicosapentaenoic acid and adult disease in Japan», *J Intern Med*, vol. 225, 1989, p. 69-75.

HOLLENBECK, C. et G.M. Reaven, «Variations in insulin-stimulated glucose uptake in healthy individuals with normal glucose tolerance», *J Clin Enaocrinol Metab*, vol. 64, 1987, p. 1169-1173.

HORNE, B.D., J.-B. Muhlestein, J.-F. Carlquist, T.L. Bair, T.E. Madsen, N.I. Hart et J.-L. Anderson, «Statin therapy, lipid levels, C-reactive protein and the survival of patients with angiographically severe coronary artery disease», *J Am Coll Cardiol*, vol. 36, 2000, p. 1774-1780.

HOWARD, B.V., «Insulin resistance and lipid metabolism», *Am J Cardiol*, vol. 84, 1999, p. 28J-32J.

HRBOTICKY, N., L. Tang, B. Zimmer, I. Lux et P.C. Weber, «Lovastatin increases arachjdonic acid levels and stimulates thromboxane synthesis in human liver and monocytic cell lines», *J Clin Invest*, vol. 93, 1994, p. 195-203.

HU, F B., E. Cho, K.M. Rexrode, C.M. Albert et J.E. Manson, «Fish and long-chain omega-3 fatty acid intake and risk of coronary heart disease and total mortality in diabetic women», *Circulation*, vol. 107, 2003, p. 1852-1857.

_____ , J.E. Manson et W.C. Willett, «Types of dietary fat and risk of coronary heart disease: a critical review», *J Am Coll Nutr*, vol. 20, 2001, p. 5-19.

_____ , M.J. Stampfer, J.E. Manson, E. Rimm, G.A. Colditz, F.E. Speizer, C.H. Hennekens et W.C. Willett, «Dietary protein and risk of ischemic heart disease in women», *Am J Clin Nutr*, vol. 70, 1999, p. 221-227.

HUDGINS, L.C., M. Hellerstein, C. Seidman. et J. Hirsch, «Human fatty acid synthesis is stimulated by a eucaloric low fat, high carbohydrate diet», *J Clin Invest*, vol. 97, 1996, p. 2081-2091.

IKEDA, U., M. Takahashi et K. Shimad, «C-reactive protein directly inhibits nitric oxide production by cytokine-stimulate vascular smooth muscle cells», *Cardiovasc Pharmacol*, vol. 42, 2003, p. 607-611.

ISO, H., S. Sato, A.R. Falsm, T. Shimamoto, A., Terao, R.G. Munger, A. Kitamure, M. Konishi, M. Iida et Y. Komachi, «Serum fatty acids and fish intake in rural Japanese, urban Japanese, Japanese American and Caucasian American men», *Int J Epidemiol*, vol. 18, 1989, p. 374-381.

JEPPESEN, J., H.O. Hein, P. Suadicani et E. Gyntelberg, «Relation of high TG low HDL cholesterol and LDL cholesterol to the incidence of ischemic heart disease-an 8-year follow-up in the Copenhagen Male Study», *Arterioscler Thromb Vasc Biol*, vol. 17, 1997, p. 1114-1120.

_____ , H.O. Hein, P. Suadicani et E. Gyntelberg, «Low triglycerides-high high-density lipoprotein cholesterol and risk of ischemic heart disease», *Arch Intern Med*, vol.161, 2001, p. 361-366.

JOB, F.P., J. Wolfertz, R. Meyer, A. Hubinger, F.A. Gries et H. Kuhn, «Hyperinsulinism in patients with coronary artery disease», *Coronary Artery Disease*, vol. 5, 1994, p. 487-492.

KAGAWA, Y., M. Nishizawa, M. Suzuki, T. Miyatake, T. Hamamoto, K. Goto, E. Motonaga, H. Izumikawa, H. Hirata et A. Ehihara, «Eicosapolyenoic acid of serum lipids of Japanese islanders with low incidence of cardiovascular diseases», *J Nutr Sci Vitaminol*, vol. 28, 1982, p. 441-453.

KANG, J.X. et A. Leaf, «The cardiac antiarrhythmic effects of polyunsaturated fatty acids», *Lipids*, 1996, p. S541-544.

KANNEL, W.B., W.P. Castelli et T. Gordon, «Cholesterol in the prediction of atherosclerotic disease», *Ann Intern Med*, vol. 90, 1979, p. 85-91.

KANO, H., T. Hayashi, D. Sumi, T. Esaki, Y. Asai, N.K. Thakur, M. Jayachandran et A. Iguchi, «A HMG-CoA reductase inhibitor improved regression of atherosclerosis in the rabbit aorta without affecting serum lipid levels: possible relevance of up-regulation of endothelial NO synthase mRNA», *Biochem Biophys Res Commun*, vol. 259, 1999, p. 414-419.

KAPLAN, N., «The deadly quartet: upper body obesity, glucose intolerance, hypertriglyceridemia, and hypertension», *Arch Intern Med*, vol. 149, 1989, p. 1514-1520.

KARHAPAA, P., M. Malkki et M. Laakso, «Isolated low HDL cholesterol: an insulin-resistant state», *Diabetes*, vol. 43, 1994, p. 411-417.

KATAN, M.B., S.M. Grundy et W.C. Willett, «Beyond low-fat diets», *N Engl J Med*, vol. 337, 1997, p. 563-566.

KEREIAKES, D.J., «The fire that burns within», *Circulation*, vol. 107, 2003, p. 373-374,.

KESANIEMI, Y.A., «Relevance of the reduction of triglycerides in the prevention of coronary heart disease», *Curr Opin Lipidol*, vol. 9, 1998, p. 571-574.

KIINJO, K., H. Sato, Y. Ohnishi, E. Hisida, Nakaka, Y. Matsumura, H. Takeda et M. Hori, «Impact of high-sensitivity C-reactive protein on predicting long-term mortality of acute myocardial infarction», *Am J Cardiol*, vol. 91, 2003, p. 9331-9935.

KLUFT, C. et M.P.M. de Maat, «Genetics of C-reactive protein», *Atheroscler Thromb Vasc Biol*, vol. 23, 2003, p. 1956-1959.

KNOPP, R.H., «Serum lipids after a low-fist diet», *JAMA*, vol. 279, 1998, p. 1345-1346.

———, C.E.Walden, B.M. Retzlaff, B.S. McCann, A.A. Dowdy, J.-J. Albers, G.O. Gey et M.N. Cooper, «Long-term cholesterol-lowering effects of 4 fat-restricted diets in hypercholesterolemic and combined hyperlipidemic men: the dietary alternative study», *JAMA*, vol. 278, 1997, p. 1509-1515.

KOH, K.K., «Effects of statins on vascular wall: vasomotor function, inflammation, and plaque stability», *Cardio Res*, vol. 1, 2000, p. 23-32.

KONDO, T., K. Ogawa, T. Satake, M. Kitazawa, M. Taki et S. Sugiyama, «Plasma-free eicosapentaenoic/arachidonic acid ratio: a possible new coronary risk factor», *Clinical Cardiology*, vol. 9, 1986, p. 413-416.

KRIS-ETHERTON, P.M., W.S. Harris et L.J. Appel, «Omega-3 fatty acids and cardiovascular disease: new recommendations from the American Heart Association», *Arterioscler Thromb Vasc Biol*, vol. 23, 2003, p. 151-152.

KROMANN, N. et A. Green, «Epidemiological studies in the Upernavik district, Greenland. Incidence of some chronic diseases 1950-1974», *Acta Med Scand*, vol. 208, 1980, p. 401-406.

LAINO, C., «Trans fatty acids in margarine can increase MI risk», *Circulation*, vol. 89, 1994, p. 94-101.

LAKSHMANAN, M.R., C.M. Nepokroeff, G.C. Ness, R.E. Dugan et J.W. Porter, «Stimulation by insulin of rat liver beta hydroxy methyl HMGCoA reductase and cholesterol synthesizing activities», *Biochem Biophys Res Commun*, vol. 50, 1973, p. 704-710.

LAMARCHE, B., J.-P. Despres, S. Moorjani, B. Cantin, G.R. Dagenais et P.-J. Lupien, «Triglycerides and HDL-cholesterol as risk factors for ischemic heart disease: results from the Quebec Cardiovascular Study», *Atherosclerosis*, vol. 119, 1996, p. 235-245.

———, I. Lemieux et J.-P. Despres, «The small, dense LDL phenotype and the risk of coronary heart disease: epidemiology, pathophysiology and therapeutic aspects», *Diabetes Metab*, vol. 25, 1999, p. 199-211.

———, L. Rashid, et G.F. Lewis, «HDL metabolism in hypertriglyceridemic states: an overview», *Clin Chim Acta*, vol. 286, 1999, p. 145-161.

_____ , A. Tchernof, G.R. Dagenais, B. Cantin, P.-J. Lupien et J.-P. Despres, « Small, dense LDL particles and the risk of ischemic heart disease : prospective results from the Quebec Cardiovascular Study », *Circulation*, vol. 95, 1997, p. 69-75.

_____ , A. Tchernof, P. Mauriege, B. Cantin, G.R. Dagenais, P.-J. Lupien et J-P. Despres, « Fasting insulin and apolipoprotein B levels and low-density particle size as risk factors for ischemic heart disease », *JAMA*, vol. 279, 1998, p. 1965-1961.

LAWS, A., A.C. King, W.L. Haskell et G.M. Reaven, « Relation of fasting plasma insulin concentration to high density lipoprotein cholesterol and triglyceride concentration in men », *Arterioscler Thromb Vasc Biol*, vol. 11, 1991, p. 1636-1642.

LAWS, A.J. et G.M. Reaven, « Evidence for an independent relationship between insulin-resistance and fasting HDL-cholesterol, triglyceride and insulin concentrations », *J Intern Med*, vol. 231, 1992, p. 25-30.

LAWS, A. et G.M. Reaven., « Insulin resistance and risk factors for coronary heart disease », *Clin Endoctrinal Metab*, vol 7, 1993, p. 1063-1078.

LEAF, A., « Dietary prevention of coronary heart disease : the Lyon diet heart study. », *Circulation*, vol. 99, 1999, p. 733-735.

_____ , et J.X. Kang, « Dietary n-3 fatty acids in the prevention of lethal cardiac arrhythmiss », *Curr Opin Lipidol*, vol. 8, 1997, p. 4-6.

_____ , J.X. Kang, Y.-E. Xiao et G.E. Billman, « n-3 fatty acids in the prevention of cardiac arrhythmias », *Lipids*, vol. 34, 1999, p. S187-S189.

_____ , J.X. Kang, Y.-F. Xiao et G.E. Billman, « Clinical prevention of sudden cardiac death by n-3 polyunsaturated fatty acids and mechanism of prevention of arrhythmias by n-3 fish oils », *Circulation*, vol. 107, 2003, p. 2646-2652.

_____ , et P.C. Weber, « Cardiovascular effects of omega-3 fatty acids », *N Engl J Med*, vol. 318, 1988, p. 549-557.

LEFER, A.M., R. Scalia et D.J. Lefer, « Vascular effect of HMG CoA-reductase inhibitors (statins) unrelated to cholesterol lowering : new concepts for cardiovascular disease », *Cardiovascular Res*, vol. 49, 2001, p. 281-287.

LEFER, D.J., « Statins as potent anti-inflammatory drugs », *Circulation*, vol.106, 2002, p. 2041-2042.

LIBBY, P., « Inflammation in atherosclerosis », *Nature*, vol. 20, 2002, p. 868-874.

LICHTENSTEIN, A.H., « Trans fatty acids and cardiovascular disease risk », *Curr Opin Lipidol*, vol. 11, 2000, p. 37-42.

_____ et L. van Horn, « Very low fat diets », *Circulation*, vol. 98, 1998, p. 935-939.

LIU, S., W.C. Willett, M.J. Stampfer, F.B. Hu, M. Franz, L. Sampson, C.H. Hennekens et J.E. Manson, « A prospective study of dietary glycemic load, carbohydrate intake, and risk of coronary heart disease in US women », *Am J Clin Nutr*, vol. 71, 2000, p. 1455-1461.

LOPEZ, P.M. et R.M. Ortega, « Omega-3 fatty acids in the prevention and control of cardiovascular disease », *EurJ Clin Nutr*, vol. 57, 2003, p. S22-S25.

LUNDMAN, P., M.J. Eriksson, A. Silveia, L.-O. Hansson, J. Pernow, C.-G. Ericsson, A. Hamsten et P. Tornvall, « Relation of hypertriglyceridemia to plasma concentrations of biochemical markers of inflammation and endothelial activation », *Am J Cardiol*, vol. 91, 2003, p. 1128-1131.

MADSEN, T., J.H. Christensen, M. Blom et E.B. Schmidt, « The effect of dietary N-3 fatty acids on serum concentrations of C-reactive protein », *Br J Nutr*, vol. 89, 2003, p. 517-522.

MARCHESELLI, V.L., S. Hong, W.J. Lukiw, X.H. Tian, K. Gronert, A. Musto, M. Hardy, J.-M. Gimenz, N. Chian, C.N. Serhan et G. Bazan, « Novel docosanoids inhibit brain ischemia-reperfusion-mediate leukocyte infiltration and pro-inflammatory gene expression », *J Biol Chem*, vol. 278, 2003, p. 43807-43817.

MARCHIOLI, R., E. Barzi, E. Bomba et C. Chieffo, «Early protection against sudden death by n-3 polyunsaturated fatty acid after myocardial infarction», *Circulation*, vol. 105, 2002, p. 1897-1903.

MARZ, W., K. Winkler, M. Nauck, B. Bohm et B.R. Winkelmann, «Effect of statins on C-reactive protein and interleukin-6», *Am J Cardiol*, vol. 92, 2003, p. 305-308.

McLAUGHLIN, T., F. Abbasi, C. Lamendola, H. Yen-Komshian et G. Reaven, «Carbohydrate-induced hypertriglyceridemia : an insight into the link between plasma insulin and triglyceride concentrations», *J Clin Endocrinol Metab*, vol. 85, 2000, p. 3085-3088.

McNAMARA, J.R., J.-L. Jenner, Z. Li, P.W. Wilson et E.J. Schaefer, «Change in LDL particle size is associated with change in plasma triglyceride concentration», *Arterioscler Thromb Vasc Biol*, vol. 12, 1992, p. 1284-1290.

MEAGHER, E.A., O.P. Barry, J.A. Lawson, J. Rokach et G.A. FitzGerald, «Effects of vitamin E on lipid peroxidation in healthy persons.», *JAMA*, vol. 285, 2001, p. 1178-1182.

MODAN, M., J. Or, A. Karasik, Y. Drory, Z. Fuchs, A. Lusky et A. Cherit, «Hyperinsulinemia, sex, and risk of atherosclerotic cardiovascular disease», *Circulation*, vol. 84, 1991, p. 1165-1175.

MOGHADASIAN, M.H., «Experimental atherosclerosis. A historical overview», *Life Sci*, vol. 70, 2002, p. 855-865.

NAIR, S.S.D., J.W. Leitch, J. Faalconer et M. Garg., «Prevention of cardiac arrhythmia by dietary (n-3) polyunsaturated fatty acids and their mechanism of action», *J Nutr*, vol. 127, 1997, p. 383-393.

NAKAMURA, T., A. Azuma, T. Kuribayashi, H. Sugihara, S. Okuda et M. Nakagawa, «Serum fatty acid levels, dietary style and coronary heart in three neighboring areas in Japan», *Brit J Nutr*, vol. 89, 2003, p. 267-272.

O'KEEFE, J.H. et W.S. Harris, «Omega-3 fatty acids : time for clinical implementation?», *Am J Cardiol*, vol. 85, 2000, p. 1239-1241.

OKUMUAR, T., Y. Fujioka, S. Morimoto, S. Tsuboi, M. Masai, T. Tsujino, M. Ohyanagi et T. Iwasaki, «Eicosapentaenoic acid improves endothelial function in hypertriglyceridemic subjects despite increased lipid oxidizability», *Am J Med Sci*, vol. 324, 2002, p. 247-253.

OKUYAMA, H., «High n-6 to n-3 ratio of dietary fatty acid rather than serum cholesterol as a major risk factor for coronary heart disease», *Eur J Lipid Sci and Tech*, vol. 103, 2001, p. 418-422.

OLSER, W., *Lectures on Angina Pectoris and Allied States,* New York, Appleton, 1897.

OLSZEWSKI, A.J., «Fish oil decreases homocysteine in hyperlipidemic men», *Coronary Artery Dis*, vol. 4, 1993, p. 53-60.

ORCHARD, T.J., D.J. Becker, M. Bates, L.H. Kuller et A.L. Drash., «Plasma insulin and lipoprotein concentrations : an atherogenic association?», *Am J Epidem*, vol. 118, 1983, p. 326-337.

ORNISH, D., L.W. Scherwitz, J.H. Billings, K. L Gould, T.A. Merritt, S. Sparler, W.T. Armstrong, T.A. Ports, R.L. Kirkeeide, C. Hogeboomet et R.J. Brand, «Intensive lifestyle changes for reversal of coronary heart disease», *JAMA*, vol. 280, 1998, p. 2001-2007.

PALINSKI, W., «New evidence for beneficial effects of statins unrelated to lipid lowering», *Arterioscler Thromb Vasc Biol*, vol. 2l, 2001, p. 3-5.

PAPANICOLAU, D.A. et A.N. Vgontzas, «Interleukin-6 : the endocrine cytokine», *J Clin Endocrinol Metab*, vol. 85, 2000, p. 1331-1332.

PENTIKAINEN, M.O., K. Oorni, M. Ala-Korpela et P.T. Kovaen, «Modified LDL-trigger of atherosclerosis and inflammation in the arterial initima», *J Jntern Med*, vol. 247, 2000, p. 359-370.

PERRY, I.J., S.G. Wannamethee, P.H. Whincup, A.G. Shaper, M.K. Walker et K.G. Alberti, «Serum insulin and incident coronary heart disease in middle-aged British men», *Am J Epidemiol*, vol. 144, 1996, p. 224-234.

PINKEY, J.A., C.D. Stenhower, S.W. Coppack et J.-S. Yudkin, «Endothelial cell dysfunction : cause of insulin resistance syndrome», *Diabetes*, vol. 46, 1997, p. S9-S13.

PIRRO, M., J. Bergeron, G.R. Dagenais, P.-M. Bernard, B. Cantin, J.-P. Depres et B. Lamarche, « Age and duration of follow-up as modulators of the risk for ischemic heart disase associated with high plasma C-reactive protein levels in men », *Arch Intern Med*, vol. 161, 2001, p. 2474-2480.

PYORALA, K., E. Savolainen, S. Kaukula et J. Haapakowski, « Plasma insulin as coronary heart disease risk factor », *Acad Med Scand*, vol. 701, 1985, p. 38-52.

PYORALA, M., H. Miettinen, P. Halonen, M. Laasko et K. Pyorala, « Insulin resistance syndrome predicts the risk of coronary heart disease and stroke in healthy middle-aged men », *Arterioscler Thromb Vasc Biol*, vol. 20, 2000, p. 538-544.

RADER, D.J., « Inflammatory markers of coronary risk », *N Engl J Med*, vol. 343, 2000, p. 11790-1182.

RAVNSKOV, U., *The Cholesterol Myths*, Washington, DC, New Trends Publishing, 2000.

REAVEN, G.M., « Role of insulin resistance in human disease », *Diabetes*, vol. 37, 1989, p. 1595-1607.

_____ , « The role of insulin resistance and hyperinsulinemia in coronary heart disease », *Metabolism*, vol. 41, 1992, p. 16-19.

_____ , Y.D. Chen, J. Jeppesen, P. Maheux et R.M. Krauss, « Insulin resistance and hyperinsulinemia in individuals with small, dense low density lipoprotein particles », *J Clin Invest*, vol. 92, 1993, p. 141-146.

RIDKER, P.M., « High-sensitivity C-reactive protein », *Circulation*, vol. 103, 2001, p. 1813-1818.

_____ , M. Cushman, M.J. Stampfer, R.P. Tracy et C.H. Hennekens, « Inflammation, aspirin, and the risk of cardiovascular disease in apparently healthy men », *N Engl J Med*, vol. 336, 1996, p. 973-979.

_____ , R.J. Glynn et C.H. Hennekens, « C-reactive protein adds to the predictive value of total and HDL cholesterol in determining risk of first myocardial infarction », *Circulation*, vol. 97, 1997, p. 2007-2011.

_____ , C.H. Hennekens, J.E. Buring et N. Pifai, « C-reactive protein and other markers of inflammation in the prediction of cardiovascular disease in women », *New Engl J Med*, vol. 42, 2000, p. 836-843.

RISE, R., S. Ghezzi et C. Galli, « Relative potencies of statins in reducing cholesterol synthesis and enhancing linoleic acid metabolism », *Eur J Pharmcol*, vol. 467, 2003, p. 73-75.

_____ , F. Pazzucconi, C.R. Sirtori et C. Galli, « Statins enhance arachidonic acid synthesis in hypercholesterolemic patients », *Nutr Metab Cardiovasc Dis*, vol. 11, 2001, p. 88-94.

RODWELL, V. W., J.-L. Nordstrom et Mitschelen, « Regulation of HMG-CoA reductase », *Adv Lipid Res*, vol. 14, 1976, p. 1-76.

ROHDE, L.E.P., C.H. Hennekens et P.M. Ridker, « Survey of C-reactive protein and cardiovascular risk factors in apparently healthy men », *Am J Cardiol*, vol. 84, 1999, p. 1018-1022.

ROSAMOND, W.D., L.E. Chambless, A.R. Folsom, L.S. Cooper, D.E. Conwill, L. Legg, Ch-H. Wang et G. Heiss, « Trends in the incidence of myocardial infarction and in mortality due to coronary heart disease, 1987 to 1994 », *N Engl J Med*, vol. 339, 1998, p. 861-867.

ROSS, R., « The pathogensis of atherosclerosis: a perspective for the 1990s », *Nature*, vol. 362, 1993, p. 801-809.

_____ , « Atherosclerosis is an inflammatory disease », *N Engl J Med*, vol. 340, 1999, p. 115-126.

RUBINS, H.B., S.J. Robins, D. Collins, A. Iranmanesh, T.J. Wilt, D. Mann, M. Mayo-Smith, F.H. Fass, M.R. Elam et G.H. Rutan, « Distribution of lipids in 8,500 men with coronary heart disease », *Am J Cardiol*, vol. 75, 1995, p. 1196-1201.

SACKS, F.M., M.A. Pfeffer, L.A. Moye, J.-L. Pouleau, J.D. Rutherford, T.G. Cole, L. Brown, J.W. Warnica, J.-M. Arnold, C.C. Wun, B.R. Davis et E. Braunwald, « The effect of pravastatin on coronary events after myocardial infarction in patients with average cholesterol levels », *N Engl J Med*, vol. 335, 1996, p. 1001-1009.

SABNERON, J., J.E. Manson, M.J. Stampfer, G.A. Colditz, A.L. Wing et W.C. Willett, « Dietary fiber, glycemic load, and risk of coronary heart disease in women », *JAMA*, vol. 277, 1997, p. 472-477.

Scandinavian Simvastatin Survival Study Group, « Randomized trial of cholesterol lowering in 4444 patients with coronary heart disease : the Scandinavian simvastatin survival study (4S) », *Lancet*, vol. 344, 1994, p. 1383-1389.

SEARS, B., *Le régime Oméga*, Les Éditions de l'Homme, 2003.

_____ , *The Anti-Aging Zone*, New York, ReganBooks, 1999.

SERHAN, C.N. et E. Oliw, « Unorthodox routes to prostanoid formation : new twists in cyclooxyge-nase-initiated pathways », *J Clin Invest*, vol. 107, 2001, p. 1481-1489.

_____ , C.B. Clish, J. Brannon, S.P. Colgan, N. Chiang et K. Gronert, « Novel functional sets of lipid-derived mediators with antiinflammatory actions generated from omega-3 fatty acids via cyclooxygenase 2-nonsteroidal antiinflammatory drugs and transcellular processing », *J Exp Med*, vol. 192, 2000, p. 1197-1204.

_____ , C.B. Clish, J. Brannon, S.R. Colgan, K. Gronert et N. Chiang, « Anti-microinflammatory lipid signals generated from dietary n-3 fatty acids via cyclooxygenase-2 and transcellular pro-cessing : a novel mechanism for NSAID and n-3 PUFA therapeutic actions », *J Physiol Pharmacol*, vol. 51, 2000, p. 643-654.

_____ , K. Gorlinger, S. Hong et M. Arita, « Resolvins, docosatrienes, and neuroprotectins, novel omega-3-derived mediators, and their aspirin-triggered endogenous epimers : an overview of their protective roles in catabasis », *Prostaglandins Other Lipid Mediat*, vol. 73, 2004, p. 155-172.

_____ , « Lipoxins and novel aspirin-triggered 15-epi-lipoxins », *Prostaglandins*, vol. 53, 1997, p. 107-137.

SHANOFF, H.M., J.A. Little et A.Csima, « Studies of male survivors of myocardial infarction : xii. Rela-tion of serum lipids and lipoproteins to survival over a 10-year period », *Can Med Assoc J*, vol. 103, 1970, p. 927-931.

SINCLAIR, H.M., « Deficiency of essential fatty acids and atherosclerosis, et cetera », *Lancet*, vol. i, 1956, p. 381-383.

SINGH, R.B., M.A. Niaz, J.-P. Sharma, R. Kumar, V. Rastogi et M. Moshiri, « Randomized, double-blind, placebo-controlled trial of fish oil and mustard oil in patients with suspected acute myocardial infarction. The Indian Experiment of Infarct Survival-4 », *Cardiovasc Drugs Ther*, vol. 11, 1997, p. 485-491.

SISCOVICK, D.S., R.N. Lemaitre et D. Mozaffarian, « The fish story. A diet-heart hypothesis with clini-cal implications : n-3 polyunsaturated fatty acids, myocardial vulnerability; and sudden death », *Circulation*, vol. 107, 2003, p. 2632-2634.

SOLHEIM, S., H. Arnesen, L. Eikvar, M. Hurlen et I. Seljeflot, « Influence of aspirin on inflammatory markers in patients after acute myocardial infarction », *Am J Cardiol*, vol. 92, 2003, p. 843-845.

SPRECHER, D.L., « Triglycerides as a risk factor for coronary artery disease », *Am J Cardiol*, vol. 82, 1998, p. 49U-56U.

Steering Committee of Physicians Health Study Research Group, « Preliminary Report : findings for aspirin component of the on-going physician health study », *N Engl J Med*, vol. 320, 1988, p. 262-264.

STOUT, R., « The relationship of abnormal circulating insulin levels to atherosclerosis », *Atherosclero-sis*, vol. 27, 1977, p. 1-13.

TCHERNOF, A., B. Lamarche, D. Prud'Homme, A. Nadeau, S. Moorjani, F. Labrie, P.-J. Lupien et J.D. Depres, « The dense LDL phenotype : association with plasma lipoprotein levels, visceral obesity and hyperinsulinemia in men », *Diabetes Care*, vol. 19, 1996, p. 629-637.

THIES, F., J.M.C. Garry, P. Yaqoob, K. Kerkasem, J. Williams, C.P. Shearman, P.J. Gallaher, P.C. Calder et R. E Grimble, «Association of n-3 polyunsaturated fatty with stability of atherosclerotic plaques», *Lancet*, vol. 361, 2003, p. 477-485.

THOMPSON, P.D., «More on low-fat diets», *New Engl J Med*, vol. 338, 1998, p. 1623-1624.

TORJESEN, P.A., K.J. Kirkeland, S.A. Andersson, I. Hjermann, I. Holme et P. Urdal, «Lifestyle changes may reverse development of the insulin resistance syndrome», *Diabetes Care*, vol. 30, 1997, p. 26-31.

TRACY, R.P., «Inflammation in cardiovascular disease», *Arterioscler Thromb Vasc Biol*, vol. 22, 2002, p. 1514-1515.

VAN DER MEER, I. R., P.M. de Maat, A.J. Kiliaan, D.A.M. van der Kuip, A. Hofman et J.A.M. Witteman, «The value of C-reactive protein in cardiovascular risk prediction», *Arch Intern Med*, vol. 163, 2003, p. 1323-1328.

VILLA, B., L. Calabresi, G. Chiesa, P. Rise, C. Galli et C.R. Sirtori, «Omega-3 fatty acid ethyl esters increase heart rate variability in patients with coronary disease», *Pharmacol Res*, vol. 45, 2002, p. 475.

VIRCHOW, R., *Die cellularpat/sologie in ihrer begrundung aufphysiologische undparhologische gewebelehre*, Berlin, Verlag von August Hirschwald, 1858.

VOLEK, J.-S., A.L. Gomez et W.J. Kraemer, «Fasting lipoprotein and postprandial triacylglycerol responses to a low-carbohydrate diet supplemented with n-3 fatty acids», *J Am Coll Nutr*, vol. 19, 2000, p. 383-391.

VON LENTE, E.V., «Markers of inflammation as predictors in cardiovascular disease», *Clin Chim Acta*, vol. 293, 2000, p. 31-52.

VON SCHACKY, C., «Omega-3 fatty acids: from Eskimos to clinical cardiology – what took us so long?», *World Rev Nutr Diet*, vol. 88, 2001, p. 90-99.

_____ , «Prophylaxis of atherosclerosis with marine omega-3 fatty acids», *Ann Intern Med*, vol. 107, 1987, p. 890-899.

_____ , P. Angerer, W Kothny, K. Theisen et H. Mudra, «The effect of dietary omega-3 fatty acids on coronary atherosclerosis: a randomized, double-blind placebo-controlled trial», *Ann Intern Med*, vol. 130, 1999, p. 554-562.

WEINER, B.H., I.S. Ockene, P.H. Levine, H.F. Cuenoud, M. Fisher, B.F. Johnson, A.S. Daoud, J. Jarmolych, D. Hosmer et M.H. Johnson, «Inhibition of atherosclerosis by cod-liver oil in a hyperlipidemic swine model», *N Engl J Med*, vol. 315, 1986, p. 841-846.

WESTPHAL, S.A., M.C. Gannon et E.Q. Nutrall, «Metabolic response to glucose ingested with various amounts of protein», *Am J Clin Nutr*, vol. 62, 1990, p. 267-272.

WIERZBICKI, A.S., R. Poston et A. Ferro, «The lipid and non-lipid effects of statins», *Pharmacol and Therapeutics*, vol. 99, 2003, p. 95-112.

WILLAMS, P.T. et R.M. Krauss, «Low-fat diets, lipoprotein subclasses, and heart disease risk», *Am J Clin Nutr*, vol. 70, 1999, p. 949-950.

YARNELL, J.W.G., P.M. Sweetnam, V. Marks et J.D. Teale, «Insulin in ischaemic heart disease: are associations explained by triglyceride concentrations? The Caerphilly prospective study», *Br Heart J*, vol. 171, 1994, p. 293-296.

YOUNG, B., M. Gleeson et A.W. Cripps, «C-reactive protein: a critical review», *Pathology*, vol. 23, 1991, p. 118-124.

YUDKIN, J.-S., M. Kumari, S.E. Humphries et V. Mohamed-Ali, «Inflammation, obesity, stress and coronary heart disease: is interleukin-6 the link?», *Atherosclerosis*, 148, 2000, p. 209-214.

ZAMAN, A.G., G. Helft, S.G. Worthley et J.-J. Badimon, «The role of plaque rupture and thrombosis in coronary artery disease», *Artheosclerosis* (Ireland), vol. 149, 2000, p. 251-266.

ZAVRONI, I., L. Bonini, M. Fantuzzi, E. Dall'Aglio, M. Passeri et G.M. Reaven, «Hyperinsulinemia, obesity, and syndrome X», *J Intern Med*, vol. 235, 1994, p. 51-56.

Zavaroni, I., E. Bonora, M. Pagliara, E. Dall'Aglio, L. Luchetti, G. Buonnanno, P.A. Bonati, M. Bergonzani, L. Gnudi, M. Passeri et G. Reaven, « Risk factors for coronary artery disease in healthy persons with hyperinsulinemia and normal glucose tolerance », *N Engl J Med*, vol. 320, 1989, p. 702-706.

Zhou, Y.R., G. Csako, J.T. Grayston, S.P. Wang, Z.X. Yu, M. Shou, M. Leon et S.E. Epstein, « Lack of association of restenosis following coronary angioplasty with elevated C-reactive protein levels or seropositivity to Chlamydia pneumoniae », *Am J Cardiol*, vol. 84, 1999, p. 595-598.

Zwaka, T.P., V. Hombach et Torzewski, « C-reactive protein-mediated low density lipoprotein uptake by macrophage : implications for atherosclerosis », *Circulation*, vol. 103, 2000, p. 2094-2099.

Chapitre 16 — Le cancer et l'inflammation silencieuse

Ablin, R.J. et M.W. Shaw, « Prostaglandin modulation of prostate tumor growth and metastases », *Anticancer Res*, vol. 6, 1986, p. 327-388.

Akre, K., A.M. Ekstrom, L.B. Signorello, L.E. Hansson et O. Nyren, « Aspirin and risk for gastric cancer », *Br J Cancer*, vol. 84, 2001, p. 965-968.

Aktas, H. et J.A. Halperin, « Translational regulation of gene expression by omega-3 fatty acids », *J Nutr*, vol. 134, 2004, p. 2487S-2491S.

Aronson, W.J., J.A. Glaspy, S.T. Reddy, D. Reese, D. Heber et D. Bagga, « Modulation of omega-3/omega-6 polyunsaturated ratios with dietary fish oils in men with prostate cancer », *Urology*, vol. 58, 2001, p. 283-288.

Attiga, F.A., P.M. Fernandez, A.T. Weeraratna, M.J. Manyak et S.R. Patierno, « Inhibitors of prostaglandin synthesis inhibit human prostate tumor cell invasiveness and reduce the release of matrix metalloproteinases », *Cancer Res*, vol. 60, 2000, p. 4629-4637.

Augustin, L.S.A., L. Dal Maso, C. La Vecchia, M. Papinel, E. Negri, S. Vaccarella, C.W.C. Kendal, D.J.A. Jenkins et S. Francechi, « Dietary glycemic index and glycemic load, and breast cancer risk », *Ann Ocol*, vol. 12, 2001, p. 1533-1538.

Augustsson, K., D.S. Michaud, E.B. Rimm, M.F. Leitzmann, M.J. Stampfer, W.C. Willett et E. Giovannucci, « A prospective study of intake of fish and marine fatty acids and prostate cancer », *Cancer Epidemiology Biomarkers and Prevention*, vol. 12, 2003, p. 64-67.

Bagga, D., S. Capone, H.J. Wang, D. Heber, M. Lill, L. Chap et J.A. Glaspy, « Dietary modulation of omega-3/omega-6 polyunsaturated fatty acid ratios in patients with breast cancer », *JNatl Cancer Inst*, vol. 6, 1997, p. 1123-1131.

Barber, M.D., « Cancer cachexia and its treatment with fish oil enriched nutritional supplementation », *Nutrition*, vol. 217, 2001, p. 751-755.

_____ et K.C.H. Fearon, « Tolerance and incorporation of a high-dose eicosapentaenoic acid diester emulsion by patients with pancreatic cancer cachexia », *Lipids*, vol. 36, 2001, p. 347-351.

_____ , J.A. Ross et K.C.H. Fearon, « Changes in nutritional, functional, and inflammatory markers in advanced pancreatic cancer », *Nutr Cancer*, vol. 35, 1999, p. 106-110.

Baron, J.A. et R.S. Sandier, « Nonsteroidal anti-inflammatory drugs and cancer prevention », *Ann Rev Med*, vol. 51, 2000, p. 511-523.

Baronzio, G.F., F. Galante, A. Gramaglia, A. Barlocco, S. de Grandi et I. Freitas, « Tumor microcirculation and its significance in therapy : possible role of omega-3 fatty acids as rheological modifiers », *Med Hypotheses*, vol. 50, 1998, p. 175-82.

Bartsch, H., J. Nair et R.W. Owen, « Dietary polyunsaturated fatty acids and cancer of the breast and colorectum : emerging evidence for their role as risk modifiers », *Carcinogenesis*, vol. 20, 1999, p. 2209-2218.

Bougnoux, P., « n-3 polyunsaturated fatty acids and cancer », *Curr Opin Clin Nutr Metab Care*, vol. 2, 1999, p. 121-126.

BOUGNOUX, P., E. Germain, V. Chajes, B. Hubert, C. Lhuillery, O. Le Floch, G. Body et G. Calais, « Cytotoxic drugs efficacy correlates with adipose tissue docosahexaenoic acid level in locally advanced breast carcinoma », *Br J Cancer*, vol. 79, 1999, p. 1765-1769.

BRUCE, W.R., T.M.S. Wolever et A. Giacca, « Mechanisms linking diet and colorectal cancer : the possible role of insulin resistance », *Nutr Cancer*, vol. 37, 2000, p. 19-26.

BRUNING, P.E., J.M.G. Bonfrer, P.A.H. van Noodr, A.A.M. Hart, M. de Jong-Bakker et W.J. Nooijen, « Insulin resistance and breast cancer », *Int J Cancer*, vol. 52, 1992, p. 511-516.

BURNS, C.P., S. Halabi, G.H. Clamon, V. Hars, B.A. Wagner, R. J. Hohl, E. Lester, J.-J. Kirshnet, V. Vinciguerra et E. Paskett, « Phase I clinical study of fish oil fatty acid capsules for patients with cancer cachexia : cancer and leukemia group B study 9473 », *Clin Cancer Res*, vol. 5, 1999, p. 3942-3947.

CANNIZZO Jr., E et S.A. Broitman, « Postpromotional effects of dietary marine or safflower oils on large bowel or pulmonary implants of CT-26 in mice », *Cancer Res*, vol. 49, 1989, p. 4289-4294.

CAPURON, L., A. Ravaud et R. Dantzer, « Early depressive symptoms in cancer patients receiving interleukin 2 and/or interferon alfa-2b therapy », *J Clin Oncol*, vol. 18, 2000, p. 2143-2151.

CHAPKIN, R.S., N.E. Hubbard, D.K. Buckman et K.L. Erickson, « Linoleic acid metabolism in metastatic and nonmetastatic mutine mammary tumor cells », *Cancer Res*, vol. 49, 1989, p. 4724-4728.

CHATENOUD, L., C. La Vecchia, S. Franceschi, A. Tavani, D.R. Jacobs, M.T. Parpinel, M. Sosler et E. Negri, « Refined-cereal intake and risk of selected cancers in Italy », *Am J Clin Nutr*, vol. 70, 1999, p. 1107-1110.

CHEN, Y.Q., Z.M. Duniec, B. Liu, W Hagmann, X. Gao, K. Shimoji, L.J. Marnett, C.R. Johnson et K.V. Honn, « Endogenous 12(S)-HETE production by tumor cells and its role in metastasis », *Cancer Res*, vol. 15, 1994, p. 1574-1579.

_____ , B. Liu, D.G. Tang et K.V. Honn, « Fatty acid modulation of tumor cellplatelet-vessel wall interaction », *Cancer Metastasis Rev*, vol. 11, 1992, p. 389-409.

CHO, E., D. Spiegelman, D.J. Hunter, W.Y. Chen, G.A. Colditz et W.C. Willett, « Premenopausal dietary carbohydrate, glycemic index, and glycemic load, and fiber in relation to risk of breast cancer », *Cancer Epidemiology Biomarkers and Prevention*, vol. 12, 2003, p. 1153-1158.

CLARIA, J., M.H. Lee et C.N. Serhan, « Aspirin-triggered lipoxins are generated by human lung adrenocarcinoma cell (A549)-neutrophil interactions and are potent inhibitors of cell proliferation », *Mol Med*, vol. 2, 1996, p. 583-596.

COLAS, S., L. Paon, E. Denis, M. Prat, P. Louisot, C. Hoinard, O. Le Floch, G. Ogilive et P Bougnoux, « Enhanced radiosensitivity of rat autochthonous mammary tumors by dietary docosahexaenoic acid », *Int J Cancer*, vol. 109, 2004, p. 449-454.

CONNOLLY, J.-M., X.H. Liu et D. P Rose, « Dietary linoleic acid-stimulated human breast cancer cell growth and metastasis in nude mice and their suppression by indomethacin, a cyclooxygenase inhibitor », *Nutr Cancer*, vol. 25, 1996, p. 231-240.

COPELAND, G.P., S.J. Leinster, J.-C. Davis et L.J. Hipkin, « Insulin resistance in patients with colorectal cancer », *Br J Surg*, vol. 74, 1987, p. 1031-1036.

DAMTEW, B. et P.J. Spagnuolo, « Tumor cell-endothelial cell interactions : evidence for roles for lipoxygenase products of arachidonic acid in metastasis », *Prostaglandins Leukot Essent Fatty Acids*, vol. 56, 1997, p. 295-300.

DELONGERIL, M., P. Salen, J.-L. Martin, I. Monjaud, P. Boucher et N. Mamelle, « Mediterranean dietary pattern in a randomized trial : prolonged survival and possible reduced rate of cancer », *Arch Intern Med*, vol. 158, 1998, p. 1181-1188.

DEWAILLY, E., G. Mulvad, H.S. Pedersen, J.-C. Hansen, N. Behrendt et J.P.H. Hansen, « Inuit are protected against prostate cancer », *Cancer Epidemiology, Biomarkers and Prevention*, vol. 12, 2001, p. 926-927.

DuBois, R.N., F.M. Giardiello et W.E. Smalley, « Nonsteroidal anti-inflammatory drugs, eicosanoids, and colorectal cancer prevention », *Gastroenterol Clin North Am*, vol. 25, 1996, p. 773-791.

Dunlop, R.J. et C.W. Campbell, « Cyrokines and cancer », *J Pain Symptom Manage*, vol. 20, 2000, p. 214-232.

Folsom, A.R., Z. Demissi et L. Harnack, « Glycemic index, glycemic load, and incidence of endometrial cancer », *Nutr Cancer*, vol. 46, 2003, p. 119-124.

Form, D.M. et Auerbach, « PGE2 and angiogenesis », *Exp Biol Med*, vol. 172, 1983, p. 214-218.

Ellis, L.M., E.N. Copeland, K.I. Bland et H.S. Sitren, « Inhibition of tumor growth and metastasis by chronic intravenous infusion of prostaglandin E1 », *Ann Surg*, vol. 212, 1990, p. 45-50.

Fernandez, E., L. Chatenoud, C. La Vecchia, E. Negri et S. Franceschi, « Fish consumption and cancer risk », *Am J Clin Nutr*, vol. 70, 1999, p. 85-90.

Franceschi, S., L. Dal Maso, L. Augustin, E. Negri, M. Parpinci, P. Boyle, D.J. Jenkins et C. La Vecchia, « Dietary glycemic load and colorectal cancer risk », *Ann Oncol*, vol. 12, 2001, p. 173-178.

_____ , A. Favero, A. Decari, E. Negri, C. La Vecchia, M. Ferraroni, A. Russo, S. Salvini, D. Amadori et E. Conti, « Intake of macronutrients and the risk of breast cancer », *Lancet*, vol. 347, 1996, p. 1351-1356.

_____ , A. Favero, M. Parpinel, A. Giacosa et C. La Vecchia, « Italian study of colorectal cancer with emphasis on influence of cereals », *Eur J Cancer Prev*, vol. 7, 1998, p. S19-S223.

_____ , C. La Vecchia, A. Russo, A. Favero, E. Negri, E. Conti, M. Montella, R. Filiberti, D. Amadori et A. Decarli, « Macronutrient intake and risk of colorectal cancer in Italy », *Int J Cancer*, vol. 76, 1998, p. 321-324.

Fulton, A.M., « The role of eicosanoids in tumor metastasis », *Prostaglandins Leukot Essent Fatty Acids*, vol. 34, 1988, p. 229-237.

Gago-Dominguez, M., J.E. Castelao, C-L. Sun, D. van den Berg, W-P. Koh, H-P. Lee et M.C. Yu, « Marine n-3 fatty acid intake, glutathione 5-transferease polymorphisms and breast cancer risk in postmenopausal Chinese women in Singapore », *Carcinogenesis*, vol. 25, 2004, p. 978-982.

Gao, X., W. Hagmann, A. Zacharek, N. Wu, M. Lee, A. T. Porter et K.V. Honn, « Eicosanoids, cancer metastasis, and gene regulation: an overview », *Adv Exp Med Biol*, vol. 400A, 1997, p. 545-55.

Garcia-Rodriguez, L.A. et C. Huerta-Alvarez, « Reduced risk of colorectal cancer among long-term users of aspirin and nonaspirin nonsterodial anti-inflammatory drugs », *Epidemiology*, vol. 12, 2001, p. 88-93.

Germain, E., V. Chajes, S. Cognault, C. Lhuillery et P. Bougnoux, « Enhancement of doxorubicin cytotoxicity by polyunsaturated fatty acids in the human breast tumor cell line MDAMB-231: relationship to lipid peroxidation », *Intl Cancer*, vol. 75, 1998, p. 578-583.

_____ , F. Lavandier, V. Chajes, V. Schubnel, P. Bonnet, C. Lhuillery et P. Bougnoux, « Dietary n-3 polyunsaturated fatty acids and oxidants increase rat mammary tumor sensitivity to epirubicin without change in cardiac toxicity », *Lipids*, vol. 34, 1999, p. S203.

Ghost, J. et C.E. Myers, « Arachidonic acid stimulates prostate cancer cell growth: critical role of 5-Iipooxygenase », *Biochem Biophys Res Commun*, vol. 235, 1997, p. 418-423.

_____ et C.E. Myers, « Arachidonic acid metabolism and cancer of the prostate », *Nutrition*, vol. 14, p. 48-57 (1998).

Giardiello, F.M., G.J. Offerhaus et R.N. DuBois, « The role of nonsteroidal anti-inflammatory drugs in colorectal cancer prevention », *Eur J Cancer*, vol. 31A, 1995, p. 1071-1076.

Giovannucci, E., « Insulin and colon cancer », *Cancer Causes and Control*, vol. 6, 1995, p. 164-179.

Gogos, C.A., P. Ginopoulos, B. Salsa, E. Apostolidou, N.C. Zoumbos et F. Kalfarentzos, « Dietary omega-3 polyunsaturated fatty acids plus vitamin E restore immunodeficiency and prolong survival for severely ill patients with generalized malignancy: a randomized control trial », *Cancer*, vol.82, 1998, p. 395-402.

HANSEN-PETRIK, M.B., M.F. McEntee, C.-H. Chiu et J. Whelan, « Antagonism of arachidonic acid is linked to the antitumorigenic effect of dietary eicosapentaenoic acid acid in APC mice », *J Nutr*, vol. 130, 2000, p. 1153-1158.

HARDMAN, W.E., C.P. Avula, G. Fernandes et I.L. Cameron, « Three percent dietary fish oil concentrate increased efficacy of doxorubicin against mda-mb 231 breast cancer xenografts », *Clin Cancer Res*, vol. 7, 2001, p. 2041-2049.

_____ , M.P. Moyer et I.L. Cameron, « Dietary fish oil sensitizes A549 lung xenografts to doxorubicin chemotherapy », *Cancer Lett*, vol. 151, 2000, p. 145-151.

HONN, K.V., D.G. Tang, X. Gao, I.A. Butovich, B. Liu, J. Timar et W. Hagmann, « 12-lipoxygenases and 12(S)-HETE : role in cancer metastasis », *Cancer Metastasis Rev*, vol. 13, 1994, p. 365-396.

_____ , D.G. Tang, I.M. Grossi, C. Renaud, Z.M. Duniec, C.R. Johnson et C.A. Diglio, « Enhanced endothelial cell retraction mediated by 12(S)-HETE : a proposed mechanism for the role of platelets in tumor cell metastasis », *Exp Cell Res*, vol. 210, 1994, p. 1-9.

HUANG, Y.C., J.-M. Jessup et G.L. Blackburn, « N-3 fatty acids decrease colonic epithelial cell proliferation in high-risk bowel mucosa », *Lipids*, vol. 31, 1996, p. S313-S316.

HUBBAR, N.E., D. Lim et K.L. Erickson, « Alternation of murine mammary tumotigenesis by dietary enrichment with n-3 fatty acids in fish oil », *Cancer Lett*, vol. 124, 1998, p. 1-7.

HUSSEY, H.J. et M.H. Tidale, « Inhibition of tumour growth by lipoxygenase inhibitors », *Br J Cancer*, vol. 74, 1996, p. 683-687.

HWANG, D., D. Scollard, J. Byrne et E. Levine, « Expression of cyclooxygenase-l and cyclooxygenase-2 in human breast cancer », *J Natl Cancer Res*, vol. 90, 1998, p. 455-460.

INIGUEZ, M.A., A. Rodriguez, O.V. Volpert, M. Fresno et J.-M. Redondo, « Cyclooxygenase2 : a therapeutic target in angiogenesis », *Trends in Mol Med*, vol. 9, 2003, p. 73-78.

JIAG, W.G., R.P. Bryce et D.F. Horrobin, « Essential fatty acids : molecular and cellular basis of their anti-cancer action and clinical implications », *Crit Rev Oncol Hematol*, vol. 27, 1998, p.179-209.

KAIZER, L., N.F. Boyd, V. Kriukov et D. Trichler, « Fish consumption and breast cancer risk », *Nutr Cancer*, vol. 12, 1989, p. 61-68.

KARMALI, R., « N-3 fatty acids : biochemical actions in cancer », *J Nutr Sci Vitaminol (Tokyo)* 1992, p. 148-52.

KARMALI, R.A., « Eicosanoids and cancer », *Prog Clin Biol Res*, vol. 222, 1986, p. 687-697.

_____ , « Historical perspective and potential use of n-3 fatty acids in therapy of cancer cachexia », *Nutrition*, vol. 12, 1996, p. S2-S4.

_____ , R.A., « N-3 fatty acids and cancer », *J Intern Med*, vol. 225, 1989, p. 197-200.

KINOSHITA, K., M. Noguchi, M. Earashi, M. Tanaka et T. Sasaki, « Inhibitory effects of purified eicosapentaenoic acid and docosahexaenoic acid on growth and metastasis of murine transplantable mammary tumor », *In Vivo*, vol. 8, 1994, p. 371-374.

KOPP, E. et S. Ghosh, « Inhibition of NF-kappa B by sodium salicylate and aspirin », *Science*, vol. 265, 1994, p. 956-959.

KORT, W.J., I.M. Weijma, A.M. Bijma, W.P. van Schalkwijk, A.J. Vergroesen et D.L. Westbroek, « Omega-3 fatty acids inhibiting the growth of a transplantable rat mammary adenocarcinoma », *J Natl Cancer Inst*, vol. 79, 1987, p. 593-599.

LANE, J., R.E. Mansel et W.G. Jiang, « Expression of human delta 6-desaturase is associated with aggressiveness of human breast cancer », *Int J Mol Med*, vol. 12, 2003, p. 253-257.

LEVI, F., C. Pasche, R. Lucchini, L. Chatenoud, D.R. Jacobs et C. La Vecchia, « Refined and whole grain cereals and the risk of oral, esophageal and laryngeal cancer », *Eur J Clin Nutr*, vol. 54, 2000, p. 487-489.

LIU, B., R.J. Maher, Y.A. Hannum, A.T. Porter et K.V. Honn, « 12-HETE enhancement of prostate tumor cell invasion : selective role of PKC alpha », *J Natl Cancer Inst*, vol. 86, 1994, p. 1145-1151.

LLOYD, F.P., V. Slivova, T. Valaachovicova et D. Sliva, « Aspirin inhibits highly invasive prostate cancer cells », *Intl J Oncol*, vol. 23, 2003, p. 1277-1283.

LUNDHOLM, K., G. Holm et T. Schersten, « Insulin resistance in patients with cancer », *Cancer Res*, vol. 38, 1978, p. 4665-4670.

MARCUS, A.J., « Aspirin as prophylaxis against colorectal cancer », *N Engl J Med*, vol. 333, 1995, p. 656-658.

MARKS, F., K. Muller-Decker et A. Furstenberger, « A casual relationship between unscheduled eicosanoid signaling and tumor development: cancer chemoprevention by inhibitors of arachidonic acid metabolism », *Toxicology*, vol. 153, 2000, p. 11-26.

McCARTY, M.F., « Fish oil may impede tumour angiogenesis and invasiveness by down-regulating protein kinase C and modulating eicosanoid production », *Med Hypotheses*, vol. 46, 1996, p. 107-115.

McKEOWN-EYSSEN, G., « Epidemiology of colorectal cancer revisted: are serum triglycerides and/or plasma glucose associated with risk? », *Cancer Epidemiol Biomarkers and Prev*, vol. 1994, p. 687-695.

MICHAUD, D.S., S. Liu, E. Giovannucci, W.C. Willett, G.A. Colditz et C.S. Fuchs, « Dietary sugar, glycemic load, and pancreatic cancer risk in a prospective study », *J Nat Cancer Inst*, vol. 94, 2002, p. 1293-300.

MOYSICH, K.B., C. Mettlin, M.S. Piver, N. Natarajan, R.J. Menezes et H. Swede, « Regular use of analgesic drugs and ovarian cancer risk », *Cancer Epidemiol Biomarkers Prev*, vol. 10, 2001, p. 903-906.

MUKUTMONI-NORRIS, M., N.E. Hubbard et K.L. Erickson, « Modulation of murine mammary tumor vasculature by dietary n-3 fatty acids in fish oil », *Cancer Lett*, vol. 150, 2000, p. 101-109.

NARISAWA, T., H. Kusaka, Y. Yamazaki, M. Takahashi, H. Koyama, K. Koyama, Y. Fukaura et A. Wakizaka, « Relationship between blood plasma prostaglandin E2 and liver and lung metastases in colorectal cancer », *Dis Colon Rectum*, vol. 33, 1990, p. 840-845.

NATARAJAN, R. et J. Nadler, « Role of lipoxygenases in breast cancer », *Front Biosci*, vol. 3, 1998, p. E81-88.

NIE, D., G.G. Hillman, T. Geddes, K. Tang, C. Pierson, D.J. Grignon et K.V. Honn, « Platelet-type 12-lipoxygenase in a human prostate carcinoma stimulates angiogenesis and tumor growth », *Cancer Res*, vol. 58, 1998, p. 4047-4051.

_____ , J. Nemeth, Y. Qiao, A. Zacharek, L. Li, K. Hanna, K. Tang, G.G. Hillman, M.L. Cher, D.J. Grignon et K.V. Honn, « Increased metastatic potential in human prostate carcinoma cells by overexpression of arachidonate 1 2-lipoxygenase », *Clin Exp Metastasis*, vol. 20, 2003, p. 657-663.

_____ , K. Tang, K. Szekeres, M. Trikha et K.V. Honn, « The role of eicosanoids in tumor growth and metastasis », *Ernst Schering Res Found Workshop*, vol. 31, 2000, p. 201-217.

_____ , K. Tang, K. Szekeres, L. Li et K.V. Honn, « Eicosanoid regulation of angiogenesis: role of endothelial arachidonate 12-lipoxygenase », *Ann N Y Acad Sci*, vol. 905, 2000, p. 165-176.

NOGUCHI, Y., T. Yoshikawa, D. Marat, C. Doi, T. Makin, K. Fukuzawa, A. Tsuburaya, S. Staoh, T. Ito et S. Mitsuse, « Insulin resistance in cancer patients is associated with enhanced tumor necrosis factor expression in skeletal muscle », *Biochem Biophys Res Commun*, vol. 253, 1998, p. 887-892.

NORRISH, A.E., C.M. Skeaff, G.L. Arribas, S.J. Sharpe et R.T. Jackson, « Prostate cancer risk and consumption of fish oils: a dietary biomarker-based case-control study », *Br J Cancer*, vol. 81, 1999, p. 1238-1242.

OGILVIE, G.K., M.J. Fettman, C.H. Mallinckrodt, J.A. Walton, R.A. Hansen, D.J. Davenport, K.L. Gross, K.L. Richardson, Q. Rogers et M.S. Hand, « Effect of fish oil, arginine, and doxorubicin chemotherapy on remission and survival time for dogs with lymphoma: a doubleblind, randomized placebo-controlled study », *Cancer*, vol. 88, 2000, p. 1916-1928.

OKUNO, K., H. Jinnai, Y.S. Lee, K. Nakamura, T. Hirohata, H. Shigeoka et M. Yasutomi, « A high level of prostaglandin E2 (PGE2) in the portal vein suppresses liver-associated immunity and promotes liver metastases », *Surg Today*, vol. 25, 1995, p. 954-958.

PHAM, H., T. Banerjee, G.M. Nalbandian et V.A. Ziboh, « Activation of peroxisome proliferators-activated receptor gamma by 15S-hydroxyeicosatrienoic acid parallels growth suppression of androgen-dependent prostatic adenocarcinoma cells », *Cancer Lett*, 2003, p. 17-23.

PRATT, V.C., S. Watanable, E. Bruera, J. Mackey, M.R. Clandinin, V.E. Baracos et C.J. Field, « Plasma and neutrophil fatty acid composition in advanced cancer patients and response to fish oil supplementation », *Br J Cancer*, vol. 87, 2002, p. 1370-1378.

PRESCOTT, S.M. et F.A. Fitzpatrick, « Cyclooxygenase-2 and carcinogenesis », *Biochim Biophys Acta*, vol. 1470, 2000, p. M69-M78.

RADISKY, D., C. Hagios et M.J. Bissell, « Tumors are unique organs defined by abnormal signaling and context », *Cancer Biol*, vol. 11, 2001, p. 87-95.

REICH, R. et G.R. Martin, « Identification of arachidonic acid pathways required for the invasive and metastatic activity of malignant tumor cells », *Prostaglandins*, vol. 51, 1996, p. 1-17.

RIGAS, B., I.S. Goldman et L. Levine, « Altered eicosanoid levels in human colon cancer », *J Lab Clin Med*, vol. 122, 1993, p. 518-523.

RIOUX, N. et Castonguay, « Inhibitors of lipoxygenase : a new class of cancer chemopreventative inhibitors », *Carcinogenesis*, vol. 19, 1998, p. 1393-1400.

ROHDEBURG, G.L., A. Bernhard et O. Krehniel, « Sugar tolerance in cancer », *JAMA*, vol. 72, 1919, p. 1528.

ROLLAND, P.H., M. Martin et M. Toga, « Prostaglandin in human breast cancer : evidence suggesting the elevated prostaglandin production is a marker of high metastatic potential », *J Nat Cancer Inst*, vol. 64, 1980, p. 1061-1070.

ROSE, D.P. et J.-M. Connolly, « Antiangiogenicity of docosahexaenoic acid and its role in the suppression of breast cancer cell growth in nude mice », *Intl Oncol*, vol. 15, 1999, p. 1011-1015.

_____ et J.-M. Connolly, « Omega-3 fatty acids as cancer chemopreventive agents », *Pharmacol Ther*, vol. 83, 1999, p. 217-244.

_____ et J.-M. Connolly, « Regulation of tumor angiogenesis by dietary fatty acids and eicosanoids », *Nutr Cancer*, vol. 37, 2000, p. 119-127.

RUDRA, P.K. et H.E. Krokan, « Cell-specific enhancement of doxorubicin », *Anticancer Res*, vol. 21(1A), 2001, p. 29-38.

SAUER, L.A., R.T. Dauchy et D.E. Blask, « Mechanism for the antitumor and anticachectic effects of n-3 fatty acids », *Cancer Res*, vol. 60, 2000, p. 5289-5295.

SAWAOKA, H., S. Tsuji, M. Tsuji, E.S. Gunawan, Y. Sasaki, S. Kawano et M. Hori, « Cyclooxygenase inhibitors suppress angiogenesis and reduce tumor growth in vivo », *Lab Invest*, vol. 79, 1999, p. 1469-1477.

SCHIRNER, M., R.B. Lichtner et M.R. Schneider, « The stable prostacyclin analogue Cicaprost inhibits metastasis to lungs and lymph nodes in the 13762NF MTLn3 rat mammary carcinoma », *Clin Exp Metastasis*, vol. 12, 1994, p. 24-30.

SCHOEN, R.E., C.M. Tengen, L.H. Kuller, G.L. Bruke, M. Cushman, R.P. Tracy, A. Dops et P.J. Savage, « Increased blood glucose and insulin, body size, and incidence of colorectal cancer », *J Natl Cancer Inst*, vol. 9l, 1999, p. 1147-1154.

SEARS, B., *Le juste milieu dans votre assiette*, Montréal, Les Éditions de l'Homme, 1997, 2003.

_____ , *Le régime Oméga*, Montréal, Les Éditions de l'Homme, 2003.

_____ , *The Anti-Aging Zone*, New York, ReganBooks, 1999.

SHEEHAN, K.M., K. Sherhan, D.P. O'Donoghue, F. MacSweeney, R.M. Conroy, D.J. Fitzgerald et F.E. Murray, « The relationship between cyclooxygenase-2 expression and colorectal cancer », *JAMA*, vol. 282, 1999, p. 1254-1257.

SHIFF, S.J. et B. Rigas, « Aspirin for cancer », *Nature Medicine*, vol. 5, 1999, p. 1348-1349.

SINGH, J., R. Hamid et B.S. Reddy, « Dietary fat and colon cancer : modulation of cyclooxygenase-2 by types and amount of dietary fat during the post-initiation stage of colon carcinogenesis », *Cancer Res*, vol. 57, 1997, p. 3465-3470.

STEELE, V.E., C.A. Holmes, E.T. Hawk, L. Kipelovich, R.A. Lubet, J.A. Crowell, C.C. Sigman et G.J. Kelloff, « Lipoxygenase inhibitors as potential cancer chemopreventives », *Cancer Epidemiol Biomarkers Prevent*, vol. 8, 1999, p. 467-483.

STOLL, B.A., « Essential fatty acids, insulin resistance, and breast cancer risk », *Nutrition and Cancer*, vol. 3l, 1998, p. 72-77.

_____ , « Western nutrition and the insulin resistance syndrome : a link to breast cancer », *Eur J Clin Nutr*, vol. 53, 1999, p. 83-87.

TAKAHATA, K., M. Tada, K. Yazawa et T. Tamaki, « Protection from chemotherapy-induced alopecia by docosahexaenoic acid », *Lipids*, vol. 34, 1999, p. S105.

TAKETO, M.M., « Cyclooxygenase-2 inhibitors in tumonigenesis (Part II) », *J Natl Cancer Inst*, vol. 90, 1998, p. 1609-1620.

TANG, D.G., C. Renaud, S. Stojakovic, C.A. Diglio, A. Porter et K.V. Honn, « 12-HETE is a mitogenic factor for microvascular endothelial cells : its potential role in angiogenesis », *Biochem Biophys Res Comm*, vol. 211, p. 462-468 (1995).

TANG, K. et K.V. Honn, « 12(S)-HETE in cancer metastasis », *Adv Exp Med Biol*, vol. 447, 1999, p. 181-191.

TERRY, P., P. Lichtenstein, M. Feychting, A. Ahlbom et A. Wolk, « Fatty fish consumption and risk of prostate cancer », *Lancet*, vol. 357, 2001, p. 1764-1766.

THUN, M.J., « NSAID use and decreased risk of gastrointestinal cancers », *Gastroenterol Clin North Am*, vol. 25, 1996, p. 333-348.

TRAN, T.T., A. Medline et W. R Bruce, « Insulin promotion of colon tumors in rats », *Cancer Epidemiol Biomarkers Prev*, vol. 5, 1996, p. 1013-1015.

TSUJII, M., S. Kawano et R.N. DuBois, « Cyclooxygenase-2 expression in human colon cancer cells increases metastatic potential », *Proc Natl Acad Sci USA*, vol. 94, 1997, p. 3336-3340.

UEFUJI, K., T. Ichikura et H. Mochizuki, « Cyclooxygenase-2 expression is related to prostaglandin biosynthesis and angiogenesis in human gastric cancer », *Clin Cancer Res*, vol. 6, 2000, p. 135-138.

VERGOTE, I.B., P.A. van Dam, G.M. Laekeman, G.H. Keersmaeckers, F.L. Uyttenbroeck et A.G. Herman, « Prostacyclin/thromboxane ratio in human breast cancer », *Tumour Biol*, vol. 12, 1991, p. 261-266.

WELCH, H.G., L.M. Schwartz et S. Woloshin, « Are increasing 5-year survival rates evidence of success against cancer ? », *JAMA*, vol. 283, 2000, p. 2975-2978.

WEN, B., E. Deutsch, P. Opolon, A. Auperin, V. Frascogna, E. Connault et J. Bourhis, « n-3 polyunsaturated fatty acids decrease mucosal/epidermal reactions and enhance antitumour effect of ionizing radiation with inhibition of tumour angiogenesis », *Br J Cancer*, vol. 89, 2003, p. 1102-1107.

WIGMORE, S.J., M.D. Barber, J.A. Ross, M.J. Tisdale et K.C. Fearon, « Effect of oral eicosapentaenoic acid on weight loss in patients with pancreatic cancer », *Nutr Cancer*, vol. 36, 2000, p. 177-814.

WILLAMS, C.S., M. Mann et R.N. DuBois, « The role of cyclooxygenases in inflammation, cancer, and development », *Oncogene*, vol. 18, 1999, p. 7980-7916.

YAM, D., « Insulin-cancer relationships. Possible dietary implications », *Med Hypotheses*, vol. 38, 1992, p. 111-117.

_____ , A. Peled et M. Shinitzky, « Suppression of tumor growth and metastasis by dietary fish oil combined with vitamins E and C and cisplatin », *Cancer Chemother Pharmacol*, vol. 47, 2001, p. 34-40.

YOKOYAMA, I., S. Hayashi, T. Kobayashi, M. Negita, M. Yasutomi, K Uchida et H. Takagi, « Prevention of experimental hepatic metastasis with thromboxane synthase inhibitor », *Res Exp Med (Berl)*, vol. 195, 1995, p. 209-215 »,

YOSHIKAWA,T., Y. Noguchi, C. Doi, T. Makino et K. Noruma, « Insulin resistance in patients with cancer : relationships with tumor site, tumor stage, body-weight loss, acute-phase response, and energy expenditure », *Nutrition*, vol. 17, 2001, p. 590-593.

Chapitre 17 — Les lésions cérébrales causées par l'inflammation silencieuse

ADAMS, P., S. Lawson, A. Sanigorski et A.J. Sinclair, « Arachidonic acid to eicosapentaenoic acid ratio in blood correlates positively with clinical symptoms of depression », *Lipids*, vol. 31, 1996, p. S157-S161.

AHMANN, P.A., S.J. Waltonen, K.A. Olson, F.W. Theye, A.J. van Erem et R.J. LePlant, « Placebo-controlled evaluation of Ritalin side effects », *Pediatrics*, vol. 91, p. 1101-1106 (1993).

AISEN, P.S., « Anti-inflammatory therapy for Alzheimer's disease », *Neurobiol Aging*, vol. 21, 2000, p. 447-448.

_____, « Anti-inflammatory therapy for Alzheimer's disease: implication of the prednisone trial », *Acta Neurol Scand*, vol. 176, 2000, p. 85-89.

AKIYAMA, H., T. Arai, H. Kondo, E. Tanno, C. Haga et K. Ikeda, « Cell mediators of inflammation in the Alzheimer disease brain », *Alzheimer Disease and Associated Disorders*, vol. 14, 2000, p. S47-553.

AMEN, D.G., *Change Your Brain, Change Your Life*, New York, Random House, 1998.

_____, *Healing ADD*, New York, G.P. Putnam, 2001.

BELL, J.G., E.E. MacKinlay, J.-R. Dick, D.J. MacDonald, R.M. Boyle et A.C. Glen, « Essential fatty acids and phospholipase A(2) in autistic spectrum disorders », *Prostaglandins Leukot Essent Fatty Acids*, vol. 71, 2004, p. 201-204.

BURDGE, G.C., S.M. Wright, J.O. Warner et A.D. Postle, « Fetal brain and liver phospholipids fatty acid composition in a guinea pig model of fetal alcohol syndrome: effect of maternal supplementation with tuna oil », *J Nutr Biochem*, vol. 8, 1997, p. 438-444.

BURGRESS, J.R., L. Stevens et L. Peck, « Long-chain polyunsaturated fatty acids in children with attention-deficit hyperactivity disorder », *Am J Clin Nutr*, vol. 71, 2000, p. 327S-330S.

BUSH, G., J.A. Frazier, S.L. Rauch, L.J. Seidman, P.J. Whalen, M.A. Jenike, B.R. Rosen et J. Biederman, « Anterior cingulated cortex dysfuction in attention deficit/hyperactivity disorder revealed by fMRI and the counting stroop », *Biol Psychiatry*, vol. 45, 1999, p. 1542-1552.

CALON, F., G.P. Lim, F. Yang, T. Morihara, B. Teter, O. Ubeda, P. Rostaing, A. Triller, N. Salem, K.H. Ashe, S.A. Frutschy et G.M. Cole, « Docosahexaenoic acid protects for dendritic pathology in a Alzheimer's disease mouse model », *Neuron*, vol. 43, 2004, p. 633-645.

CARRIE, I., M. Clement, D. De Javel, H. Frances et J.-M. Bourre, « Learning deficits in the first generation OF1 mice deficient in (n-3) polyunsaturated fatty acids do not result from visual alteration », *Neurosci Lett*, vol. 266, 1999, p. 69-72.

CONNOR, W.E., M. Neuringer et S. Reisbick, « Essential fatty acids: importance of n-3 fatty acids in the retina and brain », *Nutr Rev*, vol. 50, 1992, p. 21-29.

CONQUER, J.A., M.C. Tierney, J. Zecevic, W.J. Bettger et R.H. Fisher, « Fatty acid analysis of blood plasma of patients with Alzheimer's disease, other types of dementia, and cognitive impairment », *Lipids*, vol. 35, p. 2000, 1305-1312.

COOPER, N.R., R.N. Kalaria, P.L. McGeer et J. Rogers, « Key issues in Alzheimer's disease inflammation », *Neurobiology Aging*, vol. 21, 2000, p. 451-453.

DELION, S., S. Chalon, D. Guilloteau, J.-C. Besnard et G. Durand, « Alpha-linolenic acid deficiency alters age-related changes of dopaminergic and serotoninergic neurotransmitters in the rat frontal cortex », *J Neurochem*, vol. 66, 1996, p. 1582-1591.

_____, S. Chalon, J. Herault, D. Guilloteau, J.-C. Besnard et G. Durand, « Chronic dietary alpha-linolenic acid deficiency alters dopaminergic and serotoninergic neurotransmitters in rats », *J Nutr*, vol. 124, 1994, p. 2466-2476.

ENSEL, M., H. Milon et A. Malnoe, « Effect of low intake of n-3 fatty acids during development of brain phospholipid, fatty acid composition and exploratory behavior in rats », *Lipids*, vol. 26, 1991, p. 203-208.

FENTON, W.S., J. Hibbeln et M. Knable, « Essential fatty acids, lipid membrane abnormalities, and the diagnosis and treatment of schizophrenia », *Biol Psychiatry*, vol. 47, 2000, p. 8-21.

FERNSTROM, J.D., « Effects of dietary polyunsaturated fatty acids on neuronal function », *Lipids*, vol. 34, 1999, p. 161-169.

FREYCHET, P., « Insulin receptors and insulin actions in the nervous system », *Diabetes Metab Res Rev*, vol. 16, 2000, p. 390-392.

GAYO, A., L. Mozo, A. Suarez, A. Tunon, C. Lahoz et C. Gutierrez, « Interferon beta treatment modulates TNF and interferon gamma spontaneous gene expression in MS », *Neurology*, vol. 52, 1999, p. 1764-1770.

GESCH, C.B., S.M. Hammond, S.E. Hampson, A. Eves et M.J. Crowder, « Influence of supplementary vitamins, minerals and essential fatty acids on the anti-social behavior of young adult prisoners », *Br J Psychiatry*, vol. 181, 2002, p. 22-28.

GLUECK, C.J., M. Tieger, R. Kunkel, T. Tracy, J. Speirs, P. Streicher et E. Illig, « Improvement in symptoms of depression and in an index of life stressors accompany treatment of severe hypertriglyceridemia », *Biol Psychiatry*, vol. 34, 1993, p. 240-252.

HALLAHAN, B. et M.R. Garland, « Essential fatty acids and their role in the treatment of impulsivity disorders », *Prostaglandins Leukot Essent Fatty Acids*, vol. 71, 2004, p. 211-216.

HALLOWELL, E. et J.-J. Ratey, *Driven to Distraction*. New York, Touchstone Books, 1995.

HAMAZAKI, T. et S. Hirayama, « The effect of docosahexaenoic acid-containing food administration on symptoms of attention-deficit/hyperactivity disorder – a placebo control doubleblind study », *Eur J Clin Nutr*, vol. 58, 2004, p. 838.

HAMAZAKI, T., S. Sawazaki, M. Itomura, E. Asaoka, Y. Nagao, N. Nishimura, K. Yazawa, T Kuwamori et M. Kobayashi, « The effect of docosahexaenoic acid on aggression in young adults », *J Clin Invest*, vol. 97, 1996, p. 1129-1134.

HAMAZAKI, T., S. Sawazaki, M. Itomura, Y. Nagao, A. Thienprasert, T. Nagasawa et S. Watanabe, « Effect of docosahexaenoic acid on hostility », *World Rev Nutr Diet*, vol. 88, 2001, p. 47-52.

HIBBELN, J.R., « Fish consumption and major depression », *Lancet*, vol. 351, 1998, p. 1213.

_____ , « Seafood consumption and homicide mortality », *World Rev Nutr Diet*, vol. 88, 2001, p. 41-46.

_____ , et N. Salem, « Dietary polyunsaturated fatty acids and depression : when cholesterol does not satisfy », *Am J Clin Nutr*, vol. 62, 1995, p. 1-9.

HIRAYAMA, S., T. Hamazaki et K. Terasawa, « Effect of docosahexaenoic acid -containing food administration on symptoms of attention-deficit/hyperactivity disorder – a placebo-controlled double-blind study », *Eur J Clin Nutr*, vol. 58, 2004, p. 467-473.

HOHLFELD, R. et H. Wiendl, « The ups and downs of multiple sclerosis therapeutics », *Ann Neurol*, vol. 49, 2001, p. 281-284.

HOLDEN, R.J., I.S. Pakula et P.A. Mooney, « The role of brain insulin in the neurophysiology of serious mental disorders : review », *Med Hypothesis*, vol. 52, 1999, p. 193-200.

HOOZEMANS, J.J.M., A.J.M. Rozemuller, I. Janssen, C.J.A. De Groot, R. Veerhuls et P. Eikelenboon, « Cyclooxygenase expression in microglia and neurons in Alzheimer's disease and control brain », *Acta Neuropathol*, vol. 101, 2001, p. 2-8.

_____ , R. Veerhuis, I. Janssen, A.J.M. Rozemuler et P. Eikelenboom, « Interleukin-1 beta induced cyclooxygenase 2 expression and prostaglandin E2 secretion by human neroblastoma cells : implications for Alzheimer's disease », *Exp Gerontology*, vol. 36, 2001, p. 559-570.

HORROBIN, D.F., « Essential fatty acids, prostaglandins, and alcoholism : an overview », *Alcohol Clin Exp Res*, vol. 11, 1987, p. 2-9.

HUNOT, S. et E.C. Hirsch, « Neuroinflammatory processes in Parkinson's disease », *Ann Neurol*, vol. 53, 2003, p. S49-S60.

IKEMOTO, A., A. Nitta, S. Furukawa, M. Ohishi, Y. Nakamure, Y. Fujii et H. Okuyama, « Dietary n-3 fatty acid deficiency decreases nerve growth factor content in rat hippocampus », *Neurosci Lett*, vol. 285, 2000, p. 99-102.

KADEMI, M., E. Wallstrom, M. Andersson, F. Piehl, R. Di Marco et T. Olsson, «Reduction of both pro- and anti-inflammatory cytokines after 6 months of interferon beta-1a treatment of multiple sclerosis», *J Neurochem*, vol. 103, 2000, p. 202-210.

KALMIJN, S., D. Foley, L. White, C.M. Burchfiel, J.D. Curb, H. Petrovitch, G.W. Ross, R.J. Havlik et L.J. Laurier, «Metabolic cardiovascular syndrome and risk of dementia in Japanese-American elderly men», *Arterioscler Thromb Vasc Biol*, vol. 20, 2000, p. 2255-2260.

KAWAS, C.H. et R. Brookmeyer, «Aging and the public health: effects of dementia», *N Engl J Med*, vol. 344, 2001, p. 1160-1161.

KYLE, D.J., E. Schaefer, G. Patton et A. Beiser, «Low serum docosahexaenoic acid is a significant risk factor for Alzheimer's dementia», *Lipids*, vol. 34, 1999, p. S245.

LAURITZEN, I., N. Blondeau, C. Heurteaux, C. Widmann, G. Romey et M. Lazdunski, «Polyunsaturated fatty acids are potent neuroprotectors», *EMBO J*, vol. 19, 2000, p. 1784-1793.

MAES, M., «Fatty acid composition in major depression: decreased n-3 fractions in cholesterol esters and increased C20:n6/C20:5n3 ratio in cholesterol ester and phospholipids», *J Affect Dis*, vol. 38, 1996, p. 35-46.

———, A. Christophe, J. Delanghe, C. Altamura, H. Neels et H.Y. Meltzer, «Lowered omega-3 polyunsaturated fatty acids in serum phospholipids and cholesteryl esters of depressed patients», *Psychiatry Res*, vol. 85, 1999, p. 275-291.

MANEV, H., U. Tolga, K. Sugaya et T. Qu, «Putative role of neuronal 5-lipoxygenase in an aging brain», *FASEB J*, vol. 14, 2000, p. 1464-1469.

MARCHESELLI, V.L., S. Hong, W.J. Lukiw, X.H. Tian, K. Gronert, A. Musto, M. Hardy, J.-M. Gimenz, N. Chian, C.N. Serhan et G. Bazan, «Novel docosanoids inhibit brain ischemia-reperfusion-mediate leukocyte infiltration and pro-inflammatory gene expression», *J Biol Chem*, vol. 278, 2003, p. 43807-43817.

McGEER, P.L., E.G. McGeer et K. Yasojima, «Alzheimer disease and neuroinflammation», *J Neural Transm* 59, 2000, p. 53-57.

———, M. Shulzer et E.G. McGeer, «Arthritis and anti-inflammatory agents as possible protective factors for Alzheimer's disease: a review of 17 epidemiological studies», *Neurology*, vol. 47, 1996, p. 425-432.

MILLS, D.E., K.M. Prkochin, K.A. Harvey et R. P Ward, «Dietary fatty acid supplementation alters stress reactivity and performance in man», *J Human Hypertension*, vol. 3, 1989, p. 111-116.

MISCHOULON, D. et M. Fava, «Docosahexanoic acid and omega-3 fatty acids in depression», *Psychiatr Clin North Am*, vol. 23, 2000, p. 785-794.

MIYANGA, K., K. Yonemura, T. Takagi, R. Kifune, Y. Kishi, E Miyakawa, K. Yazawa et Y. Shirota, «Clinical effects of DMA in demented patients», *J Clin Ther Med*, vol. 11, 1995, p. 881-901.

MONTINE, T.J., K.R. Sideil, B.C. Crews, W.R. Markesbery, L.J. Marnett, L.J. Roberts et J.D. Morrow, «Elevated CSF prostaglandin E2 levels in patients with probable AD», *Neurology*, vol. 53, 1999, p. 1495-1498.

MORIGUCHI, T., R.S. Greiner et N. Salem, «Behavioral deficits associated with dietary induction of decreased brain docosahexaenoic acid concentration», *J Neurochem*, vol. 75, 2000, p. 2563-2573.

MORRIS, M.C., D.A. Evans, J.-L. Bienias, C.C. Tangney, D.A. Bennett, R.S. Wilson, N. Aggarwal et J. Schneider, «Consumption of fish and n-3 fatty acids and risk of incident Alzheimer disease», *Arch Neurol*, vol. 60, 2003, p. 940-966.

NAGATSU, T., M. Mogi, H. Ichinose et A. Togari, «Cytokines in Parkinson's disease», *J Neural Transm*, vol. 58, 2000, p. 143-151.

NEMETS, B., Z. Stahl et R.H. Belmaker, «Addition of omega-3 fatty acid to maintenance medication treatment for recurrent unipolar depressive disorder», *Am J Psychiatry*, vol. 159, 2002, p. 477-479.

Neuroinflammation Working Group, «Inflammation and Alzheimer's disease», *Neurobiology Aging*, vol. 21, 2000, p. 383-421.

NIGHTINGALE, S., E. Woo, A.D. Smith, J.-M. French, M.M. Gale, H.M. Sinclair, D. Bates et D.A. Shaw, « Red blood cell and adipose tissue fatty acids in active and inactive multiple sclerosis patients », *Acta Neurol Scand*, vol. 82, 1990, p. 43-50.

NORDVIK, I., K.-M. Myhr, H. Nyland et K.S. Bjerve, « Effect of dietary advice and n-3 supplementation in newly diagnosed MS patients », *Acta Neurol Scand*, vol. 102, 2000, p. 143-149.

PASINETTI, G.M. et P.S. Aisen, « Cyclooxygenase-2 expression is increased in frontal cortex of Alzheimer's disease brain », *Neuroscience*, vol. 87, 1997, p. 319-324.

PAWLOSKY, R.J. et N. Salem, « Ethanol exposure causes a decrease in docosahexanenoic acid and an increase in docosapentaenoic acid in feline brain and retina », *Am J Clin Nutr*, vol. 61, 1995, p. 1284-1289.

PEET, M., « Essential fatty acid deficiency in erthrocyte membranes from chronic schizophrenic patients and clinical effects of dietary supplementation », *Prostaglandins Leukot Essent Fatty Acids*, vol. 55, 1996, p. 71-75.

PEET, M., J. Brind, C.N. Ramchand, S. Shah et G.K. Vankar, « Two double-blind placebocontrolled pilot studies of eicosapentaenoic acid in the treatment of schizophrenia », *Schizophr Res*, vol. 49, 2001, p. 243-251.

PRATICO, D. et J.Q. Rojanowski, « Inflammatory hypothesis: novel mechanisms of Alzheimer's neurodegradation and new therapeutic targets? », *Neurobiology Aging*, vol. 21, 2000, p. 441-445.

RASGON, N. et L. Jarvik, « Insulin resistance, affective disorders, and Alzheimer's disease », *J Gerontology*, vol. 59A, 2004, p. 178-183.

REISBICK, S., M. Neuringer, R. Hasnain et W.E. Connor, « Home cage behavior of rhesus monkey with long-term deficiency of omega-3 fatty acids », *Physiol Behav*, vol. 55, 1994, p. 231-239.

REMARQUE, E.J., E.L.E.M. Bollen, A.W.E. Weverling-Rijnsburger, J.-C. Laterveer, G.J. Blauw et R.G.J. Westendorp, « Patients with Alzheimer's disease display a pro-inflammatory phenotype », *Exp Gerontology*, vol. 36, 2001, p. 171-176.

RICHARDSON, A.J., C.M. Calvin, C. Clisby, D.R. Schoenheimer, P. Montgomery J.A. Hall, G. Hebb, E. Westwood, J.-B. Talcott et J.-F. Stein, « Fatty acid deficiency signs predict the severity of reading and related difficulties in dyslexic children », *Prostaglandins Leukot Essent Fatty Acids*, vol. 63, 2000, p. 69-74.

RICHARDSON, A.J. et B.K. Puri, « A randomized double-blind, placebo-controlled study of the effects of supplementation with highly unsaturated fatty acids on ADHD-related symptoms in children with specific learning difficulties », *Prog Neuropsychopharmacol Biol Psychiatry*, vol. 26, 2002, p. 233- 239.

_____ , et M.A. Ross, « Fatty acid metabolism in neurodevelopmental disorder: a new perspective on associations between attention-deficit/hyperactivity disorder, dyslexia, dyspraxia and the autistic spectrum », *Prostaglandins Leukot Essent Fatty Acids*, vol. 63, 2000, p. 1-9.

ROSS, B.M., I. McKenzie, I. Glen et C.P. Bennett, « Increased levels of ethane, a non-invasive marker of n-3 fatty acid oxidation, in breath of children with attention deficit hyperactivity disorder », *Nutr Neurosci*, vol. 6, 2003, p. 277-281.

SACHDEV, P., « Attention deficit hyperactivity disorder in adults », *Psychosogical Med*, vol. 29, 1999, p. 507-514.

SEARS, B., *Le juste milieu dans votre assiette*, Montréal, Les Éditions de l'Homme, 1997, 2003.

_____ , *Le régime Oméga*, Montréal, Les Éditions de l'Homme, 2003.

_____ , *The Anti-Aging Zone*, New York, ReganBooks, 1999.

SONDERBERG, M., C. Edlund, K. Kristensson et G. Dallner, « Fatty acid composition of brain phospholipids in aging and Alzheimer's disease », *Lipids* 26, 1991, p. 421-423.

STEIN, J., « The neurobiology of reading difficulties », *Prostaglandins Leukot Essent Fatty Acids*, vol. 63, 2000, p. 109-116.

STEVENS, L.J. et J. Burgess, «Omega-3 fatty acids in boys with behavior, learning, and health problems», *Physiology Behavior*, vol. 59, 1996, p. 915-920.

_____ , S.S. Zentali, J.-L. Deck, M.L. Abate, B.A. Watkins, S.A. Lipp et J.-R. Burgess, «Essential fatty acid metabolism in boys with attention-deficit hyperactivity disorder», *Am J Clin Nutr*, vol. 62, 1995, p. 761-768.

STEVENS, L., W. Zhang, L. Peck, T. Kuczek, N. Grevstad, A. Mahon, S.S. Zentail, L.E. Arnold et J.-R. Burgess, «EFA supplementation in children with inattention, hyperactivity, and other disruptive behaviors», *Lipids*, vol. 38, 2003, p. 1007-1021.

STEWART, W. E., C. Kawas, M. Corrada et E.J. Metter, «Risk of Alzhemier's disease and duration of NSAID use», *Neurology*, vol. 48, 1997, p. 626-632.

STOLL, A.L., E. Sverus, M.P. Freeman, S. Rueter, H.A. Zhoyan, E. Diamond, K.K. Cress et L.B. Marangell, «Omega-3 fatty acids in bipolar depression: a preliminary double-blind, placebo-controlled trial», *Arch Gen Psychiatry*, vol. 56, 1999, p. 407-412.

STORDY, B.J., «Benefit of docosahexaenoic acid supplements to dark adaption in dyslexies», *Lancet*, vol. 346, 1995, p. 385.

SU, K.P., S.Y. Huang, C.C. Chiu et W.W. Shen, «Omega-3 fatty acids in major depressive disorder», *Eur Neuropsychopharmacology*, vol. 13, 2003, p. 267-271.

TANSKANEN, A., «Fish consumption, depression, and suicidality in a general population», *Arch Gen Psychiatry*, vol. 58, 2001, p. 512-513.

TAYLOR, K.E. et A.J. Richardson, «Visual function, fatty acids and dyslexia», *Prostglandins Leukot Essent Fatty Acids*, vol. 63, 2002, p. 89-93.

TERANO, T., S. Fujishiro, T. Ban, K. Ymamoto, T. Tanaka, Y. Noguchi, Y. Tamura, K. Yazawa et T. Hirayama, «Docosahexaenoic acid supplementation improves moderately severe dementia from thrombotic cerebrovascular diseases», *Lipids*, vol. 34, 1999, p. S345-S346.

TEUNISSEN, C.E., M.P.J. van Boxtel, H. Bosma, E. Bosmans, J. Delanghe, De Bruijin, A. Wauters, M. Maes, J. Jolies, H.W.M. Steinbusch et J. de Vente, «Inflammatory markers in relation to cognition in a healthy aging population», *J Neuroimmunity*, vol. 134, 2003, p. 142-150.

TULLY, A., H.M. Roche, R. Doyle, C. Fallon, I. Bruce, B. Lawlor, D. Coakley et M.J. Gibney, «Low serum cholesteryl ester-docosahexaenoic acid levels in Alzheimer's disease», *Br J Nutr*, vol. 89, 2003, p. 483-489.

UAUY, R., P. Peirano, D. Hoffman, P. Mena, D. Birch et E. Birch, «Role of essential fatty acids in the function of the developing nervous system», *Lipids*, vol. 31, 1996, p. S167-S176.

VENTERS, H.D., R. Dantzer et K.W. Kelly, «A new concept in neurodegeneration: TNF is a silencer of survival signals», *Trends in Neuroscience*, vol. 23, 2000, p. 175-180.

VIRKKUNEN, M.E., D. E Horrobin, K. Douglas, K. Jenkins et M.S. Manku, «Plasma phospholipids essential fatty acids and prostaglandin in alcoholic, habitually violent, and impulsive offenders», *Biol Psychiatry*, vol. 22, 1987, p. 1087-1096.

VITKOVIC, L., J. Bockaert et C. Jacque, «Inflammatory cytokines: neuromodulators in normal brain?», *J Neurochem*, vol. 74, 2000, p. 457-471.

YEHUDA, S., S. Rabinovitz, R.L. Carasso et D.I. Mostofsky, «Essential fatty acid preparation improves Alzheimer's patients quality of life», *Int J Neurosci*, vol. 87, 1996, p. 141-149.

_____ , S. Rabinovitz et D.I. Mostofsky, «Essential fatty acids are mediators of brain biochemistry and cognitive functions», *J Neurosci Res*, vol. 56, 1999, p. 565-570.

ZAMETKIN, A.J. et M. Ernst, «Problems in the management of attention-deficit-hyperactivity disorder», *N Engl J Med*, vol. 340, 1999, p. 40-46.

_____ , T. E. Nordahl, A.C. King, W.E. Semple, J. Rumsey, S. Hamburger et R.M. Cohen, «Cerebral glucose metabolism in adults with hyperactivity of childhood onset», *N Engl J Med*, vol. 323, 1990, p. 1361-1366.

ZIMMER, L., S. Hembert, G. Durand, P. Breton, D. Guillotau, J.-C. Besnard et S. Chalon, « Chronic n-3 polyunsaturated fatty acid diet-deficiency acts on dopamine metabolism in the rat frontal cortex », *Neurosci Letter*, vol. 240, 1998, p. 177-181.

_____ , S. Vancassel, S. Cantagrel, P. Breton, S. Delamanche, D. Guilloteau, G. Durand et S. Chalon, « The dopamine mesocorticolimbic pathway is affected by deficiency in n-3 polyunsaturated fatty acids », *Am J Clin Nutr*, vol. 75, 2002, p. 662-667.

Chapitre 18 — Des douleurs atroces

ADAM, O., C. Beringer, T. Kless, C. Lemmen, A. Adam, M. Wiseman, P. Adam, R. Klimmek et W. Forth, « Anti-inflammatory effects of a low arachidonic acid diet and fish oil in patients with rheumatoid arthritis », *Rheumatol Int*, vol. 23, 2003, p. 27-36.

ARIZA-ARIZA, R., M. Mestanza-Peralta et M.H. Cardiel, « Omega-3 fatty acids in rheumatoid arthritis : an overview », *Semin Arthritis Rheum*, vol. 27, 1998, p. 366-370.

BABCOK, T., W.S. Helton et N.J. Espat, « Eicosapentaenoic acid : an anti-inflammatory omega-3 fat with potential clinical applications », *Nutrition*, vol. 16, 2000, p. 1116-1118.

BELLUZZI, A., S. Boschi, C. Brignola, A. Munarini, G. Cariani et F. Miglio, « Polyunsaturated fatty acids and inflammatory bowel disease », *Am J Clin Nutr*, vol. 71, 2000, p. 339S-42S.

_____ , C. Brignola, M. Campieri, A. Pera, S. Boschi et M. Miglioli, « Effect of an enteric-coated fish-oil preparation on relapses in Crohn's disease », *N Engl J Med*, vol. 354, 1996, p. 1557-1560.

BLOK, W.L., M.B. Katan et J.W. van der Meet, « Modulation of inflammation and cytokine production by dietary (n-3) fatty acids », *J Nutr*, vol. 126, 1996, p. 1515-1533.

CALDER, P.C., « n-3 polyunsaturated fatty acids and cytokine production in health and disease », *Ann Nutr Metab*, vol. 41, 1997, p. 203-234.

CALDER, P.C., « n-3 polyunsaturated fatty acids, inflammation and immunity », *Nutr Res*, vol. 21, 2001, p. 309-341.

CHANDRASEKAR, B. et G. Fernandes, « Decreased pro-inflammatory cytokines and increased antioxidant enzyme gene expression by omega-3 lipids in murine lupus nephritis », *Biochem Biophys Res Commun*, vol. 200(2), 1994, p. 893-898.

CLARK, W. E., A. Parbtani, C.D. Naylor, C.M. Levinton, N. Muirhead, E. Spanner, M.W. Huff, D.J. Philbrick et B.J. Holub, « Fish oil in lupus nephritis : clinical findings and methodological implications », *Kidney Int*, vol. 44, 1993, p. 75-86.

CLELAND, L.G., J.K. French, W.H. Betts, G.A. Murphy et M.J. Elliot, « Clinical and biochemical effects of dietary fish oil supplements in rheumatoid arthritis », *J Rheumatol*, vol. 15, 1988, p. 1471-1475.

DAS, U.N., « Beneficial effects of eicosapentaenoic and docosahexaenoic acids in the management of systemic erthematosus and its relationship to the cytokine network », *Prostaglandins Leukot Essent Fatty Acids*, vol. 51, 1994, p. 207-213.

DONADIO, J.V., J.-P. Grande, E.J. Bergstralh, R.A. Dart, T.S. Larson et D.C. Spencer, « The long-term outcome of patients with IgA nephropathy treated with fish oil in a controlled trial », *J Am Soc Nephrol*, vol. 10, 1999, p. 1772-1777.

ENDRES, S., « Messengers and mediators : interactions among lipids, eicosanoids, and cytokines », *Am J Clin Nutr*, vol. 57, 1993, p. 798S-8005.

_____ , « n-3 polyunsaturated fatty acids and human cytokine synthesis », *Lipids*, vol. 31, 1996, S239-S242.

_____ , R. Ghorbani, V.E. Kelley, K. Georgilis, G. Lonnemann, J.W. van der Meet, J.-G. Cannon, T.S. Rogers, M.S. Klempner et P.C. Weber, « The effect of dietary supplementation with n-3 polyunsaturated fatty acids on the synthesis of interleukin-1 and tumor necrosis factor by mononuclear cells », *N Engl J Med*, vol. 320, 1989, p. 265-271.

_____ , R. Lorenz et K. Loeschke, « Lipid treatment of inflammatory bowel disease », *Curr Opin Clin Nutr Metab Care*, vol. 2, 1999, p. 117-120.

_____ , B. Sinha et T. Eisenhut, « Omega 3 fatty acids in the regulation of cytokine synthesis », *World Rev Nutr Diet*, vol. 76, 1994, p. 89-94.

_____ et C. von Schacky, « n-3 polyunsaturated fatty acids and human cytokine synthesis », *Curr Opin Lipidol*, vol. 7, 1996, p. 48-52.

Fox, D. A., « Cytokine blockade as a new strategy to treat rheumatoid arthritis. Inhibition of tumor necrosis factor », *Arch Intern Med*, vol. 160, 2000, p. 437-444.

Geusens, P., C. Wouters, J. Nijs, Y. Jiang et J. Dequeker, « Long-term effect of omega-3 fatty acid supplementation in active rheumatoid arthritis. A 12-month, double-blind, controlled study », *Arthritis Rheum*, vol. 37, 1994, p. 824-829.

Kilkens, T.O.C., A. Honig, M. Maes, R. Lousberg et R. J. Brummer, « Fatty acid profile and affective dysregulation in irritable bowel syndrome », *Lipids*, vol. 39, 2004, p. 425-431.

Kremer, J.-M., « N-3 fatty acid supplements in rheumatoid arthritis », *Am J Clin Nutr*, vol. 71, 2000, p. 349S-351S.

_____ , D.A. Lawrence, G.F. Petrillo, L.L. Litts, P.M. Mullaly, R.I. Rynes, R.P. Stocker, N. Parhami, N.S. Greenstein et B.R. Fuchs, « Effects of high-dose fish oil on rheumatoid arthritis after stopping nonsteroidal antiinflammatory drugs. Clinical and immune correlates », *Arthritis Rheum*, vol. 38, 1995, p. 1107-1114.

Lo, C.J., K.C. Chiu, M. Fu, R. Lo et S. Helton, « Fish oil decreases macrophage tumor necrosis factor gene transcription by altering the NF kappaB activity », *J Surg Res*, vol. 82, 1999, p. 216-221

Meydani, S. N., « Effect of n-3 polyunsaturated fatty acid on cytokine production and their biological action », *Nutrition*, vol. 12, 1996, p. S8-14.

Ozgocmen, S., S.A. Catal, O. Ardicoglu et A. Kamanli, « Effect of omega-3 fatty acids in the management of fibromyalgia syndrome », *Int J Clin Pharmacol Ther*, vol. 38, 2000, p. 362-363.

Pisetsky, D.S., « Tumor necrosis factor blockers in rheumatoid arthritis », *N Engl J Med*, vol. 342, 2000, p. 810-811.

Prickett, J.D., D.R. Robinson et A.D. Steinberg, « Dietary enrichment with polyunsaturated acid eicosapentaenoic acid prevents proteinuria and prolongs survival in NZBxNZW Fi mice », *J Clin Invest*, vol. 68, 1981, p. 556-5S9.

Robinson, D.R, L.L. Xu, S. Tateno, M. Guo et R.B. Colvin, « Suppression of autoimmune disease by dietary n-3 fatty acids », *J Lipid Res*, vol. 34, 1993, p. 1435-1444.

Ross, E., « The role of marine oils in the treatment of ulcerative colitis », *Nutr Rev*, vol. 51, p. 47-49.

Shapiro, H., « Could n-3 polyunsaturated fatty acids reduce pathological pain direct actions on the nervous system », *Prostaglandins Leukot Essent Fatty Acids*, vol. 68, 2003, p. 219-224.

Simopoulos, A.P., « Omega-3 fatty acids in inflammation and autoimmune diseases », *J Am Coll Nutr*, vol. 21, 2001, p. 495-505.

Sperling, R.I., « The effects of dietary n-3 polyunsaturated fatty acids on neutrophils », *Proc Nutr Soc*, vol. 57, 1998, p. 527-534.

Teitelbaum, J.E. and W. Allan Walker, « The role of omega 3 fatty acids in intestinal inflammation », *J Nutr Biochem*, vol. 12, 2001, p. 21-32.

Wolfe, E., K. Ross, J. Anderson, I.J. Russel et L. Hebert, « The prevalence and characteristics of fibromyalgia in the general population », *Arthritis Rheum*, vol. 38, 1995, p. 19-28.

Zaloga, G.P. et P. Parik, « Lipid modulation and systemic inflammation », *Crit Care Clin*, vol. 17, p. 201-217.

Zurier, R.B., « Prostaglandins, immune responses and murine lupus », *Arth Rheum*, vol. 25, 1982, p. 804-809.

_____ , « Lipids and lupus », *Lupus: Molecular and Cellular Pathogenesis*, ed. G. M. Kammer et G. C. Tsokos, p. 599-611, Totowan, N.J., Humana Press, 1998.

Chapitre 19 — Qui doit porter le blâme pour l'épidémie d'inflammation silencieuse ?

DARMAN, N., A. Briend et A. Drewnowski, « Energy-dense diets are associated with lower diet costs », *Public Health Nutrition*, vol. 7, 2004, p. 21-27.

DREWNOWSKI, A., « Energy density; palatability and satiation : implications for weight control », *Nutr Rev*, vol. 56, 1998, p. 347-353.

_____ , « Fat and sugar : an economic analysis », *J Nutr*, vol. 133, 2003, p. 838S-840S.

_____ , « The role of energy density », *Lipids*, vol. 38, 2003, p. 109-115.

NESTLE, M., *Food Politics. How the Food Industry Influences Nutrition and Health*. Berkeley, CA, University of California Press, 2002.

_____ , « The ironic politics of obesity », *Science*, vol. 299, 2003, p. 781.

NIELSEN, S.J. et B.M. Popkin, « Patterns and trends in food portion sizes, 1977-1998 », *JAMA*, vol. 289, 2003, p. 450-453.

POPKIN, B.M. et S.J. Nielsen, « The sweetening of the world's diet », *Obesity Res*, vol. 11, 2003, p. 1325-1331.

Chapter 20. Comment éviter l'effondrement du système de santé

NOAKES, M., P.R. Foster, J.-B. Keogh et P.M. Clifton, « Meal replacements are as effective as structured weight-loss diets for treating obesity in adults with features of metabolic syndrome », *J Nutr*, vol. 134, 2004, p. 1894-1899.

WILLET, W.C., *Eat, Drink and Be Healthy*. The Harvard Medical School Guide to Healthy Eating. New York, Fireside, 2001.

YAO, M. et S.B. Roberts, « Dietary energy density and weight regulation », *Nutr Rev*, vol. 59, 2001, p. 247-258.

Remerciements

Aucun des ouvrages consacrés au juste milieu n'est l'œuvre d'une seule personne. D'abord et avant tout, je tiens à remercier mon épouse, Lynn, de son soutien indéfectible. Elle a cru en ma mission alors que d'autres personnes se montraient sceptiques. Je salue aussi mon frère Doug qui, depuis vingt ans, m'accompagne dans mes essais et tribulations. Merci aussi à mes filles, Kelly et Kristin, qui ont dû endurer, durant tous les repas en famille, ou presque, les constantes modifications apportées à la technologie du juste milieu. Toute ma gratitude à Deb Kotz pour ses excellents conseils au cours de la rédaction de ce livre, et à Cassie Jones pour son remarquable travail de révision. Enfin, je remercie Judith Regan pour sa foi inébranlable dans le juste milieu.

Table des matières

TROISIÈME PARTIE
La science et l'inflammation silencieuse

QUATRIÈME PARTIE
Que nous réserve l'avenir ?

Achevé d'imprimer au Canada
sur les presses des Imprimeries Transcontinental Inc.